T. H. Parry-Williams

DAWN DWEUD

Golygydd Cyffredinol: Brynley F. Roberts

Hen gwestiwn mewn beirniadaeth lenyddol yw mater annibyniaeth y gwaith a ddarllenir; ai creadigaeth unigryw yw cerdd neu ysgrif neu nofel, i'w dehongli o'r newydd gan bob darllenydd; neu i ba raddau mae'n gynnyrch awdur unigol ar adeg arbennig yn ei fywyd ac yn aelod o'r gymdeithas y mae'n byw ynddi? Yn y pen draw diau fod gweithiau llenyddol yn sefyll neu'n cwympo yn ôl yr hyn a gaiff darllenwyr unigol ohonynt, ond aelodau o'u cymdeithas ac o'u hoes yw'r darllenwyr hwythau, a'r gweithiau a brisir uchaf yw'r rheini y gellir ymateb iddynt a thynnu maeth ohonynt ymhob cenhedlaeth gyfnewidiol am fod yr oes yn clywed ei llais ynddynt. Ni all y darllenydd na'r awdur ymryddhau'n llwyr o amgylchiadau'r dydd.

Yn y gyfres hon o fywgraffiadau llenyddol yr hyn a geisir yw cyflwyno ymdriniaeth feirniadol o waith awdur nid yn unig o fewn fframwaith cronolegol ond gan ystyried yn arbennig ei bersonoliaeth, ei yrfa a hynt a helynt ei fywyd a'i ymateb i'r byd o'i gwmpas. Y bwriad, felly, yw dyfnhau dealltwriaeth y darllenydd o amgylchiadau creu gwaith llenyddol heb ymhonni fod hynny'n agos at ei esbonio'n llwyr.

Dyma'r bedwaredd gyfrol yn y gyfres. Eraill sy'n cael eu paratoi ar hyn o bryd yw bywgraffiadau llenyddol o Daniel Owen, Talhaiarn, Dr Tom Richards ac Islwyn.

DAWN DWEUD

W. J. Gruffydd	gan T. Robin Chapman
R. Williams Parry	gan Bedwyr Lewis Jones, golygwyd a chwblhawyd gan Gwyn Thomas
W. Ambrose Bebb	gan T. Robin Chapman

DAWN DWEUD

T. H. Parry-Williams

gan

R. Gerallt Jones

GWASG PRIFYSGOL CYMRU

CAERDYDD 1999

ISBN   0–7083–1539–5

Mae cofnod catalogio'r gyfrol hon ar gael gan y Llyfrgell Brydeinig.

Gwnaethpwyd pob ymdrech i ddod o hyd i berchenogion hawlfraint y deunydd a ddefnyddir yn y gyfrol hon, ond yn achos ymholiad dylid cysylltu â'r cyhoeddwyr.

Cynllun y siaced gan Chris Neale
Cysodwyd yng Ngwasg Prifysgol Cymru, Caerdydd
Argraffwyd gan Wasg Dinefwr, Llandybïe

Cynnwys

Lluniau

Llun y clawr 'Synfyfyrio': Syr Thomas yn ei stydi.

Rhwng tudalennau 30 a 31

Cydnabyddir caredigrwydd Cyngor Celfyddydau Cymru am ganiatâd
i atgynhyrchu llun y clawr, *Radio Times* am ganiatâd i atgynhyrchu llun
14, ac i Lyfrgell Genedlaethol Cymru, Aberystwyth, am ganiatâd i
atgynhyrchu'r lluniau eraill.

Rhagair

Yr oedd gwahodd R. Gerallt Jones i ysgrifennu bywgraffiad llenyddol o T. H. Parry-Williams yn y gyfres hon yn ddewis amlwg. Yr oedd eisoes wedi cyhoeddi astudiaeth dreiddgar ohono yng nghyfres *Writers of Wales* lle'r oedd digon o awgrymiadau y buasai wedi hoffi ymhelaethu ar ambell bwynt yn y drafodaeth neu archwilio'n ddyfnach lawer agwedd ar gynnyrch Parry-Williams. Ymatebodd Gerallt yn frwd i'r gwahoddiad. Aeth ati i ailddarllen holl weithiau T. H. Parry-Williams ac i ymchwilio yn ei bapurau, dyddiaduron a'i lyfrgell a oedd erbyn hynny wedi cyrraedd Llyfrgell Genedlaethol Cymru. Cafodd lawer sgwrs â rhai a adwaenai'r llenor mewn amrywiol ffyrdd yn ogystal â thynnu ar atgofion cyhoeddedig cyfeillion eraill amdano. Ond yn bwysicach na dim, treuliodd Gerallt flynyddoedd gyda'r defnyddiau hyn a myfyrio ym mhersonoliaeth gyfoethog a dyrys T. H. Parry-Williams.

Yr oedd wedi cwblhau'r astudiaeth hon cyn i afiechyd ei luddias ond mynnodd gyfle i'w diwygio eilwaith cyn ei farw annhymig. Credaf iddo fwynhau'r gwaith o ymchwilio, myfyrio ac ysgrifennu'r bywgraffiad hwn, a'i fod wedi cael llawer iawn o foddhad wrth geisio dod i adnabod T. H. Parry-Williams. Y mae'n dda iawn gwybod ei fod ef wedi profi'r bodlonrwydd pleserus o gael trosglwyddo'i deipysgrif i'r wasg, yn gyfraniad aeddfed, gwerthfawr i feirniadaeth lenyddol Gymraeg.

Byddai'r awdur wedi gallu cydnabod cymorth cyfeillion a sefydliadau yn well ac yn decach nag y gallaf fi ei wneud, ond gwn am y cynhorthwy a'r gefnogaeth a dderbyniodd gan deulu Syr Thomas Parry-Williams, gan ei weddw, y ddiweddar Fonesig Amy Parry-Williams, a'i chwaer yng nghyfraith, Mrs Mary Llywelfryn Davies a roddodd ganiatâd i gyhoeddi'r dyfyniadau o'r deunydd llawysgrifol a gedwir yn Llyfrgell Genedlaethol Cymru. Cydnabyddir cymorth nifer o'r rhai y bu'r awdur yn sgwrsio â hwy yng nghorff y llyfr a chafodd gymorth gwerthfawr hefyd gan ei gyfaill, Dr Glyn Tegai Hughes. Cyhoeddir dyfyniadau o weithiau cyhoeddedig T. H. Parry-Williams â chaniatâd Gwasg Gomer. Gwn yn ogystal fel yr oedd yr awdur wedi gwerthfawrogi cymorth Llyfrgell Genedlaethol Cymru.

Bu Mrs Sŵ Gerallt Jones yn fawr ei diddordeb yn y llyfr hwn gydol y blynyddoedd y bu Gerallt yn gweithio arno a bu hi'n gefn ac yn gymorth mawr iddo. Hoffwn innau ddiolch iddi am bob cynhorthwy a gefais ganddi wrth lywio'r llyfr trwy'r wasg. Yr wyf yn ddiolchgar – unwaith eto – i Wasg Prifysgol Cymru, Susan Jenkins, y Gyfarwyddwraig, a Ruth Dennis-Jones, y Golygydd, am eu diddordeb ymarferol yn y llyfr hwn a'u llafur trwyadl.

Brynley F. Roberts
Mehefin 1999

1 ❧ Aelwyd a Chynefin, 1887–1905

MEWN cornel fechan o fynwent Eglwys Fair ym Meddgelert y mae treflan o feddau o fewn ychydig lathenni i'w gilydd. Yma, dan yr un mynor du, y gorwedd gweddillion T. H. Parry-Williams a'i wraig, Amy, ynghyd â gweddillion ei dad a'i fam, Henry ac Annie. Gerllaw, y mae bedd teulu Morrisiaid Glan Gwyrfai, teulu ei fam, lle y gorwedd ei daid a'i nain, William Morris a fu'n flaenor yn Rhyd-ddu am un flwyddyn ar ddeg ar hugain, a Mary ei wraig. Y mae englynion coffa ar y garreg fedd i'r ddau, englynion wedi'u cyfansoddi gan eu mab, R. R. Morris, y gweinidog Methodist a briododd Henry ac Annie yn ei gapel yng Nghaernarfon ym 1885, a chynganeddwr uchel ei barch. Y mae un o'r englynion hyn, beth bynnag, yn englyn y gellid bod wedi'i gyfansoddi gan T. H. Parry-Williams ei hun er cof am ei rieni yntau, o leiaf yn ôl y sentiment sydd ynddo:

> O dair nant ein taldir ni – a gladdwyd
> Rhyglyddach rhieni?
> Tra'r erys tir Eryri
> Ni bydd ar chwal eich bedd chwi.

Y mae sôn hefyd ar yr un garreg am frawd a chwaer R. R. Morris – ewythr a modryb T. H. Parry-Williams – a fu farw ymhell oddi cartref, William yn Vermont a Jennie yn Butte City, Montana. Ychydig o'r tu ôl i'r beddau hyn, fel pe bai'n ymgilio, y mae bedd Blodwen, chwaer hynaf T. H. Parry-Williams. Lathen neu ddwy i ffwrdd wedyn, gorwedd ei gefnder, William Francis Hughes, 'William Oerddwr', bardd ac athronydd bro, a'r drws nesaf iddo yntau y mae Morfudd, merch Oerddwr, a'i gŵr, William arall, y ddau yn arfer ffermio Hafod Lwyfog, ger Llyn Gwynant.

Yma, ymysg yr enwau ar y meini hyn, y gorwedd yn ddiamau lawer o gyfrinachau bywyd a gwaith yr athrylith ochelgar a diamgyffred y byddwn yn ceisio dilyn ei drywydd. Ac yma, 'rwy'n ofni, y bydd llawer ohonynt yn aros. Fel yr oedd ymgyrch T. H. Parry-Williams i ddarganfod ystyr bod beunydd yn ymgolli ymhellach ac ymhellach mewn paradocs yn ymguddio mewn paradocs, felly y mae unrhyw ymgais i gysylltu ei fywyd a'i waith yn debyg o ddiflannu, dro ar ôl tro, yn niwloedd y deuoliaethu a'r lled-ddadlennu sgilgar a bwriadus sy'n britho ei ysgrifau a'i gerddi. Yr ydym yn aml yn cael ein gadael i ddyfalu.

Teulu mam T. H. Parry-Williams sydd yma, wrth gwrs. Hwy oedd yn perthyn i Ryd-ddu a'r ucheldir o gwmpas ac i nunlle arall. Yr oedd teulu ei dad yn fwy crwydrol, ac yn perthyn, os perthyn i rywle, i lawr gwlad Dyffryn Nantlle. Ond yr oedd arbenigrwydd o fath gwahanol yn perthyn iddynt. Yr oedd taid T. H. Parry-Williams, Thomas Parry, wedi priodi tair gwraig, a mab ei ail wraig, Mary Jones, Dafarn Dyweirch, Llandwrog, oedd Henry. Y mae nodyn Saesneg am Mary Jones ym Meibl y teulu yn awgrymu fod gwaed yr uchelwyr yn Henry:

> Descended from Helen Wynne of Geulan, Nantlle, daughter of Sir Watcyn Williams Wynne of Wynnstay, who formed a clandestine marriage with her father's coachman. To escape the wrath of her family, they lived humbly at Geulan.[1]

Beth bynnag am hynny, yn y Gwyndy, tyddyn bychan yng Ngharmel, yn Nyffryn Nantlle, yr oedd Thomas a Mary yn byw pryd y ganed Henry. Yr oedd Thomas eisoes wedi claddu ei wraig gyntaf, Catherine, a fu farw'n fuan ar ôl geni Robert, tad y bardd R. Williams Parry. Bu farw Mary ym 1866 ac fe briododd Thomas am y trydydd tro, a ffrwyth y briodas hon oedd Richard Parry, tad yr ysgolhaig a'r prifathro coleg, Thomas Parry. Richard Parry a'i deulu a arhosodd i ffermio'r Gwyndy ar ôl marwolaeth Thomas ym 1888, a'r Gwyndy a ystyrid yn gartref teuluol gan Henry: gwelwn ymhellach ymlaen fel y byddai'n mynd â Tom, ei fab yntau, ar ymweliadau teuluol achlysurol i'r Gwyndy, fel cydnabyddiaeth o hynny.

Yn y fynwent hon, beth bynnag, gorweddfan ei deulu ef a theulu ei fam, y mae'n rhaid i ni gychwyn ein hymgais i ddeall rhyw gymaint ar arwyddocâd y cyfan, oherwydd yr oedd teulu a chydnabod ar y naill law, a cholli teulu a cholli cydnabod ar y llaw arall, yn allweddol i'w holl ymwybyddiaeth. Hynny, a cholli cyswllt yn gynnar â daear bro, oedd man cychwyn yr hunanymholi a roes fod yn y man i oes hir o ymchwilio dwys ynglŷn â natur dyn a'i le yn y cosmos, ymholi a roes fod, yn ei dro, i gorff unigryw o lenyddiaeth.

Yn yr ysgrif, 'Dewis', y mae T. H. Parry-Williams yn dweud peth fel hyn am deithi bywyd: 'Y llwybrau a'r llwybro sy'n cyfrif. Y mae llawer math o ddewis a llawer o wahaniaeth yn aml rhwng y cyfeiriadau a ddewisir – rhai fel petaent yn groes hollol i'w gilydd, ond yn arwain i'r un fan. Cychwyn y ffordd sy'n penderfynu'r prif gyfeiriad, fel rheol.'[2] Credaf fod hyn yn arbennig o wir yn achos T. H. Parry-Williams. Yr oedd ef ei hun yn sicr yn credu fod cychwyn y ffordd wedi golygu popeth iddo ef.

Y mae gwylio beirniaid llenyddol yn ceisio lleoli T. H. Parry-Williams fel llenor fel gwylio pac o helgwn cynyddol flinedig yn dilyn hen lwynog hynod o sgilgar dros diriogaeth lle mae gormod o lwybrau'n croesymgroesi â'i gilydd ar fawndir sy'n gorslyd un funud ac yn graig noeth y funud nesaf. I Alun Llywelyn-Williams, er enghraifft, yr oedd T. H. Parry-Williams yn rhamantydd;[3] i Dafydd Glyn Jones yr oedd yn lladmerydd yr abswrd, ffit i'w gymharu â Samuel Becket;[4] i Meredydd Evans, yr oedd yn fardd crefyddol,[5] i John Rowlands, yn fardd diddymdra;[6] i sawl un, yr oedd yn arloeswr moderniaeth yn yr iaith Gymraeg, er i sawl un hefyd gyfeirio at gerddi gwahanol iawn i'w gilydd i brofi'r pwynt, a hynny am eu bod yn gweld gwahaniaeth rhwng moderniaeth a moderniaeth; y mae Bedwyr Lewis Jones yn gweld fod moderniaeth wedi brigo am y tro cyntaf mewn barddoniaeth Gymraeg yn y bryddest eisteddfodol, 'Y Ddinas';[7] y mae Geraint Gruffydd, ar y llaw arall, yn gweld yr un peth yn 'Dwy Gerdd'.[8] Fe'i cyffelybwyd i Siôn Cent gan Bobi Jones,[9] ac i Baudelaire, Aldous Huxley, Kafka a Marcel Proust a sawl llenor tramor arall gan amryfal feirniaid. Y mae'n bry sy'n anodd ei ddal.

Yn sicr ni wneir unrhyw honiad y gellir ei lorio yn y gyfrol hon. Amcan llai uchelgeisiol fydd iddi, er ei fod yn amcan digon anodd ynddo'i hun, sef ceisio dilyn twf cynnyrch llenyddol T. H. Parry-Williams ochr yn ochr â theithi ei fywyd, a gofyn rhai cwestiynau ynglŷn â'r dull a'r modd yr oedd troeon ei yrfa wedi dylanwadu ar natur ei waith.

Wedi oedi felly ym mynwent Beddgelert, y mae'n rhaid i ninnau, fel pawb arall o'n blaenau, gychwyn yr ymchwil go iawn bedair milltir i ffwrdd ym mhentref Rhyd-ddu. Ac er mwyn y rhai hynny nad ydynt yn gyfarwydd â'r lle, a chan mor hollbwysig yw ei ddaearyddiaeth fanwl i weddill y stori, cystal inni oedi am foment gyda'r pentref hwn.

Fel y mae T. H. Parry-Williams ei hun yn fodlon cyfaddef, y mae'n lle digon di-sylw. Pentref bychan ydyw, a'r tai ymron yn ddieithriad wedi eu naddu o'r wenithfaen lwyd leol. Y mae'r pentref yn gorwedd ar hyd y ffordd fawr sy'n croesi'r ucheldir rhwng Beddgelert a Chaernarfon. Y mae wedi ei leoli ar groesffordd lle mae lôn arall yn arwain trwy'r bwlch i'r gorllewin, i gyfeiriad Dyffryn Nantlle a Phen-y-groes, ac mewn man lle'r oedd rhyd unwaith yn croesi Afon Gwyrfai ar ei thaith serth a chythryblus i lawr i'r môr. Y tu ôl i'r pentref i'r gorllewin y mae anialdir moel Mynydd Mawr, Mynydd Drws-y-coed a Mynydd Talymignedd, ac mae'r lôn groes yn arwain i lawr yng nghysgod y rhain heibio i Lyn y Dywarchen a thrwy bentref bach Drws-y-coed at chwareli mawrion Dyffryn Nantlle yn y gwastatir. Yn wynebu'r pentref i'r dwyrain, y mae'r Wyddfa ei hun, yn gorwedd ryw ddwy filltir a hanner i ffwrdd dros gorstir garw, lle mae olion sawl chwarel fechan, rhai ohonynt yn hynafol iawn, i'w gweld yma a thraw. Yn union i'r de o Ryd-ddu, gerllaw'r ffordd, y mae llyn bychan, Llyn y Gadair, lle gwelir, yn amlach na pheidio, gwch neu ddau yn pysgota. Y mae olion hen chwareli o gwmpas y llyn ei hun hefyd, ac yr oedd unwaith ffatri wlân wrth ymyl y llyn, ar lan yr afon. Y mae tref Caernarfon ychydig filltiroedd i'r gogledd, ond prin fod golygon y pentref yn troi i'r cyfeiriad hwnnw; y mae'n edrych yn hytrach i gyfeiriad Beddgelert ac i lawr i Ddyffryn Nantlle; ym Meddgelert, fel y gwelsom, yr arferid claddu'r meirw. Hyd yn oed pryd yr oedd y Lein Fach yn rhedeg o Ryd-ddu, ac yn ddiweddarach o Feddgelert, i lawr i'r Dinas y rhedai honno o gyrrau Waunfawr, nid i'r dref ei hun. Cyn belled ag yr oedd cyrchfannau trigolion y pentref yn y cwestiwn, yr oedd eu byd yn gorffen ym mhen draw Llyn Cwellyn, tua Nant y Betws, neu hwyrach yn nes na hynny, yn nhafarn y Snowdon Ranger, sydd bellach yn hostel i deithwyr. Y mae Parry-Williams yn sôn fel hyn am Lyn Cwellyn yn 'Y Tri Llyn':[10] 'Llyn yn y pellter, i raddau, ydoedd hwn, ac y mae'n filltir o hyd ac yn llenwi rhan helaeth o waelod Nant y Betws – ac yr oedd sôn am Nant y Betws yn tueddu i fynd â ni o'n cynefin braidd.'

I'r cyfeiriad arall, y mae'r ffordd fawr yn rhedeg dros lwyfandir gwastad rhwng y mynyddoedd, bedair milltir i Feddgelert. Ar y chwith i'r ffordd, y mae'r Wyddfa'n arwain i lawr o'i chopa trwy'r Bwlch Main i'r Clogwyn Du ac ymlaen dros Fwlch Cwm Llan i'r Aran, a phrin fod mwy na dwy neu dair o ffermydd yr holl ffordd: un ohonynt yw Cae'r Gors, hen gartref teulu ei fam ar yr ochr fenywaidd. Ar y dde, y mae'r tir ychydig yn well, a rhai ffermydd hynafol fel Hafod Ruffydd a Meillionen yn gorwedd yng nghysgod Moel Lefn a Moel yr Ogof, ac, wrth ddynesu at Feddgelert, Moel Hebog. Fel hyn y mae T. H. Parry-Williams ei hun yn crynhoi natur y lle yn ei ysgrif, 'Y Trên Bach':[11]

Heblaw'r dafarn a'r capel, yr unig sefydliadau a geid ynddo yn f'amser i – ac am yr amser hwnnw yr wyf yn sôn – oedd yr ysgol a'r stesion; ond yr oedd gefail gof wedi bod, a gweithdy crydd o dro i dro dros dymor. Nid oedd yno blasty – na'i ofn, na mynwent – na'i dychryn, nac eglwys – na'i hynafiaeth. Ond yr oedd yno siopau a phost, wrth gwrs, – a ffatri wlân hefyd, ond ei bod ar fin sefyll; ac os oes rhaid cael sgweiar o ryw fath i wneud pentref, y ffatrwr oedd hwnnw.

Ymysg llawer o lythyrau a anfonwyd at T. H. Parry-Williams yn y cyfnod wedi'r Ail Ryfel Byd, mewn ymateb i'r sgyrsiau radio yr arferai eu traethu'n rheolaidd yr adeg honno, yr oedd nifer oddi wrth gynfrodorion Rhyd-ddu, weithiau'n cywiro'r 'Doctor' am gamddehongli neu gamatgofio, ond yn aml yn ymroi i gynnig eu hatgofion eu hunain. Yn eu mysg yr oedd llythyr maith a diddorol oddi wrth Hugh Pugh, o Ystrad Mynach, a aned yn Cwellyn Terrace, Rhyd-ddu ym 1873. Y mae'r llythyr yn sôn am gyfnod y 'goits fawr', a'r modd yr oedd rhaid i'r goits aros a thalu toll y ffordd fawr yn y tyrpeg cyn mynd ymlaen trwy'r pentref. Yr oedd Hugh Pugh yn cofio Henry Parry-Williams yn cyrraedd y pentref:[12]

Mi ydwyf yn cofio eich tad yn dwad i Ryd-ddu o ysgol Rhoswenan, rhwng Carmel a Groeslon. Ac fe aeth i *logio* i'r hen Post Office at Rowland Morris, steward chwaral Llyn y Gadair. I'r hen ysgol daeth o i ddechra, ond mae honno wedi mynd yn ddau dŷ. Mi dorrodd cloch yr hen ysgol un waith a fi oedd yn gofalu bod y plant i gyd i fod yn yr ysgol erbyn amser. Mi odd ych tad wedi rhoi ffliwt a pulsan yni hi a finna yn rhedag trwy y pentra, o'r top i'r gwaelod, yn chwythu hi gymint a fedrwn i.

Yr oedd yn cofio priodas Henry ac Annie Morris hefyd:

Yr ydwyf yn cofio i'ch tad briodi gyda Ann Morris Siop Ucha, ac yr ydwyf yn cofio beth eis i yn rhodd iddynt – jwg du hen-ffasiwn. Wedi iddynt ddwad yn ôl o'u priodas mi ddarun roid te i blant yr ysgol i gid, a bob i orange ac mi aeth pob plentyn a rhywbeth iddynt yn bresant.

Yr oedd y llythyr yn cyfeirio hefyd at y rheilffordd yn cyrraedd Rhyd-ddu a'r stesion yn cael ei sefydlu. Ac nid oedd hynny heb ei drafferthion. Y mae'n disgrifio sied yn cael ei chario ar drol o dafarn y Snowdon Ranger i weithredu fel pencadlys i'r Welsh Highland Railway: fe drodd y sied ar ei hochr wrth ei dadlwytho a lladd dau o'r cludwyr. Nid oedd dyfodiad y rheilffordd a'i stesion yn fantais i gyd i'r ysgol chwaith, er iddi ddod â mwy o brysurdeb i'r chwareli bychain ac ymwelwyr haf i grwydro llethrau'r Wyddfa. I ddisgyblion yr ysgol, yr oedd yn gyfle i chwarae triwant er mwyn ennill arian poced ar gorn yr ymwelwyr. Y mae Hugh Pugh yn sôn amdano'i hun yn cynnig ei wasanaeth fel tywysydd i'r ymwelwyr ar hyd llwybrau'r mynydd. Cynigiodd ei wasanaeth am goron yn y lle cyntaf, ond yr oedd wedi'i orbrisio'i hun a swllt a gafodd am ei drafferth. A cherydd gan Henry Parry-Williams i'r fargen: 'a dyna lle roedd eich tad o'i go, o achos bod inspector i ddwad i'r ysgol yn o fuan'. Y mae'r llythyrau hyn yn pwysleisio mai lle tlawd a braidd yn ddiymgeledd oedd Rhyd-ddu, fel y dangosir hefyd yn y nodiadau ar hanes yr ardal a ysgrifennwyd gan Ellis Williams, un o deulu'r Ffatri na sonnir amdano gan T. H. Parry-Williams, brawd i Dafydd, Robert a Jane, ac a aeth yn ddiweddarach i fyw yn Nhalsarn.

Y mae'n amlwg oddi wrth ei 'Lyfr Ysgrifennu' ef, sydd o hyd ar gael, fod Ellis Williams yn ffigwr o beth pwys yn y fro tra bu'n parhau i fyw yn y Ffatri, a hyd yn oed wedi iddo symud i Dal-sarn. Ef oedd gohebydd lleol papur newydd *Y Genedl Gymreig* yng Nghaernarfon, ac mae nodiadau ar gyfer y colofnau hyn yn ei 'copybook', yn ogystal â nodiadau ar gyfer cyhoeddiadau yn y capel. Y mae'n amlwg fod ei 'Hanes Rhyd-ddu a'r Cyffiniau, 1776–1886' wedi'i gyfansoddi ar gyfer eisteddfod leol, oherwydd y mae ffugenw wedi'i osod ar ei ddiwedd. Y darlun a gawn ynddo, fel yn y llythyrau, yw darlun o ardal ddigon diswcwr ac elfennol ei diwylliant. Am y rhan fwyaf o'r cyfnod y sonia amdano nid oedd yno na lle addoliad na chyfleusterau addysg, ac, fel sawl ardal fynyddig arall, trwy ysgogiad gwirfoddol a lletygarwch rhai o'r ffermydd lleol y daeth y naill a'r llall i'r fro – trwy gyfrwng ysgol Sul ym Mron-y-fedw ac wedyn yn Nrws-y-coed Uchaf, a roddodd gartref yn y fro i enwad y Morafiaid. Adeiladwyd capel yn Rhyd-ddu am y tro cyntaf ym 1825, a'i helaethu ddwywaith, ym 1853 a 1866. Pryd yr ysgrifennodd Ellis Williams ei 'hanes' yr oedd cynulleidfa o bum cant yn ei fynychu!

Yn ôl Ellis Williams, codwyd ysgoldy yn y pentref ym 1864, trwy addasu dau fwthyn cyfochrog, a hynny 'ar yr egwyddor gwirfoddol', a'i redeg yn annibynnol-wirfoddol hyd 1871, pryd y cyflwynwyd y sefydliad i Fwrdd Ysgol Beddgelert. Y mae'n ddiddorol hefyd nad T. H. Parry-Williams oedd yr unig un i ymdeimlo â rhyw naws ryfedd ac arallfydol yn y fro. Y mae Ellis Williams yn sôn am helgwn yn hela'r carw coch yn y gwylltir uwchben Llyn y Gadair ac yn taro ar anghenfil anferth yn debyg i ych gwyllt, a chudynnau o flew euraidd yn gorchuddio ei gorff drosto, y rhai a ddisgleirient yn llachr, pan dywynnai yr haul arnynt; am hyny y gelwid ef yn Aur-wrychyn: ymlidiodd yr helgwn ef ar draws y gors, a thrwy Ddrws-y-Coed i ymyl Bala Deulyn, yno ei daliasant ac wrth ei ladd, rhoes floedd mor ddiasbaid nes rhwygo'r creigiau, yr hyn a barodd alw y lle o hynny allan yn 'Nant-y-Llef', neu 'Nantlle'.[13]

Yma felly y ganed Tom Herbert, yn Nhŷ'r Ysgol, ar 21 Medi 1887, yn ail blentyn ac yn fab hynaf i Henry ac Annie Parry-Williams. (Ie, 'Tom' nid 'Thomas' sydd ar y dogfennau perthnasol ac yn y cronicl teuluol ar ddalen flaen Beibl mawr y teulu. Ni thyfodd 'Tom' i fod yn 'Thomas' tan 1920, a hynny'n fwriadus tu hwnt; hwyrach fod y tyfiant hwn ynddo'i hun yn arwydd cynnil o'r ymbellhau, y cadw-hyd-braich, a welwn dro ar ôl tro o hyn ymlaen.) Yr oedd ei dad, ar ôl blwyddyn fel disgybl-athro yn sir Benfro a blwyddyn o hyfforddiant yn yr hen Goleg Normal ym Mangor, wedi ei benodi'n brifathro ar ysgol y Bwrdd Addysg yn Rhyd-ddu er 1880. Yn ôl y llyfr-lòg[14] a gadwyd yn fanwl a chydwybodol gan Henry Parry-Williams trwy gydol ei amser yn Rhyd-ddu, yr oedd cyflwr yr ysgol a'r disgyblion pryd y cyrhaeddodd ef yno ym 1880 yn cadarnhau ein hargraffiadau o'r lle, argraffiadau a gadarnhawyd eisoes hefyd mewn baled, 'Y Tê Parti', a gynhwysir yn llyfr Ellis Williams. Y mae'r faled yn disgrifio parti a gynhaliwyd pryd y cyflwynwyd yr ysgoldy i Fwrdd Ysgol Beddgelert. Rhestrir ynddi ysgolfeistri a ddaeth i Ryd-ddu ac a adawodd Ryd-ddu ymron cyn cyrraedd. Y mae'n amlwg ddigon mai Henry Parry-Williams oedd y prifathro cyntaf i ymroi mewn gwirionedd i addysgu plant y fro.

Yr oedd 63 o blant ar y rhestr ym 1880, ond argraff anffafriol iawn a gafodd Henry Parry-Williams ar bawb a phopeth. Yr oedd y plant, yn ôl y nodiadau Saesneg, 'lacking in manners', 'their reading very backward', 'the children have hardly any knowledge of the Extra Subjects'. Nid oedd unrhyw sialc yn yr ysgol na digon o lechi i'r plant ysgrifennu arnynt. Fel y darllenwn drwy'r llyfr-lòg, o fis i fis ac o flwyddyn i flwyddyn, gwelwn mai gwaith anodd a diddiolch yn aml, oedd bod yn brifathro yn Rhyd-ddu. Yr oedd angen fwy nag unwaith i Henry Parry-Williams alw cyfarfod o'r *School Board* er mwyn ceisio eu cymorth i sicrhau fod y plant yn mynychu'r ysgol yn fwy rheolaidd; a'u help hefyd i wella'r adeilad, ac i sicrhau cyflenwad o lo i wresogi'r ystafelloedd dosbarth. Erbyn 1884, yr oedd ysgol newydd wedi ei chwblhau, a nodwyd y mudo ar 7 Ionawr. Ni fyddai tŷ newydd yr ysgolfeistr yn barod am ddwy flynedd arall, ac yn y cyfamser yr oedd Henry ac Annie yn parhau i fyw yng Nglan Gwyrfai, ei chartref hi. Yr oedd galw ar y prifathro, fel pob prifathro yn y cyfnod hwnnw, i gyflawni pob math o swyddogaethau yn y gymuned. Nodir un diwrnod ei fod o'r ysgol am ei fod wedi mynd â phentrefwr a gollodd ei goes mewn damwain yn y chwarel i'r ysbyty yn Lerpwl, ddiwrnod arall ei fod mewn cwêst yng Nghaernarfon. Ac fel yr âi'r blynyddoedd heibio, byddai i ffwrdd yn amlach ar alwad y Bwrdd Addysg sirol, yn cyfarwyddo prifathrawon eraill.

Ym 1888, yn ôl y llyfr-lòg, cafodd gynnig prifathrawiaeth 'Penffordd-felen Boys School, under the Llandwrog School Board', a nodir ei fod yn derbyn y cynnig, ar rai amodau. Ymhen amser, nodir eto ei fod, wedi'r cyfan, ac yn ymddiheuriadol, wedi gwrthod y cynnig. Pwy a ŵyr beth oedd yr amodau a osododd na pha negydu anffrwythlon a fu rhyngddo a bwrdd ysgolion Llandwrog? Sylwn hefyd mai gwir oedd sylw Hugh Pugh ynglŷn â cholli'r ysgol er mwyn gweini ar ymwelwyr. Cawn fwy nag un sylw i'r perwyl fod y plant hŷn yn absennol oherwydd 'They are out on the mountain selling milk etc. to visitors,' neu 'They have gone up Snowdon to open the gates for visitors.' Nid oedd y gansen yn gwbl anweithredol yn ysgol Rhyd-ddu ond, o ystyried yr amgylchiadau, ac os gellir credu'r llyfr cosb, yn ysgafn ac anarferol y defnyddid hi. Un ergyd o'r gansen a roddwyd gan amlaf, hyd yn oed pryd yr oedd bechgyn yn 'throwing stones at the Master'! Y mae un cofnod yn arwyddocaol. Ar 25 Mehefin 1909, yn agos at ddiwedd ei yrfa, curwyd tri bachgen 'One stroke on the hand with the cane' am ryw fistimanars neu'i gilydd. Ar ddiwrnod olaf yr un mis, nodir bod un o'r tri wedi aros gartref o'r ysgol am ddau ddiwrnod ar ôl hyn, a nodir ymhellach 'father an accomplice'. Yna nodir y gosb: 'One very slight stroke on the hand to indicate school discipline.'

Newydd symud i mewn i adeilad newydd sbon Tŷ'r Ysgol yr oedd y teulu pryd y ganed Tom. Yr oedd Blodwen, y plentyn cyntaf, wedi ei geni yng Nglan Gwyrfai ddwy flynedd ynghynt, ac ychydig dros wyth mis ar ôl priodas ei rhieni. Ymhen deng mlynedd, fe fyddai chwech o blant ar aelwyd Tŷ'r Ysgol, pedwar brawd: Tom, Willie, Oscar a Wynne; a dwy chwaer: Blodwen ac Eurwen, cyw olaf y nyth. Yn ôl pob tystiolaeth, yr oedd yn aelwyd gynnes, lawn prysurdeb, lawn cariad, ond â chryn wahaniaeth rhwng personoliaeth a dylanwad y tad a'r fam.

Y mae'n sicr fod Henry Parry-Williams o flaen ei oes yn ei ddulliau o ddysgu ac yn ei ddulliau o drin plant; y mae'n sicr hefyd ei fod yn ŵr anarferol alluog. Yr oedd yn berson deallus, eang ei orwelion. Ef, yn ôl tystiolaeth Tom ei hun, oedd y disgyblwr, yr addysgwr a'r diwylliwr ffurfiol ar yr aelwyd, tra bod y fam, cynhalwraig faterol y teulu, yn gynhalwraig llawer iawn o ysgafnder, o firi a difyrrwch hefyd. Y tad, ar yr wyneb beth bynnag, oedd yn rheoli, ac y mae atgof cyntaf T. H. Parry-Williams o'r Tom bach tair oed yn gwbl arwyddocaol: 'cael fy ngosod i sefyll ar ben y bwrdd i ddweud rhyw eiriau newydd eu dysgu wrth bobl ddieithr, a'r rheiny'n chwerthin yn braf am fy mhen'.[15] Y mae'n ei ddarlunio ei hun, ychydig yn wamal, yn yr ysgrif 'Y Llyfr-Lòg', rai blynyddoedd yn ddiweddarach, ar union yr un trywydd, yn ymateb yn gonfensiynol-ufudd i ymdrechion ei dad i sicrhau fod plant y prifathro'n gwneud y pethau disgwyliedig mewn cyfarfodydd plant ac eisteddfodau:

> Yn glepyn bach o fachgen, yn ei sefyll ar lwyfan mewn sêt fawr, mi gyhoeddais wrth y byd a'r betws, yn groyw ac yn glir, beth oedd cenhadaeth ddiamwys Addysg . . . credaf i mi adrodd y darn hwnnw o waith Dyfed gydag arddeliad ac eneiniad, a chodi i'r cleimacs fel gŵr a'i huodledd ei hun yn gwefreiddio'i enaid . . . mae'n sicr imi, wedi'r hyfforddiant a gawswn gan fy nhad, godi fy llaw a'm llais yn y lle priodol, fel adroddwr bach addawol, ac wedi ennyd o sefyll syth a distaw, ddychwelyd i'm sedd yn sŵn banllefau'r gynulleidfa. Da, 'machgen i.[16]

Ac mae digon o sôn cynhesol am y capel yn ei ysgrifau i beri i ddyn feddwl fod ei atgofion am fynychu moddion gras yn ddigon cadarnhaol, er mai atgofion sy'n codi'n nodweddiadol o ethos lle yw'r rhan fwyaf ohonynt, yn hytrach nag atgofion am yr addoli fel y cyfryw. Meddai, yn yr ysgrif 'Moddion Gras':

> Wrth ddarllen Adroddiad Blynyddol yr hen eglwys, a minnau'n ddigon pell, nid rhagair tyner a phwrpasol y swyddogion nac enwau'r aelodau a'r plant a gyffyrddodd â'm hysbryd, ond geiriau bach cartrefol tair item yn rhestr y taliadau ymysg yr ystadegau ariannol – Olew, Hawl Llwybr a Wig Lamp. Troes gweld enwi'r pethau bydol a materol hyn yn foddion gras i mi. Yr oedd tinc mor wironeddol a sylweddol ynddynt, fel teimlo coed y sêt.[17]

Hwyrach fod y disgrifiad hyfryd a theimladwy o ymweliad yr hen was fferm â'i gartref yn yr ysgrif 'El ac Er' yn dangos cystal â dim y modd yr oedd tueddfryd gwrthgyferbyniol y ddau riant yn aml yn pwysleisio gweddau gwahanol ar yr un achlysur:

'Roedd 'na hen was fferm gyfagos i ni gartref, gŵr syml hollol ond â rhywbeth bach yn simpil ynddo hefyd, efallai. Fe fyddai gan fy mam ryw gydymdeimlad diatal â chreaduriaid o ddynion a fyddai heb fod yr un fath â phawb arall . . . Ac yr oedd John yn un o'r rheini. Nid i'n capel ni y byddai'n dod; ond fe wyddem ei fod o natur ddwys-grefyddol a'i fod yn weddïwr cyhoeddus gwreiddiol ac eneiniedig, a'r nam ar ei leferydd (*l* yn lle *r*) yn gwneud hynny'n amlycach fyth. Fe fyddai fy mam yn gwahodd John i swper ryw unwaith yn y pedwar amser, a ninnau'r plant yn cael 'aros i lawr' . . . Nid oedd cyllell a fforc yn arfau rhy rhwydd i'r hen was, ac felly wy wedi ei ferwi fyddai'r *pièce de résistance* fel rheol. Ond fe fyddai'n rhaid i John ofyn i mam ei dorri iddo bob tro, rhag ofn . . . Wedi swper fe fyddai nhad yn gofyn iddo gymryd rhan 'mewn gweddi' yn y gwasanaeth, a ni'r plant yn penlinio o flaen cadeiriau oedd yn rhwyllog eu cefnau, ac yn syllu arno gan wrando'n glustfeiniog . . . Rwy'n cofio byth frawddeg a ollyngodd John o'i enau un noswaith wrth gadw dyletswydd fel hyn . . . 'Ma mam wedi malw, a nhad wedi malw, a minna fel delyn bach' a rhyw dinc fel chwa o chwerthin yn chwithdod ei lais . . . Wedi i ni ddod atom ein hunain ar ôl y gwasanaeth . . . dyma John yn dweud: 'Lw i'n cledu y cana' i dipyn bach i chi lŵan'; a dechrau canu'r emyn 'Marchog, Iesu, yn llwyddiannus' ar dôn Y Bachgen Main, a hynny'n ebychol soniarus, a ninnau i gyd yn rhyw rygnu uno yn y gân. Sant syml oedd yno, yn dafod-tew ac yn floesgni i gyd, yn cael ei wynfyd eneidiol ar aelwyd anghynefin iddo, yng nghwmni criw o blant penliniog a oedd yn llygadrythu ac yn cegrythu arno drwy rwyllwaith cefnau'r cadeiriau.[18]

Byddai'n anodd dychmygu gwell darlun o fywyd teuluol a oedd yn gyfuniad o gariad a threfn, o ryddid a ffurfioldeb. Ac mae'n amlwg fod T. H. Parry-Williams, dros agendor y blynyddoedd (cyhoeddwyd yr ysgrif hon ym 1966, yn y gyfrol *Pensynnu*), yn cofio'r cyfan â chynhesrwydd digymysg.

Fel hyn y mae'n sôn am y ddau riant mewn sgwrs â J. E. Caerwyn Williams yn *Ysgrifau Beirniadol* ym 1971:

'R oedd hi'n llawn hiwmor a nhad yn fwy difrifol, ond 'r oedd y ddau'n rhyfeddol o ifanc i'n golwg ni fel plant. 'R oedd mam yn edrych ar ein holau ni'n faterol – a nhad yn edrych ar ôl ein haddysg ni, ar ôl ein diwylliant ni. Os oedd nhad braidd yn ddifrifol, 'r oedd mam yn llawn hwyl ac yn tynnu'n coesau ni'n ddidrugaredd.[19]

Yn wir, o syllu'n ofalus ar ffotograffau cynnar o'r rhieni, y mae'r gwahaniaethau'n amlwg iawn yn eu hwynebau. Y mae rhywbeth gwamal, rhywbeth gwyllt ac aflêr hyd yn oed, yn llygaid Annie wrth iddi wynebu'r camera; y mae'n edrych ar fywyd ar slant; y mae'r hiwmor yn byrlymu trwodd. Ac yn rhyfedd iawn, y mae'r un peth yn union yn wir am ei thad, William Morris, Glan Gwyrfai, ac am ei brawd, R. R. Morris, y bardd-bregethwr a briododd y ddau, yntau yr un ffunud â'i dad, y ddau yn farfog wylltwalltog, a'r ddau fel pe baent yn anfodlon edrych yn unionsyth i lygaid y camera.

Y mae Henry, ar y llaw arall, yn edrych yn syth o'i flaen â llygaid llonydd, wedi ei wisgo'n syber, ei wallt wedi ei dorri'n fyr, yn union fel y gwelir Tom ei hun ym mhob llun a dynnwyd ohono erioed, ac yn union fel y gwelir ei gefnder, Robert Williams Parry hefyd, fel mater o ffaith. Y mae'r tri bob amser yn set, yn ffurfiol, yn daclus, yn ymddangos fel pin mewn papur. Yn allanol, yn y ddelwedd yr oedd yn fodlon ei datgelu i'r camera, a'r wedd yr oedd yn ei harddangos i'r byd o ran hynny, mab ei dad oedd Tom yn ddiamau. Cwestiwn arall, wrth gwrs, yw'r hyn sy'n berwi dan yr wyneb. O wylio'r rhieni'n ymagweddu o flaen y camera, y naill yn dawel ymwybodol o'i statws a'r llall yn ymddangos yn ddigon di-feind o unrhyw beth o'r fath, y mae'n anodd osgoi'r casgliad fod rhyw gyfran o'r ddeuoliaeth enwog ym mhersonoliaeth Tom yn wreiddiedig ynddo o'r cychwyn, beth bynnag oedd effaith ei fagwraeth ymhellach ymlaen.

Y mae'n werth treulio ychydig rhagor o amser gyda'r hen ffoto-graffau, oherwydd y mae rhagor o wersi i'w dysgu ganddynt. Y mae'n amlwg iawn, er enghraifft, mai merch ei thad oedd Blodwen, yr hynaf, ac mai merch ei mam oedd Eurwen, yr ieuengaf. Y mae Blodwen, ymhob llun, yn drwsiadus i'r eithaf, yn arddangos rhyw dawelwch naturiol; y mae Eurwen, i'r gwrthwyneb, â'i gwallt am ben ei dannedd ac yn arddangos yr union wamalrwydd a welir yn llygaid ei mam a'i hewythr a'i thaid.

Y mae plant unrhyw rieni, wrth reswm, yn gymysgedd o nodweddion y ddau riant; ond fe welir ambell waith, pryd y bydd nodweddion tad a mam yn wahanol iawn i'w gilydd, a phryd y bydd pobl yn cael eu temtio i ddweud, 'Beth yn y byd welodd o yn honna?' (neu 'hi' yn 'hwnna'), fod rhai o'r plant yn tynnu'n gryf iawn i'r naill gyfeiriad a rhai i'r cyfeiriad arall, tra bo eraill yn ymdeimlo'n gyson â'r dynfa rhwng y naill elfen a'r llall. Y mae tystiolaeth lafar yn ogystal â thystiolaeth ffotograffau yn awgrymu fod hyn yn wir yn achos teulu Tŷ'r Ysgol. Yr oedd Tom, er yn edmygwr mawr o'i dad, yn teimlo'n agos iawn at gynhesrwydd naturiol ei fam, ac yn ymdeimlo, o bryd i'w gilydd, â menter ac antur a hyd yn oed naws anghyfrifol ei theulu hi; y fenter a anfonodd ddau o'i chenhedlaeth hi i ymuno â'r ecsodus i'r Unol Daleithiau, ac i farw yno. Yr oedd hyn yn sicr yn ei dynnu i ddau gyfeiriad gwahanol. Gall fod ymdeimlad cynnar o ddeuoliaeth na ellir mo'i chysoni wedi cyfrannu at yr ymdeimlad arall o arwahanrwydd ac unigedd a ddaeth i'w feddiannu. Hwyrach, ar y llaw arall, ac fe welwn hyn ymhellach ymlaen yn ei fywyd, fod yr hyn a gafodd gan deulu ei fam, yr hiwmor a'r naturioldeb gwerinol a hyd yn oed y duedd i weithredu'n wyllt a mympwyol ar brydiau, yn gyfrwng dihangfa ac yn gyfrwng achubiaeth hefyd weithiau rhag gormes etifeddiaeth a disgwyliad deallusol ac addysgol ei dad, etifeddiaeth a fabwysiadwyd mor ffyddlon ganddo ef, gydag un eithriad, wrth ddilyn ei yrfa.

Y mae arwydd o'r pellter mewnol a grëwyd yn gynnar yn Tom oherwydd ymwybyddiaeth gynhenid a ddyfnhawyd yn ddirfawr gan yr hollt daearyddol a seicolegol a grëwyd rhyngddo a'r gweddill pryd yr aeth i'r tŷ lojin ym Mhorthmadog, hefyd i'w weld yn y lluniau teuluol,[20] ac mewn dau ohonynt yn arbennig iawn. Mewn un llun gwelir y pedwar brawd, allan yn yr ardd, wal gerrig y tu ôl iddynt, yn eistedd yn un rhes, a'r tad yn y canol. Y mae'n amlwg fod y llun wedi ei dynnu yn ystod y Rhyfel Mawr, oherwydd y mae dau o'r brodyr yn gwisgo lifrai milwyr, un ohonynt, Wynne, â thair streipen sarjant ar ei lewys. Nodir ar y llun iddo gael ei dynnu ym 1916. Y mae'r tad â'i ddwy fraich am ysgwyddau'r ddau filwr, ac mae'r milwr ar y dde iddo, Wynne, â'i fraich am ysgwyddau Oscar, y brawd sydd ar y dde iddo yntau. Ychydig ar wahân i'r grŵp cyfun hyn, ar y chwith, ac yn eistedd ar gadair, pryd y mae'r gweddill, y mae'n ymddangos, yn eistedd ar fainc neu ar eu cwrcwd ar lawr, y mae Tom. Yn ei wisg a'i wedd, y mae eisoes yn edrych yn hen cyn pryd; y mae rhyw drymder nad yw'n amlwg ar wynebau'r gweddill, na hyd yn oed ar wyneb ei dad, eisoes fel pe bai'n ei lethu ef. Y mae'n amlwg am fod yn un o'r grŵp, ac eto, ar lawer cyfrif, nid yw'n un ohonynt.

Y mae'r llun arall yr un mor ddadlennol. Yma y mae aelodau'r teulu i gyd yn cael tynnu eu lluniau yn rhywle ar ochr y mynydd. Unwaith eto, y mae'r ddau filwr mewn lifrai, ond mae'r llun wedi ei gyfansoddi'n fwy aflêr y tro hwn, rhai'n sefyll a rhai'n eistedd, y tad a'r fam ar lawr yn y canol yn glòs at ei gilydd, Willie ac Eurwen yn cadwriad [cadw reiat] yn y cefndir gyda'u breichiau am ei gilydd, ac Eurwen mor wyllt yr olwg ag arfer. Y mae Wynne yn sefyll ar un ochr yn wên i gyd, Oscar a Blodwen yn eistedd ar lawr yn ddigon hamddenol yr olwg, ond fod Blodwen fel pin mewn papur fel bob amser. Y mae Tom yn sefyll yn y canol, unwaith eto'n llwyddo i roi'r argraff ei fod ychydig ar wahân i'r gweddill er ei fod wedi ei leoli ynghanol y llun. Y mae'r brodyr a'r chwiorydd eraill yn amlwg yn ddynion a merched yn eu hoed a'u hamser ond mae Tom y tro hwn, mewn gwrthgyferbyniad â'r llun arall ac eto'n pwysleisio nad ydyw rywsut yn perthyn, yn edrych yn hynod eiddil, ansicr a bachgennaidd, o ystyried ei fod bellach ymhell o fod yn llencyn. Y mae, wedi'r cyfan, yn ddarlithydd prifysgol naw-ar-hugain oed. Yn y naill lun a'r llall, er mor wahanol yw ei wedd a'i osgo yn y ddau, ni ellir osgoi'r argraff fod yma deulu bywiog, naturiol, amrywiol, swnllyd a chyfeillgar, ond fod un aelod, ymron yn ddiarwybod iddo'i hun, ac er mor uchel yr oedd yn prisio ei aelodaeth o'r teulu, eto'n ei gadw ei hun ychydig ar wahân i'r gweddill.

Y mae'r hyn a wyddom ymhellach am y teulu, o ran eu gyrfaon ac o ran tystiolaeth aelodau iau, yn cadarnhau'n rhyfeddol yr hyn a ddywed y lluniau wrthym. Dywedir am Eurwen, gan ei mab yng ngyfraith Cynrig Lewis, y bargyfreithiwr, a oedd yn amlwg yn ei chael yn berson annwyl a diddorol, ond un 'nad oedd ddim yn poeni gormod am ddillad a phethau felly', ei bod, yn ôl pob hanes, yn debyg iawn i'w mam. Yr oedd Blodwen, ar y llaw arall, 'Anti Blodi', er yn uchel ei pharch ganddynt i gyd, yn 'bossy', ac yn ceisio trefnu bywyd pawb drostynt, yr un ffunud â'i thad; yr oedd hi'n amlwg yn feistres ar ei brodyr o'r cychwyn. Nid oedd Eurwen, mae'n ymddangos, yn academaidd iawn ei naws ond, wedi ymgais i'w 'dofi' yn Ysgol Doctor Williams yn Nolgellau, aeth i wneud cwrs *Dairy* yn yr Adran Amaethyddol yn Aberystwyth, ac yn y man priodi gŵr a ddaeth yn athro mewn economeg amaethyddol ym Mhrifysgol Reading. Aeth Blodwen yn athrawes ddibriod, a gorffennodd ei gyrfa yn Llangollen, gan farw'n gymharol ifanc, er mawr ofid i'r teulu i gyd.

Yr oedd y bechgyn yr un mor wahanol i'w gilydd. Wynne oedd y cydymffurfiwr – ef, wedi'r cyfan, oedd y sarjant yn y fyddin – ac aeth i mewn i fyd y bancio, dod yn rheolwr banc yng Nghaergybi a Chroesoswallt, ac yn ôl yr hanes, dangos ychydig iawn o ddiddordeb yn 'y Pethe'. Willie, mae'n ymddangos, oedd yr 'hogyn drwg', i fyny i bob math o driciau a 'drygau'. Y mae sôn am Tom yn gwylio mewn ofn a dychryn – a rhyfwfaint o eiddigedd hwyrach – tra oedd Willie yn dringo i ben to'r ysgol un noson, ac yna i lawr yn ôl trwy'r corn simdde. (Dim syndod mai Willie ac Eurwen oedd yn cadwriad yn y llun!) Diflannodd Willie o'r nyth yn gynnar, oherwydd dilynodd eisampl ei ewythr a'i fodryb a mynd 'i wneud ei ffortiwn yn y Mericia'. Ni fyddai Willie yn y llun o gwbl oni bai ei fod wedi dychwelyd fel fersiwn y Rhyfel Mawr o'r GI i gymryd rhan yn y brwydro. Aeth yn ôl wedi'r rhyfel a phriododd

Americanes. Y mae'n debyg fod Oscar rywle rhwng Wynne a Willie o ran cynhysgaeth. Yn ŵr tawel a serchus yn ôl pob hanes, yr oedd hefyd yn alluog, a bu'n aelod o staff y Fridfa Blanhigion yn Aberystwyth am lawer blwyddyn ac yn gyfaill ffyddlon iawn i'w frawd hŷn. Ac wedyn yr oedd Tom, yn syllu'n ddwys i'r pellter yn ei siwt a'i goler a thei, ond oddi mewn yn llosgfynydd o emosiynau cymysg, yn berchen ar ddeall chwim a llachar, ond mor hydeiml nes ei gwneud yn anodd iawn iddo ymdopi â bywyd yn aml: ei ddisgyblaeth ddeallusol a'r gallu i roi honno ar waith, hyd yn oed yn yr argyfyngau gwaethaf, oedd yr unig beth a'i hachubodd fwy nag unwaith. Er dwysed ac er cryfed oedd genedau'r fam ynddo, ac er i'r rheini achosi iddo gymryd camau i'r anwybod fwy nag unwaith, ei dad, gyda'i drefn a'i ddisgyblaeth a'i weddusrwydd, oedd y model ac esiampl ei fywyd.

Gan hynny, y mae'n bryd inni edrych yn fanylach ar Henry Parry-Williams. Awgrymais fod iddo arbenigrwydd fel prifathro ac fel person. Fel prifathro, y mae'n amlwg fod y Gymraeg a Chymreictod yn cael lle anarferol o flaenllaw ganddo yng ngweithgareddau'r ysgol. 'Doedd dim arlliw o'r 'Welsh Not' yn ysgol Rhyd-ddu, ac yn wir yr oedd sylw'r awdurdodau wedi ei ddenu i lwyddiant dulliau Mr Parry-Williams o ddysgu'r Gymraeg. Yr oedd yntau wedi gofyn eu caniatâd hwythau i ddysgu llenyddiaeth Gymraeg fel rhan o'r maes llafur. Y mae un swyddog addysg yn ysgrifennu ato i ofyn iddo ddod i annerch ysgol undydd ar ei ddulliau ef o ddysgu iaith i'r plant. Y mae un arall yn ei holi ynglŷn â'r lle mae'n ei roi i'r 'Direct Method' o'i gymharu â 'Bilingual Teaching'.

At hyn, yr oedd Henry Parry-Williams yn brysur iawn ynglŷn â'r 'Pethe'. Yn fardd a ysgrifennai delynegion crefftus yn null yr 'Ysgol Newydd', enillodd bedair cadair am ei ymdrechion. Y mae'n arwydd-ocaol, hwyrach, nid yn unig mai telynegion digon syml ac uniongyrchol a ysgrifennai o'i fodd, tra ysgrifennai awdlau cynganeddol ar destunau athronyddol a hanesyddol er mwyn ennill mewn eisteddfodau, ond hefyd fod themâu'r telynegion yn dyfnhau'r argraff a gawsom sawl tro eisoes o ardal dlodaidd a digon diymgeledd. Oherwydd y mae sawl un o'r cerddi personol, a gadwyd yn ofalus, fel yr awdlau, gan ei fab, yn gyflwynedig i blant a fu farw o'r diciâu neu ryw wendid arall, ac i ferched ifainc a fu farw ar enedigaeth plentyn. Yn wir, fel bardd yn ogystal ag fel prifathro, yr oedd Henry Parry-Williams yn barod iawn i weithredu fel lladmerydd ei gymuned – cerddi geni a phriodi oedd y rhelyw o'r gweddill. Ond er mor drist ac ysgogol oedd nifer o'r telynegion er cof am blant, hwyrach mai'r gerdd sy'n ein cyffwrdd fwyaf yw telyneg fach Saesneg a ysgrifennodd ym 1920, ac yntau'n henwr, dan y teitl 'To My Son'.

> Blessed of the gods – Ceridwen kissed thy brow;
>   Joy of my youth, pride of declining years;
> Son, brother, friend, united in thee now,
>   Will brace my senile brain, dispel my fears.
> My simple self in thee shall live again
>   A thousand times more brilliant and divine;
> Cleansed of the dross, bred in my bones of pain,
>   Ascend to giddier heights, whilst I decline.[21]

Dyma'i obeithion, fel hen ŵr, y byddai'r mab yn wir yn cyrraedd yr ucheldir na chafodd y tad erioed y cyfle i anelu tuag ato. Yr oedd Henry hefyd yn feirniad cyson mewn eisteddfodau lleol ac, wrth reswm, yn flaenor yn y capel yn y pentref. Yn ôl pob tystiolaeth, yr oedd yn berson cyhoeddus aml ei gymwynas, cydwybodol yn ei ddyletswyddau cymdeithasol, ond heb unrhyw rodres nac arwydd o hunan-dyb. Yr oedd parch gwirioneddol tuag ato yn ei ardal a'r tu hwnt i'w ardal.

Ond hwyrach mai yn ei ymwneud â'r tramorwyr a ddeuai'n gynyddol ato i Ryd-ddu i ddysgu'r Gymraeg ac i ddysgu am Gymru y daeth ei arbenigrwydd fel athro i'r amlwg orau. Yr oedd yn gyfnod pryd yr oedd gwyddor newydd ieitheg, a dulliau dadansoddol lled-wyddonol o astudio natur iaith, ac o wneud astudiaethau cymharol o wahanol ieithoedd, mewn bri mawr mewn sawl man yn Ewrop. Ac yr oedd iaith y Cymry, gyda'i hynafiaeth eithriadol a'i harwahanrwydd rhyfedd, yn denu nifer o'r ieithegwyr i'w hastudio. A chyn hir dechreuodd y cyfarwydd anfon yr ysgolheigion Ewropeaidd hyn at Henry Parry-Williams yn Rhyd-ddu i'w hyfforddi yn y Gymraeg.

Y mae'r Athro Eric Bjorkman, Athro Ieitheg ym Mhrifysgol Lund, yn Sweden, yn ysgrifennu i Ryd-ddu ym mis Gorffennaf 1904, gan sôn fod y Dr Imelmann o Berlin wedi dweud wrtho fod gwersi Cymraeg i'w cael gan Mr Parry-Williams, ac yn gofyn beth yw'r telerau, a beth yw'r telerau hefyd am lety yn ei gartref. Wedi bod yn Rhyd-ddu am gyfnod, y mae'r Athro Bjorkman yn ysgrifennu eto o westy ym Mangor ar 21 Gorffennaf, gan ddweud ei fod bellach yn teimlo braidd yn unig ym Mangor, ac yn ychwanegu'n ddadlennol 'you ought indeed to have made me pay something more than mere thanks for the lessons you so generously gave me',[22] ac yna, fel *quid pro quo* megis, y mae'n cynnig talu am yr un nifer o wersi piano i Blodwen ag a gafodd ef o wersi iaith gan ei thad.

Yna, y mae'r Athro Heinrich Ostoff yn ysgrifennu o Heidelburg ym mis Mai 1905, gan holi am wersi ac am lety iddo ef a'i wraig, ac yn dweud mai'r Dr Imelmann sydd wedi ei gyfeirio yntau i Ryd-ddu. Nid oedd prifathro Rhyd-ddu yn siomi'r un ohonynt; fe gaent ganddo nid yn unig wersi iaith, ond cwrs cyfan yn llenyddiaeth a diwylliant y Cymro, er bod y cwrs hwnnw'n gwyro'n ormodol hwyrach tuag at yr hyn a welent ac a glywent o'u cwmpas yn ardal Rhyd-ddu!

Yr oedd enwau'r rhai a ddaeth at Henry Parry-Williams i ddysgu'r Gymraeg yn frith erbyn y diwedd – yr Athro Ostoff o Heidelburg a'r Dr van Hamel o'r Iseldiroedd; Imelmann, Meyer a Chotzen o wahanol brifysgolion yn yr Almaen; Bjorkman a Baudiš o Sweden; ac yn eu mysg rai o'r enwocaf oll o ieithegwyr Ewrop yn eu dydd. Fe ddaeth Heinrich Zimmer, er enghraifft, a oedd yn gweithio ym Merlin ar y pryd, Joseph Vendryes, ysgolhaig enwog iawn o'r Sorbonne ym Mharis, Rudolf Thurneysen o Freiburg. Y mae ôl-nodyn difyr a chyfrin ar ddiwedd llythyr digon ffurfiol a anfonwyd gan Thurneysen ato o Freiburg ym 1911 sy'n ernes o'r math o berthynas a ddatblygai rhwng prifathro Rhyd-ddu ac ysgolheigion y Cyfandir. 'Cofion', meddai Thurneysen, 'i'r tarw ffyrnig ac i'r côg anweladwy.'[23]

Ymysg yr holl drafnidiaeth yma rhwng Rhyd-ddu a dinasoedd Ewrop, hwyrach mai'r Dr A. G. van Hamel o Utrecht, sy'n ei ddisgrifio'i hun mewn un llythyr fel 'Athro hen ieithoedd Germannaidd a Cheltaidd', a Rudolf Thurneysen, cymorth mawr i Tom ei hun yn Freiburg ymhellach ymlaen, a ddaeth agosaf at y teulu dros y blynyddoedd. Ysgrifennai van Hamel yn gyson i Ryd-ddu o sawl man yn y Cyfandir o ddyddiad ei ymweliad cyntaf ym 1908 ymlaen, a pharhâi i ysgrifennu at Tom ar ôl marwolaeth ei dad. Ysgrifennai fynychaf mewn Cymraeg digon croyw, ac mae naws a chynnwys ei lythyrau yn dangos cymaint oedd parch yr ysgolheigion hyn at brifathro Rhyd-ddu, a chymaint oedd ei ddylanwad yntau arnynt hwy. (Yr oedd y rhelyw ohonynt, gyda llaw, yn cyfeirio eu llythyrau at 'Yr Athrofa Geltaidd, Rhyd-ddu'.) Fel hyn yr ysgrifennodd van Hamel ym 1909:

> yr wyf yn gweld yn fy meddwl y lle bu'r eryrod yn byw wedi cael ei orchuddio gan y niwl; a'r gwynt a'r gwlaw yn chwarae ar Lyn y Gadair ac yn oeri traed y Wyddfa, a David Williams yn ceisio gwerthu ei emau ger y llidiart gyntaf ar lwybr Pen y Wyddfa a'i frawd yn pysgota yn ei gwch, a 'Phaul' yn gweithio yn arw heb dopcoat ar ffordd Beddgelert a – last but not least, – chwychwi eich hun yn dysgu yr iaith Gymraeg i'r plant Cymru![24]

Y mae'n amlwg ddigon nad oedd prifathro'r 'Athrofa' yn fodlon dysgu'r iaith mewn gwagle i'r ymwelwyr hyn; caent hwy, fel ei deulu yntau, flasu rhin y mynydd-dir ar y naill law a'r gymuned bentrefol ar y llaw arall. Y mae'n amlwg hefyd, o ddefnydd van Hamel o'r gair anrhydeddus-Gymraeg 'topcoat', mai iaith lafar Eryri, ac nid unrhyw Gymraeg farw-glasurol a ddysgai i'r tramorwyr hyn yn athrofa Rhyd-ddu! Y mae'n arwyddocaol iawn, o feddwl am destunau ysgrifau Tom ymhellach ymlaen, fod Dafydd a Robert y Ffatri wedi glynu yng nghof van Hamel, a hynny trwy ddylanwad Henry. Ym 1912, y mae van Hamel yn ysgrifennu o Middelburg:

> rhaid i'ch disgyblion ymlawenhau gyda syniadau diolchgar am fod yr athraw yn ffynnu o hyd a ffynnon yr holl Gymraeg sydd ar y cyfandir yn rhedeg eto i'w cysuro hwy fel yn yr hen amser. Byddai yn ddrwg gennym fod teml Rhyd-ddu heb agori ei phyrth, pa bryd bynnag y byddwn yn dyheu am ychydig mwy o Gymraeg . . . Hoffed y mae gennyf hen gartref y mynyddoedd ar ochr y Wyddfa, ymysg caeau ffrwythlon, a'r llyn, a dau neu dri o gychod ar ei wyneb, yn agos; hoffed y mae gennyf y cymeriadau sydd yn adfywiogi y lle; Bendigeit Frân, Robert Williams Factory, y Gorsaf-feistr a'r Hedd-geidwad. Pa bryd y caf eu gweled hwy yn ol?[25]

'Ffynnon yr holl Gymraeg sydd ar y cyfandir'!

A phwy oedd Bendigeit Frân? Yr oedd yn ffasiwn y pryd hwnnw i gadw brain a'u dysgu i siarad; clywais am frân ym Mhen Llŷn a gerddodd i mewn i gegin gwraig oedd newydd ddod i'r ardal a pheri iddi lewygu trwy ei chyfarch â 'Bora Da' lond ei cheg! Beth bynnag am hynny, y mae'n amlwg ddigon nad perthynas oeraidd academaidd a oedd gan van Hamel a'r gweddill â Gamaliel Rhyd-ddu; yr oedd yn berthynas gynhesol-ddifyr ag athro hael a brwd.

Yr oedd Henry Parry-Williams hefyd yn arfer rhannu llwyddiannau ei fab disglair â'i gyfeillion tramor, pryd y dechreuodd Tom flodeuo fel bardd ac ysgolhaig. Ym 1914, a chymylau'r rhyfel yn dechrau crynhoi, y mae van Hamel wedi derbyn copïau o orchestion eisteddfodol mab ei athro yn Eisteddfod 1912, wedi eu darllen ac yn ysgrifennu, o Rotterdam y tro hwn: 'Y mae athrylith Tom yn "philosophical" iawn, ac y mae ei ddyfeisiadau yn fwy o resymol nag o synwyrol (more reasonable than sensitive).'[26] Bid a fo am hynny, a chan dderbyn barn van Hamel nad dawn delyngol oedd pennaf ddawn Tom, bodlonwn ar groniclo'r ffaith fod van Hamel yn parhau i ymddiddori'n fawr yn y teulu i gyd, ac yn parhau i ymweld yn gyson â Rhyd-ddu. Ym 1923, a'i athro bellach yn dechrau heneiddio, y mae'r neges yr un fath: 'arhoswch fel yr ydych heddiw; yn weithgar, bywiog, a pharhewch i neilltuo eich holl egni i'ch gwlad a'ch cyfeilliaid, i'ch hen ddisgyblion'.[27] A phan glywodd van Hamel am farwolaeth ei athro ym 1926, anfonodd lythyr o deyrnged i Tom, yn Saesneg y tro hwn, am nad oedd, meddai, yn ymddiried yn ddigonol yn ei feistrolaeth ar y Gymraeg i fynegi ei deimladau'n briodol: 'I loved him and I reverenced him with all my heart . . . In 1908, I came to Wales for the first time and I lived in his house for three weeks.'[28]

Yr oedd aelwyd Tŷ'r Ysgol felly nid yn unig yn aelwyd gynnes, yn llawn o weithgareddau diwylliadol arferol y cyfnod ar y naill law, ac o dynnu coes cynhenid y werin ar y llaw arall, ond yr oedd hefyd yn aelwyd anarferol eang ei gorwelion, gydag ymwelwyr yn mynd a dod a chyda chyfoeth o ddiwylliant cydwladol yn llifo trwy'r tŷ. Y tad oedd rheolwr y gweithgareddau hyn i gyd; y fam a oedd yn sicrhau'r lletygarwch.

Ar wahân i'r tad, a'i ddiddordebau pellgyrhaeddgar, y mae'n werth oedi am foment i feddwl am y dylanwadau uniongyrchol lenyddol eraill a allai fod wedi cyfeirio meddwl y Tom ifanc. Yr oedd, wrth gwrs, wedi ei godi ynghanol ardal a'i diwylliant yn sylfaenol lenyddol, ac yn ei deulu ef ei hun yr oedd dau o'i ewythrod hefyd yn feirdd. Yr oedd barddoni'n rhywbeth naturiol i'w wneud ac yn grefft y dylid ei dysgu. Ac eto, er bod Tom, mae'n debyg, yn ymddiddori mewn barddoniaeth yn gynnar, ymddiddori yr oedd, mae'n ymddangos, ym melyster emosiynol iaith yn hytrach nag yn y grefft o saernïo darnau cynganeddol; cerddi Ceiriog, wedi'r cyfan, oedd ei gwmni ym Mhorthmadog ymhellach ymlaen, nid unrhyw gasgliad o englynion nac unrhyw gerddi eraill yn y mesurau caeth. Credaf fod hyn yn arwyddocaol ac yn ein harwain at ei berthynas, ymwybodol ac isymwybodol â'r bardd arall a oedd yn rhan o amgylchedd ei blentyndod, ei gefnder, Robert Williams Parry. Yr oedd bywydau'r ddau i redeg ochr yn ochr am flynyddoedd lawer heb gyffwrdd yn uniongyrchol yn aml, ac eto yr oedd cysgod ei gefnder yn gorwedd yn drymach o lawer ar Tom nag y tybir weithiau; os teg tybio ei fod wedi'i fodelu ei hun mewn sawl dull a modd ar ei dad, y mae lle i dybio hefyd mai ei arwr a'i fodel barddonol oedd ei gefnder.

Yr oedd Bob Parry dair blynedd yn hŷn na Tom, ac y mae tair blynedd o wahaniaeth oedran yn fwlch mawr mewn bachgendod: y math o fwlch sy'n creu arwyr – digon pell i ennyn edmygedd addolgar, digon agos i fedru cydchwarae. Pryd y deuai Bob ar ymweliad i Dŷ'r Ysgol, deuai fel hogyn mawr y medrai Tom edrych i fyny ato, fel y brawd mawr nad oedd ganddo; mewn un peth yn arbennig, yr oedd wedi symud i fyd nad oedd Tom eto wedi mentro iddo:

> un tro mi deimlais fy mychander yn aruthr; mi glywn y llanc yn trafod cynganeddion gyda'm tad, a minnau heb fod yn gwybod beth ydoedd cynganeddu, hyd yn oed. Nid oeddwn yn perthyn i'r cwmni o ddau y tro hwnnw . . .[29]

Yn ôl Gruffydd Parry, cefnder arall i Tom, a oedd yn byw gyda'i frawd yntau, y Tom arall, i lawr yng nghartref ei dad yn y Gwyndy yng Ngharmel, teulu 'pell' oedd y teulu, ac nid oedd cyfathrach arbennig rhwng y tri thad, meibion tair gwraig Thomas Parry'r Gwyndy. Yr oedd Robert, tad Bob Parry, 'checker-clerk' yn y chwarel yn Nantlle a blaenor yn y capel, yn arbennig o 'bell', mae'n ymddangos. Er y byddai Henry yn mynd â Tom ar ymweliad swyddogol â'r Gwyndy o bryd i'w gilydd, ar ei ben ei hun y byddai Bob yn ymlwybro i fyny ar ei feic i Ryd-ddu o'r dyffryn – hwyrach yn wir i drafod y cynganeddion â 'Dewyrth Harri'. Ond pan ddeuai, cyn belled ag yr oedd Tom yn y cwestiwn, ac ar wahân i'r un achlysur hwnnw pryd y pwysleisiwyd ei ragoriaeth farddonol, fel bachgen mawr i'w edmygu ar sawl cyfrif, fel arwr a allai gyflawni pob math o wrhydri, yr oedd Tom yn ei gofio

> yn ymweld â ni gartref o dro i dro, yn llanc nwyfus a direidus, yn canu penillion gan gyfeilio iddo'i hun ar y piano, yn 'enaid' y cwmni wrth y bwrdd bwyd, yn gwneud campau acrobatig ar ei feic. Yr oeddwn innau'n gallu cymryd rhan a chyfran gydag ef ym mhopeth, er fy mod yn iau nag ef.[30]

Gall hyn ymddangos yn ddarlun annisgwyl o'r Robert Williams Parry ofnus, gofalus ac encilgar a dyfodd yn oedolyn. Ac eto, y mae sôn am yr oedolyn hefyd yn gampwr, yn dynnwr coes ac yn ddifyrrwr ymysg eneidiau 'hoff, cytûn', mewn dihangfeydd diogel allan o olwg y byd. Felly'n sicr yr oedd Tom yn ei gofio fel bachgen, ac felly yr oedd, ar un wedd, i Tom byth mwy:

> mi gefais fod yn blentyn a hogyn gwirion yn ei gwmni, a ninnau'n dau wedi tyfu'n wŷr cyfrifol ers blynyddoedd maith. Yr oedd ein jôcs, druain, y pethau mwyaf plentynnaidd dan haul, a'r sgwrs yn siampl o ddiniweidrwydd. Y diniweidrwydd hwn oedd elfen hoffusaf ei bersonoliaeth, ac yr oedd yn heintus. Yn gymysg â hyn yr oedd hefyd ychydig o rywbeth y

gellid ei alw'n gyfrwystra bachgennaidd yn ei natur. Ni byddai dim gwell ganddo na'ch 'dal' a chael hwyl am eich pen.[31]

Ac wrth ystyried natur yr ymwelydd hwn a oedd i dyfu'n sicr yn un o gonsurwyr geiriau mwyaf hudolus yr iaith, ond hefyd yn berson dychrynllyd o groendenau a phreifat, y mae'n anodd peidio â gweld, yn nisgrifiad Saesneg Bedwyr Lewis Jones ohono yn y gyfres *Writers of Wales*, ddarlun byw o un hanner o'r ddeuoliaeth a welai T. H. Parry-Williams yn datblygu ynddo ef ei hun:

> Rarely ever did he speak about his own work, and there was little welcome for the littérateur who sought his company in order to interview him. It was not literary stimulus that Williams Parry sought in his friends, but simple companionship, as the reminiscences of those who knew him amply testify. They all speak of his absolute faithfulness to his friends; of his sympathy towards the old and the sick and the hard-done-by; of an innocence which knew no malice; of his humour and his delight in innocent, boyish pranks. It is a gentle portrait of a generous person-ality, clearly much loved. The picture, although undoubtedly true, has encouraged the myth of the pure poet, content to live quietly, out of the limelight, writing pure, finely chiselled, essentially simple verse.[32]

Fe welwn mai dyma'r persona yr oedd T. H. Parry-Williams, sawl tro yn ystod ei fywyd, yn dyheu am ddianc iddo – y bardd encilgar, myfyrgar, yn rhydd o hualau'r byd, yn ei wylio a'i gofnodi megis o bell. Nid oedd yn ddarlun cyflawn wir o bell ffordd o Bob Parry; yr oedd ef yn cuddio terfysgoedd mewnol enbyd, terfysgoedd a'i dinistriodd yn y diwedd. Nid oedd yn gyflawn wir am y cyfan o ddyheadau Tom. Ond yr oedd yn wir hwyrach am un wedd o'i bersonoliaeth amlweddaidd; yr oedd yn sicr yn cynrychioli'r hyn yr hoffai feddwl yr hoffai fod ar rai adegau. Yr oedd cysgod Bob Parry, yn ddigamsyniol, yn ei ddilyn yn aml. (Y mae darlun llawnach a llawer mwy cymhleth-gymysg o Bob Parry i'w gael gan Bedwyr Lewis Jones yn ei gofiant Cymraeg *R. Williams Parry* (1997) yn y gyfres hon, Dawn Dweud, ond daw'r un darlun o'r person encilgar, ofnus, hydeiml, â'i fryd ar droi cefn ar y byd a'i bethau, drwodd yn amlwg yn y gyfrol honno hefyd.)

Yn ystod blynyddoedd cynharaf Tom ar yr aelwyd, serch hynny, cyn y rhwyg a chyn cyfnod y ffotograffau, cyn iddo erioed ymadael â Rhyd-ddu, cyn belled ag y gellir barnu oddi wrth ei dystiolaeth ef ei hun, yr oedd yntau, fel y Bob a gyfarfu gyntaf, ar yr wyneb yn fachgen naturiol ddigon o fewn cwmni dethol y teulu ac ymysg ei gyfeillion agos; at hynny, yr oedd yn un o'r 'hogia' o gwmpas y pentref. Ni cheir unrhyw argraff o'r arwahanwr encilgar yn y rhan fwyaf o'r cyfeiriadau cyntaf at y Tom bach sy'n britho'r ysgrifau. Y mae ei gyfeiriad at 'wneud drygau' ar 'Y Lôn Ucha'', er enghraifft, naill ai yng nghwmni Bob neu yng nghwmni eraill o'i gydnabod, yn llawn asbri'r bywyd awyr-agored:

Lle i wneud drygau; ie, campus o le. Gallech ymguddio'n ddiogel rhwng cloddiau braf y lôn, ac felly o olwg y pentref, os byddech ar ddrygau. Ac un o ysbleddachau cofiadwy cynharaf fy mywyd oedd y gwmnïaeth y cefais y fraint aruchel o fod yn aelod ohoni ryw gyda'r nos. Yr oedd Moi'r Cipar wedi dyfod â gwn hen-ffasiwn yno, a digon o bowdwr a chaps a haels; ac yr oedd y gweilch mawrddrwg wrth eu bodd. Teflid pethau, yn gapiau a photeli a thargedau tebyg – i'r awyr a'u saethu'n gyrbibion; dyna'r hwyl . . . Fe dynnodd y blynyddoedd lawer o'r swagro a'r jarffio o groen y rhan fwyaf ohonom ni a fu'n ymorchestu gynt ar y Lôn Ucha', ond fe erys ynghudd ynom o hyd dipyn o'r defnydd dieflig hwnnw sydd yn ysbryd pob bachgen gwerth yr enw.[33]

A'r un math o ddarlun a gawn ni yn yr ysgrif 'Syrcas', er bod honno'n dangos fod terfyn go bendant i'r rhyddid y byddai'r tad yn ei ganiatáu, i rai cyfeiriadau, beth bynnag. Yr oedd plant Tŷ'r Ysgol, er enghraifft, yn cael eu gwahardd rhag mynd i'r 'ffair' – Ffair Beddgelert – oherwydd 'nid oedd yn lle i blant y Seiat fynd iddo'. Yn lle hynny, cawsant hwy gyfle i wneud 'drygau' gwahanol:

Fe gaem 'bres i'w gwario' gartref, yn iawn am gael peidio â mynd i'r ffair. A chan gofio, trwy gymorth y pres hynny, wrth eu gwario ar sigarennau, y prentisiwyd ni'n ysymgwyr. Yng nghysgod gwal y mynydd ar y bryn sydd rhwng Llyn Cwellyn a Llyn y Dywarchen ar ddiwrnod Ffair Beddgelert y taniwyd ac yr ysmygwyd y sigarennau pryn a phrid hyn. Gwelir felly fod dylanwad y ffair er drygioni yn anuniongyrchol yn ogystal ag yn uniongyrchol.[34]

O'r gorau. Miri bechgyn y wlad o gwmpas eu pethau, ac yntau yn eu canol, yn llawn mwynhad. Ond mae arwyddocâd gwahanol, a dadlennol, yn y cameo bach o'i gefnder Bob yn trafod y cynganeddion gyda'i dad ac yntau heb wybod hyd yn oed beth oedd 'cynganeddu'. Dyma gamp o radd wahanol a berthynai i'w gefnder, camp i'w hefelychu hwyrach? Ac i wella arni? Pryd y daeth y naill i glywed am orchestion llenyddol eisteddfodol y llall ymhellach ymlaen, nid oes gennyf unrhyw amheuaeth o gwbl nad oedd y gorchestion hynny i ryw raddau'n ffrwyth yr elfen gystadleuol rhyngddynt, yn uniongyrchol neu'n anuniongyrchol. Cawn ddychwelyd at hyn yn yr ail bennod.

Y mae'n ddiddorol sylwi fel y llwyddodd rhyw ffawd neu fwriad beunydd i wahanu'r ddau o'u plentyndod ymlaen, ac i sicrhau mai o bell y byddai'r naill yn gwylio trafferthion a gorchestion y llall. Pryd yr oedd Tom yn ei chychwyn hi am Ysgol Ganolraddol Porthmadog ym 1899, yr oedd Bob newydd adael Ysgol Ganolraddol Pen-y-groes i fynd yn ddisgybl-athro i'w ysgol gynradd yn Nhal-y-sarn, ac yntau ond yn bymtheg oed. Pryd yr aeth Tom i'r coleg yn Aberystwyth ym 1905, yr oedd Bob newydd adael y lle, heb ennill gradd, i fynd i ddysgu eilwaith mewn ysgolion cynradd. A phryd yr ymsefydlodd Tom o'r diwedd yn Aberystwyth a threulio gweddill ei oes yno, i Fangor yr aeth Bob i fyw ail hanner ei fywyd yntau. O dipyn i beth, wrth gwrs, enillodd Tom y blaen, o ran gyrfa ac anrhydeddau ac o ran enwogrwydd cenedlaethol, ond mae'n sicr gen i fod delwedd Bob, y cefnder dawnus, blaengar, y bardd greddfol, naturiol – llawn campau ymddangosiadol ddiymdrech – y bardd a ddewisodd fyw bywyd yr encilion yn bur a digymrodedd, yn hofran yn rhywle uwch ei ben o hyd. Yr oedd Bob yn ddiamau'n un o'i arwyr pennaf, ac yn un o ysgogwyr ei yrfa farddonol.

Ond, ar wahân i'w awch i efelychu ei gefnder, y mae arwyddion ei fod yn cael ei gyffwrdd gan rywbeth dyfnach na miri arwynebol chwarae plant i'w canfod hefyd yma a thraw; er enghraifft, yn yr ysgrif sy'n llechu y drws nesaf i 'Y Lôn Ucha" yn y gyfrol *O'r Pedwar Gwynt*, sef 'Y Coed Bach'. Y mae hon yn ysgrif arwyddocaol ar sawl cyfrif:

> Coed cnau oedd y rhan fwyaf o'r Coed Bach. Yno felly, yr aem i dorri gwialenni ac i gneua, a hynny tua'r un adeg . . . Croesi at y lein bach, efallai, i ddechrau a chael yr hwyl o gerdded, neu lamneidio, o slipar i slipar, a gallu cyffwrdd â wifren deligrafft mewn un man lle'r oedd tamaid o glogwyn yn codi'n ddigon uchel . . . Yna o'r lein bach at Stabal Jac, hen dwll gwaith copr, lle y byddai yn ei dymor nyth ysgrech ar ysgafell y graig oddi mewn . . . Yna ymlaen dros Afon Bach y Ffridd . . . ac wedyn yn raddol i mewn i'r coed. A dyna ni o'r golwg am oriau.
>
> Cwmni bach o ddau neu dri fyddem, brodyr gan amlaf. Ni byddai'n talu i fynd i herwa yno gydag allanolion . . . Ni wn i ddim pa fodd i ddisgrifo'r hud oedd yn y coed a thanynt. Yr oedd y wlad oddi amgylch mor foel a llwm fel y gallem ddychmygu, wrth fod yn y coed, ein bod mewn fforest dalfrig drofannol . . . Ac er nad oedd y coed ond corgyll

digon main, ymddangosent yn golofnau tal a phraff i ni'r rhai bychain. A'r peth mawr oedd bod yn y dirgel o'r golwg dan y coed yn mwynhau, heb wybod i ni ein hunain, yr hyfrydwch mwyaf cyfriniol y gall dyn bron synio amdano . . . y cymundeb sanctaidd-baganaidd hwnnw sydd rhwng dyn a choed yn anad dim . . . Tyfais a chollais lawer o'r ddawn honno i deimlo rhin presenoldeb coed . . . Daeth moelni dihenydd y fangre honno yn fwy o bwysau ar f'enaid.[35]

Y mae yma fwynhad syml mewn cwmnïaeth ddifyr, mewn cydchwarae. Ond y mae rhywbeth dyfnach na hynny. Y mae'r holl daith tuag at y Coed Bach yn bererindod sy'n llawn diniweidrwydd hawdd ei niweidio. Nid oes yma na direidi herfeiddiol na gorchest crymffastiau'r Lôn Ucha, dim ond chwarae er ei fwyn ei hun. Ac yna, wrth fynd i mewn dan gysgod y coed, y mae'r cwmni'n symud i ddimensiwn gwahanol. Y mae'r ysgrif yn mynegi mwy na mwynhad diniwed plentyn wedyn; y mae'r holl griw'n profi'r wefr sy'n dod o rannu dirgelwch byd natur a'i rannu gyda chwmni diogel, cytûn, cwmni gweddus i rannu dirgelwch â hwy. Y mae'r profiad ymron yn brofiad cyfriniol. Profiad ydyw o blentyn sensitif yn profi cymundeb â'r amgylchedd mewn sefyllfa lle mae cymundeb ar yr un pryd yn bod rhyngddo ef a chwmni dethol o'i gyd-fforddolion. Yn yr ysgrif, y mae T. H. Parry-Williams, wrth edrych yn ôl, yn cofio'r profiad hwn fel profiad prin a diflanedig, profiad i'w drysori. Ac mae'n iawn, oherwydd, hyd yn oed wrth groniclo'r wefr, y mae'n rhag-weld y cymylau'n crynhoi: 'Daeth moelni dihenydd y fangre honno yn fwy o bwysau ar f'enaid.' Fe ddaeth y moelni'n bwysau. Cuddfan rhag y moelni a'i hamgylchynai i bob cyfeiriad oedd y Coed Bach, ynys o faeth a gwyrddlesni mewn anialwch di-goed. Dyna pam yr oedd y profiad o ymguddio ynddynt yn brofiad mor arbennig.

Yng ngoleuni'r ysgrif hon, y mae llawer o'r sôn am foelni sydd i'w gael ymhellach ymlaen yng ngwaith y bardd yn gwisgo ystyr ychydig yn wahanol i'r disgwyl. Rhywbeth tlawd a cholledig oedd moelni yn y cyd-destun yma, nid rhywbeth i hiraethu amdano nac i ymfalchïo ynddo. Diffyg coed yw moelni daearyddol, felly y mae'n ddiffyg bywyd. Gall fod y moelni wedi'i weithio'i hun i mewn i hanfod y bardd, ond yn sicr nid rhywbeth i'w groesawu oedd hynny, arwydd o ddiffyg cyfeiriad ac o ddiffyg hunaniaeth oedd. Cawn achos i ddychwelyd at hyn eto, ond sylwn, yn y cyfamser, fod cysgodion y carchar, chwedl Wordsworth, yn bygwth y bachgen bach mor gynnar â hyn ar y daith.

Y mae seiniau proffwydol eraill i'w canfod, fel y clywn wrth ddychwelyd at yr ysgrif, 'Y Lôn Ucha''. Yr oedd y Lôn Ucha' ei hun, fel y gwelsom, yn gyrchfan hwyl a direidi, yn llwyfan i ddireidi plant. Ond, o ddilyn ymlaen ychydig ymhellach ar hyd-ddi, yr oedd hithau hefyd yn troi'n rhywbeth gwahanol:

> Wrth fynd o olwg y pentref, ar ôl pasio Adwy-tŷ'n-y-cefn, ffordd arall oedd hi, ac enw arall oedd arni bellach hefyd. Yno, yr oedd hi yng nghanol tir y Tylwyth Teg a bwganod a bodau ysbrydol byd-arall felly; ac ni cheid arni lawer o sŵn crymffastiau o fechgyn diffaith.[36]

Y mae'n sôn yn fanylach am hyn yn ei ysgrif 'Drws-y-Coed'. Bodlonwn am y tro ar sylwi fod yr ymwybod ag ofnadwyaeth pethau ac â dieithrwch rhai mannau arbennig yn rhan o'i brofiad yn gynnar iawn. Nid oedd llawer o guddfannau diogel tebyg i'r Coed Bach ar gael i neb ar y ddaear hon.

Ond gadewch i ni ddychwelyd am ychydig at aelwyd Tŷ'r Ysgol. Beth oedd cyfraniad y fam yn ystod y blynyddoedd cynnar hyn? Clywsom eisoes mai hi oedd cynhaliwr sbort a thynnu coes, o'i gwrthgyferbynnu â'r tad, cynhaliwr difrifoldeb diwylliadol. Hi hefyd, dybiwn i, oedd cynrychiolydd yr hyn a oedd yn wirioneddol werinol, yn agos i'r pridd ac yn sefydlog. Rhaid cofio mai ym mhentref Rhyd-ddu y treuliodd hi ei hoes gyfan, ac mai un o'r werin oedd hi, hyd yn oed os oedd ganddi hi frawd yn bregethwr. Yn wahanol iawn i'w gŵr, a fu ar grwydr yn sir Benfro, yn y coleg ym Mangor, a benodwyd yn brifathro'n ifanc ac a oedd beunydd ar daith mewn eisteddfodau ac ati hyd yn oed ar ôl ei phriodi hi, ni fu'r fam erioed yn byw yn unman arall ond Rhyd-ddu. Y mae'r fath lonyddwch daearyddol yn cynnig sefydlogrwydd mawr i blentyn, os ydyw hefyd yn wedd allanol ar lonyddwch mewnol; ac mae popeth a wyddom am fywyd Annie'n awgrymu ei fod. Y mae'n sicr gen i fod ei fam, yn ei chynhaliaeth a'i thynnu coes, y naill fel y llall, wedi cynnig yr ymdeimlad hwnnw o sicrwydd sydd mor werthfawr i blentyn bach, i'r cyfan o deulu Tŷ'r Ysgol, ac wedi cynnig y callineb iach a'r cyswllt clòs â phridd y ddaear a oedd mor angenrheidiol i iawn bwyll ei mab hynaf, ynghanol ei hydeimledd eithafol ef a'i ymwybod chwyrn â thrais ac anghyfiawnder y cosmos.

Yn rhifyn Gorffennaf 1928 o'r cylchgrawn dirwestol, *Y Gymraes*, cyhoeddwyd nodyn o deyrnged iddi hi a'i chwaer ieuengaf, a oedd yn byw yn y Glasfryn, ychydig ddrysau i ffwrdd. Bu farw'r ddwy chwaer o fewn wythnosau i'w gilydd ym 1926, ac mae naws y deyrnged yn arddangos teimlad cryfach ac anwylach na pharch confensiynol:

Ni wahanwyd hwy yn eu bywyd – treuliasant eu hoes yn ymyl ei gilydd, buont yn cyd-fagu eu plant, yn cyd-ofidio a chyd-lawenhau yn amgylchiadau ei gilydd, a chafodd y ddwy bron gyda'i gilydd fynd i'r trigfannau nefol.

Y mae'r deyrnged yn cyfeirio'n ganmoliaethus at brifathro Rhyd-ddu, gan ddweud ei fod yn adnabyddus i gylch eang iawn, ac y cyfrifid ef 'yn un o athrawon gorau ei ddydd, yn ŵr cydwybodol ac yn frenin ei ardal'. Y mae'n mynd ymlaen i sôn am y ddwy chwaer fel rhai a aberthodd lawer er mwyn sicrhau addysg i'w plant, ac yna'n dweud:

Nodweddid y ddwy gan gydymdeimlad a charedigrwydd eithriadol. Byddent yn eu helfen yn croesawu dieithriaid i'w tai, a hwy fyddai y rhai cyntaf i ymweld â'r claf a'r profedigaethus. Tosturient wrth y tlawd a'r diamddiffyn – nid aeth yr un cardotyn erioed oddiwrth eu drws heb ddilledyn a thamaid.

A chaniatáu fod peth gorganmol a gwyngalchu'n debyg o berthyn i unrhyw deyrnged coffa, eto nid yw'n debygol mai cyd-ddigwyddiad llwyr yw'r ffaith fod Tom yntau'n mynd allan o'i ffordd fwy nag unwaith yn ei ysgrifau i enghreifftio caredigrwydd ei fam tuag at gardotwyr, a hynny fel arwydd o'i thynerwch a'i gofal dros eraill. Y mae'r wyneb llawn hiwmor sy'n syllu allan o'r ffotograffau hefyd yn wyneb cynhesol a theimladwy. Y mae gennyf syniad difyr, syniad na allaf mewn unrhyw fodd ei brofi, nad oedd meddalwch calon ac ysgogiadau ysgafala Annie bob amser wrth fodd calon ei gŵr gofalus a rhinweddol, a bod rhywfaint o dyndra'n bownd o fodoli weithiau, er mor gynnes yr aelwyd, rhwng disgyblaeth y naill a phenrhyddid y llall, tyndra a fyddai, debygwn i, yn rhoi rhywfaint o sbeis yn y cawl teuluol ar aelwyd Tŷ'r Ysgol.

Ar wahân i'w deulu ef ei hun, y bobl a oedd wedi eu serio fwyaf ar gof y bachgen ifanc yn ddiamau oedd teulu'r Ffatri. Y mae'n sôn amdanynt sawl gwaith yn ei ysgrifau, ac mae ganddo ddwy ysgrif benodol sy'n eu coffáu'n fanwl, 'Rhobet' a 'Teulu'r Ffatri', y naill wedi ei hysgrifennu ym 1936 a'r llall ym 1946. Bydd angen i ni ddychwelyd at y ddwy ysgrif hyn eto. Bodlonwn ar nodi yn y fan yma fod yr awyrgylch a adeiladwyd ganddo o gwmpas y ddau frawd a'r chwaer, Dafydd, Robert a Jane, yn rhan ganolog a phwysig o'r Rhyd-ddu a grëwyd gan Parry-Williams yng nghorff ei waith ac a ddatblygodd yn ei ddychymyg fel oedolyn, yn rhan hanfodol o'r chwedloniaeth bentrefol fwyaf pwerus yn ein llenyddiaeth. Nodwn, ar yr un pryd, mai Robert ('Rhobet', fel y'i gelwir) yw'r person a gysylltir gan Parry-Williams â'i adnabyddiaeth ef ei hun o Lyn y Gadair, ac â'i adnabyddiaeth o'r grefft o bysgota – elfen arall yn y cyswllt gwerinol ac ymarferol a oedd ganddo ar un lefel â'i amgylchedd ac enghraifft o'r haen honno yn ei bersonoliaeth nad oedd yn gweld byd natur yn gyfriniol o gwbl, dim ond yn gyfle i fod yn rhan naturiol ohono trwy hela neu bysgota. Y mae personoliaethau Dafydd a Jane yn fwy cyfrin, ac mae rhywbeth mythaidd yn y triawd gyda'i gilydd. Y mae'n amlwg fod eraill ar wahân i'r Tom ifanc wedi gweld rhyw arbenigrwydd yn nheulu'r Ffatri, unig fyddigions y pentref, fel petai, oherwydd y mae nifer o'r llythyrau a anfonwyd at Syr Thomas yn dilyn y sgyrsiau radio a draddodir yn nes ymlaen. Ond mae'r rhain hefyd yn ei geryddu'n ysgafn weithiau am gamddehongli neu'n wir am weld yn gam. Gall hynny'n rhybuddio ni hwyrach, pe bai angen, mai myth personol yw Rhyd-ddu Parry-Williams, nid darlun realaidd o bethau fel yr oeddynt yn ymddangos i bawb arall. Ac eto, y mae'r hyn a ddywedir gan eraill am deulu'r Ffatri fel pe bai'n ychwanegu at y myth.

Y mae Penry Jones, yn ysgrifennu o Benrhyndeudraeth ym 1946, er enghraifft, yn cofio Jane wahanol ar un cyfrif i'r Jane a ddarlunnir yn chwedlonol-rhamantaidd, fel y gwelwn yn nes ymlaen, gan Parry-Williams:

> Nid oeddech chi a fi wedi ei hadnabod o'r un ongl. Yr *oedd* yn gymysg a'r peth hwnnw oedd yn gwneud Jane i lawer fel dyrnaid o niwl. Ond yr oedd y Rel Lady yno hefyd. Cefais i fod yn y tŷ gyda hi lawer tro, a chefais fwy na unwaith eistedd wrth y bwrdd crwn a thamaid o leian gwyn yn union dan fy nghwpan de. Medrais ei hudo i ganu rhai nodau o'r Messiah, os byddai hwyl dda ar Robert i fynd at yr Harmonica. Ac yr oedd ei llais mor bur a main a rhai o nodau y dridwst sydd ar dalcen ein tŷ yn dynwared nodau uchaf y fwyalchen sydd yn canu yng nghorel Cae Garw.[37]

Y mae hefyd yn sôn ei fod wedi bod yn siarad â nai i Jane Williams a oedd yn digwydd bod yn godwr canu yn 'Capel Gorffwysfa yma'. A'r hyn a ddywedodd hwnnw oedd: 'Ia, biti na fuasai'r Doctor wedi clywed Jane yn canu.'

Y mae gohebydd arall, Dill Jones o Evansville yn UDA, sy'n ei gyflwyno'i hun fel 'gŵr Maggie Ann, merch Owen a Margaret Jones, Brongwyrfai', yn ymateb i'r ffaith fod T. H. Parry-Williams wedi sôn mewn sgwrs radio nad oedd yn gwybod 'pa beth a ddaeth' o Dafydd yn y diwedd. Yr oedd Dill Jones yn gwybod – 'Wel, dyma chi, fel hyn y digwyddodd hi, rhywdro yn yr hydref 1906':

> Mi ddaeth Robert ei frawd i'r tŷ tua hanner awr wedi wyth y nos ac yn gofyn a fuaswn yn dwad yno gan fod Dafydd William yn wael iawn . . . roedd un o'r nosweithiau mwyaf drycinog a deimlais erioed, gwlaw a gwynt ac yn dywyll fel y fagddu a Robert hefo lantar . . . Ac yn wir dyna lle'r oedd Dafydd ar y fainc o flaen y tân, hyny o dân oedd yno. A dyma Jane yn dweud wrthyf fod arni ofn gwneud gormod o dân rhag iddo chwysu, ond yn wir i ti, pan afaelais i yn ei draed mi roeddynt wedi oeri ac mi oedd ei anadl yn mynd yn fyrrach ac yn fyrrach o hyd.[38]

Nid oeddynt yn teimlo mai priodol oedd i Jane aros yn yr oerfel ac fe'i hanfonwyd i'r gwely: 'cyn hanner nos rhoddodd ei anadl olaf a dyma Robert yn gofyn a fuaswn yn mynd i nôl John Williams 'Gefnen' i olchi'r corff.'

Allan â Dill Jones i'r storm gyda 'lantar' Robert, a phan ddaeth yn ôl gyda John Williams, bu raid iddo fynd allan wedyn 'i nôl styllan go lydan', ac fe gariwyd corff Dafydd i fyny i'w wely ar y 'styllan', gan nad oedd yn addas bellach iddo aros yn oerni'r gegin.

Os mai teulu'r Ffatri oedd y teulu a lynodd yn ei gof, y mae'r un mor eglur fod dau le a gafodd effaith gwbl ysgytiol ar Tom, y naill oedd ardal Drws-y-coed, ar y ffordd i lawr i Ddyffryn Nantlle, a'r llall oedd ffermdy Oerddwr, cartref ei fodryb Betsi, chwaer ei fam, a'i gyfaill a'i arwr Willie Oerddwr. Y mae sawl math o ymdeimlad o arallfydolrwydd, o'r cyfriniol a'r anesboniadwy mewn bywyd, yn tarddu o'r hyn a grëwyd gan ei ddychymyg yn dilyn ei ymweliadau ag Oerddwr yn llaw ei fam.

Y mae'r ysgrif 'Oerddwr'[39] ymysg y pwysicaf o'r ysgrifau sy'n delio â'r blynyddoedd cynnar, oherwydd ynddi hi down wyneb yn wyneb â'i ymwybod o'r dimensiwn cyfriniol, a'r ffaith fod rhai mannau arbennig yn agored i brofiadau cwbl anesboniadwy:

> Bûm yn Oerddwr laweroedd o weithiau o bryd i bryd, ar fyr dro neu hir aros, ar bob tymor o'r flwyddyn, ac mi wn, i raddau, deithi'r lle. Profiad rhyfedd oedd cychwyn yno, rhyfeddach fyth oedd cyrraedd, a rhyfeddaf oll oedd bod yno. Pan ddringwn tuag yno, byddai pob math o feddyliau araul a dychmygion clir yn ymddeor yn fy mhen. O, meddwch, effaith cylchrediad cyflymach a chryfach y gwaed ar ôl ymegnïo wrth ddringo'r llethr serth.

(Ymgais gwbl nodweddiadol y Parry-Williams ysgrifol i egluro popeth i ddechrau trwy gyfrwng y rheswm, cyn gorfod derbyn nad oedd gan y rheswm ddim ateb i'r cwestiwn yr oedd yn ei ofyn ar y pryd!)

> Ond rhaid i mi goelio bod rhywbeth yn y ffaith fod Oerddwr ar ben y dringo, oherwydd ni phrofwn yr un peth yn hollol wrth ddringo i leoedd eraill. Gwaed rhedegwyllt neu beidio, yr oedd hi'n werth profi eglurder grisialaidd y gweithgareddau ymenyddiol hynny. Canys dyma oedd eu nodwedd – tryloywder anghyffredin a chlirder annaearol . . . y mae gweld a sylweddoli unrhyw beth, er symled a chynefined fo, yn hollol glir a thrwyadl bendant â'r ymennydd yn brofiad na all neb ei ddibrisio, – y mae'n beth mor brin mewn bywyd ac yn hanes yr ymennydd.

Y mae'n arwyddocaol, hwyrach, fod y syniad o ganfod yn annaturiol eglur, o weld rhywbeth mewn modd mwy treiddgar nag sy'n arferol, yn rhan o brofiad y cyfrinydd trwy'r oesau; nid gwelediad rhamantaidd-niwlog yw gwelediad y cyfrinydd, ond gwelediad poenus o eglur. Â'r ysgrif ymlaen i bwysleisio natur annaearol Oerddwr fel lle:

> Yr oedd cyrraedd Oerddwr ar unrhyw adeg o'r dydd yn brofiad od a dieithr hefyd, ac yn newydd bob tro . . . Yr oedd cyrraedd Oerddwr o unrhyw le bob amser yn gyrraedd pen taith. Nid galw y byddai, nac y bydd, neb yno, ond cyrraedd.

Y mae'n sôn am y straeon a'r digwyddiadau rhyfedd a goruwchnaturiol sydd ynglŷn â'r lle. Ac yna, y mae'n disgrifio fel yr aeth ef ei hun, fel plentyn, gyda grŵp o'r fferm i weld diffyg cyflawn ar yr haul: 'Yno gwelais ddiwedd y byd am ychydig eiliadau yn ystod y clips y bore hwnnw.' Fel pe na fyddai wedi bod yn syndod iddo, y mae'n croniclo, yn yr ysgrif hon, ei sylweddoliad cynnar fod rhai mannau yn cuddio dirgelion arallfydol, fod rhai mannau ar wyneb daear, yng ngwir ystyr y gair, yn annaearol.

Drosodd a throsodd hefyd yn ei waith, y mae T. H. Parry-Williams yn ymson ynglŷn â'r syniad o 'ffin' rhwng y naill le a'r llall, rhwng un math o brofiad a math arall, rhwng y materol a'r anfaterol, ac mai ar y ffin hon rhwng dau ddimensiwn o fyw, fel petai, y mae dyn gan amlaf yn dod wyneb yn wyneb â rhywbeth sydd y tu hwnt i gyrraedd y rheswm a'r deall, ac yn y mannau anghyffwrdd hyn y mae'n dod agosaf at amgyffred gwirioneddau tragwyddol. Bydd rhaid archwilio'r syniad o'r 'ffin' ymhellach ymlaen, a chydnabod i'r syniad hwn dyfu'n gonsept metaffisegol llawer mwy cymhleth ym meddwl a dychymyg Parry-Williams nag unrhyw brofiad diriaethol a roes fod iddo, fel sawl consept arall o'i eiddo sydd â'i wreiddiau ym mhrofiadau ei blentyndod. Ond mae lle i gredu, beth bynnag, y gwelwn fan cychwyn y myfyrio hyn ar natur y 'ffin', o'i wrthgyferbynnu â'r myfyrdod ynglŷn â'r arallfydol sydd â'i wreiddiau yn Oerddwr, yn ei atgofion am ei deithiau gyda'i dad i Ddyffryn Nantlle trwy ardal Drws-y-coed. Nid cyd-ddigwyddiad yw'r ffaith fod ysgrif 'Oerddwr' yn codi o 'ffit Oerddwr' ei fam, yr awydd i godi pac i ymweld â'i theulu; a bod ysgrif 'Drws-y-Coed' yn codi o 'ffit Carmel' ei dad, yr awydd cydwybodol a ddeuai'n llai aml ar ei ran yntau i fynd i ymweld â'i deulu ef yn Nyffryn Nantlle. Yn natur ei rieni ac yn ei berthynas gynnar â'r ddau ohonynt y mae gwreiddiau popeth o bwys yn ei fywyd. Dyma, felly, ysgrif 'Drws-y-Coed':[40]

> Y mae hafn a bwlch a dyffryn yn ystlysau'r gogledd rhwng Llyn y Gadair a Llyn Nantlle, lle, mi gredaf, y mae cynyrfiadau'r ffin yn chwannog i ddigwydd . . . Yn fras, ardal Drws-y-Coed ydyw . . . Dyma wlad y Tylwyth Teg, yma y mae Llwyn-y-Forwyn a Llyn y Dywarchen. Ar y ffordd y mae ysbryd Adwy'r Raels yn ymddangos weithiau.

Y mae'n mynd ymlaen i sôn am ffermdy Drws-y-coed, am adeiladau a fu'n lloches i wylliaid pen-ffordd, am olion addoldy'r Morafiaid, ac yn y blaen. Yna meddai:

> Nid oes dim cynhyrfus nac arbennig iawn yn y pethau hyn, meddwch. Nac oes, efallai, o'u henwi'n ystribed fel yna. Ond arhoswch funud. Mi ddechreuais i gerdded yr hafn hon er cyn cof i mi bron, wrth fynd ar droed gyda'm tad i'w hen gartref yng Ngharmel . . . Yr oedd y cyfan yn fyw o arallfydedd; bwgan yr adwy, hawntiau'r Tylwyth Teg, agosrwydd dychrynllyd hen dŷ Drws-y-Coed i'r ffordd unig ac i'r llyn bygythiol, difeddeurwydd yr hen fynwent, pendro rhyfeddod pen y bwlch, sydynrwydd parhaus y Clogwyn Brwnt wrth ddod i'r golwg.

Ac yn y blaen. Ymhobman y mae rhywbeth y tu hwnt i'r cyffredin, rhywbeth i godi arswyd, yn arbennig felly 'cwmpasoedd y gwaith copr', gyda'r 'clogwyn mawr wedi cwympo o entrychion y llechwedd trwy fur cefn capel bach ryw nos Sul (a chorff yn y tŷ-capel ar y pryd hefyd, yn ôl yr hanes) ac yn sefyll yn dorsyth a digywilydd fel ysbryd wedi ei garegu'. A gwyddom, o dystiolaeth y tramorwyr ynglŷn â'i ramantiaeth mewn perthynas â lle mor ymddangosiadol gyffredin â Rhyd-ddu, na fyddai ei dad ddim wedi bod yn fyr o ledaenu a dyfnhau'r ymdeimlad o ryfeddod wrth iddynt gerdded ymlaen.

Nid oes dileu ar yr argraffiadau hyn mwyach. Yr oeddwn wedi gweld a theimlo 'ysbryd lle' yr ardal gynefin hon heb sylweddoli hynny yn llwyr yr adeg honno. Peth plentynnaidd, efallai, oedd y profi, ond y mae'n sicr gennyf fod synhwyrau'r ffin ynof yn fyw i'r pethau arall-fydol hyn. Yn ddiweddarach – ar ôl imi 'weld y byd', o bosibl, – y bywiocawyd, neu'r ailfywiocawyd, yr argraffiadau synwyredig hyn yn f'ymwybyddiaeth. Wedi gweld Drws-y-Coed y gallwyd gweld y byd, ond rhaid oedd gweld peth ar y byd cyn iawn weld Drws-y-Coed.

Yr oedd hyn yn wir am lawer iawn o brofiadau ei blentyndod. Y mae'r un mor sicr fod hadau'r cyfan oll o'i gynhaeaf llenyddol wedi'u hau cyn iddo adael Rhyd-ddu am Borthmadog. Yr oedd sawl profiad chwerw a chaled eto i ddod i finiogi ei synwyrusrwydd artistig ac yr oedd pellter a phrofiad i ddyfnhau'n ddybryd ei ymwybyddiaeth o arwyddocâd y profiadau cynnar, ond yn y profiadau hyn yr oedd gwreiddiau popeth o bwys a ysgrifennodd weddill ei oes. Y mae'r nodyn bach swta a ysgrifennodd ei dad yn llyfr-lòg yr ysgol ar gyfer 21 Awst 1899 yn arwydd o groesi ffin os bu arwydd o groesi ffin erioed: 'The name of Tom Herbert Parry-Williams is removed from Registers today. Having won the County Scholarship (first on the list) for the Portmadoc Inter. School.' Gellir meddwl am falchter y tad yn nodi'r geiriau 'first on the list' ar y dudalen, ond prin y byddai ef wedi medru meiddio dychmygu beth fyddai effaith y symud anochel hwn i gyfeiriad llwyddiant academaidd ar gyfraniad ei fab i lenyddiaeth Cymru. Afraid ystyried bellach sut y gallai'r mab fod wedi tyfu'n wahanol, a'i gyfraniad i lenyddiaeth wedi datblygu'n wahanol, pe bai ei dad wedi gosod ei ffydd yn yr ysgol ganolraddol a oedd newydd agor i lawr yn y dyffryn, ym Mhen-y-groes, a'i gadw'n nes at fynwes y teulu, yn hytrach na'i anfon, yn ôl traddodiad a chonfensiwn, i'r ysgol glasurol ei naws yr oedd ef eisoes wedi gweld nifer o'i gyn-ddisgyblion yn llwyddo ynddi, draw ar lan y môr ym Mhorthmadog.

1   Ysgol a Thŷ'r Ysgol, Rhyd-ddu.

2   Rhai o ddisgyblion Blwyddyn 3, Ysgol Ganolraddol Porthmadog. Tom Parry-Williams yw'r ail o'r chwith yn y rhes flaen.

3 Gyda'i gefnder William Francis Hughes (Wili Oerddwr). Tynnwyd y llun yn
Rhuthun ym 1915.

4 Y Parchedig R. R. Morris, brawd mam Syr Thomas.

5 Y brodyr a'r tad, 1916. O'r chwith: Oscar, Wynne, y tad, Willie, Tom.

6 Y teulu, 1916. O'r chwith: (yn sefyll) Wynne, Tom, Willie ac Eurwen; (yn eistedd) y fam a'r tad, Blodwen, Oscar.

7   Tîm pêl-droed Coleg yr Iesu, Rhydychen, 1910/11. Tom yw'r un ar y chwith
o'r ddau sy'n eistedd ar lawr.

8   Y darlithydd ifanc, haf 1914. Mae Tom yn sefyll ar y dde yn y rhes gefn, a'r
Athro Edward Anwyl yn eistedd yn y canol.

9   Syr Thomas ar lan y Pasiffig, 1935.

10   Llawysgrif 'Haf 1942' (*Lloffion*, 1942).

11 KC 16; prynwyd KC 16 ym Medi 1920.

12 Syr Thomas dan fonet JC 3636, y Lanchester, ei drydydd
car.

13 Y Fonesig Amy Parry-Williams yn feirniad
alawon gwerin, Eisteddfod Glynebwy, 1958.

14 Syr Thomas yn y rhaglen *Lloffa*, Mawrth 1967, yn
stiwdio'r BBC, Caerdydd, gyda Roy Saer, yr Athro
Melville Richards a Frank Price Jones.

2 ✂ *Ar Ddisberod, 1905–1920*

Mi euthum oddi cartref yn unarddeg oed i'r ysgol sir – mynd o'r wlad a'r mynyddoedd i'r dref ac i lan y môr. Y mae gennyf ddigon o atgofion am y blynyddoedd yn yr ysgol honno ond trist a digalon iawn ydynt, ac ni byddaf byth yn hoffi mynd yn ôl mewn atgof i'r cyfnod yn yr ysgol.[1]

O'R holl ffotograffau teuluol ac unigol sydd ar gael o'r Tom ifanc a hen, nid oes unrhyw un mwy dadlennol na'r 'snap' bychan llwyd o'r bachgen trydydd dosbarth yn Ysgol Ganolraddol Porthmadog. Yn ei gôt frethyn a'i goler-adennydd, a'i ben ychydig ar un ochr, y mae'n syllu allan ar y byd trwy lygaid gwarchaeol, hanner-cau. Y mae'r wyneb gwelw yn wyneb clwyfus; y mae rhyw dristwch eisoes yn ei osgo; y mae fel pe bai wedi ei gosbi'n drwm ac heb wybod pam. Hyd yn oed pe na wyddem am ei anhapusrwydd ym Mhorthmadog, byddai'r llun hwn yn ddigon i'n perswadio fod rhywbeth mawr o'i le.

Y gwir yw, o'u cymharu â llawnder y blynyddoedd cynnar, a'r holl gyfoeth o atgofion a ysgogwyd gan ddyfnder ac amrywiaeth eu profiadau, anialwch oedd cyfnod Porthmadog. Y mae'n wir fod T. H. Parry-Williams yr oedolyn yn dweud rhai pethau ffwr-bwt yma ac acw am fod yn hogyn da a mynychu'r *Band of Hope* a'r capel ac ati; ond yr unig brofiadau cadarnhaol y mae'n sôn amdanynt rhwng y flwyddyn 1899 a'r flwyddyn 1905, pryd y symudodd ymlaen i Goleg Aberystwyth, yw'r achlysuron prin pryd y cafodd fynd yn ôl i ymweld â Rhyd-ddu. Pryd y gofynnwyd iddo draddodi araith yn seremoni agor ysgol uwchradd newydd ym Mhorthmadog ddegawdau'n ddiweddarach, ac yntau bellach yn un o gewri'r genedl, oedodd gryn dipyn cyn cytuno, gan mor anhapus oedd ei atgofion am y lle. Sylw ei wraig ar y mater, yn ôl yr Athro Geraint Gruffydd, a oedd yn bresennol ar y pryd oedd: 'Yn lle gofyn i chi agor yr ysgol newydd, piti na fuasen nhw wedi gofyn i chi gau'r hen un!'[2] Ac yntau yn fachgen anarferol o agored i'w glwyfo, yr oedd y rhwyg sydyn o golli bro a theulu a chyfeillion i gyd yr un pryd yn drawmatig. Yn ôl a ddeallwn, ni lwyddodd i'w uniaethu ei hun mewn unrhyw fodd â'i amgylchedd newydd; yr oedd beunydd yn dyheu am gael dychwelyd i Ryd-ddu.

Ond wedyn, mynd ar ymweliad y teimlai a wnâi fyth mwy wrth ddychwelyd yno. Er mai Tŷ'r Ysgol oedd y cartref y tynnai'n ôl ato yn ystod y gwyliau colegol, ymhell ar ôl iddo ddod yn Athro yn Aberystwyth a hyd yn oed ar ôl marwolaeth ei rieni, mynnai nad oedd bellach yn perthyn i'w fro fel y perthynai gynt. Yn un ar ddeg oed, yr oedd wedi cyfnewid cynhesrwydd aelwyd am oerni tŷ lojin, ac yr oedd hynny wedi newid ei fywyd am byth. Soniodd am oblygiadau ymarferol y newid wrth sgwrsio â'r Athro Caerwyn Williams:

> Am ei bod hi'n anodd teithio'n ôl a blaen, roedd yn rhaid i mi aros ym Mhorthmadog am y tymor – yr unig egwyl a gaem ni oedd Dydd Llun Diolchgarwch: caem fynd adref at hwnnw, ond roedd rhaid i ni deithio'n ôl ddydd Llun. Felly 'd oeddem ni ddim yn cael llawer o Ddydd Diolchgarwch chwaith.[3]

Y mae'n sôn am y daith i lawr i'r gwastatir, a'r modd yr oedd pedair milltir ar ddeg yn bellter mawr yn y cyfnod hwnnw.

> Cerdded i lawr o Ryd-ddu i Feddgelert fel rheol, weithiau'n cael lifft gan Ifan bach y Post. Cael brêc Humphrey Jones o Feddgelert i lawr i Borthmadog, a mynd yn syth i'r tŷ lojin.[4]

Y mae'n ddiddorol fel y mae'n pwysleisio 'mynd yn syth i'r tŷ lojin'. Nid oedd tref Porthmadog yn amgylchedd i ymdroi ynddo, fel yr oedd ei fro enedigol wedi bod. Y tŷ lojin oedd Porthmadog. Ac mae'n sicr fod hiraeth ysol am bopeth a berthynai i'w gartref a'i henfro wedi ei sigo o'r dechrau. Y mae'r un mor sicr mai'r hiraeth hwn oedd man cychwyn ei farddoni. Yn yr hiraeth y mae ystyr gwaelodol y cwpled y mae ef yn ei ddyfynnu ymhellach ymlaen yn yr un sgwrs â Caerwyn Williams:

> Dagrau sy'n creu holl gelfyddydwaith byd
> A dagrau sy'n dehongli'r creu i gyd.[5]

Nid bod dagrau, fel y dywed yntau, bob amser yn brawf o dristwch: ond y maent bob amser yn brawf fod rhywbeth dyfnach na rheswm, a rhywbeth cryfach na'r deall, yn symud calon dyn. Pe bai ef wedi medru ymgolli yng nghwmnïaeth cyfeillion newydd ym Mhorthmadog ac, yn ei eiriau ef ei hun, wedi medru mynd i 'gyboli gyda bechgyn eraill', y tebyg yw y byddai'r min wedi gwisgo oddi ar yr hiraeth cynnar, fel y gwnaeth yn achos sawl un tebyg iddo y bu rhaid iddynt adael cartref yn gynnar i fod yn brentisiaid, yn gywion llongwyr, yn weision ffermydd ac yn blant ysgol, fel ei gilydd. Fe fyddai yntau yn y man wedi dod yn un o blant y dref. Ond mae'n amlwg na ddigwyddodd hynny. Am ba gyfuniad bynnag o resymau – ansawdd y tŷ lojin, diffyg hyder yn Tom ei hun, iselder ysbryd oherwydd ei hiraeth am ei gartref, ei ddibyniaeth fawr ar ei rieni a'i frodyr a'i chwiorydd, trafferthion gyda bechgyn mawr yr ysgol ac yntau'n fychan o gorff – am ba resymau bynnag y digwyddodd hynny, bywyd o unigrwydd mewnol ac allanol oedd ei fywyd i fod ym Mhorthmadog.

Ac yr oedd y ffaith ei fod wedi gorfod troi i mewn arno'i hun, ac wedi gorfod dysgu byw ar ei adnoddau mewnol mor gynnar, wedi bod yn gyfrwng i ffurfio personoliaeth y bachgen gwelw, yr unigyn ar wahân a welsom yn y ffotograffau, a hynny'n fuan iawn ar ôl iddo gyrraedd Porthmadog:

> rown i ar fy mhen fy hun yn y fan honno, wedi fy symud o'r mynyddoedd i lan y môr . . . wedi fy symud o un gymdeithas i gymdeithas arall, o blith un bobl i blith pobl arall, pobl newydd i mi, pobl wahanol, ac felly roeddwn ar fy mhen fy hun mewn mwy nag un ystyr, ac yr oedd y gwrth-gyferbyniad yma, mae'n sicr genni, yn rhyw fath o ysgytwad yn f'enaid i, yn f'anianawd i yn rhywle, ac fe gyffrôdd waelodion fy mod i.[6]

Y mae'n sôn fel y mae'n credu fod yr unigrwydd hwn wedi peri iddo ymson a myfyrio ynghylch ansawdd y byd a'i bethau'n llawer rhy ifanc, ac mae'n mynd ymlaen i ddweud rhywbeth hollbwysig pryd y mae'n sôn am y modd y trodd yr hiraeth cychwynnol naturiol am gartref a bro yn rhywbeth lletach a llawer mwy cynhwysfawr:

> Mae'n sicr genni fod yr hiraeth am gartref wedi ymledu'n hiraeth cyffredinol – yn rhyw deimlad sy'n crynhoi pob math o emosiynau . . . Mae'r hiraeth, yma, neu beth bynnag y gelwch chi o, yn rhywbeth sy'n ymledu yng ngwaelod enaid dyn, os oes ganddo ymateb i gyffroadau dyn a'i dynged, ac fe aeth y cyffro cychwynnol yma'n ysgytwad mor fawr arna i nes i mi anghofio bron iawn yr hiraeth am gartref; fe aeth, os mynnwch chi, yn gyffro awenyddol, yn gyffro a barodd i mi sgrifennu barddoniaeth . . . rwy'n credu fod yr hiraeth am gartref wedi mynd yn hiraeth mwy cyffredinol, yn gydymdeimlad, yn dosturi, yn rhyw gydymdeimlad â dyn a'i dynged yn gyffredinol.[7]

Dyma ddyfnhau'n enbyd y teimlad o ddieithrwch a ddaeth drosto yn ystod ei ddyddiau cyntaf ym Mhorthmadog. Dyma, yn ei olwg ei hun, beth bynnag, wraidd yr unigedd a'r arwahanrwydd a barodd i gynifer o feirniaid weld yn ei waith arwyddion mor gryf o'r ymwybyddiaeth o ddiffyg perthyn, ac yn y pen draw o wacter ystyr, a ddaeth yn elfen gynyddol bresennol yn llenyddiaethau Ewrop yn ystod yr ugeinfed ganrif. Bwrdwn go fawr i'w osod ar ysgwyddau'r tŷ lojin ym Mhorthmadog!

Sut bynnag, gan mor bersonol ac arbennig oedd yr amgylchiadau a achosodd yr ymdeimlad o unigedd yn y Tom un ar ddeg oed, y mae yn ei waith ef sawl nodwedd sy'n ei osod ar wahân hefyd i'r rhelyw o lenorion 'dieithrwch'. Bodlonwn ar nodi ar hyn o bryd fod geiriau fel 'cydymdeimlad' a 'thosturi' yn allweddol i unrhyw ymgais i ddatgymalu'r cyfuniadau cymhleth o ystyr a gwacter ystyr, anobaith a gobaith, rheswm a chyfriniaeth, deall ac anneall a welwn yn brigo dro ar ôl tro yn ei waith, a bod yr ymwybod o hiraeth cosmig fel arfer yn bŵer emosiynol cadarnhaol ynddo.

Wrth ddilyn twf ei waith, bydd rhaid edrych yn fanylach o lawer ar yr holl amrywiadau ar yr hiraeth cosmig hwn, a'r gwahanol fathau o brofiadau sy'n ei ysgogi i'w fynegi mewn geiriau. Ond mae'n gwbl addas inni aros am ychydig, ar ddechrau'r ymddieithrio, i edrych ar un ysgrif benodol sy'n delio â man cychwyn yr holl broses.

Yr ysgrif hon yw 'Dieithrwch'.[8] Tua diwedd yr ysgrif, y mae'n mynegi gwedd glasurol ar yr ymdeimlad o ddieithrio, yr *aliénation* sydd wrth wraidd gweithiau fel *Huis Clos* Sartre a *L'Étranger* Camus a llu o weithiau dirfodwyr eraill. Y stad ddiberthyn hon yw'r cyflwr dynol a chwaraeodd ran mor amlwg yn ymwybod llenyddol y ganrif mewn sawl iaith ac a oedd yn ganolog, mewn ffordd, i Foderniaeth lenyddol yn ei holl agweddau. Hwn yw'r teimlad heintus a hiraethus fod y bod dynol modern wedi colli cyswllt â'i wreiddiau, ac oherwydd hynny wedi ei wahanu oddi wrth y pethau sydd agosaf ato ac a fyddai'n cyfrannu orau at ei iechyd, ac yn wir ei iechydwriaeth. Yn yr ysgrif, 'Dieithrwch', daw'r union deimlad hwn o golled ac ar yr un pryd o fod ar goll fel ton dros Parry-Williams wrth iddo gyrraedd carreg drws Tŷ'r Ysgol yn Rhyd-ddu ar ôl cerdded y pedair milltir olaf o Feddgelert ar un o'i ymweliadau prin â'i gartref:

> Wrth frysio o'r ffordd fawr i fyny'r grisiau ac at garreg y drws, bûm fwy nag unwaith yn teimlo fel adyn wedi ei ddiarddel – yno o bobman ar wyneb y ddaear. Dieithrwch iasol, gwallgofus. Yr oedd sŵn fy nhroed ar

y cerrig yn rhyfedd ac anarferol, a lleisiau f'anwyliaid yn chwith annaturiol i'm clyw . . .⁹

Yr oedd y pedair milltir, wrth reswm, yn bedair milltir gyfarwydd iawn, ond rhan o'r profiad o ddieithrwch a deimlai mor gryf oedd y ffaith nad oeddynt yn ymddangos yn gyfarwydd. Yr oedd fel pe bai popeth a fu'n rhan mor annatod ac mor bositif o'i blentyndod cynnar wedi mab-wysiadu gwedd newydd ac anghyfarwydd. Ac os oedd hynny wedi digwydd, yr oedd yn ernes o'r posibilrwydd brawychus na fedrai bellach deimlo gwir berthynas ag unman nac undim os na fedrai deimlo perthynas â'r union leoedd hynny yr oedd mor glòs atynt yn ei ddychymyg:

> methu bod yn gartrefol gyda'r unig bethau yr oedd gobaith i mi allu bod yn hamddenol yn eu cwmni. Tybiwn fod rhywbeth o'i le ynof fi, fy mod wedi newid, ac atgas oedd ofni meddwl na fedrwn wrth ymadael drachefn deimlo'r hiraeth moethus hwnnw sydd yn arwydd digamsyniol o dynfa dyn at ei briod bethau . . . Byddai fy mhobl fy hun hefyd yn ddieithr weithiau, a theimlwn gywilydd anhraethol wrth eu hwynebu megis estron, a'm 'calon a gyffroai'.¹⁰

Y mae dau osodiad dadlennol yn y dyfarniad hwn. Yn y lle cyntaf, y mae'n sôn am 'yr unig bethau yr oedd gobaith i mi fod yn hamddenol yn eu cwmni'. Hynny yw, y mae eisoes yn teimlo ei fod yn berson ar wahân; 'does dim llawer o bethau na phersonau y medr ef 'fod yn gartrefol yn eu cwmni'. Os yw'r union bethau a phersonau hyn wedi ymddieithrio, yna y mae'r rhagargoel yn dywyll iawn. Yn wir, y mae'n dweud hyn hefyd yn 'Dieithrwch': 'tybiwn mai rhagargoel dryglam oedd y cwbl, a bod "bara ing a dwfr gorthrymder" yn f'aros'.¹¹

Y gosodiad dadlennol arall yw'r datganiad mai un rheswm dros deimlo'r tristwch mwyaf ynglŷn â'r dieithrwch hwn yw: 'na fedrwn wrth ymadael drachefn deimlo'r hiraeth moethus hwnnw sydd yn arwydd digamsyniol o dynfa dyn at ei briod bethau'.¹² Fe ddylai dyn fedru teimlo hiraeth yn ei enaid wrth adael yr hyn sy'n annwyl. Y mae hiraeth wrth ymadael ynddo'i hun yn brawf ei fod yn perthyn yn rhywle. Os yw'r gwirioneddau hyn yn sigledig, os yw cynyrfiadau hiraeth yn oeri, beth yn wir sy'n aros? 'Atgas', meddai, 'oedd ofni meddwl' am y fath beth.

O'r gorau, ond y mae agwedd arall ar yr ymwahanu cychwynnol na allaf yn fy myw ei chysoni â'r darlun a welsom yn gynharach o'r aelwyd gynnes a chlòs yn Nhŷ'r Ysgol. A'r agwedd hon yw dull yr ymwahanu ei hun. Po fwyaf y mae dyn yn ystyried yr ychydig ffeithiau sydd ar gael, mwyaf yn y byd y mae'n rhaid dod i'r casgliad fod dull yr ymwahanu yn fwy llym a therfynol nag yr oedd angen iddo fod. Y mae sawl enghraifft, fel yr awgrymais, o fechgyn ifainc yn gorfod gadael eu cartrefi'n gynnar ar dro'r ganrif, am sawl rheswm. A bu rhaid i rai ohonom adael yn gynnar am resymau tebyg mewn cyfnodau diweddarach. Ond beth bynnag fu'r effaith seicolegol arnom, nid oedd y profiad mor derfynol alaethus ag yr oedd i T. H. Parry-Williams. Pam y gwahaniaeth? Gellid sôn, wrth reswm, am ei hymdeimledd arbennig ef, am y modd y crëwyd cwlwm arbennig rhyngddo a'i fro yn ystod ei flynyddoedd cynnar, am ei angen – cynhenid hwyrach – am ddihangfa fewnol rhag ei ymdeimlad fod rhyw wacter ym môn y cread. Ac mae'r pethau hyn yn ddiau i gyd yn wir. Ond ni allaf lai na chredu, serch hynny, er nad oes gennyf dystiolaeth uniongyrchol, fod dull yr ymwahanu, am ba gyfuniad bynnag o resymau, yn rhyfedd o lym, a bod y llymder hwn ynddo'i hun wedi dyfnhau'r ymdeimlad o ddieithrwch.

Ystyriwn y ffeithiau. Anfonwyd y bachgen i Borthmadog am y tymor cyfan. Yn ôl ei dystiolaeth ef ei hun, anaml iawn, iawn y byddai'n dychwelyd yn ystod y tymor, hyd yn oed ar ymweliad byr. Yr oedd yn anochel, mae'n sicr, iddo aros ym Mhorthmadog yng nghorff yr wythnos am sawl rheswm. Ond a oedd yn angenrheidiol iddo aros yn y tŷ lojin dros bob penwythnos am y tymor cyfan? Nid oedd Porthmadog, wedi'r cyfan, ddim yn wlad dramor, ac yr oedd cryn fynd a dod rhwng Beddgelert a Phorthmadog, hyd yn oed yn y cyfnod hwnnw. Nid oedd teulu Tŷ'r Ysgol mor dlawd na allent fforddio rhoi ambell gildwrn i bwy bynnag a ddigwyddai deithio'n ôl a blaen, er mwyn sicrhau 'pas' i Tom. A beth bynnag, os oedd modd dod i fyny ar Ddydd Diolchgarwch, yr oedd modd dod i fyny ar ddyddiau eraill. Meddylier am y teithio cyson, ychydig yn ddiweddarach, rhwng Rhyd-ddu a Chaernarfon a mannau pellenig eraill gan yr ieithegwyr o Ffrainc a'r Almaen a sawl man arall, a theithio digon cyson gan ei dad hefyd ar sawl perwyl addysgol ac eisteddfodol. Pam felly fod ymweliadau Tom â'i gartref mor brin?

At hyn, os yw'r ysgrif 'Dieithrwch' yn gofnod cywir yn hytrach nag yn greadigaeth y dychymyg, hyd yn oed pryd y dychwelai ar ddiwedd tymor, yr oedd gofyn iddo gerdded y cyfan o'r pedair milltir o Feddgelert ar ei ben ei hun. Ni fyddai neb yn dod i'w gyfarfod, hyd yn oed i'w hebrwng dros y filltir olaf. Cerddai ar ei ben ei hun yr holl ffordd at ddrws y tŷ, pryd y byddai wedyn yn clywed sŵn y miri a'r chwerthin teuluol o'r tu fewn ac yntau nid yn unig yn gwrando o'r tu allan ond wedi profi taith unig yn y tywyllwch tra byddai'r fam a'r tad a'r brodyr a'r chwiorydd yn ddedwydd ar yr aelwyd. Dim syndod fod yr ysgrif yn sôn am y dieithrwch arbennig a deimlai ar ddiwedd ei daith (fel y cyfeiriwyd eisoes):

> Wrth frysio o'r ffordd fawr i fyny'r grisiau ac at garreg y drws, bûm fwy nag unwaith yn teimlo fel adyn wedi ei ddiarddel – yno o bobman ar wyneb y ddaear . . .[13]

Nid yn unig yr oedd yn teimlo dieithrwch, yr oedd yn teimlo ei fod wedi ei 'ddiarddel' o'r cwmni yr oedd yn dyheu am ailymuno ag ef. Y mae'r gair 'diarddel' yn golygu fod rhywun wedi peri i'r dieithrwch ddigwydd: nid damwain ydoedd – a gwyddom nad yw Parry-Williams yr ysgrifwr yn un i ddefnyddio geiriau'n llac.

Ac yna, o edrych ar y sefyllfa o'r ochr arall i'r drws, y mae'n anodd credu na fyddai rhyw aelod o'r teulu cynnes a ddarlunnir mewn sawl man arall wedi mynd beth o'r ffordd, beth bynnag, i gyfarfod y brawd a oedd yn dod adref ar ôl cyfnod go helaeth oddi cartref. Fel un a fu ei hunan mewn ysgol breswyl, 'rwy'n siŵr y byddwn innau'n teimlo dieithrwch enbyd pe bai gofyn i mi gerdded bob cam at ddrws y tŷ wrth ddychwelyd ar ddiwedd tymor, a hyd yn oed cael wedyn fod y drws ynghau, nad oedd neb, mewn gwirionedd, yn edrych allan amdanaf.

Nid wyf yn credu felly ei bod yn orffansïol i ofyn y cwestiwn 'Pam?' A oedd rhyw fath o rwyg wedi datblygu rhyngddo a'r teulu? A oedd ganddo reswm mewn difrif i amau pa fath o groeso a gâi yr ochr arall i'r drws? Y mae hynny'n annhebygol, yn arbennig felly o ystyried, fel y gwelwn ymhellach ymlaen, ei fod i mewn ac allan o'r cartref fel pe na bai erioed wedi bod i ffwrdd, unwaith y rhoddwyd blynyddoedd Porthmadog y tu ôl iddo. Ac eto, yr oedd y teimlad ei fod wedi ei ddiarddel wedi gwreiddio yn Tom ei hun, ac mae'r amgylchiadau'n peri inni deimlo fod sail i'r fath deimlad. Dros dro, beth bynnag, yr oedd y cyswllt clòs rhwng Tom a'i fro a'i deulu wedi'i hollti a hynny mewn modd a achosodd ymateb emosiynol eithafol a pharhaol yn y bachgen ei hun.

Beth felly yw'r ateb mwyaf tebygol i'r cwestiwn? Pam y gorfodwyd Tom, ac yntau mor hoff o'i Ryd-ddu, i ymwahanu mor ddigymrodedd oddi wrtho? A oedd Tom hwyrach yn rhy chwannog i 'gadwriad' gyda phlant y pentref, i ysmygu ar ddiwrnod ffair a mynd i saethu gyda'r cipar ac ati – i gyd yn weithgareddau y cyfeirir atynt yn yr ysgrifau, fel y gwelsom – fel y bu raid i'w dad, y 'disgyblwr', ei wahanu'n bendant iawn oddi wrth y fath bethau os oedd y bachgen a ddaeth yn gyntaf trwy'r sir yn arholiad y 'scholarship' i gyflawni ei addewid a dod ymlaen yn y byd? Ac a oedd y fam hithau hwyrach yn rhy chwannog i roi rhwydd hynt iddo yn lle ei ddisgyblu ar yr adegau hynny pryd yr oedd y tad i ffwrdd ar ei deithiau addysgol ac eisteddfodol? A oedd awyrgylch aelwyd swnllyd lle'r oedd pedwar o blant ieuengach na Tom dragywydd o gwmpas y lle, ac awyrgylch werinol, gwbl anacademaidd, teulu'r fam a'r fodryb yn Rhyd-ddu ac yn Oerddwr, ac awyrgylch y pentref yn gyffredinol, i gyd mor anaddas i fachgen mor alluog fel bod angen ei wahanu'n bendant iawn oddi wrth y cyfan, ac yntau bellach mewn oed i ymwrthod â phethau bachgennaidd? Ac a oedd Henry Parry-Williams, tybed, eisoes yn breuddwydio am ei fab disglair, seren y teulu, yn eistedd wrth draed sawl Gamaliel ieithyddol ar gyfandir Ewrop, er mwyn tyfu'n ysgolhaig na chafodd Henry ei hun y cyfle i fod? Ac yn wir, a oedd rhywfaint o agwedd y 'boarding-school' Seisnig wedi crwydro i mewn i'r penderfyniad, sef y syniad fod angen anfon bachgen ar ei dyfiant oddi cartref yn gynnar er mwyn iddo sefyll ar ei draed ei hun wyneb yn wyneb â'r byd? Ac a fu rhywfaint o ffrigwd rhwng y tad a'r fam ynglŷn â'r mater, ynteu, a hithau'n berson mor addfwyn, a benderfynwyd y cyfan gan y prifathro heb air o brotest gan neb? Pwy a ŵyr erbyn hyn, ond pa fodd bynnag, a phaham y digwyddodd pethau fel y gwnaethant, yr oedd dull yr ymwahanu'n ddigamsyniol lwyr a chwyrn, ac yn ddull a ddyfnhaodd y trawma gryn dipyn i Tom ei hun.

Y mae'n gwbl nodweddiadol o'r Tom a ddaeth yn T. H. Parry-Williams ei fod, mewn ysgrif ddiweddarach, yn ceisio rhesymoli pethau trwy ddweud nad drygargoel mo'r cyfan, fod rhyw les yn wir yn yr ymbellhau, gan fod y fath wahanu yn galluogi person i ddychwelyd at yr hen bethau cyfarwydd a darganfod eu gogoniant o'r newydd. Y mae'n fwy diddorol fyth sylwi ei fod, wrth adrodd hanes yr un daith o bedair milltir adref mewn man arall yn ddiweddarach eto ar ei fywyd, yn gadael allan yr elfennau alaethus yn llwyr, ac yn disgrifio'r cyfan fel profiad cwbl bleserus:

> Byddai'n rhaid i mi gerdded y pedair milltir olaf, a hynny weithiau wedi iddi dywyllu; a cherdded i fyny allt hefyd. Ond yr oedd y cyfan yn ogoneddus i mi.[14]

Gallwn fod yn sicr mai rhesymoli gorofalus yr henwr yn edrych yn ôl ar ei blentyndod oedd hyn, yn arbennig gan ei fod yn dweud, hyd yn oed yn yr ysgrif hon:

Er hynny, yr oedd y dieithrwch a deimlwn yn llethol yn ei ruthr cysefin.[15]

Ni allwn bellach ond dychmygu'r bachgen ifanc byw ei feddwl a thenau iawn ei groen emosiynol yn ymlwybro yn y tywyllwch tuag at yr hyn a ddylsai fod yn gartref diogelwch iddo, ond yn coleddu'r ofn yn ei galon nad oedd ganddo bellach unrhyw gartref ar wyneb daear, ei fod yn wir yn adyn ar grwydr. A oedd angen mewn difrif i hyn ddigwydd iddo?

Yn sicr fe ddysgodd y Tom ifanc un wers bositif a pharhaol yn ystod ei amser ym Mhorthmadog: a honno oedd, os nad oedd iddo ddihangfa ddiogel rhag gwewyr bod bellach yn Nhŷ'r Ysgol nac yn unman daearyddol, fod ganddo'n wir ddihangfa yn ei alluoedd ymenyddol ef ei hun, ac yn arbennig felly yn ei ddynfa tuag at ryfeddod iaith a'r cysur digymysg a gâi wrth ymhél â geiriau. O hyn ymlaen, fe fyddai'n ddibynnol ar ei adnoddau mewnol am ei achubiaeth. Yr oedd bwriad y tad, os dyma'n wir oedd y bwriad, ar y ffordd i gael ei wireddu. Ac eto, ac eto, nid rhyddhau ei fab o gyfyngiadau Rhyd-ddu a'i deulu a wnaeth Henry Parry-Williams wrth ei orfodi i sefyll ar ei draed ei hun mewn dull mor absoliwt; ei glymu wrthynt a wnaeth, weddill ei oes.

Yr oedd gan Tom, fel y gwelsom, ddiddordeb mewn rhythm a swyn canu telynegol yn gynnar iawn, ac aeth â chyfrol o gerddi Ceiriog gydag ef i Borthmadog. Wrth ddarllen y cerddi hyn drosodd a throsodd yn unigedd ei ystafell a chael ei gyfareddu yn ei unigrwydd gan swyn geiriau, dechreuodd farddoni ei hun. Anfonodd gerdd i'w dad, ond 'chafodd hi ddim croeso' – arwydd arall hwyrach o unplygrwydd bwriadau Henry Parry-Williams ar gyfer ei fab. Gofynnodd Caerwyn Williams iddo ym 1971 a gafodd gefnogaeth i lenydda gan ei dad. Yr oedd yr ateb yn anarferol bendant:

Naddo, ddim pan own ni'n ifanc. 'R oeddwn i wedi dechrau ymhél â llenyddiaeth yn ifanc. 'R oedd genni lyfr o ganiadau Ceiriog yn fy unigedd ym Mhorthmadog, ac yr oedd y rheini wedi apelio ataf, ac wedi peri i mi dreio fy llaw ar gân a'i hanfon iddo, ond chafodd hi ddim croeso. 'R wy'n cofio'r llythyr a ges i'n ateb: peri i mi beidio ag ymyrryd â phethau felly . . . Ymhellach ymlaen, wedi i mi ennill cadair yn eisteddfod y coleg neu rywbeth felly, ac wedi iddo weld fy mod o ddifri, rhaid ei fod wedi dweud wrtho'i hun, 'Gwell i mi roi tipyn bach o swcwr i'r bachgen yma iddo fynd yn ei flaen.' Ond ar y dechrau 'ches i ddim llawer o gydymdeimlad.[16]

Gwamalrwydd, wrth reswm, oedd llenydda yng ngolwg Henry Parry-Williams, er ei fod yn 'dipyn o fardd' ei hun. Darllen a dysgu oedd priod waith bechgyn gwirioneddol alluog fel Tom: trwy wneud hynny yr oeddynt am ddod ymlaen ym myd addysg a thyfu'n wir ysgolheigion, nid trwy chwarae â geiriau. Ac fe drodd Tom yn ufudd, mae'n ymddangos, at ei lyfrau gwaith a'r *Band of Hope*. Ac felly aeth blynyddoedd diffrwyth Porthmadog i gadw, ac aeth Tom ymlaen, yn ôl y bwriad, i gyflawni ei addewid yn y coleg yn Aberystwyth.

Ond dyma ni'n dod ar draws 'ac eto' eto. Y mae pwt o ddyddiadur ar gael sy'n cofnodi symudiadau Tom ddiwedd Medi a dechrau Hydref 1905, rhan o'r cyfnod pryd yr oedd wedi canu'n iach â Phorthmadog ac yn disgwyl yn eiddgar i fynd ymlaen i Aberystwyth. Yn awr, yn ôl tystiolaeth y dyddiadur, yr oedd y Tom deunaw oed, yn allanol beth bynnag, wedi'i ailsefydlu ei hun yn fodlon iawn yn Rhyd-ddu. Er mor gonfensiynol a ffwrbwt yw'r cofnodion, fel y cyfan o ddyddiaduron T. H. Parry-Williams sydd ar gael, nid adyn unig yn methu ailgydio yn ei wreiddiau a welwn yn y nodiadau Saesneg hyn. Gwelwn yn hytrach fachgen ifanc prysur a chymdeithasol, un sy'n parhau i gadw ei gysylltiad â'r capel, un sy'n crwydro'r ardal yn ymweld â'i gyfeillion. Gwelwn hefyd fachgen sy'n rhyfedd o ofalus i gofnodi manylion amser a hinsawdd a lle, rhagargoel hwyrach o'r sylwedydd obsesiynol fanwl ymhellach ymlaen:

Sep   23 Sat: Went to Mr Evans's. Started home 10am. Reached R.Ddu about 1pm. Fine day.

24 Sun: E. James Jones MA [y pregethwr yn y capel, siŵr o fod].

25 Mon: News that I had County Exbtn. Gweinidog here. Went to Caernarfon with Dafydd Snowdon [Tafarn y Snowdon Ranger?] in Craflwyn car. Came home by train.

26 Tues: Got up 3.30am. Went with Harri – and Johnny Hafod – to Port. Reached there 6am. Came back about 11.30am.

27 Wed: Went to meet Blod to Caeau Gwynion. 7.30pm.[17]

Ac yn y blaen. Dim byd anarferol. Ond yr oedd yr arferoldeb ynddo'i hun hwyrach yn anarferol i'r Tom a fu'n alltud o'i gartref gyhyd. Yna fe ddaeth y diwrnod mawr i gychwyn am Aberystwyth. Fe'i croniclir mor arwynebol ddidaro â phopeth arall:

Oct 2 Mon: Came to Port in morning. Went to Berth to GR Jones, also to school to Mr Evans and to 26 Snowdon St [yr hen dŷ lojin!]. Came to Aberystwyth with 4.45pm train from

Port with J Roberts and GR Jones in same carriage as Prof Anwyl.

3 Tues: Had lodgings in same place as JR and GRJ in Aber. Saw Princ in morning and Profs at night. Rather windy. Sent letter home.[18]

Ac felly y dechreuodd gyrfa academaidd un o'r myfyrwyr disgleiriaf i fynychu Prifysgol Cymru. Down i adnabod yr agwedd hon ar ei bersonoliaeth hefyd wrth symud ymlaen – y croniclo confensiynol, pedantig braidd, ar arwyneb bywyd, un arall o'i fecanweithiau amddiffyn i sicrhau na fyddai gormod o 'bensynnu' a 'synfyfyrio' yn ei arwain yn rhy aml i ddyfroedd rhy ddyfnion. Ac felly, yn syml ddigon, fel pawb arall, ffeindiodd Tom dŷ lojin, cyfarfu â'i athrawon, darganfu fod Aber yn medru bod yn lle gwyntog. Yr un manylyn arwyddocaol, er mai damweiniol arwyddocaol ydoedd, oedd y ffaith ei fod wedi teithio i lawr yn yr un 'carriage' â'r Athro Anwyl. Oherwydd yr Athro Anwyl, heb unrhyw amheuaeth, a fyddai'n brif ddylanwad a phrif ysgogwr ei yrfa academaidd o hyn ymlaen.

Yn Aberystwyth daeth i adnabod eneidiau cytûn a llwyddodd i ymgartrefu'n fuan. Yno y llwyddodd hefyd, o'r diwedd, i feistroli'r gynghanedd ac i ymroi o ddifrif i lenydda:

Yn y coleg y dois i i adnabod rhai a oedd yn ymddiddori ddyfnaf yn y gynghanedd ac mewn llenyddiaeth Gymraeg fel rhywbeth ar wahân i bwnc astudiaeth. Ymgeiswyr am y weinidogaeth oedden'nhw fel rheol, ac rwy'n cofio lletya gyda dau neu dri a chael hwyl ar gynganeddu popeth a thrwy'r dydd.[19]

Fel y mae Dyfnallt Morgan wedi nodi yn ei lyfr gwerthfawr ar fywyd a gwaith cynnar T. H. Parry-Williams, *Rhyw Hanner Ieuenctid* (1971), yr unig arbenigrwydd ynglŷn â'i ganu cynharaf oedd ei fod mor gwbl anarbennig. Y mae gennym dystiolaeth un o'i gyfeillion coleg a ddaeth i'w adnabod yn dda dros y blynyddoedd, E. Stanton Roberts, ei fod wedi darllen yn ystod ei ddyddiau ysgol, ar wahân i gerddi Ceiriog, gryn dipyn ar yr 'Ysgol Newydd' ac yn arbennig *Telynegion* W. J. Gruffydd ac R. Silyn Roberts, cyfrol a greodd gryn gynnwrf ar y pryd oherwydd ei newydd-deb telynegol. Dynwarediad llwyr o arddull a geirfa'r math yma o farddoniaeth oedd ei waith cynnar yntau, hyd yn oed ymlaen i ddyddiau coleg, fel y dengys cân fel 'Bore o Fai', a enillodd y wobr gyntaf iddo yn eisteddfod y coleg ym 1907:

> Tra curai ton goleuni'r lloer
> Ar draethell oer y ddunos,
> A blodion Mai'n breuddwydio'n chweg
> Dan berlau teg y gwlithos,
> Roedd Gwawr yn llys yr Huan claer
> Yn gwisgo'i haur sandalau,
> I gychwyn taith o'r dwyrain pell,
> Ac agor cell y borau.[20]

Y mae'n weddol amlwg nad yw T. H. Parry-Williams y bardd ddim wedi dod i'r fei eto. Y mwyaf y medrwn ei gasglu oddi wrth y gân hon a'i thebyg yw ei fod yn ddynwaredwr rhwydd ac eisoes yn hoffi chwarae â geiriau. Ac mae'r personoli ffansïol a'r eirfa afreal yn gwbl nodweddiadol o'r cyfnod. Yr un modd gyda'r canu caeth. Meistrolodd y cynganeddion, ac yna fe'u defnyddiodd i ennill gwobrau, fel gyda'r englyn i'r 'Mynach' yn yr un eisteddfod:

> Y mynach ni chyfathracha – â'r byd,
> Er byw yn ddidraha,
> Caru hedd tangnefedd wna,
> Am ei Fair y myfyria.[21]

Englyn mecanyddol-daclus heb unrhyw fflach o wreiddioldeb ynddo, ond englyn sydd o leiaf yn dangos ei fod yn medru dynwared cynganeddwyr y dydd lawn cystal ag y mae'n medru dynwared y rhamantwyr telynegol.

Y mae Dyfnallt Morgan ym ymdroi rywfaint â'r canu cynnar, ond digon inni gytuno â'i farn ar yr englyn i'r 'Mynach' a symud ymlaen: 'Gallai fod yn waith unrhyw un'.[22] Y mae'n werth sylwi wrth fynd heibio, serch hynny, fod yr awydd i gystadlu er mwyn profi ei werth yng ngŵydd eraill yn gryf iawn ynddo yn ystod y blynyddoedd hyn. 'The one noteworthy feature in regard to this year's Eisteddfod', meddai'r cylchgrawn colegol, *The Dragon*, fis Mawrth 1907, 'was the fact that almost all the prizes in connection with poetry were awarded to the same student.'

Ni allaf lai na chredu fod a wnelai'r awch gystadleuol â dau beth, ei gefnder Bob Parry, a'r angen i ddarbwyllo'i dad i gymryd ei farddoniaeth o ddifri. Y mae'n werth oedi am ychydig unwaith yn rhagor â'r gydberthynas ryfedd o bell-ac-agos a ddatblygodd rhwng llwybrau Tom a Bob, unwaith y dechreuodd y naill a'r llall ar eu gyrfaon addysgol, yn arbennig yn wyneb statws Bob fel rhyw fath o arwr plentyndod i Tom, ac un a oedd yn uchel yn llyfrau ei dad oherwydd ei feistrolaeth ar y gynghanedd.

Fel yr aeth Tom i Borthmadog a Bob i'r ysgol ganolraddol ym Mhen-y-groes, fforchiodd eu llwybrau'n ddaearyddol, ac eto yr oedd y naill yn bendant iawn yn ymwybodol o deithi bywyd y llall. Gadawodd Bob yr ysgol yn bymtheg oed, ac aeth i weithio fel disgybl-athro mewn ysgolion lleol, gan ddilyn patrwm gyrfa sawl un arall yn y cyfnod hwnnw, gan gynnwys chwaer hŷn Tom, Blodwen. Ond parhaodd Bob i astudio hefyd, ac erbyn 1902 yr oedd yn barod i fynd i Goleg Aberystwyth i ddilyn cwrs dwy flynedd er mwyn cael ei hyfforddi i fod yn athro. Erbyn i Tom hwylio i mewn i'r un coleg ar un arall o'i ysgoloriaethau ym 1905, yr oedd Bob wedi cael ei dystysgrif ac wedi mynd yn ôl i ddysgu. Ond yr oedd tad Bob, y 'checker-clerk' yn y chwarel yn Nantlle, yr un mor awyddus i yrru ei fab tuag at lwyddiant academaidd ag yr oedd yr hanner-brawd yn Rhyd-ddu i yrru ei fab yntau, ac fe barhaodd Bob i astudio, gyda golwg ar ddod yn ôl i'r coleg i gwblhau ei radd. Y mae'n deg casglu mai pwysau'r tad oedd y tu ôl i'r ymdrechion hyn, gan nad oedd llawer o eirda o gyfeiriad y coleg mewn perthynas ag arferion astudio Bob pryd yr oedd yn y coleg y tro cyntaf – yr oedd yn rhy hoff, mae'n ymddangos, o'r ochr gymdeithasol ar bethau, ac mae gennym ei dystiolaeth ef ei hun i'r ffaith nad oedd yn rhy hoff o'r bywyd academaidd:

> Mi gefais goleg gan fy nhad
> A rhodio'r byd i wella'm stad:
> Ond cefais gan yr hon a'm dug
> Fy ngeni'n frawd i flodau'r grug.[23]

Yr oedd yn amlwg p'run oedd hoffusaf ganddo, fel gan un wedd, beth bynnag, ar bersonoliaeth y cefnder ifanc disglair. Ta waeth, erbyn 1907, yr oedd Bob druan unwaith eto'n barod i fynd yn ôl i'r coleg am flwyddyn, i gwblhau ei radd y tro hwn. Ond nid aeth yn ôl i Aberystwyth, fel y byddai wedi bod yn naturiol. Aeth yn lle hynny i Fangor. Pam? Am fod Tom newydd ennill pob gwobr lenyddol bosibl yn yr eisteddfod golegol yn Aberystwyth, a'i fod bellach yn sgubo popeth o'i flaen yn llenyddol yn ogystal ag yn academaidd? Ym 1908, enillodd Tom gadair yr eisteddfod yn Aberystwyth, ond enillodd Bob ei gadair yntau ym Mangor, ac am awdl ar 'Cantre'r Gwaelod' a enillodd glod anarferol i gadair golegol. Enillodd Tom lu o wobrau eraill hefyd ym

1908, a hefyd ym 1909, pryd yr oedd wedi mynd ymlaen i wneud gradd mewn Lladin ar ôl graddio yn y dosbarth cyntaf yn y Gymraeg ym 1908. Ym 1909, enillodd y gadair am awdl ar 'Gwenllian', ynghyd â gwobrau am gywydd, telyneg Saesneg, cân ar 'Diwrnod Corddi' a soned. Bron na allem ddweud fod ei awch gystadleuol yn eithafol, a'i angen i ennill clod wedi ei feddiannu.

Y mae Bedwyr Lewis Jones, yn ei gofiant i R. Williams Parry, yn cynnig rheswm gwahanol dros y ffaith mai i Fangor y dewisodd Bob fynd: ond nid yw'r rheswm hwnnw chwaith, os yw'n gywir, heb gysylltiad, os cysylltiad anuniongyrchol, â'i gefnder. Y mae'r awdur yn sôn am agwedd Williams Parry at y cwrs blwyddyn gyntaf a ddilynodd yn Aberystwyth:

> mae'n ddidostur ei feirniadaeth,ac yn arbennig felly ar y lle amlwg a roddid i gyfieithu o'r Gymraeg i'r Saesneg. Yn awr, mae'n ffaith fod Edward Anwyl yn rhoi pwys ar yr union agwedd yma . . . Gwrthodai Williams Parry safbwynt o'r fath yn ffyrnig. Yn ei olwg ef gwrthuni llwyr oedd cwrs Cymraeg wedi ei gynllunio i roi i'r myfyriwr o Gymro feistrolaeth rugl ar sgrifennu Saesneg, yn enwedig pan olygai hynny mai swm a sylwedd yr ymdrin â gweithiau llenyddol oedd treulio'r amser yn eu cyfieithu i iaith arall.[24]

Yr oedd 'guru' addysgol Tom yn amlwg yn ymddangos yn wahanol iawn i'w gefnder, ac mae'n sicr yn bosibl mai hynny a'i gyrrodd i Fangor i orffen ei radd. Teg dweud fod eraill hefyd, yn ôl tystiolaeth yr un gyfrol, yn llai ffafriol tuag at Anwyl na Tom, a bod R. T. Jenkins yn sôn am ei ddarlithoedd mewn termau difrïol tu hwnt: 'fe grasai dillad gwlybion yn grimp yn narlithiau 'Canol' Edward Anwyl'. Yr hyn na allai neb ei amau oedd ei weithgarwch a'i ysgolheictod. Fel hyn y mae T. Gwynn Jones yn sôn amdano yn *Cymeriadau*:

> Yr oedd ei wybodaeth yn eang, ni waeth ym mha gylch, a'i gof ysblennydd bob amser yn ei wasanaethu yn ddiffael; Groeg a Lladin ar flaenau ei fysedd – prydyddai Ladin difai ei glasuroldeb; sicr a phwyllog yn nyrys bethau ieitheg gymhariaethol; ar flaen ei oes ym mhob dysg Geltig; meistr ar hanes hynafiaeth; Hebraeg at ei alwad pan fynnai, diwinyddiaeth, a gwyddor newydd crefydd gymhariaethol yn hysbys iddo – synnai pawb a'i hadwaenai, ymhlith gwŷr cyfarwydd y gwybodau, at ei wybod a'i fedr.[25]

Ta waeth am hynny, yr oedd Bob bellach wedi mynd yn ôl i ddysgu, ac i farddoni ar gynfas ehangach. (Pe baem ni'n dilyn llwybrau Bob, yn hytrach na Tom, fe welem nad dyma ddiwedd ei ymgais yntau i gadw i fyny â'i gefnder yn academaidd chwaith, ond stori arall yw honno.[26]) Yr oedd Tom, ar y llaw arall, wedi cychwyn ar ei bererindod trwy Rydychen i Freiburg a Pharis. Ond tra bu Tom yn disgleirio yn Rhydychen, enillodd Bob gadair y Genedlaethol ym 1910, fel y gŵyr pawb, am un o awdlau mawr y ganrif, 'Awdl yr Haf', ar ôl dod yn ail da iawn i T. Gwynn Jones ym 1909 am awdl ar 'Gwlad y Bryniau'. Yr oedd Bob bellach, beth bynnag am ei berfformiadau academaidd, wedi tyfu'n un o brifeirdd y genedl yn chwech ar hugain oed, a 'Bardd yr Haf' fyddai fyth mwy, pa mor anaddas bynnag fyddai'r teitl hwnnw ymhellach ymlaen. Ai cyd-ddigwyddiad, mewn difri, oedd y ffaith fod Tom, unwaith y cafodd gyfle a rhywfaint o hamdden, wedi ennill y goron a'r gadair Genedlaethol yn Wrecsam ym 1912 ac wedyn ym Mangor ym 1915?

Ond 'rydym yn rhedeg ar y blaen i ni'n hunain. Fe ddychwelwn eto fwy nag unwaith at y berthynas rhwng y ddau gefnder ond mae'n bryd i ni fynd yn ôl, am y tro, at y myfyriwr ifanc yng Ngholeg Aberystwyth rhwng 1905 a 1908. Beth bynnag am anianawd Bob, 'does dim amheuaeth nad oedd Tom yn fyfyriwr anarferol o weithgar a manwl, gyda'r gallu i leibio i mewn i'w gyfansoddiad wybodaethau ieithyddol o bob math ac o bob cyfeiriad. Y mae ei lyfrau nodiadau yn arddangos astudiaeth fanwl, fanwl o seiliau hanesyddol Lladin, Groeg a Gwyddeleg ac mae'r tudalennau'n llawn nodiadau yn ei ysgrifen fach, fach ar bob agwedd ar ramadeg hanesyddol.[27] At hyn, y mae ar gof a chadw nodlyfr rhyfeddol lle mae wedi cyfieithu i'r Saesneg bob llinell o Lyfr Du Caerfyrddin ar dudalennau sy'n gyforiog o nodiadau o bob math, yn ogystal â'r cyfieithiadau rhwng pob llinell.[28] Yr oedd wedi'i fwrw ei hun i mewn i'w waith academaidd â'r trylwyredd manwl a fyddai'n nodweddu popeth y byddai'n troi ei law ato o hyn ymlaen.

Yr oedd yn amlwg yn hoff ddisgybl gan ei athro, Edward Anwyl, ac yng Ngorffennaf 1908, cafodd lythyr personol ganddo yn ei longyfarch ar 'eich gosod yn y dosbarth blaenaf mewn anrhydedd yn y Gymraeg, a hyny heb y petrusder lleiaf ar ran unrhyw un o'r arholwyr'.[29] Trwy ysgogiad Anwyl, aeth ymlaen i wneud ail radd mewn Lladin ym 1909, ac ar ôl gorffen honno, gydag ail ddosbarth y tro hwn, rhaid cyfaddef, enillodd Ysgoloriaeth Meyrick ar gyfer mynd i wneud gradd B.Litt. yng Ngholeg yr Iesu, Rhydychen. Dewisodd weithio yno, dan yr Athro John Rhŷs, cyn-athro Edward Anwyl ei hun, ar 'The English Element in

Welsh'. Daw llythyr eto oddi wrth Edward Anwyl, yn y Saesneg mwy arferol y tro hwn, yn trafod ei bwnc ymchwil:

> I quite approve of the subject you have chosen . . . It will not be a bad thing for you to get to know from Dr Wright as much as you can about Teutonic Philology in which he is a master . . . In the matter of the English element in Welsh, I shall be glad to give any help that may be in my power . . . you might also read some Old Irish with Sir John Rhŷs.[30]

Y mae'n amlwg fod Edward Anwyl yn gwbl gyfarwydd ag awch di-bendraw y gŵr ifanc am wybodaeth ieithyddol a'i barodrwydd i weithio'n galed, oherwydd y mae'n awgrymu dro ar ôl tro bynciau cysylltiol a darlithoedd ychwanegol a all fod yn fuddiol iddo yn ei ymgais i ennill meistrolaeth ar ei bwnc. Ac mae'r myfyriwr yn ei dro yn ymateb yn barod iawn ac yn chwilio am feysydd cysylltiol eraill drosto'i hun. Yn Rhydychen ar y pryd yr oedd arloeswr nodedig ym maes seineg, Henry Sweet, yn tynnu at ddiwedd gyrfa ddisglair, ac yr oedd ein myfyriwr yn gwneud pwynt o ddilyn ei ddarlithoedd ef, er mwyn dod i dermau â'r agwedd honno ar ei faes ymchwil. Y mae'n sôn yn werthfawrogol yn ddiweddarach am yr hyn a ddysgodd wrth draed Sweet.[31]

Ym mis Rhagfyr 1909, y mae llythyr arall yn cyrraedd oddi wrth yr Athro Anwyl, wedi ei anfon o gartref ei frawd, Bodfan, ym Mhontypridd, ac yn sôn fod Cyngor Coleg Aberystwyth wedi penderfynu penodi 'Assistant Lecturer in Welsh' i ddechrau yn Ionawr 1910, ac er ei fod yn deall y gall fod yr amser yn amhriodol a bod gormod o frys i'r gŵr ifanc ddod i benderfyniad, y mae Anwyl, serch hynny, wedi cynnig enw T. H. Parry-Williams i 'Principal Roberts'. Ac yna, fel pe bai hynny lawn cyn bwysiced, y mae'n ateb cwestiwn a ofynnodd Tom iddo mewn llythyr blaenorol: 'For an MA Dissertation, the length should be that of about two shilling exercise books.'[32]

Wedi cryn betruso, gorffen ei waith ymchwil yn Rhydychen a wnaeth Tom, a gwneud hynny mor effeithiol erbyn diwedd yr ail flwyddyn nes iddo gwblhau dau draethawd ar wahanol agweddau ar fenthyciadau o'r Saesneg i'r Gymraeg, ac ennill dwy radd, MA Cymru a B.Litt. Rhydychen, y ddwy ym Mehefin 1911.

Unwaith eto, yng Ngorffennaf 1911, daw llythyr oddi wrth Edward Anwyl, yn ei longyfarch ar ennill y B.Litt., ac yn ei annog i geisio am Gymrodoriaeth Prifysgol Cymru, er mwyn dilyn ei astudiaethau ieithyddol ymhellach dramor. Ac ar 5 Awst, y mae'n ysgrifennu eto i

gynnig awgrymiadau ynglŷn â'r ymchwil pellach sy'n bosibl ac i drafod
y prifysgolion y byddai'n fuddiol i Tom fynd iddynt:

> A minute investigation into the points of resemblance and difference
> between Welsh and Breton would suit . . . As for the foreign universities
> at which you might study, you could spend some time with Thurneysen at
> Strasbourg and even profitably some time with Joseph Loth at Paris.[33]

Yr ydym yn dechrau clywed adleisiau o'r gorffennol, gan fod
Thurneysen a Loth, y ddau ohonynt, wedi bod ymysg disgyblion ei dad
yn 'athrofa Rhyd-ddu'! Â Anwyl ymlaen i ymson am feysydd eraill y
gallai ei hoff ddisgybl bori ynddynt – meistroli Ffrangeg, er enghraifft,
neu astudio 'General Philology' dan Vendryes, un arall eto o
ddisgyblion ei dad.

Ar 23 Awst 1911, daw un arall o lythyrau Anwyl i Ryd-ddu, yn cynnwys
tysteb ar gyfer y Gymrodoriaeth ac yn amlinellu prysurdeb ei fywyd ef ei
hun. Y mae'n disgrifio'r modd y mae'n gorfod cynllunio ei deithiau
gyda'r 'motor-bus' o gwmpas gogledd Cymru, gan fynd i ddarlithio i'r
Cambrian Archaeological Association, pregethu gyda'r Annibynwyr yn
Llandudno a'i chychwyn hi wedyn i ymweld â'i deulu yn Llanaelhaearn. Er
ei holl brysurdeb, y mae'n awyddus iawn i geisio gwneud amser i weld
Tom, ac y mae, fel ei ddisgybl, yn fanwl iawn ynglŷn â lleoedd ac
amseroedd: 'if you can meet me just outside the Queen's Head restaurant
in Bangor St, Caernarfon on Saturday afternoon at 3.30pm. we could
have a cup of tea before I start for Llanaelhaearn.'[34]

Y mae Tom yn ennill ei Gymrodoriaeth, ac yn ei dal hi am dair
blynedd, gan dreulio'r rhan fwyaf o lawer o'r cyfnod hwnnw ar y
cyfandir, yn Freiburg, lle mae Thurneysen bellach yn gweithio, ac ym
Mharis, gyda Joseph Loth a Joseph Vendryes. Yn y broses, y mae'n
cwblhau traethawd Ph.D. Prifysgol Freiburg ar 'Some Points of
Similarity in the Phonology of Welsh and Breton'.

Ar hyd yr amser, y mae Edward Anwyl yn cadw golwg arno. Ef sy'n ei
gynghori i astudio gyda Vendryes ym Mharis, 'Chwi a gewch Vendryes
yn ddyn nodedig o egwyddorol a charedig a gallwch ddysgu llawer iawn
oddi wrtho ef,'[35] ac ef sy'n sicrhau swydd i Tom yn Adran y Gymraeg yn
Aberystwyth ym 1914, wedi iddo orffen ei ymchwil. Hyd yn oed wedyn,
y mae'r llythyrau'n dal i ddod:

> Ionawr 3, 1914. Pontypridd. Carwn ichwi ddarlithio, os gwnêwch, ar
> fraslun o ramadeg y Llydaweg a'r Gernyweg, gydag ymdriniaeth o

berthynas y Gymraeg â'r ieithoedd hyn . . . Rhoddaf gyfle hefyd ichwi gymryd ambell ddosbarth arall, megis y Mabinogion a'r Flodeugerdd, pryd y byddaf fi'n absennol.[36]

Y mae'r bachgen o Ryd-ddu bellach wedi cyflawni, yn y modd mwyaf llachar, ffydd Edward Anwyl ynddo fel myfyriwr diwyd, manwl a chraff. Ond nid yw'r Athro wedi anghofio ei fod wedi mynegi'r gobaith, yn wahanol i'w dad, y byddai Tom hefyd yn medru datblygu ei dalentau llenyddol a chreadigol. Nid bychan o beth oedd ei addewid i ymddiried ei ddosbarthiadau llenyddol ef ei hunan iddo o bryd i'w gilydd, ac yntau'n ddarlithydd cwbl ddibrofiad.

Ond cyn iddo fedru dechrau ar ei waith yn Aberystwyth digwyddodd y cyntaf o'r anffodion a oedd i lesteirio llawer ar fywyd Tom yn ei gyfnod cyntaf yno, ac a fyddai, yn y diwedd, yn achos trawma cyn ddyfned a mwy parhaol-negyddol ei effaith na'r ymddatod cyntaf o Ryd-ddu. Dechreuodd pethau fynd o chwith, mewn ffordd, pryd y penodwyd Edward Anwyl yn brifathro cyntaf ar y coleg hyfforddi athrawon newydd yng Nghaerllion ar Wysg cyn i Tom gyrraedd Aberystwyth. 'Doedd pethau ddim yn rhy ddrwg chwaith, oherwydd yr oedd Anwyl i barhau i arolygu gwaith yr adran, gan nad oedd olynydd iddo wedi'i benodi. Ond yna bu farw Anwyl yn ddisyfyd cyn iddo yntau fedru cychwyn ar ei swydd newydd, ac yr oedd prif gefnogwr a chyfaill Tom yn Aberystwyth wedi mynd cyn iddo gael cyfle i weithio'r un diwrnod dano.

Y mae'n anodd mesur gwerth cefnogaeth gyson a diflino Edward Anwyl i Tom a maint y golled a gafodd pan fu farw. Faint bynnag a ddysgodd oddi wrth yr ysgolheigion mawr eraill y bu wrth eu traed yn Rhydychen ac ar y Cyfandir, Edward Anwyl a ddangosodd iddo fod bywyd y meddwl yn fywyd gwerth chweil ynddo'i hun, a bod ymhél â rhyfeddod iaith yn ei holl fanylder a'i holl gymhlethdodau yn fodd i fyw'r bywyd hwnnw, modd a oedd y pryd hwnnw, beth bynnag, yn gweddu'n llwyr i'w anianawd ef. Rhoddodd hyn i Tom yn ei dro ryw gymaint o sefydlogrwydd meddwl a llawer mwy o'r ddisgyblaeth fewnol ymenyddol a oedd i fod iddo'n noddfa rhag poenau'r byd dro ar ôl tro yn y dyfodol. A hyn hefyd, yn y pen draw, a roddodd unigrywiaeth i'w waith llenyddol aeddfed. Pwy a ŵyr faint rhagor o gymorth y byddai Anwyl wedi medru ei roi i Tom pe bai wedi byw?

Ond unwaith yn rhagor, gan ddilyn brwdfrydedd Edward Anwyl i yrru Tom ymlaen, 'rydym ninnau'n mynd ar y blaen i ni'n hunain. Y mae angen dychwelyd at y myfyriwr a oedd bellach newydd orffen ei ail radd yn Aberystwyth ac ar groesi'r ffin i Loegr.

Unwaith y cyrhaeddodd Rydychen, parhaodd Tom i fyw'r bywyd prysur ac amlochrog y cawsom gipolwg arno yn ei ddyddiadur ac a'i harweiniodd i bwyllgorau'r Gymdeithas Geltaidd a'r Eisteddfod yn Aberystwyth, ar wahân i'w holl weithgarwch llenyddol. Yr oedd yn dal i fod yn greadur naturiol gyfeillgar a chymdeithasol ar yr wyneb, fel yr oedd yn ei blentyndod, dim ond iddo gael gweithredu mewn hinsawdd gefnogol a derbyniol, ond yr oedd hefyd, fel y dengys blynyddoedd Porthmadog, yn un hawdd iawn i'w yrru'n ôl i'w gragen, pryd yr âi pethau o chwith.

Fel hyn y mae Goronwy Edwards, a oedd yn gyd-fyfyriwr â Tom yn Rhydychen, yn disgrifio ei fywyd yng Ngholeg yr Iesu, yn ei atgofion amdano yn *Cyfrol Deyrnged* a gyhoeddwyd ym 1967:

> hawdd fuasai i fyfyriwr-ymchwil ymgadw iddo'i hun nes mynd yn rhyw hanner meudwy, yn enwedig os preswylia y tu allan i'w goleg. Nid oedd llawer o berygl y digwyddai hyn i Parry-Williams, fodd bynnag. Yn un peth, hoffai chwarae pel-droed – ac yr oedd yn chwaraewr medrus. Felly, byddai'n mynychu'r maes chwarae yn gyson.[37]

Ac mae'n cyfeirio at yr ysgrif 'Nimrod' yn *Myfyrdodau*, lle mae Parry-Williams yn sôn amdano'i hun yn un o'r lluniau-grŵp o gyfnod Rhydychen yn ''llanc pennoeth, breichnoeth a phenglinnoeth, yn eistedd ar lawr yn un o aelodau tîm pêl-droed Coleg yr Iesu, Rhydychen. Blaenwr bach sydyn'.[38] Â Syr Goronwy ymlaen i sôn amdano fel aelod blaengar o Gymdeithas Dafydd ap Gwilym, cymdeithas enwog myfyrwyr Cymraeg Rhydychen, ac fel swyddog yn y gymdeithas honno. Y mae hefyd yn gwneud sylw diddorol ynglŷn ag un papur a ddarllenodd Parry-Williams i Gymdeithas y Dafydd, sylw sy'n tanlinellu ei ddull carcus o ailgylchynu ac ailddefnyddio ymron popeth a ysgrifennodd yn y broses o adeiladu ei *opera vitae*:

> Testun y [papur] cyntaf oedd 'Y Delyneg Gymraeg', ac ynddo rhoddodd i'r Gymdeithas fraslun o rai o'i syniadau am y grefft farddonol – testun a draethwyd ganddo flynyddoedd wedyn yn ddosbarthus yn ei lyfr *Elfennau Barddoniaeth* (1935).[39]

A'i draethawd B.Litt., wrth gwrs, oedd sail ei lyfr *The English Element in Welsh* a gyhoeddwyd gan Anrhydeddus Gymdeithas y Cymmrodorion ym 1923. Beth bynnag, yn Rhydychen, fel yn Aberystwyth, y mae'n amlwg iddo chwarae rhan brysur ac amrywiol ym mywyd ei goleg tra'n parhau i weithio'n nodweddiadol drefnus a manwl gydwybodol ar ei astudiaethau ieithyddol.

Cyn belled ag yr oedd ei gynneddf greadigol yn y cwestiwn, yn y man cyntaf, fel y gwelsom eisoes, cerddi digon confensiynol eu dull a'u themâu oedd y rhai a enillodd wobrau eisteddfodau'r coleg iddo yn Aberystwyth. Gŵr dawnus a deallus yn ymhél â geiriau yn null ei gyfnod a oedd ar waith. Ond ni pharhaodd hyn yn hir. Wrth iddo feithrin disgyblaeth feddyliol yn y broses o astudio iaith, dechreuodd feddwl yn ddadansoddol am natur celfyddyd hefyd, ac yn arbennig felly am natur barddoniaeth. Ac yr oedd wedi ennill digon o hyder erbyn ei ail flwyddyn yn Rhydychen i fentro – dan ffugenw, y mae'n wir – i faes ymrafael llenyddol, a hynny yn erbyn rhai y gellid bod wedi eu hystyried yn ddoethach ac aeddfetach beirniaid nag ef, rhai a oedd yn cynnwys ei gefnder, Bob Parry.

Gwelir adrodd gwahanol weddau ar yr hanes hwn yn fanwl yn *Rhyw Hanner Ieuenctid* Dyfnallt Morgan, ac mewn ysgrif hir ar y pwnc gan J. E. Caerwyn Williams yn 'Y Marchogion, Y Macwyaid a'r Ford Gron' yn *Ysgrifau Beirniadol IX* (1976), ond mae'n bwysig amlinellu'r hyn a ddigwyddodd yn fras yma, gan fod yr hanes yn garreg filltir bwysig yn nhwf annibyniaeth T. H. Parry-Williams fel artist.

Cyn deall arwyddocâd yr hyn a ddigwyddodd, y mae'n rhaid teithio'n ôl am foment i deimlo naws yr hinsawdd lenyddol yng Nghymru ar dro'r ganrif. Y mae crynhoad cryno a chyflawn o'r sefyllfa a'r adwaith iddi i'w ganfod yn ysgrif ei gefnder arall, Tom Parry, yn *Y Traethodydd* ar gyfer Gorffennaf 1939 – 'Y Bardd Newydd Newydd'. Tua dechrau'r ysgrif, y mae'r awdur yn disgrifio'r sefyllfa lenyddol-eisteddfodol fel yr oedd ar ddiwedd yr hen ganrif:

> Yr awdlau Eisteddfodol wedi myned yn rhemp. Degau ohonynt yn ddim ond adroddiad moel o hanesion fel 'Drylliad y Rothesay Castle' arall-eiriad o storïau'r Beibl . . . darn go helaeth o hanes y byd fel awdl Islwyn i'r 'Genhadaeth'.[40]

Dechreuodd pobl ofyn, medd yr awdur, onid oedd mwy i farddoniaeth na hyn? Tybed na ddylai barddoniaeth fod yn cyhoeddi rhyw neges? Fel y dywedodd Lewis Edwards, Prifathro Coleg y Bala: 'Pe bai y beirdd yn ystyried mawredd eu swydd, a'r cyfrifoldeb sydd yn perthyn iddi, hwy a arswydent rhag camddefnyddio eu talentau.'[41] Fe ddylai'r bardd, yn ôl y meddylwyr hyn, fynegi gweledigaeth, fe ddylai fod yn broffwyd. Yr un pryd ag y daeth y syniadau hyn yn gyffredin, medd Tom Parry yn ei

ysgrif, daeth y bardd-bregethwr-broffwyd i'w etifeddiaeth lenyddol â'i
ymchwil am sail athronyddol i farddoniaeth a fyddai'n cyfateb i safle
ddyrchafedig ac urddasol y bardd. Y gwirionedd sydd y tu cefn i bopeth
yw barddoniaeth, meddid. Yr oedd yn dilyn felly, mai rhith yw'r pethau
a welir ac mai gorchwyl bardd yw treiddio trwy'r pethau allanol gwel-
edig at y gwirionedd, at y farddoniaeth sydd y tu hwnt iddynt. Gan mai
swydd bardd yw galluogi dynion i weld rhywfaint o'r gwirionedd hwn,
ni ddylai ymdroi â gwrthrychau natur nad ydynt ond megis gorchudd ar
y pethau mawrion. I'r bardd-bregethwr nid yr absoliwt na'r diamodol
ond Duw oedd y sylwedd y tu ôl i bopeth gweledig a threiddio i mewn i
fwriadau'r Duwdod a'u traethu wrth ddynion yw gwaith y bardd. Dyna
gredo llenyddol yr hwn a elwid yn ei gyfnod ei hun 'y Bardd Newydd' –
Ben Bowen, Ben Davies, David Adams, Gwili, Iolo Caernarfon, Rhys J.
Huws, ac eraill. 'Buont wrthi'n ddifrifol iawn eu hagwedd mewn
Eisteddfod ar ôl Eisteddfod yn ceisio sylweddoli'r annherfynol (chwedl
Tafolog), ac weithiau cael coron am wneud.'[42]

Ond cymharol fyr fu teyrnasiad y Bardd Newydd a'i bwyslais ar yr
haniaeth ysbrydol. Yr oedd pwerau grymus eisoes yn dechrau crynhoi
yn ei erbyn. Yr oedd rhai fel Elphin wedi dechrau ymosod arno yn *Y
Geninen* cyn bod y ganrif wedi dod i ben, ond Syr John Morris-Jones a
roes yr ergyd derfynol ar y Bardd Newydd pan gyhoeddodd ei ddamcan-
iaeth lenyddol Aristotelaidd ef ei hun. Mynnai ef mai efelychu pethau
gorau a phrydferthaf bywyd a chreu prydferthwch newydd yw gwaith
bardd. Diriaethol yw testun y bardd, a'r cyffredinol, nid y neilltuol, yw
maes barddoniaeth.[43] Ysgol Syr John a enillodd y dydd, er i rai fel Gwili
ddadlau tros egwyddorion y Bardd Newydd trwy gydol oes hir.
Cyfieithodd Syr John ei hun un o brif delynegwyr yr Almaen, Heine;
cyhoeddodd Silyn Roberts a W. J. Gruffydd eu *Telynegion*; daeth Eifion
Wyn yn bennaf delynegwr; a newidiwyd cywair testunau'r Eisteddfod
Genedlaethol yn ddybryd.

daeth teimlad yn rhan helaeth a phwysig o farddoniaeth Cymru. Gadawyd
i'r annherfynol gymryd ei siawns . . . Aeth pawb i deimlo, teimlo'r
angerddol, teimlo'n ddwfn, teimlo ar hyd ei oes . . . Ni bu erioed y fath
garu. Yr oedd gan bob bardd ei anwylyd, yn Fenna neu Wen neu riain y
rhedyn. Yn wir, aeth yr ysbryd telynegol yn rhemp, a dawnsiodd yn wên i
gyd i gynteddoedd urddasol yr awdl hyd yn oed. Yn Eisteddfod Genedl-
aethol 1910 caed awdl na ddychmygwyd erioed ei bath – dyn yn dadlennu
ei deimladau noethion ar goedd y genedl, gan dystio nad yw'n malio
botwm corn am yr annherfynol na'r pethau sydd y tu hwnt i'r gweledig.[44]

Awdl Bob Parry i'r 'Haf' oedd hon, wrth gwrs, ac yr oedd yntau erbyn hyn yn aelod pwysig o'r gwrthdystio barddonol. Rhan o'r ymosodiad cynyddol ar y Bardd Newydd a'i gredo oedd cyfres o erthyglau yng ngholofnau *Y Brython* gan rai a oedd yn galw eu hunain 'Y Macwyaid', ac yr oedd Bob Parry yn rhan o'r mudiad hwnnw hefyd. Y mae Tegla Davies, mewn ysgrif yn *Y Traethodydd*, hanner canrif yn ddiweddarach, ym 1966, yn disgrifio fel y daeth 'Y Macwyaid' i fod:

> Roedd yn amlwg mai John Morris Jones oedd eu duw llenyddol a Syr T. Marchant Williams eu diafol a than gollfarn am feiddio dweud am 'Caniadau' John Morris Jones, 'Machine made poetry on hand made paper'. Fy ngwobr am adael iddynt gael gwneud fy nhŷ yn lloches oedd fy urddo'n aelod anrhydeddus o'r urdd – Urdd y Macwyaid. Roedd i bob un ei enw urddol . . . Hawdd dyfalu pwy oedd Macwy'r Haf . . . Offeryn eu propaganda oedd 'Y Brython' . . . ysgrifennent yn gyson iddo . . . Y rhai ffyddlonaf oedd Ifor Williams, Elidir Sais, R. Williams Parry, William Hughes . . . Ceisiai rhai oddi allan ymyrryd trwy ryfygu anfon llith i'r 'Brython' yn anghydweld â'u gosodiadau.[45]

Un o'r rhain oedd gŵr a gyfrannodd nifer o ysgrifau dan y ffugenw 'Oxoniensis'. T. H. Parry-Williams oedd 'Oxoniensis' yn ddiamau, fel y mae Caerwyn Williams a Dyfnallt Morgan, y ddau ohonynt, wedi dangos yn ddigon eglur.[46] Dyma'r tro cyntaf iddo fentro i ddadl lenyddol yn gyhoeddus, ac mae'n ddiddorol iddo fentro er mwyn cynnig beirniadaeth ar wendidau'r math o farddoniaeth yr oedd ef ei hun wedi'i godi yn ei sŵn, ac yn wir y math o farddoniaeth yr oedd ef ei hun hyd yn hyn wedi bod yn ei ysgrifennu.

Anfonodd nifer o'r ysgrifau hyn i *Y Brython* o'i guddfan yn Rhydychen yn ystod 1911 a 1912, gan ymrafael, nid yn unig â'r 'Macwyaid', ond hefyd â grŵp o ferched a oedd hefyd wedi ymffurfio, dan yr enw Bord Gron Ceridwen i leisio barn lenyddol o blaid ysgol Syr John Morris-Jones. Yn wir, rhoddwyd iddo ei golofn ei hun yn *Y Brython* am gyfnod byr ar gorn yr ysgrif gyntaf.

Y mae'r ffaith ei fod wedi mentro i'r maes o gwbl yn fwy arwyddocaol nag unrhyw beth gwefreiddiol o chwyldroadol yr oedd ganddo i'w ddweud. Y mae'n ymddangos fod ei gŵyn fwyaf yn erbyn 'Y Macwyiaid' yn gŵyn yn erbyn y ffaith eu bod yn ymbwysigo yn hytrach nag yn erbyn unrhyw safbwynt llenyddol fel y cyfryw:

> ni chroesawodd neb yr Ysgol Newydd yn fwy eiddgar na myfi, pan

ymddanghosodd, sef pan oedd yn llai rhodresgar ac ymhongar, ys-well-yr-oedd, nag yw heddyw. Cofiaf yn burion ryw haf flynyddau'n ôl, pan ddarllenais gymaint ar delynegion W.J. a Silyn . . . nes y medrwn hwynt ar dafod leferydd.[47]

Na, yn sicr nid oedd am wfftio canu telynegol a theimladwy ynddo'i hun. Serch hynny, nid yw ei werthfawrogiad yn ymestyn i waith T. Gwynn Jones:

ond er ieuenged oeddwn, rhaid i mi gyfaddef mai erthyl y cyfrifwn 'Wlad y Gân a Chaniadau Ereill' gan un o'n prifeirdd erbyn heddiw. Yr oedd trem trwyddo'n hen ddigon i mi y pryd hwnnw – nis gwelais wedyn.[48]

Yna y mae'n tynnu torch â Syr John Morris-Jones, a oedd newydd gychwyn y cylchgrawn *Y Beirniad* ynglŷn â'i agwedd ymosodol at yr Eisteddfod, ac yn arbennig at yr Orsedd: 'Eto fyth, dyma'r Orsedd dani gan y golygydd. Odid na fodlona bellach wedi olrhain ei llinach mor drwyadl.'[49] Ac y mae ef ei hun yn tueddu i amddiffyn yr Orsedd ar y sail ddigon synhwyrol nad yw hi'n gwneud llawer o ddrwg: 'Chwarae teg i'r Orsedd, mae rhywbeth mewn shou, a mwy, fe allai, yn shou'r Orsedd nag un y Prifysgolion mympwyol.'[50] Ni all chwaith ymatal rhag chwarae gêm 'Y Macwyaid' eu hunain, a oedd yn cynnal crwsâd i wella safonau arferedig y Gymraeg, trwy feiddio beirniadu Cymraeg golygydd *Y Beirniad* ei hun. Fel hyn y terfyna ei ysgrif: 'Cyn tewi, ai Cymraeg "Mewn gohebiaeth â", "ambell beth", "mewn diogelwch"?'[51] Mewn man arall, y mae'n tynnu torch â 'Macwy'r Llwyn' (Ifor Williams, arweinydd y criw), gan ddwyn mater yr iaith i mewn unwaith yn rhagor:

Ai nid efe dro'n ol gymrodd arno gywiro Cymraeg ystwyth 'Y Rhianedd'? Credaf mai gwell iddo lynnu wrth yr arfer hwnnw na hobnobio ym myd llenyddiaeth, gan mor beirianyddol yw.[52]

Dyma'n wir y Tom ifanc llawn hyder, sy'n mwynhau bwrw iddi a chynnal brwydrau ysgafala yn y maes llenyddol. Y rhan fwyaf o'r amser, fel y gwelwyd, gŵr ifanc yn lluchio cylchau a gawn yma, ond mae rhai sylwadau dadlennol ar natur barddoniaeth yma ac acw yn yr ysgrifau, lle mae'n dechrau teimlo'i ffordd tuag at safbwynt sydd ar y naill law yn croesawu crefft a thelynegrwydd yr Ysgol Newydd, ond sydd ar y llaw arall yn gweld gwerth y pwyslais ar geisio canfod yr hanfod sy'n gorwedd y tu ôl i'r gwrthrych, sef safbwynt y Beirdd

Newydd o'u blaenau. Dichon fod y Bardd Newydd wedi colli'r ffordd yn ei ddiffyg parch at y grefft o farddoni, ond nid oedd canu syml, emosiynol ac arwynebol i wrthrychau, pa mor dlws bynnag, ddim yn cyflawni swyddogaeth y bardd chwaith. Y mae'n cyffwrdd â hyn, er enghraifft, wrth ymdrin â chyfrol ddiymhongar o delynegion yr oedd am ei chanmol.

Y mae'n dechrau sôn am y gyfrol – *Nest Cwm Eilir a Chaniadau Ereill*, gan John M. Pritchard[53] – mewn modd a fyddai wedi bod yn gwbl dderbyniol i feirdd yr Ysgol Newydd yn y cyfnod cyn iddynt 'golli eu pennau' a mynd yn rhwysgfawr a hunandybus:

> Afraid yw dweyd, hwyrach, nad oes Roeg nac Almaeneg yn y cyflwyniad ar ei ddechreu. Cyflwynir ef yn syml i 'chwarelwyr darllengar' bro'r bardd. Ni hawliaf i'r awdur feddylddrychau aruchel na syniadau anghyffwrdd, ond yn ddibetrus hawliaf iddo ddawn y telynegydd ar ei hanterth – y gras hwnnw y seilia mwyafrif yr Ysgol Newydd obaith eu hanfarwoldeb arno.[54]

Ond wedyn y mae'n mynd ymlaen i ddweud rhywbeth a fyddai'n llai derbyniol iddynt, ac sy'n fwy cydnaws o lawer â barn y T. H. Parry-Williams diweddarach am ansawdd a phwrpas barddoniaeth:

> Medd ddogn o'r dieithrwch cyfrin hwnnw sy'n deilliaw o ymgais i fynegi'r anfynag [*sic*] – hanfod amgen barddoniaeth, nid y tywyllwch aneglur hwnnw a arddelir o fwriad gan rai beirdd, ond yr elfen gyfareddol honno a gyfyd o geisio darlunio gweledigaethau'r ysbryd 'whose dwelling is the light of setting suns'.[55]

Dyma T. H. Parry-Williams eisoes yn dechrau symud tuag at diriogaeth y ffin y mae am ei meddiannu weddill ei oes. Y mae ar y naill law yn cyd-fynd ag ysgol John Morris-Jones fod yn rhaid wrth delynegrwydd iaith a theimlad er mwyn ymgyrraedd at wir farddoniaeth ond, ar y llaw arall, y mae'n cydymdeimlo hefyd ag awydd y Bardd Newydd i syllu trwy'r gweladwy er mwyn darganfod yr hanfod sydd y tu ôl iddo. Fe fydd y ddeupeth yn cydymweu beunydd yn ei waith aeddfed ef ei hun, canfod y rhyfeddod yn y gwrthrych gweladwy, boed fotor-beic neu bry' genwair, a'r ysfa annileadwy i chwilio ei berfedd a darganfod, nid yn unig ei natur, ond hefyd yr elfen tu-hwnt-i-natur sy'n llechu mor aml yn y pethau symlaf, a'r tu draw i hynny wedyn, ystyr a phwrpas bodolaeth ei hunan.

Trwy gydol ei amser yn Rhydychen a'r blynyddoedd o fynd a dod ar y cyfandir, cydiai ym mhob cyfle posibl i fynd yn ôl i Ryd-ddu. At hynny, fe fyddai'n ddi-ffael yn cadw cyswllt ymron yn feunyddiol â'i deulu a'i ffrindiau trwy anfon llu o lythyrau a chardiau post atynt i gyd. Yr argraff a gawn, o'i bytiau dyddiaduron, ar y Cyfandir ac ar ei wyliau gartref fel ei gilydd, yw argraff o greadur aflonydd, beunydd ar dramp, beunydd yn mynd i weld rhywun neu rywbeth, a rhwng gweld a gwneud, yn eistedd i lawr i anfon llythyrau a 'P.C.'s' i bob cyfeiriad. Yn wir, gan gymaint ei brysurdeb o'r math yma, y mae'n anodd dirnad weithiau pa bryd yr oedd yn dod i ben â gwneud yr holl waith academaidd manwl a thrylwyr yr oedd yn sicr yn ei wneud. Ac mae'n werth cael ambell gipolwg ar y Tom pedair ar hugain oed o gwmpas ei bethau cyn ei ddilyn ym 1914 i Aberystwyth am yr eildro. Dyma Tom, er enghraifft, yn dychwelyd i Freiburg ym mis Tachwedd 1911 ar ôl bod adref am ysbaid, yn bennaf er mwyn mynd gyda'i fam i seremoni raddio Prifysgol Cymru ym Mangor. ('Does dim sôn am ei dad, ond hwyrach na ddylid darllen unrhyw beth i mewn i hynny):

Nov 14: From R. Ddu am. Raining. Reached Harwich (via Rugby and Peterborough) 9.30pm. Started on the Hook of Holland boat 10pm. Reached 5.30pm (Dutch time).

Nov 15: Train through Holland to Freiburg via Rotterdam, Nimegen, Gronenburg (customs), Cologne, Main, Mannheim, Carlsruhe, Offenburg, Freiburg 7pm.[56]

Byddai dyddiaduron Tom yn archif fuddiol i unrhyw gwmni trenau a fyddai'n chwilio am oleuni ar amserlenni'r cyfnod cyn y Rhyfel Mawr! Wedi cyrraedd Freiburg, y mae'n ymroi'n syth i waith ac i'r mân ymbrysuro y mae mor hoff o'i groniclo:

Nov 16: Lec. Thurneysen am; pm Meyer. Earthquake for several seconds at 10.30pm. Shook the hotel.

17: Sent letter home. PC's to ESR (Leipzig), Blodwen (Bangor), Oscar (Aberystwyth), RSP (Conwy).[57]

(ESR oedd Stanton Roberts, a oedd bellach hefyd yn astudio yn yr Almaen, a chyfaill coleg arall, R. S. Parry, oedd RSP.)

Nov. 18: Matriculated at 5pm. Moved from the hotel to Thurneysen's house in evening. Sent PC home.

19: Rain and cold. Letter and cheque home. Eng. Church in the morning. With Gwynn in afternoon.

(Yr oedd yn arfer mynychu gwasanaethau Saesneg Anglicanaidd yn weddol aml. Edward Gwynn, o Ddulyn, oedd Gwynn, un a dyfai'n ysgolhaig Gwyddeleg o fri, mab yr arbenigwr ar lên gwerin Gwyddelig, Stephen Gwynn, ac mae'n sôn am gyfarfod â Stephen Gwynn ar un achlysur.)

Nov. 20. Had letter from home and 'Brython' from home. [Derbyniai *Y Brython* yn ddeddfol, ac yr oedd, wrth gwrs, fel y gwelsom eisoes, bellach yn gyfrannwr pwysig iddo, yn ogystal ag yn ddarllenydd brwd.]

22: Sent letter to Mrs Taylor (Llandovery), PC to Blodwen (Bangor). Walk in afternoon with Thurneysen. Supper with Thurneysen.[58]

Y mae'n amlwg fod Rudolf Thurneysen wedi tyfu'n gyfaill yn ogystal ag yn athro erbyn hyn. Y mae Tom yn mynd ar deithiau cerdded gyda Thurneysen, yn bwyta yn ei dŷ ac yn aros yno dros nos. Ond y mae, fel ymhobman hyd yn hyn, wedi darganfod ffrindiau dethol eraill i gerdded a bwyta ac archwilio'r dref gyda nhw, Edward Gwynn yn un, a Stanton Roberts, a ddaeth drosodd fwy nag unwaith o Leipzig, yn un arall. Yn wir, erbyn gwyliau'r Pasg 1912, y mae'n amlwg bod Tom a Stanton Roberts wedi mynd gyda'i gilydd cyn belled â'r Alpau, oherwydd wrth droed yr Alpau, yn ôl Stanton Roberts, y gorffennwyd yr awdl a ddechreuwyd yn Freiburg ar y testun 'Y Mynydd' ac a oedd i ennill y gadair yn yr Eisteddfod yn Wrecsam.

Yr oedd felly, ynghanol prysurdebau o bob math, yn parhau i farddoni ac i gystadlu. Pa faint o wahaniaeth a welwn rhwng cerddi 1912 a'r cerddi a enillodd iddo gadeiriau'r Coleg rhwng 1907 a 1909? Y maent yn sicr yn fwy personol, yn 'perthyn' i'w hawdur mewn ffordd nad oedd cerddi'r cyfnod colegol ddim. Yn un peth, y mae ôl hiraeth digon naturiol yr alltud, nid yn unig ar yr awdl, lle'r oedd digon o gyfle i gyfeirio at fynyddoedd Eryri, ond ar y bryddest ar 'Gerallt Gymro' hefyd, lle mae cryn sôn am deimladau Gerallt pryd yr oedd yn alltud o'i wlad.

Cyn belled ag y mae'r bryddest yn y cwestiwn, serch hynny, go brin fod testun fel 'Gerallt Gymro' wedi rhoi llawer o gyfle i'r bardd i fynegi ei bersonoliaeth ei hun, yn arbennig felly gan fod fformiwla go bendant eisoes wedi datblygu i bryddestau o'r fath: 'biopics' y cyfnod oeddynt, mewn gwirionedd, yn gwahodd stori arwrol am amrywiaeth mawr o gymeriadau, o Williams Pantycelyn i Charles o'r Bala, ac o Tom Ellis i

Owain Glyndŵr. Ac nid oedd y gystadleuaeth yn un arbennig o dda o'i math, yn ôl y tri beirniad, Ben Davies, Edward Anwyl a Gwili, er bod Gwili wedi nodi fod yr enillydd yn 'haeddu cwmni gwell' ac yn 'fardd tan gamp'. Y mae'n eironig hwyrach mai Edward Anwyl oedd y lleiaf brwd o'r tri. Hwyrach mai'r nodwedd fwyaf arwyddocaol yn y beirniadaethau oedd fod yr awdur yn cael ei gollfarnu am ddefnyddio geiriau fel 'sifalri' a 'dwynsiwn' ac yntau fel arall yn gryn feistr ar 'Gymraeg Clasurol'! Y gwir yw mai cerdd gystadleuaeth oedd hi, a cherdd gystadleuaeth lwyddiannus.

Yr oedd yr awdl yn wahanol. Yn 'Y Mynydd', y mae'r bardd yn cychwyn ar y broses hir o archwilio ei berthynas ef ei hun â byd natur, ac yn arbennig felly â'r mynyddoedd. Gosododd gyfieithiad o gwpled gan Wordsworth uwchben y gerdd:

> Mae deulais yn y coed, un i'r môr,
> Un i'r mynyddoedd.[59]

Ac yn agos at ddechrau'r gerdd, y mae'r cwpled a ganlyn, o'i eiddo ef ei hun:

> Ba ryw enaid sy i'r bryniau? Hyn a wn
> Mai un ydyw hwn â'm henaid innau.[60]

Fel y dywed Gwilym Tilsley:

> Hanes taith enaid sydd ynddi, o drueni i wynfyd . . . y mae'r bardd yn uniaethu ei anniddigrwydd ei hun â'r mynydd, ac yn gobeithio y daw trwy gymod â'r mynydd i gymod ag ef ei hun ac â bywyd i gyd.[61]

Teg dweud fod y beirniaid yn cael rhai mannau yn yr awdl yn dywyll, a'i fod wedi cael math o gerydd gan un ohonynt, Pedrog, am stumio'r testun at ei bwrpas ei hun: 'barnodd y bardd hwn fod ganddo hawl i yrru ei ysbryd ei hun i fewn i'r mynydd, a chanu ei brofiad allan ohono'.[62] Ond yr oedd John Morris-Jones yn bendant ynglŷn â'i gwerth: 'O ran ei diwyg nid oes yn y gystadleuaeth un awdl sy'n dyfod yn agos at hon.'[63] A Berw hefyd: 'Yn hoywder ei hawen, yn nyfnder ei meddwl ac yng nghoethder ei hiaith nid oes ei thebyg yma.'[64] Ac yn y pen draw, yr oedd Pedrog yn cytuno, er iddo ei beirniadu: 'fel y darllenir hi trwyddi teimlwn ar y terfyn fod ei barddoniaeth yn toi ei ffaeleddau fel y cuddir cerrig duon y trai gan ddylifiad y llanw'.[65] Yr oedd

T. H. Parry-Williams y bardd wedi cychwyn ar ei yrfa farddonol yn 'Y Mynydd', ac yr oedd y tri beirniad yn rhyw hanner synhwyro fod rhywun o bwys wedi cyrraedd. Y mae'n werth nodi hefyd, hwyrach, fod cynganeddwr mor fedrus â Gwilym Tilsley, wrth sôn am 'Y Mynydd', yn gresynu fod cyfansoddwr mor rhwydd yn y mesurau caeth wedi troi ei gefn mor llwyr ar y gynghanedd ar ôl y cerddi cystadleuol. Dyma'r pennill y mae'n ei ddyfynnu i enghreifftio'r bardd ar ei fwyaf cerddorol:

> Cei wrando sibrwd dwyffrwd y dyffryn,
> Y su o'r briodas a'r berw wedyn;
> O bell ar drumell canlyn a'th dremyn
> Wyrni ei rhawd rhwng graean a rhedyn.
> Lle try eu lli tua'r llyn cei ddwsmel
> Melodi'r awel ym mlodau'r ewyn.[66]

Cystal â Bob, siŵr o fod?

Wedi anfon y cerddi i'r gystadleuaeth, yr oedd yn parhau i draethu'n feirniadol o Freiburg yn Y Brython a mannau eraill. Ond er iddo dreulio'r Pasg ar y Cyfandir gyda Stanton Roberts, dod yn ôl i Ryd-ddu a wnâi o hyd, ac mae'r dyddiadur yn croniclo ei fynd a dod i'r fferm yma i gael swper hefo hwn a hwn, i gario gwair yn y fferm arall, i seiclo i Gorwen, i Feddgelert, i'r Waunfawr, rhyw bererindota diflino o gwmpas y fro, y teulu a hen gyfeillion. Ymunwn â'r dyddiadur fel y mae diwrnod y beirniadu yn nesáu. Gallwn ninnau benderfynu a ydyw'n arwyddocaol ai peidio mai tua'r adeg yma y mae'r dyddiadur yn troi o'r Saesneg i'r Gymraeg:

Medi 3: Braf. I Ruthin yn y car i'r Ffair. I de yno gyda Bob, Llwyn Onn. Oscar dipyn yn gwla . . . Saethu tair cwningen. Anfon llythyr adref.

4. Reidio i Wrecsam. Am Nantygarth 6.30am. Cyrraedd 9.30. Mynd i'r Eisteddfod. Cael y Goron.

5. Aros gyda Gwladys yn 103 Ruabon Rd. Blodwen yn Wrecsam ac Oscar etc yn yr Eisteddfod. Cael y Gadair. Dod i Ruthin gyda'r trên.

6. Yn y parc yn saethu cwningod. Yn wlyb.

7. Reidio adref gydag Oscar trwy Gerrig y Drudion a Betws y Coed. Glaw ym Mhenygwryd. Dod i Feddgelert gyda char y tren [sic]. Yn wlyb.[67]

(Yr un yw'r stori ymhellach ymlaen ym mis Medi, ac yntau'n dal i fod adref:)

Medi 13. Braf iawn. Blod, Mam a Katie [perthynas o Gaernarfon] ym Mhwllheli yn y Sasiwn.
14. Niwl glawog drwy'r dydd. Mynd i'r dre.

(Dyma'r adeg pryd y mae'n dechrau dweud yn ei ddyddlyfr fod Seiat y noson honno, ond nad yw ef ddim yno, ac nad yw ef ddim yn y cwrdd ar y Sul a'r Sul.)

Medi 20 Reidio trwy Lanrug . . . Am yr ysgoldy at Alafon. Cychwyn adref dipyn yn hwyr. [Yr oedd yn galw'n weddol aml ar y bardd, Alafon, yn yr ysgoldy yn y Betws.]
21. Reidio gydag OH Jones (W'fawr) i Lanymstumdwy. Lloyd George yno gyda'i Sefydliad Newydd. Galw yn y Port wrth ddychwelyd a thrwy Ffair Beddgelert. 25 oed! Braf iawn. [Sylw ar y tywydd, rwy'n credu, yn hytrach nag ar fod yn 25 oed!]
22. Willie Oerddwr yma neithiwr. Anfon llun i'r Brython.

(Fel yr âi'r blynyddoedd heibio, aeth Oerddwr yn fwy a mwy o gyrchfan i Tom ar ei ymweliadau â Rhyd-ddu, a'i gefnder William yn cynnig lloches fwy derbyniol ar adegau nag aelwyd Tŷ'r Ysgol.)

Medi 23. Braf iawn. Mynd i Benygroes at Dr Owen am phisig etc i Eurwen yn y pnawn. Galw yn Nhalysarn.
25. Cael llythyrau oddi wrth Alafon a Menn [neu Mem – y mae'r ysgrifen yn aneglur]. Anfon rhai'n ôl i'r ddau. Dim seiat i mi.
26. Mynd yn hwyr i lan Llyn Cwellyn. Cyfarfod mewn oed yno â Mem [?]. 7pm. Ar lan llyn ac i'r Betws, 10pm . . . Adref 11.15pm.

(Gellid ystyried hwyrach ei fod braidd yn eithafol i groniclo union amser ei oed â phwy bynnag oedd Mem, a'r union amser y cyrhaeddodd adref!)

Medi 29. Dim Capel imi'r bore. Anfon gair i Mem [?].[68]

Erbyn Ebrill 1913, y mae Tom wedi dod adref eto, y tro hwn cyn cychwyn am Baris. Y mae'n dal i drafod barddoniaeth gyda'i gyfaill, prifathro'r Betws.

Eb   4.   Braf. Tro i'r Ysgoldy ar y beic at Alafon.
      7.   Braf ond gwyntog. Reidio i Gorwen trwy B y Coed. Aros gyda
            Wyn (Woodbank House).

(Yr oedd ei frawd Wynne, neu 'Wyn' weithiau, erbyn hyn yn gweithio yn
y banc yng Nghorwen, ac felly yr oedd Corwen yn un arall o gyrch-
fannau Tom.)

Eb   8.   Braf. Reidio o Gorwen trwy'r Bala i Bermo. Trên i
            Aberystwyth. Aros ym Montaro yn Aber.

(Montaro oedd cartref Oscar, yr agosaf at Tom hwyrach o'r teulu i
gyda ar wahân i Blodwen, y chwaer fawr berffaith!)

Eb   9.   Gweled Anwyl. I gwesty gydag ef. Aros gydag Anwyl! [*sic*]
     10.   Glawog. Cerdded i Lanilar gyda Stanton Roberts. Yno gydag
            OH Jones. Dod yn ôl i Aber. Aros yn Montaro gydag Oscar.

(Yr oedd O. H. Jones yn un arall o'i gyfeillion coleg a barhaodd yn
gyfaill; bu'n weinidog mewn nifer o eglwysi.)

Eb   17.   Cychwyn am Baris. Aros yn y dref (Talafon) y noson. Gyda
            Minnie yn y Guildhall. [Dawns? Pictiwrs? Mem, ynteu rhywun
            arall?]
     18.   Cychwyn o'r dref 10.40am am Lundain. Aros gyda ES Roberts,
            113 Gower St. Swper mewn rest. Gyda R Eames [?] ac ES Roberts.
     19.   Cychwyn o Lundain 10am via Folkestone – Boulogne am Paris.
            Cyrraedd 5.20pm. Aros yn yr Hotel du Danube.[69]

Cyn gynted ag y cyrhaeddodd Baris, aeth i weld yr Arc de Triomphe
ac i gerdded i lawr y Champs-Elysées. Ac yna, fel yn Freiburg, ond gyda
Joseph Loth yn bennaf y tro hwn, aeth ati i weithio ar y cysylltiadau
rhwng Llydaweg a Chymraeg. Ar ddiwedd tair blynedd ei Gymrodor-
iaeth, dychwelodd i Aberystwyth i dderbyn y swydd yr oedd Edward
Anwyl wedi ei sicrhau ar ei gyfer ac i gychwyn ar ei yrfa fel darlithydd.
Yr oedd y rhyfel newydd dorri allan ac yr oedd Tom mewn stad
feddyliol gymysglyd dros ben. Yr oedd ei ofnau ynglŷn â'r dyfodol pan
deimlai hinsawdd filitaraidd Almaenwyr ifainc yn Freiburg, wedi eu
gwireddu ac yr oedd Tom ei hun mewn cyfyng-gyngor ynglŷn â sawl
peth.

Ar ddechrau'r rhyfel, yr oedd gwaith yr adran yn cael ei rannu mewn theori rhwng tri, T. Gwynn Jones, Timothy Lewis a Tom, er bod baich mawr yr holl waith ieithyddol yn disgyn ar ysgwyddau Tom. Gan ei fod wedi ei dynghedu i fod yn ddraenen yn ystlys Parry-Williams am rai blynyddoedd, yn fwriadol neu fel arall, cystal inni ymdroi am foment gyda'i gyd-ddarlithydd, Timothy Lewis. Brodor o'r Efail-wen yn sir Gaerfyrddin lle y ganed ef yn 1877 ydoedd, ond treuliodd y rhan fwyaf o'i ieuenctid yn Aberdâr. Fel Parry-Williams, cafodd yrfa golegol ddisglair, gan raddio'n gyntaf yng Nghaerdydd, ac yna mynd ymlaen i Ddulyn, Freiburg a Berlin. Yr oedd wedi ei benodi'n ddarlithydd cynorthwyol yn Aberystwyth ym 1910, bedair blynedd o flaen Parry-Williams, ac yr oedd wedi cyhoeddi cyfrol bwysig ym 1913, *A Glossary of Medieval Welsh Law*. Pryd y daeth hi'n fater o dynnu torch rhyngddynt ymhellach ymlaen felly, yr oedd Timothy Lewis yn gystadleuydd teilwng ar dir ysgolheictod, ar wahân i unrhyw ystyriaeth arall. Yr oedd rhai yn wir yn teimlo y dylsai fod wedi olynu Anwyl ym 1914, gan fod diffyg cefndir academaidd Gwynn Jones yn ei anghymwyso ef, a chan fod Parry-Williams yn amlwg yn rhy ifanc a dibrofiad. Yr oedd, hwyrach, yn achos rhywfaint o gynnen mor fuan â hyn fod y coleg wedi'i gwneud yn eglur fod y tri darlithydd i gael eu hystyried gyfuwch â'i gilydd. Trwy gydol y pum mlynedd y bu'r gadair yn wag, bu cryn drafod ynglŷn â'i dyfodol. Yn ôl E. L. Ellis, yn ei lyfr ar hanes y coleg, yr oedd pwyllgor o Senedd y Coleg wedi awgrymu ym 1917 y byddai'n well ehangu'r gorwelion, a chreu cadair mewn Astudiaethau Celtaidd, eraill am ehangu fwy fyth, gan sôn am Lenyddiaeth Gymharol, a chan ddadlau y byddai T. Gwynn Jones yn addas iawn ar gyfer cadair o'r fath.[70] Os oedd Timothy Lewis yn teimlo ei fod wedi cael cam, yr oedd Gwynn Jones hefyd, fel yr âi'r rhyfel yn ei flaen, yn teimlo fod carfan gref yn gwneud ei gorau i'w gadw yntau allan o unrhyw gadair yn y coleg. Ar sawl cyfrif, yn ôl yr hanes felly, yr oedd y trefniant yn un anfoddhaol, gan nad oedd y tri darlithydd hwythau o gyffelyb fryd – er bod Tom a Gwynn Jones yn parchu ei gilydd yn fawr, a chan fod pennaeth yr Adran Hanes, Edward Edwards, yn gweithredu fel pennaeth dros dro ar Adran y Gymraeg.

Nid oedd yr amgylchiadau yn ddelfrydol i ddarlithydd ifanc yn cychwyn ar ei yrfa. Serch hynny, ac er gwaethaf ei brysurdeb academaidd, aeth ati hi ar unwaith i gyfrannu'n gyson i gylchgronau colegol fel *The Dragon*, yn Saesneg yn ogystal ag yn y Gymraeg, gan mai Saesneg oedd prif iaith y *Dragon* yn y cyfnod hwnnw, a Saesneg, wrth gwrs, oedd prif iaith darlithio yn yr Adran Gymraeg hefyd. Hwyrach mai'r ffaith syml hon sy'n cyfrif fod nifer o gyfansoddiadau barddonol T. H. Parry-Williams yn ystod y rhyfel yn gyfansoddiadau Saesneg. Rhaid cofio hefyd, ei fod wedi bod yn ymwneud gryn dipyn â'r iaith Saesneg yng nghwrs ei ymchwil ac, at hynny, fod y syniad o gyfansoddi yn Saesneg yn ogystal ag yn y Gymraeg yn llawer mwy cyffredin ymysg beirdd a oedd yn ysgrifennu'n bennaf yn y Gymraeg yr adeg honno nag mewn cyfnodau diweddarach.

Beth bynnag am hynny, yn y cerddi drwodd a thro, boed yn y Gymraeg neu yn Saesneg, y mae'r argyfwng cred a oedd beunydd ar ei feddwl yn ystod y rhyfel yn nodwedd amlwg iawn. Mewn rhai cerddi, y mae'r bardd yn mynegi teyrngarwch cryf i Grist fel dyn ac yn arbennig felly i'r hyn y mae'n ei ddehongli fel heddychiaeth Crist. Ond mae'n llawn cymhlethdod ac ansicrwydd ynglŷn â duwioldeb Crist, ac mewn cerddi sy'n cael eu dyblu yn y Gymraeg a'r Saesneg – rhywbeth arall digon cyffredin ganddo – fel 'Thirty-Three' a 'Christ at Forty', y mae'n ceisio dyfalu beth fyddai wedi digwydd pe bai Crist wedi gwrthod y Groes ac wedi byw ymlaen:

> The cross! That worst of woes I could not bear.
> I was given common sense; and I, to-day,
> Am a respected citizen . . . But what if I
> Had yielded not when I was thirty-three?[71]

Ac mae'n awgrymu y byddai'r Crist deugain oed, o arfer 'common sense', wedi cefnu ar ei weledigaeth gynnar, gan mor anymarferol oedd y weledigaeth honno:

> And yet, and yet, all those words were nought
> But the hot eloquence of thirty years; –
> 'Blessed are they . . .' That sermon on the mount,
> And 'love your enemies, do good to those
> That hate you.'[72]

Y mae'n chwarae â'r syniad mai cwbl ofer oedd aberth Crist, gan fod dynion yn anwybyddu ei ddysgeidiaeth yn llwyr, yn arbennig felly yng nghyd-destun y rhyfel a oedd yn rhuo o'i gwmpas, cefnogaeth ddifeddwl cynifer o bobl i'r rhyfel, a'r dirmyg yr oedd Tom a'i debyg eisoes yn dechrau'i ddioddef oherwydd eu gwrthwynebiad i ryfel.

Y mae dau rigwm gwrthgyferbyniol – ac mae'n arwyddocaol hwyrach mai gyda'r themâu hyn y trodd gyntaf at ffurf y rhigwm – y naill yn cyfarch y Crist-ddyn a'r llall yn ystyried ei fod ef ei hun bellach yn cael ei ystyried yn 'bagan', yn enghreifftio'i benbleth mewnol. Gan fod y ddau rigwm, fel y gweddill o gerddi'r cyfnod, ymysg y 'gwrthodedigion' nas cyhoeddwyd yn unman wedyn, cystal eu hatgynhyrchu yma'n gyflawn. (Dylid dweud fod Dyfnallt Morgan, yn *Rhyw Hanner Ieuenctid*, yn ymdrin yn fanwl â cherddi'r Rhyfel Mawr.) Cyhoeddwyd y gyntaf, nid yng nghylchgronau'r coleg, ond heb deitl yn *Y Goleuad*, yn Nhachwedd 1915.

> A bwrw, Iesu, nad oeddit Ti
> Yn ddim ond dyn ar ein daear ni,
>
> Wrth ddwyn, heb ddiffygio, glais a gloes,
> A marw'n benuchel ar ddeupren croes:
>
> A ellit ti oddef bywyd a'i bwn,
> Heb wyro, dan ofid y cledd a'r gwn
>
> Sydd heddiw'n ysigo fy meddwl brwysg,
> Na chlyw ac na wel ond milwrol rwysg?
>
> Pe gwypwn, efallai y ceisiwn i
> Fyw eto'n y byd, wrth Dy gofio Di, –
>
> A byw yn Grist yng ngwallgofrwydd oes
> A marw, o'r herwydd, ar ddeupren croes.

Yn y rhigwm yma, y mae'r Crist-ddyn yn sicr yn parhau yn fodel i'w ddilyn, os yn fodel dychrynllyd o anodd. Yn yr ail, 'Y Pagan', a ymddangosodd yn rhifyn Gaeaf 1915 o'r cylchgrawn colegol, *Y Wawr*, y mae'n edrych arno'i hun o'r tu allan – rhyw 'ef' dienw sy'n amlwg yn Tom ei hun – ac yn derbyn yn eironig y farn gyffredin fod y sawl 'a chwiliai am Grist yn ei ffordd ei hun' gan gefnu ar grefydd gyfundrefnol, yn wir yn 'bagan':

Y Pagan

> ('Sethrais y gwinwryf fy hunan, ac o'r bobl nid oedd neb gyda mi.')

> Cefnodd yn gadarn ar gred ei dad,
> O weled nad Duw mo dduw ei wlad.

Anturiodd ar aml gyfeiliorn hynt
O sain y baldordd a swn y bunt,

I geisio cydymaith a siglai law
A phagan di-dduw heb arswyd na braw, –

Cydymaith a deimlai nad diawl mo'r dyn
A chwiliai am Grist yn ei ffordd ei hun.

Nis cafodd, ac wylodd na roddes ffawd
Iddo gar a fai'n well na brawd.

Aeth heibio i allorau temlau'r byd
A thinc yr aur yn ei glust o hyd.

Aeth heibio i'r croesau heb deimlo'u rhin,
Ni chrynodd wrth basio'r afrllad a'r gwin.

Ni faglodd wrth erchwyn beddrodau'r byw
Sy'n aml ar odre Mynydd Duw.

Ond dringodd y mynydd drwy'r nos a'r tarth
Yn gryf ac yn eofn, heb deimlo'r gwarth

A'r rhyfyg o adael y dyrfa drist
A chwiliai y beddau am gorff y Crist.

Dringodd i gopa Mynydd Duw
Ei hunan bach – onid Pagan yw?

Er bod yn y ddau rigwm, a ysgrifennwyd yn gynnar yn y rhyfel, wedi'r cyfan, feirniadaeth ar gymdeithas ac ymwadu ag agweddau ar grefydd, y maent, serch hynny, yn ymosodol ac yn llawn sialens i'r gymdeithas yn enw egwyddorion Crist a'i ymgais ef i chwilio am yr hyn yw Crist mewn gwirionedd. Ymhellach ymlaen ar y rhyfel, y mae fel pe bai'r ysbryd hwn wedi pylu, ac agwedd fwy negyddol wedi cymryd drosodd, fel yn 'Jerusalem, Jerusalem' a gyhoeddwyd yn *Y Deyrnas* ym Mawrth 1917:

Heddiw ni welaf ond eiddigedd byth,
Dialedd a bradwriaeth yn fy mro:
Ni welaf ond y proffwyd dan y groes,
Y Gŵr o Iddew a fawrhawn, yn wawd,
A'r Sant a'r giwed greulon ar ei fedd.

Ac am ei dynged ef ei hun – ac fe hoffai feddwl y gallai ddilyn 'Y Gŵr o Iddew' – y mae mor chwerw nes iddo holi, mewn cerdd Saesneg 'To a Dog', a ymddangosodd yn *The Dragon* tua'r un pryd, a fydd ci y mae'n ei gyfarfod ar strydoedd Aberystwyth yn fodlon fod yn gyfaill iddo tra bo dynion yn troi cefn arno:

Give me thy paw, old dog: for I have marked
The clean life of thy brothers, and have felt
Ashamed to be a man; . . .
Come, street-dog, peace! And if thou wilt, I'll tell
Thy brothers in the mountains of a friend
In Aberystwyth streets, who dared to love,
Like them, a lonely mortal, scorned of men.[73]

Erbyn y flwyddyn ddilynol, blwyddyn olaf y rhyfel, yr oedd y mŵd wedi newid eto, ac yr oedd rhyw dawelwch derbyn wedi cymryd drosodd, o leiaf dros dro, oddi wrth y chwerwedd agored. Y mae'r gân 'Reasons', a gyhoeddwyd yn *The Dragon* ym Mawrth 1918, yn mynegi hyn, ac yn sicr, fel nifer o gerddi eraill y rhyfel, yn fersiwn cynnar o un o sonedau mawr 1919:

. . . As if some bursting grief had opened out
A deeper, holier hell:

A senseless region, where one cannot feel
The sting of sorrow, though 'tis there;
A hell that's deep enough to be a heaven, –
A mockery of despair.

Fel y gwelir mewn llawer enghraifft o'r gydberthynas rhwng rhyddiaith a mydryddiaeth ymhellach ymlaen yn ei waith, y mae cyfres o ysgrifau cyfamserol yn dyfnhau ac yn ehangu'r hyn y mae'n ei ddatgan yn y cerddi. Cyfres o ysgrifau yw'r rhain a ymddangosodd yng nghylchgronau'r Coleg rhwng 1914 a 1917, a'r darnau rhyddiaith hyn yw'r darnau pwysicaf o bell ffordd a gyhoeddodd hyd yn hyn.

Cyhoeddwyd y ddwy gyntaf, 'Criafol' a 'Creithiau', ym 1914, y naill yn *Y Wawr* a'r llall yn *The Grail*. Safant ychydig ar wahân i'r pedair arall, sy'n dwyn perthynas â'i gilydd fel grŵp ac a gyhoeddwyd yn *Y Wawr* rhwng 1914 a 1917.

Y mae'r cymylau rhyfel a welodd yn ymgasglu dros Ewrop yn ystod ei amser yn Freiburg yn gorwedd yn drwm dros y ddwy gyntaf hyn. Disgrifiad yw 'Creithiau' o arferiad rhai myfyrwyr yn yr Almaen i ymladd â chleddyfau, a hynny hyd at waed. Eu gorchest oedd cael eu creithio, a pho fwyaf o greithiau oedd ar eu hwynebau, mwyaf yn y byd o arwyr oeddynt. Y mae rhywbeth sy'n gignoeth ac ar yr un pryd yn ddidaro yn yr ysgrif, rhywbeth sy'n ffieiddio'r fath ymddygiad ond sy'n ei weld fel ernes o bethau llawer gwaeth i ddod. Y mae 'Criafol', a gyhoeddwyd yn Nhachwedd 1914, yn cyffredinoli'n fwy athronyddol ar hyd yr un trywydd, ac ynddi gwelir yn eglur iawn fel yr oedd yr awdur yn ymdeimlo â'r peryglon pryd yr oedd yn yr Almaen ac yn arswydo rhagddynt, a hwythau bellach wedi eu gwireddu:

Darllenwn am ryfel a'r gwaed ar wellt Awst y Cyfandir, ond yng ngrawn coch y criafol yn glwstwr ar y coed y gwelais ac y sylweddolais am foment a thros dro ennynwyd ynof hen nwyd gwaed a thân.

Un lliw oedd imi'r haf hwn, cochliw'r cerdin. Un nwyd a ddeil enaid ar unwaith, un gofid ac un llawenydd hefyd. Pwy ni ŵyr am fyrdd gofidiau'n boddi'r naill ar ôl y llall yn yr un gofid mawr? Gwae ninnau heddiw o'r un nwyd fawr – nwyd gwaed a thân.

Y mae arnaf ofn Natur, pan broffwydo. A phan geir un broffwydoliaeth fawr ganddi, aruthr o beth ydyw ei sylweddoli. Nid yn hir nac yn aml y sylweddolir pethau mawr, a beth ddeuai ohonom, pe sylweddolem? Gwyddom bawb am sylweddoli, dros ennyd fer, ddigwyddiadau mawrion, ac edwyn pawb wallgofrwydd y profiad . . . Wrth syllu'n sydyn ar griafolen goch ar ochr y mynydd, sylweddolwn yn awr ac eilwaith, am eiliad, beth oedd nwyd y drin fawr, ac am hynny ofnwn Natur a'i datguddiad.

O gofio fod yr ysgrif hon wedi ei chyhoeddi pryd yr oedd y mwyafrif mawr o hyd yn proffwydo y byddai'r rhyfel drosodd cyn y Nadolig, y mae'r hyn a ddywedir yn rhyfedd o broffwydol ynddo'i hun. Yr oedd profiadau Tom dramor wedi ei baratoi'n well o gryn dipyn na'r rhelyw yng Nghymru ar gyfer yr hyn a oedd i ddod. Nid am y tro olaf, y mae'r hydeimledd rhyfeddol a berthynai iddo wedi peri iddo ymdeimlo rywsut â'r gwaed yn y gwynt, fel y gwelodd hefyd arwyddion o ddrygioni dyfnach a lletach yn y creithiau ar wynebau'r Almaenwyr ifainc rhyfygus yn Freiburg.

Y mae'r pedair ysgrif arall yn amlwg yn hunangofiannol a phersonol hefyd, ond y tro hwn yn y dull gochelgar, wysg-ei-ochr y mae Parry-Williams mor aml yn ei fabwysiadu i led-ddadorchuddio ac i ledgelu yr un pryd ei brofiadau mewnol dwysaf. Fel gweddill deunydd y cyfnod cynnar, nis cyhoeddwyd yn unman yn ddiweddarach. Yr hyn a gawn yn y pedair – 'Eiconoclastes' (1915), 'Yr Hen Ysfa' (1916), 'Y Trydydd' (1917) ac 'Ar Gyfeiliorn' (1917) – yw disgrifiadau ohono fel pe bai'n ailgyfarfod â chyfeillion ei ieuenctid ac yntau bellach yn ŵr, ac yn rhoi inni bortreadau dadansoddol o'r cyfeillion hyn fel y maent yn awr:

> Dynion oeddynt ag un nwyd yn eu corddi, yr unig ddynion gwerth ymgyfeillachu â hwynt . . . Atynnwyd fi atynt yn nyddiau ieuenctid am mai un tebyg oeddwn i fy hun, ac am fod arwyddion yr un nwyd yn eglur yn nrych eu henaid hwythau, pan oeddem yn fechgyn wrth odre'r Wyddfa.[74]

O ddarllen yr ysgrifau, fe ddaw'n amlwg iawn yn fuan mai gweddau arno ef ei hun, o leiaf i raddau helaeth, a gawn ni yn y pedair ohonynt, er ei bod yn anodd dweud, fel y mae mor aml gyda T. H. Parry-Williams, pa elfennau yn y cymeriadau hyn y bwriedir iddynt adlewyrchu'n uniongyrchol agweddau ar ei bersonoliaeth ef ei hun, pa elfennau sydd tan gochl a pha elfennau sydd yno'n fwriadol i'n camarwain. Ond y mae pob un o'r cymeriadau, beth bynnag, wedi'i greithio'n fewnol mewn rhyw fodd neu'i gilydd gan amgylchiadau bywyd ac yn gorfod darganfod dulliau gwahanol o ymdopi â'i gyflwr clwyfus.

Dylid cofio, wrth gwrs, er mai gweithiau cynnar ydynt, mai dyn yn ei oed a'i amser oedd awdur y creadigaethau hyn, nid glaslanc. Gan mor araf a bwriadus yr adeiladodd Parry-Williams ei gynnyrch llenyddol cyhoeddedig, a chan mor hwyr yn y dydd y cyhoeddodd y gweithiau cyntaf yr oedd yn fodlon eu harddel, y mae'n hawdd syrthio i'r camgymeriad o feddwl am y cerddi a'r ysgrifau a gyhoeddwyd yn *Y Wawr* a mannau eraill fel *juvenilia*. Y gwir yw fod T. H. Parry-Williams yn saith ar hugain oed pryd y cyhoeddwyd y gyntaf ohonynt ym 1914 a'i fod dros ddeg ar hugain erbyn diwedd y Rhyfel Mawr. Y mae'n ddigon teg felly inni ystyried y pedair ysgrif fel ymgais i ddadansoddi ei gyflwr, nid fel glaslanc, ond fel gŵr ifanc aeddfed â chryn brofiad o'r byd y tu ôl iddo. Beth, felly, yw natur y 'cyfeillion mynwesol' hyn?

Y mae gan brif gymeriad 'Y Trydydd' obsesiwn â lliwiau. Lliwiau sy'n penderfynu ei gyflwr emosiynol ac, i raddau helaeth, ei ymddygiad hefyd, fel y mae'n simsanu rhwng eithafion coch a gwyn. Yn 'Ar Gyfeiliorn' y mae gan y prif gymeriad obsesiwn â geiriau. Byd o ofn ac artaith yw ei fyd. Y mae'n cael ei hela gan gythreuliaid. Ei unig ddihangfa yw ailadrodd hoff eiriau ac ymadroddion o'r Beibl ac o'r dirgel 'Lyfr Glas', sydd ar y cychwyn yn ymddangos fel pe bai'n llawlyfr gwrachyddiaeth ond sy'n troi allan yn y diwedd i fod yn hen lawysgrif farddonol o'r Oesoedd Canol. Cyffwrdd a chyfrif pethau yw obsesiwn prif gymeriad 'Yr Hen Ysfa'. Y mae'n rhaid iddo gyfrif a dosbarthu popeth oherwydd y gall, wrth wneud hynny, daro yn y diwedd ar natur y strwythur sy'n sail i'r bydysawd. Fe fyddai adnabod y fath strwythur yn caniatáu i'r cymeriad symud ymlaen ar hyd y llinellau cywir; hyd nes y gall ei adnabod, y mae'n troi yn ei unfan. Yn yr un modd y mae'n rhaid iddo gyffwrdd popeth – fel y ddwy ochr i bolyn teligraff – er mwyn gwneud yn hollol sicr o'u bodolaeth. Y mae gan y tri chymeriad hyn ddibyniaeth ddofn ar yr obsesiynau hyn – y maent yn fecanweithiau seicolegol sy'n caniatáu iddynt oroesi er nad ydynt yn gwybod y cyfeiriadau y dylai eu bywydau eu cymryd. Fel y dywed prif gymeriad 'Yr Hen Ysfa':[75] 'Rhywbeth anesboniadwy i mi ydyw y byddaf yn cyfrif pob math o bethau pan fyddwyf mewn argyfwng pwysig, neu mewn rhyw helynt meddyliol dyrys.' Nid yn unig y mae'r gyriadau hyn yn tueddu i reoli bywydau'r cymeriadau ac yn eu caethiwo'n gynyddol; y mae obsesiynau'r tri yn eu harwain tuag at dywyllwch enaid eithafol a threisiol. Meddai prif gymeriad 'Yr Hen Ysfa': 'Gwna imi weithiau gashau'r rhai anwylaf gan fy nghalon fel gwenwyn, a dyheu am gyflawni'r pethau mwyaf gwallgof ar wyneb y ddaear.' Y mae prif gymeriad 'Y Trydydd' yn wir yn cyffesu i drosedd eithafol a'i gorfododd i adael bro ei febyd, er nad yw'n manylu ar natur y drosedd:

> Y lliw coch a wnaeth imi gyflawni'r anfadwaith y gorfu imi adael yr hen ardal o'i blegid. Os bydd dydd barn rywdro, a lluchio'r pechod hwnnw i'm hwyneb, ni bydd gennyf ond taflu'r bai ar yr Wyddfa.

Ac mae prif gymeriad 'Ar Gyfeiliorn'[76] yn ei fwrw ei hunan i'r tywyllwch trwy ailadrodd gydag awch nodau dialedd Salm 137:[77]

> Clywais ef ugeiniau o weithiau'n adrodd y cxxxvii Salm, a byddai iasau o arswyd yn cerdded drosof wrth edrych a gwrando arno, a'i ên isaf yn

gogwyddo i'r chwith, a'i fraich dde'n yr awyr, a'i ddyfnllais yn rhuthro rhwng ei ddannedd, yn adrodd yr adnod olaf, 'Gwyn ei fyd a gymero ac a darawo dy rai bach wrth meini'. Dyna iti ysbryd dialedd.

Ond y mwyaf arwyddocaol o ddigon o'r darnau rhyfeddol a chynhyrfus hyn yw 'Eiconoclastes',[78] oherwydd ei bod yn nes at fod yn ymddangosiadol hunangofiannol ac oherwydd mai hi yw'r unig un sy'n cynnig unrhyw eglurhad ar gyflwr ei phrif gymeriad. Y mae hi hefyd gryn dipyn cynilach ei mynegiant na'r gweddill ac mae'n dilyn achos a thwf niwrosis mewn modd cwbl gredadwy.

Y mae'r prif gymeriadau i gyd, ond yn arbennig Eiconoclastes, yn rhannu â'i gilydd ac â Parry-Williams y ffaith eu bod wedi eu gwahanu'n gynnar o fro eu mebyd. Y mae'r cyfan hefyd yn dangos anallu i adnabod eu prif gyfeiriad mewn bywyd ac yn tueddu i fygydu obsesiynau fel symptomau o'r alltudio mewnol sydd wedi digwydd iddynt. Fel y dywed yn 'Y Trydydd':

Aethom ein pedwar dros drothwy cartef a thros ffin y plwyf yn gynnar; ac nid oes dim fel crwydro i fagu nwyd feddwol, rymus, lywodraethol. Megir hi'n ddistaw ddwys, a rhyw fore fe'i gwelir yn y llygaid, ac nid oes dim ond carreg fedd a all atal ei phelydr.

Ac mae'r hyn a ddigwyddodd i Eiconoclastes, beth bynnag, yn hynod debyg i'r hyn a ddigwyddodd i Parry-Williams ei hunan, nid yn unig yn yr ymwahanu cynnar, ond mewn sawl cyfeiriad arall:

Dywedai iddo ddioddef rywdro rhwng deuddeg a deunaw oed fwy o gyfyngder enaid ac o wasgfa meddwl nag a wnaeth wedyn a mwy nag a wnai byth. Aethai oddicartref yn gynnar, a 'daeth yn offeiriad sanct ei grefydd gudd' yn ddiymdroi. Am ryw hyd gwnaeth ei hiraeth angerddol am ei gartref ef yn gyfriniwr ac yn *sentimentalist*, a darllennodd y pryd hwnnw y farddoniaeth fwyaf ffugdeimladol a'r fwyaf cyfriniol y gallai gael gafael arni.

Y mae hefyd wedi dweud yn gynharach yn yr ysgrif:

'Un rhyfedd' y gelwid ef, am mai un rhyfedd ydyw pawb a edrycho ar bethau o bwys mewn byd a bywyd yn eu noethni dilen ac â llygaid heb eu pylu gan na thraddodiad gwerin na chredo cymdeithas . . .
    Ac onid 'un rhyfedd' oedd gŵr a allai honni iddo ar brydiau garu

anwybod a chashau ceraint, wfftio cred ei dadau ac ymfalchio mewn penrhyddid, cofleidio cas a herio cariad, wrth chwilio am y gwirionedd?

A oes lle i amau nad Parry-Williams ei hunan sydd yma, y sawl sy'n byw mewn paradocs, y person nad yw'n perthyn yn iawn i unman ond i'r lle yr ysgarwyd ef oddi wrtho fel nad ydyw bellach yn gwybod a ydyw'n perthyn i'r lle hwnnw chwaith? Ac mae rhagor i ddod yn 'Eiconoclastes':

> Tyfodd yn fuan o'r mŵd teimladol, meddal a chyfriniol hwnnw, ac yn ôl ei arfer dechreuodd gashau'r fath ysbryd yn ddidrugaredd. Fel pob llanc yn y mŵd hwnnw a rhywfaint o allu ynddo, bu'n cyfansoddi tipyn . . . Clywais rai o'r caneuon o'i enau, ond gwelodd ei chwaer y llyfryn unwaith a phan aeth ei gyfrinach i ŵydd y byd, llosgodd ef.

P'run ai llythrennol wir hynny ai peidio, gwyddom iddo wrthod y cerddi cynnar i gyd wrth ddethol ar gyfer y gyfrol gyntaf ac, yn lle cynnwys unrhyw un ohonynt, ysgrifennu'r gerdd arwyddocaol honno o ymddiheuriad iddynt ar ddechrau'r gyfrol, y soned sy'n dechrau:

> Nid hyfryd ceisio'ch gollwng chwi dros go'
> A'ch lled-ddiarddel, wedi'r cymun maith
> A ffynnai rhyngom . . .[79]

Wrth fynd trwy'r broses o wrthod y cerddi, yr oedd fel pe bai'n ceisio ymwrthod â dilysrwydd profiadau llencyndod, profiadau, fel y cyffesodd yn gynharach yn yr ysgrif 'Eiconoclastes', a fu unwaith yn angerddol.

> Dioddefodd fwy'n y cyfnod hwnnw oddiwrth dân enaid nag a gyffesai, ond gwn i'n amgenach, er na wyddwn ar y pryd. Ni bu erioed yn fachgen, ac nid edifarodd ychwaith am beidio â cheisio bod yn fachgen. (Os bu ysbryd bachgen ynddo o gwbl, wedi gadael ohono'i ugeinmlwydd oed y bu hynny'n ei hanes.) I mi, dyma allwedd cyfrinach ei fywyd rhyfedd, – plentyn yn dyfod yn ddyn cyn caledu digon yn y byd i allu lladd y ddynoliaeth sydd ynddo.

Yr oedd profiadau – ac felly cerddi – ei lencyndod fel pe baent wedi cynnau'n dân, wedi'u llosgi eu hunain allan ac yna ddiflannu i ebargofiant, heb fod unrhyw berthynas bellach rhyngddynt a T. H.

Parry-Williams y dyn. (Nid felly, wrth gwrs, a dweud y lleiaf, gyda phrofiadau plentyndod. Ond stori arall yw honno.) Y mae'r ysgrif 'Eiconoclastes' yn mynd yn ei blaen:

> O dipyn i beth daeth mwy i wybod amdano. Hoffai fod yn dipyn o ddirgelwch i bobl o'i gwmpas. Mewn cwmni byddai weithiau'n hwyliog, weithiau'n dawedog. 'Oriog' y galwai'r merched ef, 'di-hid' y dynion. Druan bach! Gwyddai yntau hynny, ac aeth dros dro'n ddyngashawr ac yn fungashawr, nid o ddig ond o gydwybod.

Yna y mae, fel Parry-Williams, yn mynd i grwydro'r byd, a hynny am yr union gyfnod a dreuliodd Parry-Williams ei hun yn Rhydychen ac ar y Cyfandir. Cafodd y profiad o deithio effaith arno. Yn y lle cyntaf, nid oedd y crwydro wedi gwneud ei gydnabod yn anwylach iddo: 'gwelodd fod mwy o hynawsedd a hygarwch yn aml mewn estron nag mewn cydwladwr'. Yn ail, yr oedd wedi rhoi mwy o hyder iddo yn ei farn ef ei hunan am bethau: 'Aeth ei athroniaeth bywyd yn fwy gwirioneddol iddo: credodd yn sicrach ynddi, a dibynnodd yn fwy arni.' Yn drydydd, ac o'r herwydd, yr oedd wedi meithrin ei duedd gynhenid i fynd at wraidd pethau:

> Pan ddaeth yn ôl wedi tair blynedd o grwydro, canfum ar unwaith ei fod wedi magu cas diymod at unrhyw lên ar hanfod pethau. Yr oedd yn feiddgar a rhyfygus (fel y deëllir y geiriau hyn yn gyffredin) mewn gair a meddwl. Anturiai feddwl a mentrai ei fynegi. Gwyddai na thalai hynny gyda mwyafrif ei gyd-ddynion, ond gwyddai hefyd mai rhagrith a thwyll ynddo fuasai meddwl neu siarad fel arall. Galwai holl driciau ac ystrywiau dynion i geisio peidio â meddwl, neu i beidio â meddwl yn ddiffuant, ac i guddio'u meddwl fel ag yr oedd â geiriau gwag, yn ddelwau a addolid, a daeth yn ddrylliwr-delwau didrugaredd. Dysgasid ef yn blentyn i barchu'r delwau hyn, a chadwodd hwy heb eu dryllio'n hir, gan led-ofni hwyrach fod bywyd ac enaid ynddynt wedi'r cwbl, ond clywais a gwelais ef yn torri rhai o honynt fy hunan.

Ai dyma, felly, y Parry-Williams profiadol a hyderus a ddaeth yn ôl i Gymru o'r Cyfandir gyda golwg newydd ar yr hen bethau, yr eiconoclast newydd-anedig, Parry-Williams a oedd bellach yn fodlon herio confensiwn a dryllio delwau? Wel, y mae'n wir, fel y gwelsom, iddo ddechrau ymrafael yn llenyddol, ar ôl dychwelyd i Aberystwyth, â rhai y gellid bod wedi eu hystyried yn feistri iddo; y mae'n wir hefyd iddo sefyll allan, fel y gwelwn maes o law, yn erbyn y rhyfel, a hynny yn y diwedd er cryn gost iddo ef ei hun. Hwyrach nad oedd lawn mor ymosodol ag y mae'n disgrifio Eiconoclastes, ond felly, mae'n amlwg, yr hoffai feddwl ei fod wedi datblygu i fod.

Ymhellach ymlaen yn yr ysgrif hon, y mae'n dychmygu dod ar draws ei gyfaill 'y tro olaf' yr haf blaenorol. (Y mae'n ymddangos, gyda llaw, nad yw Eiconoclastes bellach ar dir y byw.) A dyma a ddywedodd wrtho ar yr achlysur hwnnw:

> 'Byddaf yn meddwl weithiau,' meddai, 'i mi lunio f'athroniaeth yn rhy gynnar yn fy mywyd, ond yr oedd yn rhaid i mi gael un o ryw fath, petai'n rhaid ei newid ymhellach ymlaen. Y mae rhyw ysfa mynd i hanfod pethau ynof, gweld peth o'r tu mewn ac nid o'r tu allan, a chael felly'r ias anorchfygol a gefais pan euthum i mewn i'r Unterer Gletscher yn yr Yswisdir . . . Byddaf yn ofni hefyd nad oes fawr o'r fath gynyrfiadau newydd i fod eto'n fy hanes, ac y mae arnaf arswyd undonedd y dyfodol oherwydd hynny, – ofn y bydd yn rhaid imi fyw ar atgyfodi'r hen iasau.

Dro ar ôl tro, wrth ddarllen 'Eiconoclastes', ni allwn lai na dwyn i gof sylw ar ôl sylw y mae Parry-Williams yn ei wneud amdano'i hun rywbryd yn ystod ei yrfa. Gan mor agos yw'r gymhariaeth, y mae'n werth craffu hefyd ar sylw a wneir gan lais Eiconoclastes ei hunan tua diwedd yr ysgrif:

> hwyrach mai ffolineb ydyw meddwl a theimlo o ddifrif: ymddengys i mi nad oes fawr o heddwch na hapusrwydd ynglŷn â pheth felly. Eto gwell gennyf ymdrechu â phethau mawr a dieithr na byw mewn syrthni meddwl a theimlad. Peth ardderchog ydyw ymgiprys â'r amhosibl, ceisio dirnad yr annirnad, coelio'r anhygoel a chlywed yr anhyglyw . . . Wfft i'r rheiny sy'n hanner gwrido ac yn teimlo'n anesmwyth pan sonier wrthynt am rywbeth heblaw'r hyn a welir â llygad noeth. 'The world is too much with us' . . . 'Rwy'n cyfaddef y byddaf yn cael mŵd weithiau o ddymuno mynd yn ôl i'r hen rigol y bûm ynddi cyn imi gymryd fy siawns fy hun ar setlo 'nghred, ond os i hynny y daw hi wrth imi heneiddio, 'rwy'n gwybod nad edifaraf byth am feiddio torri'r hen ddelwau, pan na allwn eu haddoli . . .' Ni welais ef mwy.

Y mae'r cerddi a'r ysgrifau hyn, o'u cymryd drwodd a thro, yn agor drysau ar dryblith go arw yn ymwybyddiaeth T. H. Parry-Williams yng nghanol y Rhyfel Mawr. Yr oedd yn ymdeimlo â rhyw annigonoldeb, os nad rhywbeth gwaeth na hynny, yn ei bersonoliaeth ef ei hun. Yr oedd yn mynd trwy argyfwng dwfn iawn, ac yr oedd yr argyfwng yn ymwneud â swm a sylwedd ei fodolaeth fel bod dynol. Gwyddai'n ddigon da am ei anianawd gordeimladwy ef ei hun, ac yr oedd yn ofni bellach, 'ar adegau', i ddefnyddio un o'i hoff gymalau amodol ef, y gallai'r hydeimledd yma ei gwneud yn amhosibl iddo fodoli'n effeithlon yn y byd real o gwbl.

Nid oedd bellach yn medru derbyn dilysrwydd y drefn grefyddol y codwyd ef yn ei sŵn. Y mae rhai'n dadlau, a Dyfnallt Morgan yn eu mysg, mai'r rhyfel ei hun, ac agwedd gefnogol llawer o eglwysi Cristnogol at y rhyfel, a'u hagwedd negyddol at ei safiad heddychol ef ei hun, a barodd iddo droi cefn ar grefydd gyfundrefnol. 'Rwy'n credu fod yr achos yn llawer dyfnach ac yn llawer mwy cymhleth na hyn. Yr oedd yn sicr yn hawdd iddo resymoli'r cyfan, a dadlau mai militariaeth rhai gweinidogion a chynulleidfaoedd, yn benodol felly yn Aberystwyth, a barodd iddo droi cefn arnynt, unwaith ac am byth. Y gwir yw ei fod wedi ymadael â ffydd gyfforddus ei fam a'i dad ers blynyddoedd ac mai catalydd eithafol oedd erchyllterau'r Rhyfel Mawr. Yr oedd Tom wedi ymadael â chrefydd ei blentyndod, yn ei feddwl ei hun, ers iddo ddechrau meddwl drosto'i hun, ond yr oedd cyfaddef y fath beth yn gyhoeddus yn achos poen a phryder iddo, gan mor bwysig oedd cadw cyswllt â phopeth a berthynai i'w blentyndod, ac yr oedd yn un, o leiaf, o'r rhesymau dros y teimlad o euogrwydd a oedd i fod yn rhan o'i ymwybyddiaeth am flynyddoedd lawer. Y mae hyn i gyd yn amlwg iawn yn y *cri de coeur* cyfansawdd sy'n arbennig o eglur yn ysgrifau'r Rhyfel Mawr; nid oedd fyth eto i'w ddinoethi ei hun mor glwyfus ar bapur.

Y mae Dyfnallt Morgan yn tynnu sylw at yr ôl-nodiad i'r ysgrif 'Eiconoclastes', lle mae'r 'awdur' yn cael gwybod gan chwaer y 'cyfaill' – dyfais gymhleth ac astrus a theilwng o'r Parry-Williams mwyaf anghyffwrdd – pa lyfrau a ddarganfuwyd yn ei 'fyfyrgell' wedi iddo farw. Y llyfrau oedd:

> rhai o gyfrolau Henri Bergson, gwaith Francis Thompson, 'Llestri'r Trysor' a chyfrol o farddoniaeth Keats yn agored lle mae'r soned sy'n dechrau, 'When I have fears that I may cease to be'. Yn ei ddyddlyfr dan y diwrnod hwnnw yr oedd llinell Horas, *Exegi monumentum aere perennius* a'r gair 'exegi' wedi ei flotio ag inc.

'Rwy'n cytuno â Dyfnallt Morgan fod yn rhaid cymryd rhywfaint o sylw, beth bynnag, o'r cliw ychwanegol hwn i stad meddwl T. H.

Parry-Williams ar y pryd; nid oedd wedi dewis y cyfuniad od yma o lyfrau yn fympwyol. Sonia Dyfnallt Morgan fel yr oedd bri ar syniadau athronyddol Bergson yn y cyfnod hwn a'i fod yn wir wedi traddodi darlithoedd yn Rhydychen pryd yr oedd T. H. Parry-Williams yno. Yr oedd T. S. Eliot hefyd, fel mater o ffaith, yn darllen Bergson ac yn cyfeirio ato fwy nag unwaith. Iddew oedd Bergson, a chanddo gryn gydymdeimlad â Chatholigiaeth, ond ei gyfraniad mawr fel athronydd oedd symud y pwyslais oddi wrth benderfyniaeth wyddonol a materol, a oedd yn pwysleisio natur absoliwt ac ansymudol y byd materol, tuag at ddadansoddiad mwy cyfrin ac ysbrydol o natur y cosmos a phrofiad dyn. Fel hyn y mae Geoffrey Brereton, a ddyfynnir gan Dyfnallt Morgan, yn sôn amdano mewn arolwg o lenyddiaeth Ffrengig:

> By asserting the superiority of intuition over intellect as a means of apprehending reality, by his discovery of the distinction between spatial (clock) time and 'duration', or time as it is actually experienced, and by his insistence on human freedom from systems of materialistic determinism Bergson challenged the basic assumptions of 'scientific' philosophy.[80]

Y mae'n sôn fel yr oedd syniadau Bergson wedi rhyddhau llawer o lenorion y cyfnod oddi wrth syniadau set a hen-ffasiwn:

> At the least, they were no longer committed to a static conception of psychology, nor to the constraint of intellectual analysis, nor to a step-by-step technique in handling time. At the most, they recovered a whole spiritual universe which positivism and naturalism had removed from their reach.[81]

Os oedd hyn yn rhyddhau meddylwyr oddi wrth hualau rhai agweddau ar feddwl 'gwyddonol', yr oedd yr un mor beryglus i rai agweddau ar feddwl 'crefyddol', yn arbennig y math o feddwl cyfundrefnol penderfyniadol ac absoliwtaidd a welai Tom o'i gwmpas mewn rhai cylchoedd crefyddol yng Nghymru. Y mae sawl agwedd ar feddwl Bergson yn brigo dro ar ôl tro yng nghwrs ei ymson ar natur y byd ac yn sicr y mae gosodiad fel 'asserting the superiority of intuition over intellect as a means of apprehending reality' ac ymson Bergson ynghylch amser, yn gwbl gydnaws â llawer o fyfyrdodau Tom ymhellach ymlaen.

Y mae'r llyfrau eraill yn codi cwr y llen hefyd ond mewn modd llai canolog, er bod *Llestri'r Trysor*, fel y disgrifir ef gan Dyfnallt Morgan, yn amlwg yn agwedd arall ar geisio ymryddhau, nid o feddylfryd gwyddonol, ond o feddylfryd caeth-grefyddol crefydd ei dadau:

> Llyfr o ysgrifau gan wahanol awduron, o dan olygyddiaeth D. Tecwyn Evans ac E. Tegla Davies ar Y Beibl 'yng ngoleuni beirniadaeth ddiweddar'. . .[82]

ydoedd, newydd ei gyhoeddi ym 1914, ac yn datgan yn y Rhagair:

> Credwn fod y rhan fwyaf o anawsterau meddyliol ieuenctid meddylgar a darllengar Cymru heddyw'n codi o'r hen syniadau a goleddwyd, 'yn hender y llythyren' am Y Beibl, a bod Beirniadaeth Ddiweddar gymedrol yn clirio'r anawsterau hynny.[83]

Yn sicr, nid oedd yn clirio'r anawsterau i Tom, ond yr oedd y ffaith ei fod yn darllen llyfr o'r fath – neu fod ei 'gyfaill' yn ei wneud – yn arwydd o gyflwr agored ac ymchwilgar ei feddwl. Dylid cofio, wrth fynd heibio, ei fod o hyd, yr adeg yma yn ei fywyd, yn mynychu'r capel yn Aberystwyth ac yn wir yn cymryd dosbarth ysgol Sul, er bod rhai'n ei alw'n bagan yn rhinwedd ei 'ysgrifeniadau'.

Y mae presenoldeb Francis Thompson a Keats yn fwy negyddol, os yn gwbl ddealladwy. Bardd crefyddol Catholig oedd Francis Thompson, a ddaeth i enwogrwydd dros dro yn bennaf yn rhinwedd ei gerdd 'The Hound of Heaven', lle mae'n ei ddisgrifio'i hun yn ceisio ffoi oddi wrth Dduw a oedd yn ei gyhuddo o droi cefn arno, ac yn ei rybuddio y byddai popeth, fel canlyniad, yn troi cefn arno yntau:

> All things betray thee, who betrayest Me

a

> Naught shelters thee, who wilt not shelter Me.[84]

Yma eto y mae'r ofn a'r euogrwydd sy'n codi o'r colli ffydd y mae'n ei brofi. Y mae cerdd Keats, wrth gwrs, yn gwbl gyfarwydd, a'r llinell sy'n dilyn honno sydd yn y dyfyniad, sef,

> Before my pen has gleaned my teeming brain[85]

yw'r llinell arwyddocaol. Nid mater o ofni marwolaeth, hwyrach, er bod angau ei hun yn destun myfyrdod iddo hefyd, ond ofn marw cyn y gall fynegi yr hyn sydd ynddo i'w fynegi, teimlad nid anghyffredin i fardd ifanc ond teimlad sydd o leiaf yn awgrymu ei fod yn sicr iawn fod ganddo rywbeth y mae ar dân i'w roi ar bapur. Ac mae llinell Horas yn cwblhau'r darlun, oherwydd ystyr y llinell yw: 'Yr wyf wedi creu cofadail fwy parhaol nag efydd'. Cofadail Horas, wrth gwrs, oedd ei waith, a dyma fuasai cofadail Eiconoclastes pe bai wedi byw (y mae'r blot o inc ar y gair *exegi* yn golygu nad yw'r gofadail wedi ei gorffen), a dyma fydd cofadail Tom Parry-Williams os caiff fyw 'to glean my teeming brain'.

Tra oedd un Tom Parry-Williams yn ymladd â'i glwyfau mewnol ef ei hun, yr oedd Tom y cystadleuydd unwaith eto'n mentro i'r maes eisteddfodol, a'r tro hwn am y tro olaf. Y mae'n anodd egluro pam yr oedd angen gorchest arall arno, oni bai fod hyn hefyd yn fodd i dawelu'r amheuon a'r ansicrwydd, hyd yn oed ynglŷn â'i allu fel bardd. Ta waeth, aeth pryddest ac awdl i mewn eto i Eisteddfod Bangor, eisteddfod y bwriadwyd ei chynnal ym 1914 ond a ohiriwyd tan y flwyddyn ddilynol oherwydd amgylchiadau'r rhyfel.

Enillodd y ddwy gystadleuaeth unwaith eto ym Mangor, ond nid oedd y beirniaid mor frwd nac mor unfryd y tro hwn. O bellter amser, mi allwn ni ddweud, serch hynny, fod ôl datblygiad pendant iawn, o gymharu'r ddwy gerdd â cherddi 1912.

Cyn belled ag yr oedd yr awdl yn y cwestiwn, 'Eryri' oedd y testun ac oherwydd hynny yr oedd rhaid gwneud ymdrech bendant i osgoi ailadrodd themâu 'Y Mynydd'. Gan hynny, aeth o'r ochr arall heibio i'r testun ac ysgrifennodd yr hyn a alwodd yn 'Awdl Gromatig', yn delio ag un o'r gyriadau seicolegol y mae'n sôn amdanynt yn yr ysgrifau, sef ei obsesiwn â lliwiau. Denodd yr is-deitl, 'Awdl Gromatig', fawr ddirmyg John Morris-Jones:

> rhodres noeth (affectation) yw arfer term fel awdl 'gromatig', – y llanc yn dangos ei ddysg, fel y dengys ei gleverness yn llunio ffugenw o'r tri lliw a ddefnyddia.[86]

Y ffugenw clyfar oedd Rhuddwyn Llwyd ond, ta waeth am hynny, y llanc a orfu, oherwydd dyfarnwyd y Gadair iddo er gwaethaf amheuon Syr John ynglŷn â'i glyfrwch. Ac ennill, wrth reswm, oedd y bwriad.

Y mae'n werth nodi yma mai un yn unig o'r pedair cerdd eisteddfodol yr oedd ef ei hun yn ei hystyried o unrhyw werth parhaol, a honno oedd pryddest 1915, 'Y Ddinas', o dderbyn yr hyn a ddywedodd wrthyf yn ei ddull 'pa-ots' rywbryd tua diwedd y 1950au. 'Dydw i ddim wedi ei darllen hi ers blynyddoedd, cofiwch,' meddai, 'ond synnwn i ddim nad oes yna ryw gymaint o eneiniad yn honno.' Yn wir, yr oedd yn meddwl digon ohoni i'w hailgyhoeddi ychydig yn ddiweddarach, ym 1962, ar lun pamffled, ac yn y rhagair i'r pamffled hwnnw, y mae'n dweud:

> Newydd ddychwelyd o fod yn fyfyriwr ym Mharis yr oeddwn ar y pryd, tua dechrau'r flwyddyn 1914; dyna, ond odid, pam y dewisiais y testun. Yr oedd naw ar hugain yn cystadlu. Fe ganmolwyd y bryddest hon yn frwd gan Alafon a Gwili; ond fe'i condemniwyd hi'n ddiarbed gan Eifion Wyn.[87]

Do'n sicr. A hynny mewn datganiad chwyrn ac emosiynol ei natur:

> ni wna ei darllen les i ben na chalon neb. Nid yw ei chynnwys yn llednais, na'i dysg yn ddiogel, na'i thôn yn ddyrchafedig . . . Ni thrig dim da yn ei Ddinas. Anobaith sydd yn ei phyrth ac anfoes yn ei phalasau. Chwiliais hi'n fanwl a theml ni welais ynddi, ffydd, na chariad, na hawddgarwch . . . Onid oes ysbrydoliaeth mewn daioni, a deunydd barddoniaeth mewn pethau pur? Awgryma'r gerdd hon nac oes.[88]

Dyma lais dilys ysgol Syr John. Fe ddylai celfyddyd ddelio â'r aruchel; trwy wneud hynny y gallai ysgogi ysbryd dyn i fyfyrio ar y pethau sydd uchod. Ond, yn ffodus, yr oedd y ddau feirniad arall yn fwy hirben ac fe orfu'r bardd ifanc unwaith eto. Y gwir yw fod newydd-deb yn 'Y Ddinas' a bod Bedwyr Lewis Jones yn gywir i deimlo chwaon cyntaf moderniaeth yn chwythu drwyddi. Yn ei geirfa a'i ffurf, ac yn ei hagwedd ymosodol-gymdeithasol, y mae'n gerdd wahanol iawn i'r tair arall. Ar sail ei brofiadau yn Ewrop, y mae T. H. Parry-Williams yn ymosod yn ffyrnig ar lygredd y bywyd dinesig a'i ddiffeithwch moesol ac, a hyn oedd wedi gwylltio Eifion Wyn, yn disgrifio'i hanfoesoldeb yn lliwgar. Fel y mae Dyfnallt Morgan wedi dangos, y mae tebygrwydd rhyfeddol rhwng rhai o'r pethau a ddywed am ei ddinas a'r hyn a ddywed un o apostolion moderniaeth yn yr iaith Saesneg, T. S. Eliot, am Lundain yn 'The Waste Land' rai blynyddoedd yn ddiweddarach. Dyma Eliot:

> Unreal City,
> Under the brown fog of a winter dawn
> A crowd flowed over London Bridge, so many,
> I had not thought death had undone so many.

> Sighs, short and infrequent, were exhaled,
> And each man fixed his eyes before his feet.[89]

A dyma T. H. Parry-Williams:

> Ar hyd yr heol drymllyd cerddai llu
> Wyneblwyd, sobr a gwargrwm eto'n ôl,
> A sŵn eu sodlau ar y palmant llyfn
> Yn hanner-deffro'r eco 'nrysau'r tai
> A wgai arnynt gyda'u llygaid dall.[90]

Y mae'r ddau wedi gweld rhywbeth tebyg iawn, sef natur ddiffaith y dorf ddienw, caledi dideimlad palmentydd y ddinas. Pe bai Eliot yn deall Cymraeg, bron na fyddem yn ei gyhuddo o lên-ladrad!

Er nad yw'n werth oedi gyda'r cerddi eisteddfodol eu hunain, yn arbennig felly yng ngoleuni'r gweddill o'i gynnyrch yn y cyfnod hwn, y mae'n werth aros am ychydig gyda'r digwyddiadau o gwmpas y gwobrwyo. Nid am eu bod hwythau, ynddynt eu hunain, yn arbennig iawn chwaith, ond am fod natur ymddangosiadol ddidaro a ffwrbwt ei ymateb i'r gorchestion, fel y'u croniclir yn ei ddyddiadur er enghraifft, yn cydorwedd yn chwithig â'r awch cystadleuol amlwg sydd dan yr wyneb yn y cyfnod hwn, ac yn enghraifft gynnar o'r amwysedd paradocsaidd hwnnw yn ei gymeriad a dyfodd yn rhan mor ganolog o'i hunanymholi ymhellach ymlaen.

Fel hyn y mae ef ei hun yn llenwi allan y nodyn swta yn y dyddiadur mewn ysgrif, 'Congrinero', a ysgrifennodd mor ddiweddar â 1953 ynglŷn â buddugoliaeth 1912: 'mi euthum ar feic i ffarm perthynas i mi ar ffiniau Dyffryn Clwyd, ac ar fore'r coroni mi deithiais ar y ddwy olwyn drwy Ruthin a Bwlch Gwyn ac i Wrexham'.[91] Y mae gennym dystiolaeth cyfaill o Rydychen y galwodd yn ei gartref yn ystod y daith hon, yn ogystal â thystiolaeth y dyddiadur, fod Oscar gydag ef. Y mae'n nodweddiadol hwyrach o'i duedd weithiau i ddyfnhau ei ymdeimlad o unigedd nad yw'n sôn am hyn. Yr argraff a gawn yn yr ysgrif yw mai ar ei ben ei hun y mae. Y mae'n sôn amdano'i hun yn eistedd yn y seddau cefn gyda'i docyn bwyd i ddisgwyl y feirniadaeth ar gystadleuaeth y Goron, a ddigwyddai yn ystod y blynyddoedd hynny ar ddydd Mercher yr Ŵyl, fel y gwelsom yn y dyddiadur, gyda'r cadeirio'n dilyn ar y dydd Iau. Nid oedd yn arferiad chwaith i rybuddio enillwyr y prif gystadlaethau ymlaen llaw, felly ni wyddent am y dyfarniad hyd nes y byddai'r llefarydd dros y beirniaid wedi ei gyhoeddi:

mi lithrais yn ddirgel i'r babell ac eistedd yn y pen draw yng nghanol yr isel-radd a'r pwr-dabs. Aros am oriau diddiwedd yno, gan fwyta tamaid o fwyd-poced yn awr ac yn y man. Dyma hi'n amser coroni o'r diwedd ac un o'r beirniaid ar y llwyfan yn y pellteroedd yn traethu'n hir a difeicroffon.[92]

Pan ddaw'r dyfarniad o'r diwedd, nid yw'r 'congrinero' yn clywed ei ffugenw ei hun i ddechrau, a phan yw'n clywed, y mae'n rhaid dringo 'dros y bar i blith y seddau drutach' er mwyn iddo gael ei arwain i'r llwyfan. Wedi iddo fynd ymlaen i ennill y gadair y diwrnod canlynol, ac yntau'n hel ei baciau ddiwedd yr wythnos i seiclo am adref, y mae ei 'hen ewythr' ar y fferm yn rhoi gair o gyngor nodweddiadol werinol iddo: 'Wel, 'machgen i, Gras sy arnat ti eisiau 'rŵan, Gras.' Y mae yntau, yn yr ysgrif, yn ymateb yn gwbl Parry-Williamsaidd:

Gras rhag i'm pen chwyddo a oedd ym meddwl yr hen begor, ond nid oedd angen iddo ofni. Yr oedd digwyddiadau'r wythnos wedi fy sobri hyd dristwch. Ac wrth i mi badlo ymlaen trwy Gerrigydrudion am Fetws-y-coed a Beddgelert ac i fyny'r rhiw am Ryd-ddu y nos Sadwrn diweddglo hwnnw, yr oedd fy nghalon yn athrist a'm hysbryd yn ddigon anfuddugoliaethus. Adwaith, medd rhywun. Na, nid yn hollol. Ond dyna fe. Nid oes angen mynd i athronyddu ynghylch y peth. Fel yna, beth bynnag, y bu hi ar lencyn yn y flwyddyn 1912.[93]

Fe ddown yn ddigon cyfarwydd maes o law â'r 'rhywun' hwn sydd yn dilorni ei ymdrechion i fynegi ei deimladau dyfnaf, a'r ystum o ym-wrthod ag athronyddu yn union ar ôl bod yn athronyddu, y cyfan yn rhan o'r dechneg ymbellhau sydd yn drwch trwy'r gwaith. Ond dyna fe! Amwys ac ansicr oedd ei deimladau ar ôl yr orchest, nid buddugoliaethus. At hyn, wrth gwrs, er y gallai'r Tom pump ar hugain oed ymddangos yn 'llencyn' o bellter 1953, yr oedd yn wir yn ŵr ifanc gyda chryn brofiad o'r byd a'i bethau, fel y soniwyd eisoes.

Pan ddown ni at fuddugoliaethau 1915, yr oedd ei ymateb i'r peth yn fwy negyddol fyth; ni ddylai hynny ein synnu erbyn hyn. Yr oedd mor negyddol, os credwn yr hyn a ddywed Cynan yn y Gyfrol Deyrnged, nad aeth i seremoni'r coroni o gwbl. Yr oedd yn y cynhaeaf gwair, a bu rhaid i'w dad fynd i'w gynrychioli. Ni chyfaddefodd hynny ar goedd o gwbl, ond mynegodd ei ddiflastod ynglŷn â'r holl sefyllfa, serch hynny:

ni chefais i fawr flas ar fod yn 'fardd buddugol' yno [sef ym Mangor] rhywfodd. Yr oedd un o feirniaid y Goron wedi ei darfu gan y bryddest, ac un o feirniaid y Gadair wedi bod yn grafog ar y llwyfan: ond nid hynny – yn unig, beth bynnag – a oedd wedi pylu'r gogoniant.[94]

Na, nid hynny yn unig. Gwyddom fel y gallai ymateb negyddol ei darfu a'i glwyfo, yn arbennig pryd y gwyddai, fel yn achos 'Y Ddinas', fod y feirniadaeth yn anneallus. Ond 1915 oedd y flwyddyn. Yr oedd byddinoedd yr Almaen a Phrydain a Ffrainc yn wynebu'i gilydd yn y mwd yn Fflandrys ac ymhen y mis fe fyddai'r Swyddfa Ryfel yn cyhoeddi fod hanner miliwn o Brydeinwyr eisoes wedi'u lladd neu eu clwyfo yn y Rhyfel Mawr. Yn nes adref, yr oedd cefn gwlad Cymru yn cael ei amddifadu o filoedd o fechgyn llawer ieuengach na Tom, ac yn waeth na'r cwbl hwyrach, yr oedd Lloyd George ar lwyfan yr Eisteddfod i dderbyn a llongyfarch y bardd buddugol, ac yna i bregethu rhyfel mewn araith nodweddiadol ymfflamychol a Tom druan yn gwrando o'i Gadair. Beth oedd llwyddiant eisteddfodol o'i gymharu â'r hyn oedd yn digwydd yn y byd?

Pryd y daeth galw arno i wneud hynny – ym 1917 yn ôl nodyn yn y dyddiadur – cofrestrodd fel gwrthwynebydd cydwybodol, aeth o flaen tribiwnlys a chafodd ganiatâd i barhau â'i waith academaidd. A dyna a wnaeth, yn ymddangosiadol dawel a diffwdan. Yn eironig ddigon, yn ôl pob cliw y medrwn ei gasglu yma a thraw, hyd yn oed cyn i'r helyntion ynglŷn â'i heddychiaeth ei daro'n uniongyrchol, yr oedd yn fwy unig bellach yn Aberystwyth nag y bu yn Rhydychen nac ar y Cyfandir nac yn unman, hwyrach, ers y cyfnod cyntaf ym Mhorthmadog. Yn Rhydychen, wedi'r cyfan, yr oedd o hyd yn fyfyriwr, a hynny ymysg cyd-Gymry; yr oedd cymdeithasu'n rhwydd ac yr oedd yntau'n gymdeithaswr. Ar y Cyfandir, fel y gwelsom, llwyddodd i ddod o hyd i eneidiau hoff cytûn y medrai rannu rhywfaint, beth bynnag, o'i awch crwydrol, chwilfrydig â nhw. Bellach yr oedd yn athro ar fyfyrwyr, ac yn ymwybodol iawn, mae'n ymddangos, o'i statws. Hwyrach hefyd, ac yntau, yn null ei gyfnod, yn bendant yn 'man's man', ei fod yn arbennig o swil o flaen dosbarth a oedd yn bennaf yn ddosbarth o ferched, gan fod y rhelyw o'r bechgyn wedi mynd i'r rhyfel. At hyn, wrth gwrs, yr oedd y cymylau mewnol yn trymhau a chrynhoi o hyd. Rhwng popeth, nid y Tom gwibiog, cymdeithasol-yn-ei-ffordd-ei-hun, a welsom yn crwydro Eryri a hyd yn oed Freiburg a'r Fforest Ddu cyn y rhyfel, oedd y Dr Parry a welodd Cassie Davies er enghraifft, a hithau'n aelod o'i ddosbarth yn ystod y cyfnod hwn:

> Prin yr edrychai ar neb ohonom yn ei ddosbarth. Edrych ar ei lyfr, ar y bwrdd, trwy'r ffenest, ar ei draed, i bobman ond arnom ni.[95]

Y mae'n siŵr fod hyn yn ymddangos yn rhyfedd iawn i berson mor naturiol allblyg â Cassie Davies! Ond dyma dystiolaeth eraill hefyd, mai person ffurfiol, mewnblyg, swil tu hwnt oedd eu harwr llenyddol erbyn hyn. Ond person dychrynllyd o gydwybodol yn ei waith, fel y bu erioed. Y mae Cassie Davies yn dangos pa mor drwm oedd y baich academaidd yr oedd Tom yn ei gario:

> Dr Parry oedd yn ein tywys i 'ddyallu' tipyn ar y Llyfr Du a'r Hen Gymraeg: fe agorodd inni 'Lyfr yr Ancr, Brut Sieffre, y Pedair Cainc a'r Rhamantau mewn Cymraeg canol: fe eto oedd yn ein hyfforddi mewn Hen Wyddeleg, Llydaweg a Chernyweg, ac yn bennaf oll, fe a'n cyfareddodd ni â'r pwnc a elwid bryd hynny yn 'Celtic Philology' (Ieitheg Geltaidd yn ddiweddarach) . . . Praw o'i ddawn fel athro oedd ei allu rhyfeddol i wneud y maes eang, cymhleth hwn yn drefen olau glir ac yn ddiddordeb byw i ni.[96]

Er ei ffurfioldeb wyneb yn wyneb â'r myfyrwyr, yr oedd, serch hynny, yn gefnogol iawn i'w gweithgareddau, yn cyfrannu'n gyson i'r cylchgronau, yn gwasanaethu ar sawl pwyllgor ar y cyd ac, yn bennaf oll hwyrach, yn gefn cryf i'r criw o fyfyrwyr talentog a chenedlaethol eu hysbryd a gychwynnodd y cylchgrawn, *Y Wawr*. Ac yr oeddynt yn dalentog – Griffith John Williams, Ambrose Bebb, Dai Lloyd Jenkins, Tom Hughes Jones a Cassie Davies ei hunan. Aeth *Y Wawr* i drafferth am feiddio mynegi opiniynau yn erbyn y rhyfel ac yn erbyn yr Ymerodraeth ei hun. Fe'u galwyd gerbron awdurdodau'r coleg ac fe gaewyd y cylchgrawn i lawr. T. H. Parry-Williams a aeth gyda nhw i'r cyfarfod yma i geisio'u hamddiffyn nhw a'u cylchgrawn.

Cyn belled ag yr oedd ei swydd fel darlithydd cynorthwyol yn y cwestiwn, nid oedd yn swydd barhaol, ac yr oedd angen ei ailbenodi iddi'n flynyddol. Yr oedd yn anhapus iawn ynglŷn ag ansicrwydd y sefyllfa, ac ysgrifennodd at Syr John Williams, llywydd y coleg, yn mynegi ei anfodlonrwydd, ac yn codi'r bwgan, am y tro cyntaf hyd y gwyddom, o adael astudiaethau llenyddol yn gyfan gwbl a throi at feddygaeth. Cafodd lond ceg o Saesneg yn ateb:

> You are an Assistant Lecturer in Welsh in the college at a salary of £175 a year. If you remain in Aberystwyth you will occupy the same position at the same salary during the session 1915–16. The appointment is not a permanent one . . . At present the Council cannot make permanent new appointment [*sic*]. I cannot fill Professor Anwyl's chair. The Treasury has

vetoed that . . . You are desirous of entering the profession of medicine. I know of no finer or nobler profession. Your training, however, has been a preparation for a totally different career – a literary or a teaching one, or both . . . You have had no training in science, and it would take you at least five years training to graduate in medicine. The training is an expensive one and when it is over your troubles will only begin . . . You speak of starting again at Aberystwyth as a wild-goose chase. This is neither correct nor fair. Aberystwyth found a place for you to put your feet upon and to show what you are capable of as a teacher and an inspirer of youths. The time during which you have held the lectureship is hardly sufficient for you to show of what metal you are made.[97]

Y mae'n amlwg nad oedd pethau ddim yn rhy dda rhwng Tom a Syr John Williams, ac yr oedd hwnnw'n teimlo fod Tom yn gofyn gormod ac yn meddwl gormod ohono'i hun. Ond beth am yr awydd i wneud meddygaeth? Y mae'n amlwg fod y posibilrwydd ar ei feddwl o'r blaen, cyn y byddai wedi codi'r cwestiwn o gwbl. A oedd wedi mynegi'r awydd yma gartref? Prin y byddai wedi cael mwy o groeso gan ei dad, ar y pwynt yma yn ei yrfa, nag a gafodd gan John Williams. Lluchio'r cyfan o'r hyfforddiant drud a hirfaith dros y bwrdd er mwyn cychwyn ar antur ansicr tu hwnt! Ond tybed a oedd hyn wedi bod yn fater trafod – hyd yn oed yn asgwrn cynnen – o'r blaen? Cyn iddo gychwyn ar ei astudiaethau ieithyddol o gwbl? Unwaith eto, pwy a ŵyr, ond mae'n gwestiwn gogleisiol. Ta waeth am hynny, y mae llythyr y llywydd a'r hyn oedd yn amlwg yn llythyr ymosodol gan Tom ato yntau, yn awgrymu'n gryf fod Tom yn teimlo i raddau helaeth yn ddi-gefn ac yn ddigyfaill yng Ngholeg Aberystwyth wedi marw Anwyl, ac yr oedd bod felly yn brofiad newydd iawn iddo.

Parhâi i fynd adref i Ryd-ddu at ei hen ffrindiau a'i hen gydnabod yn y gwyliau. Ond mae'n arwyddocaol, fel y llusgai'r rhyfel yn ei flaen ac fel yr âi ei frodyr Oscar a Wynne a Willie i Ffrainc, a hyd yn oed Bob Parry i ddihoeni mewn iwnifform yn ne Lloegr, fod Tom, yn lle aros yn Nhŷ'r Ysgol, fel y gwnâi o'r blaen, yn treulio mwy a mwy o amser yn yr haf gyda Willie yn Oerddwr, ac ar ffermydd eraill fel yr Hendre hefyd, yn gweithio yn y gwair ac ati. Y mae sôn mewn un lle yn ei ddyddiadur am 'Mam a Tada yn ymweld ag Oerddwr'. A oedd rhaid iddynt ddod i Oerddwr i'w weld? Go brin, ond mae'r tynnu i gyfeiriad Oerddwr yn codi'r cwestiwn beth oedd agwedd y pentref at y ffaith fod yr ysgolhaig a'r arwr llenyddol yn 'gonshi'. Y mae rhywfaint o sôn wedi bod mewn mannau eraill am yr erlid a'r bwrw sen a fu arno yn Aberystwyth, yn y coleg a'r dref fel ei gilydd, ond dim gair, hyd y gwn i, am agwedd ei gartref at y peth, ac am agwedd Rhyd-ddu fel pentref. Y mae'n un o'r bylchau hynny na fedrwn ni mo'u llenwi bellach. Ond gwyddom oddi wrth sawl tystiolaeth arall mai amser caled iawn a gâi'r 'conshis' yng nghefn gwlad Cymru. Yr oedd dicter mawr yn aml tuag at y rhai a arhosodd gartref pryd yr oedd y rhelyw mawr o fechgyn ifainc yn 'aberthu eu bywydau dros eu gwlad' yn Ffrainc. Ac yr oedd llawer o weinidogion yr Efengyl, o bob enwad, fel y gwyddom, yn euog, o leiaf, o droi clust fyddar i'r fath siarad. Sut yr oedd hi yn Rhyd-ddu? A sut yr oedd hi yn Nhŷ'r Ysgol? Nid oedd y teulu, fel y gwyddom, ddim yn deulu o wrthwynebwyr, fel yr oedd rhai; yr oedd tri brawd mewn lifrai. Ni allwn bellach ond gobeithio y byddai ei dad yn parchu ei safiad dros egwyddor ac y byddai ei fam yn sicr yn llawn cefnogaeth a chyd-ymdeimlad. Ond a oedd bywyd braidd yn anodd yn Nhŷ'r Ysgol tybed, cyn belled ag yr oedd eu perthynas â rhai o'r pentrefwyr eraill yn y cwestiwn? Os felly, fe fyddai hynny'n sicr yn achos loes o'r mwyaf i Tom, ar ben popeth arall.

Beth bynnag, i Oerddwr yr âi am ymgeledd, yn ystod y rhyfel ac wedyn. Câi fod yn rhydd yn yr awyr agored gyda Willie, lladd gwair a saethu cwningod, ac fe gâi'r ddau ymhél â barddoniaeth hefyd. Y mae'n amlwg, at hyn, fod Tom a Willie Oerddwr yn rhannu'r un math o hiwmor ar slant a fu'n un arall o'i ddulliau o ymdopi â threialon bywyd. Ymddangosodd yr adroddiad canlynol yn y papur lleol ym Medi 1916:

Y mae y sglaig medrus a'r bardd newydd enwog, awdur awdlau 'Y Mynydd' a'r 'Eryri', yn treulio ei wyliau haf yn fferm uchel a mynyddig Oerddwr, gyda'i berthnasau, mewn tawelwch ac unigedd. O ran cymhyraeth y mae wedi 'paentio' y gair Oerddwr yn wyn ar wyneb craig lefn, a elwir y 'Llechan Ddu' uwchlaw y tŷ. Gellir dirnad maintioli y llythyrennau wrth feddwl fod yr 'O' fel olwyn melin neu ffactri. Y maent yn fawr, amlwg a hardd a thynnant lawer o sylw, yn enwedig dieithriaid. Methai y Saeson yn lân â deall ystyr y gair rhyfedd. Tybiant mai rhyw rybudd pwysig ydyw rhag ymweliadau Zeppelins yr Ellmyn.[98]

Ac nid oedd 'cymhyraeth' Tom a Willie yn gorffen gyda'r paentio. Yr oedd cwblhau pob llythyren, mae'n ymddangos, yn achos dathlu, ac un wedd ar y dathlu, pa weddau eraill bynnag oedd yn digwydd, oedd fod Tom yn cyfansoddi englyn i'r llythyren a orffennwyd. Dyma, er enghraifft, a welir ar ddarn o bapur sy'n cynnwys yr englynion eraill hefyd:

I'r D (ar y Llechen Ddu) a gwblhawyd Nos Sadwrn y 29ain o
Orffennaf 1916, mewn cawod o wybed.

> D lawn ffres, D lân ei phryd – na all diawl
> Na llaw dyn ei syflyd:
> D dal a dihafal hefyd
> D fawr ei bol, D fwya'r byd.[99]

Hwyrach y cawn ninnau ymuno yn y direidi a chofnodi fod englyn arall,
na wyddom yn ffodus pwy yw ei wrthrych, yn llechu ar ymyl yr un
ddalen mewn pensil:

> Na fydd, Gwen, fel y genod – dienaid
> A'u dannedd yn sorod.
> Ni rof mwy, tra byddwy'n bod,
> Gusan ar ddannedd gosod.[100]

Yr oedd pryder yn parhau ar hyd yr amser, wrth gwrs, ynglŷn â ffawd
a chyflwr y brodyr eraill, pryder a barhaodd hyd at ddiwedd y rhyfel,
gan fod cyfathrebu mor anodd, a llythyrau, hyd yn oed yn y Gymraeg,
yn cyfleu cyn lleied. Ond mae un llythyr gan Wynne at ei rieni, ym Mai
1918, yn arwydd hwyrach o'r effaith yr oedd y rhyfel wedi ei chael arno:

> I am free from pain now. Whether the pain will come again, I do not
> know. My ear is much better also . . . but it is still almost useless. It is no
> good reporting anything to the Doctors. They will not believe anything
> unless your leg or arm is broken, or that you are dead.[101]

Y mae'r un chwerwedd i'w glywed yn llythyr Bob Parry at Tom o
Winchester, wedi ei ddyddio 28 Ionawr 1918:

> mynd i Ffrainc ymhen mis, rwy'n ofni. Os caf fyw i ddod yn ôl, ac i rodio
> eto fy hen lwybrau ac iddi fynd yn rhyfel eto, fe saethaf y cyntaf a ddaw
> ataf i ofyn imi roi dillad y brenin am danaf eilwaith, a saethaf fy hun
> uwchben ei gorff.[102]

Nid aeth Bob i Ffrainc a chafodd rodio ei hen lwybrau, ond gwyddom
ing ei ofn a'i alar oddi wrth y llu o englynion coffa a ysgrifennodd dros
y rhai na ddychwelodd. A beth tybed oedd ymateb y Tom, na wisgodd
ddillad y brenin, i'r frawddeg olaf?

Ac yntau yng nghanol ei drafferthion ynglŷn â'r rhyfel – ond cyn ei ddilyn i'r helbul ynglŷn â'r Gadair Gymraeg – cystal i ni gael golwg ar ei agwedd feirniadol at lenydda a llenyddiaeth erbyn hyn, ac yntau'n dynesu at ddeg ar hugain oed. Dyma fo'n bwrw iddi yn *Y Traethodydd*, ym Medi 1916, mewn erthygl dan y teitl 'Antur Llên':

> Nid oes dim yn werth ei ysgrifennu na'i ddarllen, oni bydd yn rhywbeth anghyffredin neu wedi ei fynegi mewn modd anghyffredin . . . Ni chafodd neb well cyfle i anturio na'r Cymro heddyw. I ba le bynnag y try, heb droi'n ei ôl, y mae gwlad newydd o'i flaen . . . Ond gwae efo, onid oes ganddo galon ddur a dideimlad yng ngwydd ei wrthwynebwyr. Hyn sydd sicr, y bydd pawb yn wrthwynebydd iddo ond rhyw dyrfa fechan, sy'n chwyddo o dipyn i beth erbyn hyn. Bydd yn heretig didduw, os dywed ei feddwl yn blaen, sef y gwirionedd iddo ef; yn ynfytyn anghyfrifol os datguddia'r weledigaeth na welodd neb arall; yn greadur penwan, os mynega'r syniadau a ddaeth iddo heb eu disgwyl. Ac efe a fydd gas gan bawb – ond ychydig. Dyweder hyn wrtho: gwell iddo ganwaith gydymdeimlad y dyrnaid gweddill hyn na phetai'r lleill i gyd yn gorfoleddu uwch ei ben.

Fe dalai inni drysori'r erthygl hon, oherwydd dyma'r tro olaf inni glywed y llais herfeiddiol, gwrthryfelgar yma, llais 'Eiconoclastes' ac, ar wedd arall, lais 'Oxoniensis'. O hyn ymlaen, fe fydd y masg yn disgyn, ac yn aml iawn fe fydd raid inni ddarllen rhwng y llinellau er mwyn darganfod 'y gwirionedd iddo ef'.

A hynny, wrth gwrs, oherwydd fod yr hyn a ddigwyddodd nesaf, terfyn rhesymegol holl drawma'r Rhyfel Mawr, lawn mor bwysig iddo â'i alltudiaeth o Ryd-ddu. Yr oedd hynny wedi tanseilio sicrwydd ei blentyndod, ac wedi ei wneud yn greadur ofnus a dihyder ar lawer ystyr. Yr oedd hyn i ddinistrio ei ffydd mewn pobl a'i yrru'n ôl am flynyddoedd lawer i'r gragen fewnol a oedd bob amser yn demtasiwn iddo ddianc iddi pryd yr oedd bywyd yn ei fygwth.

Fel yr oedd y rhyfel o'r diwedd yn dirwyn i'w derfyn, yr oedd yn amlwg i'r coleg yn Aberystwyth, fel i sawl sefydliad arall, fod yn rhaid prysuro i benodi i sawl swydd a adawyd yn wag er 1914. Serch hynny, yr oedd yn 22 Mai 1919 cyn i Bwyllgor Dewis gyfarfod yn Llundain i ystyried beth a ddylai ddigwydd mewn perthynas ag Adran y Gymraeg. Ar y Pwyllgor Dewis, yr oedd y Prifathro-Gweithredol, yr Athro Marshall – yr oedd hyd yn oed swydd y prifathro wedi ei rhewi – Syr John Morris-Jones, Syr E. Vincent Evans, D. Lleufer Thomas, yr Athro

W. J. Gruffydd a'r Athro Edward Edwards, yr Athro Hanes, a oedd wedi ei benodi, yn y sefyllfa gwbl anfoddhaol a oedd yn bodoli, i fod yn bennaeth gweithredol ar Adran y Gymraeg. Y mae David Jenkins, yn ei gofiant i T. Gwynn Jones, yn adrodd fod Gwenogvryn Evans wedi ceisio ymuno â'r pwyllgor er mwyn dadlau achos Timothy Lewis, a oedd wedi gadael yr adran ym 1916 er mwyn ymuno â'r fyddin. Cafodd ei rwystro, a phenderfyniad y pwyllgor oedd hysbysebu dwy gadair yn y Gymraeg, sef cadair iaith a chadair lenyddiaeth, yng ngoleuni'r ffaith fod teulu Davies, Gregynog (mae'n debyg), wedi cynnig gwaddoli nifer o gadeiriau newydd i lenwi bylchau. Dywed David Jenkins fod Edward Edwards wedi ysgrifennu at Gwynn Jones, gan ddweud wrtho fod pawb yn ystyried mai ei gadair ef oedd y gadair lenyddiaeth. Pan dderbyniodd Cyngor y Coleg argymhelliad y pwyllgor, y mae'n amlwg eu bod wedi disgyn i gors academaidd nid anghyfarwydd, gan fethu â phenderfynu a ddylid hysbysebu dwy gadair ai peidio, ac yn y diwedd wedi gohirio penderfyniad, gan awgrymu ar yr un pryd y dylid hysbysebu am Athro Cymraeg, gan ofyn am ymgeiswyr a chanddynt gymwysterau arbennig mewn iaith neu lenyddiaeth neu'r ddau. Nid dyma'r tro cyntaf na'r tro olaf, mae'n sicr, i benderfyniadau diystyr gael eu gwneud gan gyrff academaidd. Beth bynnag, hysbysebwyd un swydd, a gosodwyd J. Lloyd-Jones, a oedd yn Athro Cymraeg yn Nulyn, Timothy Lewis, T. Gwynn Jones a T. H. Parry-Williams ar y rhestr fer. Yr oedd diddordeb cyhoeddus mawr yn y penodiad, ac yr oedd rhai papurau newydd, fel y *Carnarvon and Denbigh Herald*, yn gryf o blaid Timothy Lewis, gan mai ef oedd yr unig un i wasanaethu yn y lluoedd arfog. Yr oedd rhai na hoffent feddwl am Tom yn llenwi'r gadair ar unrhyw gyfrif, gan ddadlau mai'r cyfuniad gwaethaf posibl o ddihiryn ydoedd, yn bagan ac yn heddychwr. Yr oedd cysgod 'Y Ddinas' yn parhau i erlid Tom. Ysgrifennodd T. Gwynn Jones, chwarae teg iddo, at E. Morgan Humphreys, golygydd *Y Genedl* yng Nghaernarfon ac un o newydd-iadurwyr mwyaf dylanwadol y Cymru Gymraeg, yn amddiffyn Tom:

> Yr wyf fi yn deall Parry-Williams yn burion. Y mae'n ddyn gonest, a hyd yn oed pe bai 'chwarae â duwioldeb neu â phaganiaeth' yn ddisgrifiad cywir o'i waith, mi a'i dewiswn ef filwaith o flaen y diawliaid sy'n chwarae â Christnogaeth, ac hyd yn oed a geisiodd gefnogi'r rhyfel a'i gondemnio ar yr un pryd.[103]

Er mwyn bod yn ffyddlon i fanylion yr hyn a ddigwyddodd, awn at fersiwn David Jenkins:

Ar 27 Mehefin 1919, penderfynwyd yn y Cyngor hysbysebu 'for a Professor of Welsh, at an initial salary of £600 per annum, and that specialists in either Language or Literature or both be invited to send in applications.' Cyfarfu'r Pwyllgor Dewis ar 1 Awst a chofnodwyd:

> i. The Committee resolved unanimously to recommend that Mr T. Gwynn Jones, MA, be appointed to a Chair of Welsh Literature at the College.

(Ysgrifennodd Tom yn syth at T. Gwynn Jones, yn ei longyfarch yn galonnog.)

> ii. The committee considered the question of appointing a Teacher of the Welsh Language. It was decided to adjourn this matter for further consideration and to call a meeting of Committee at Corwen on Friday, August 8th.[104]

('A Teacher of the Welsh Language' sylwer, nid 'A Professor'.)

Fel y digwyddodd, ar 18 Awst y cyfarfu'r Pwyllgor Dewis ac fe benderfynodd adrodd fel a ganlyn i Gyngor y Coleg:

> a) That they unanimously recommend the Council to appoint Dr Parry-Williams to the Chair of the Welsh Language.
> b) That a detailed report of the qualifications of the candidates be drawn up by Professor Gruffydd, and be circulated among the members of the Committee, and be available when adopted for communication to the Council if necessary.[105]

Yn anffodus, neu'n fwriadol, cyn i'r Cyngor gael cyfle i drafod yr argymhellion, darllenwyd llythyrau gan nifer o wrthwynebwyr Tom Parry-Williams, gan gynnwys corff o'r enw 'Comrades of the Great War', esgob Tyddewi, a phetisiwn ar ran rhai o driogolion Aberystwyth, y cyfan yn erbyn Tom ar sail ei heddychiaeth. Nid oedd modd i'r Cyngor gytuno ar unrhyw beth, a phenderfynodd (os dyna'r gair cywir) ohirio unrhyw benderfyniad tan Fehefin 1920.

Yr oedd yn amlwg iawn fod carfan gref yn erbyn rhoi swydd o gyfrifoldeb i Tom, gan mor barod oeddynt i ohirio a chymylu penderfyniadau. Pa syndod, felly, ei fod yntau wedi cael llond bol ar yr holl nonsens? Ymddiswyddodd fel darlithydd cynorthwyol yn Adran y Gymraeg ac ymaelododd, fel yr oedd eisoes wedi bygwth gwneud ym

1915, yn y Gyfadran Wyddoniaeth, gan gofrestru i ddilyn cwrs mewn botaneg, cemeg, ffiseg a swoleg, gyda golwg ar fynd ymlaen i astudio meddygaeth.

Yr oedd ganddo ei gefnogwyr, ar wahân i T. Gwynn Jones, er mai braidd yn oriog oedd llythyr O. M. Edwards:

> Drwg gennyf na oddefir i mi gan reolau'r Bwrdd i ysgrifennu un math o dystysgrif. Ond yr wyf wedi gweled amryw o'r etholwyr: ac wedi dweyd fy marn wrthynt am yr hyn a dâl. Cefais hwy yn ansicr eu meddyliau: ac nid oedd iddynt weledigaeth eglur.[106]

Hmm! Yr oedd Thurneysen yn fwy pendant. Anfonodd lythyr yn canmol eangder ysgolheictod Tom yn yr ieithoedd Celtaidd. Yr oedd J. Glyn Davies, Athro Celteg Lerpwl, yn fwy pendant fyth: 'I may say that Anwyl on vacating his chair in Aberystwyth spoke of Dr Parry-Williams as his rightful successor.'[107] Gwyddom na ddywedai ond calon y gwir. Yr oedd Tom eisoes wedi derbyn llythyr calonogol tu hwnt oddi wrth T. Gwynn Jones:

> cefais liaws o lythyrau. Y gwir cywir yw nad effeithiodd yr un o honynt arnaf yn debyg i'r eiddoch. Ni allaf byth ddywedyd wrthych mor boenus i mi fu'r misoedd diwethaf, er y gwyddom yn dda mai glân fyddai bopeth a wnaech chi a minnau. Ni ddarllenais i ddim ar yr ymosod a fu arnom, ond clywais am y peth, a gwn o ble y daethant bellach . . . Yn awr, am yr hyn a ddaw. Credaf fod fy mhenodiad i wedi gwneuthur un peth da – bydd yn anos iddynt eich aberthu chwi. Y mae'r llall wedi lladd pob siawns a allai fod ganddo, a chredaf mai'r olwg yw y buasai cymhwyster M.W. yn rhy debyg i'r eiddof fi. Felly, chwi yw'r unig ddewis iddynt hyd yn oed er iddynt – rai, beth bynnag – ddymuno cael esgus salw. Ni raid i mi ddywedyd y gwnaf fy egni yn y mater.[108]

Ac yr oedd ganddo gefnogwyr mewn mannau eraill. R. Alun Roberts, er enghraifft, o Fangor, a fyddai'n ddiweddarach yn un o hoff ddarlledwyr y genedl ar faterion amaethyddol: 'Hwyrach ryw ddydd y bydd yn dda gan drigolion Aber eich cael yn feddyg corph wedi gwrthod eich cymeryd yn feddyg enaid. Ofnaf fod eu 'sense of values' yn wan.'[109] A Dewi Morgan, y bardd-gyfarwydd o Bow Street, a fu'n gyfaill iddo trwy gydol ei amser yn Aberystwyth:

> Wel, fy nghyfaill, dyma dro rhyfedd yn eich hanes. A dwedyd y gwir, bûm

i yn ofni rhywbeth tebyg, o achos nad yw llawer o'n pobol fawr ni heb gwbl sobri eto. Cânt hwythau eu hawr olau cyn bo hir a gwae hwy y pryd hwnnw. Y mae bryd [*sic*] i ni, bobol gyffredin gall, ddeall mai Kaki yw'r drwydded i bob swydd bwysig ac mai cas ar dwyll, aflendid a lladd yw'r ffordd union i bob anfri a dirmyg . . . Nid wyf yn petruso na phryderu dim na fydd ichwi ragori yn yr hospital ac y byddwch yn feddyg cyflawn ymhen fawr iawn o amser.[110]

Y gelynion a orfu, dros dro, beth bynnag, a threuliodd Tom y flwyddyn yn paratoi i fod yn feddyg. Nid oedd yn destun syndod i neb a'i adnabu ei fod wedi llwyddo'n ysgubol yn arholiadau'r flwyddyn gyntaf. Enillodd wobr Tom Jones mewn llawfeddygaeth, ac ef oedd myfyriwr gorau'r flwyddyn drwodd a thro. Enillodd ysgoloriaeth i fynd ymlaen i astudio meddygaeth yn Ysbyty Barts yn Llundain, ac yr oedd yn paratoi i fynd yno pan newidiodd Cyngor Coleg Aberystwyth ei gyfeiriad unwaith yn rhagor.

At hyn, yr oedd Tom, mae'n amlwg, wedi ymdaflu i'w astudiaethau newydd gydag arddeliad ac wedi mwynhau'r flwyddyn yn fawr. Y mae'r un manylder rhyfeddol i'w weld yn llyfrau nodiadau 1919–20 ag a welsom yn ei lyfrau gwaith ieithyddol, ynghyd â chryn dalent darluniadol hefyd, oherwydd y mae ei ddeiagramau bywydegol gryn dipyn yn well na'r cyffredin.[111] Ac ar ymyl y ddalen sawl gwaith, yr oedd yn mynnu gofyn cwestiynau anatebadwy iddo'i hun: 'What happens when a substance dissolves? Is it Chemical or Physical? No sharp line of distinction between physical and chemical processes!' Hyd yn oed yn y byd gwyddonol, nid oedd diffiniadau'n derfynol; yr oedd byd y ffin yn ei arddangos ei hun yma hefyd.

Cystal inni weld sut yr oedd y flwyddyn ryfedd hon yn ymddangos iddo dros bellter o ugain mlynedd a mwy, pryd y cyhoeddodd yr ysgrif 'Y Flwyddyn Honno' yn *O'r Pedwar Gwynt*. Nid yw'r ysgrif, wrth reswm, yn sôn yn uniongyrchol am wewyr a chlwyf y cyfnod – gwyddom yn well na disgwyl y fath beth erbyn hyn – ond mae'n dweud digon i'n sicrhau fod torri'n rhydd o'i hualau dros dro, a mynd i fyd hollol newydd, a byd y bu'n lled-ddyheu amdano ers tro, yn iechyd meddwl ac enaid iddo. Ac fe gafodd sêl bendith ei fam ar y penderfyniad hefyd; yr oedd hyn yn sicr yn cyfrif llawer iddo: nid oes sôn, unwaith yn rhagor, am ei dad:

Pan fyddai rhai ohonom ni gartref yn gwneud rhywbeth gwirionach na'i gilydd, sylw fy mam fyddai, 'Peth mawr ydyw coll', neu 'Nid yw pawb yn wirion yr un fath'. Ond chwarae teg iddi, ni ddywedodd hi ddim tebyg i hyn pan ymddiswyddais i, ac yr oedd hynny i mi yn help i gredu yn noethineb y weithred.[112]

Cyn belled ag yr oedd Tom ei hun yn y cwestiwn, beth bynnag, 'doedd dim amheuaeth nad oedd wedi gwneud y peth cywir:

dyna flwyddyn ogoneddus. Ar ryw olwg hyhi oedd blwyddyn fawr – annus mirabilis, os yw hynny'n cyfleu mwy o ystyr – fy mywyd i . . . Beth oedd athroniaeth – beth oedd llenyddiaeth – beth oedd ieitheg o'u cymharu â'r wybodaeth 'Naturiol' a gwefreiddiol hon? . . . A gwych oedd teimlo'n rhydd, heb ddim o'r cyfrifoldeb a bwysasai arnaf y blynyddoedd cyn hynny.[113]

Y mae gan Iorwerth Peate rai sylwadau diddorol am y flwyddyn wyddonol yn y rhifyn arbennig o Y *Traethodydd* ar gyfer Hydref 1975, lle mae'n dweud:

Bellach deuthum i adnabod fy athro yn y flwyddyn flaenorol fel un o'm cyd-fyfyrwyr. Deuai'n gyson yn y boreau i ddarllen yn llyfrgell y Coleg, ac yn aml cydeisteddem ochr yn ochr wrth un o'r byrddau derw mawr. Ond dro ar ôl tro, nid 'darllen' a wnâi ef ond yn hytrach gweithiai ar sonedau, rhai Saesneg gan mwyaf, megis honno dan y teitl, 'Murder':

> It must have been one of those studious days
> Of warm mid-May, when like unlearned elves
> The silent sunshine's unambitious rays
> Frolicked upon the tables and the shelves:
> It must have been on such a day that he
> Sat brooding, while the others worked amain
> Within the pensive college library,
> Feeling a red spot thicken on his brain.
> And I can see today, though years have passed,
> The stealthy murderer of that far-off time,
> Before his short-lived victim drew the last
> Sweet breath of life, licking his lips of crime.
> I had the book he held, and my heart grieves
> To find a fly crushed flat between the leaves.[114]

Yr oedd ganddo dipyn o feddwl o'r sonedau Saesneg hyn, cymaint felly nes iddo eu cyhoeddi'n breifat, fel y gwnaeth gydag 'Y Ddinas'

ymhellach ymlaen, a'u dosbarthu ymysg cyfeillion. Cawsant dderbyn-
iad gwresog, ond gwêl y cyfarwydd mai meistrolaeth gonfensiynol,
ddynwaredol yn unig oedd ganddo ar fydryddiaeth yn yr iaith Saesneg,
ac mae'r gwahaniaeth rhwng T. H. Parry-Williams yn trin Saesneg, a
T. H. Parry-Williams yn trin y Gymraeg fel y gwahaniaeth, dyweder,
rhwng John Drinkwater a T. S. Eliot yn trin Saesneg yn ystod yr un
cyfnod: y mae'r naill yn derbyn yr iaith a'i rhag-dybion barddonol
confensiynol ac yn gwneud rhywbeth difyr, digon clyfar, â nhw; y mae'r
llall yn gweddnewid geirfa a chyhyrau'r iaith yn gyfan gwbl er mwyn
dweud y gwir. Y mae Iorwerth Peate yn mynd ymlaen:

> Yn ystod ei sesiwn 'wyddonol', cymerai Parry-Williams ei ran yn llawn
> ym mywyd ei gyd-fyfyrwyr gan gyfrannu i gylchgrawn y myfyrwyr a
> chymryd rhan amlwg yn eu cymdeithasau. Dychwelasai hen gyfaill iddo,
> Dr Thomas Quayle, i'r coleg i wneuthur gwaith ymchwil . . . a byddai'r
> ddau ohonynt yn aml yn trefnu i 'groesi cleddyfau' yn y Lit. and Deb., sef
> y Gymdeithas Ddadleuon, er mawr fudd a difyrrwch i ni'r glaslanciau.[115]

Rhywbeth nad oedd wedi ei wneud, yn sicr, fel darlithydd, trwy gyfnod
y rhyfel. Yr oedd ei benderfyniad, ar fwy nag un ystyr, wedi ei ryddhau.

Yr unig beth a'i poenai ynglŷn â'r flwyddyn, yn ôl ei ysgrif, a chredaf
ei fod yn dweud calon y gwir, oedd iddo ffarwelio â'r maes ar ôl un
flwyddyn mor llawn ac mor gynhyrfus:

> Nid wyf byth wedi bod yn sicr fy meddwl a wneuthum y peth iawn ai
> peidio wrth roi'r gorau iddi, petai waeth am hynny erbyn hyn.[116]

Ie, 'petai waeth am hynny'. Nid wyf yn credu y dylem synnu'n ormodol
at ei benderfyniad i gychwyn ar gwrs meddygaeth ym 1919 na'i
fygythiad i wneud hynny ym 1915, o feddwl am y cyfan eilwaith.

Wedi gweld cryn dystiolaeth o'i gyflwr meddwl cythryblus trwy
gydol y rhyfel, a hynny am sawl rheswm, credaf fod gwir angen iddo'i
ddatgysylltu ei hun, o leiaf dros dro, oddi wrth y cyfan yr oedd wedi ei
brofi a'i ddioddef dros bum mlynedd yn Adran y Gymraeg os oedd am
adfer rhyw fath o gytbwysedd meddwl. Yr oedd cael ei wrthod ar gyfer
y gadair y bwriadai Edward Anwyl iddo ei chael yn ergyd derfynol, ond
un ergyd oedd hi. At hynny, pa resymau Parry-Williamsaidd eraill a
allasai fod yn llechu yn ei ymwybyddiaeth, yr oedd hefyd yn hollol
naturiol iddo droi at feddygaeth. Yr oedd ganddo ddiddordeb ysol yn y
gwyddorau naturiol, yn wir yn y cosmos i gyd, ei natur a'i wneuthuriad,

ond yr oedd hefyd wedi meithrin y casineb mwyaf eithafol tuag at ladd a dinistrio, tuag at bopeth treisiol ac ymosodol mewn bywyd. Pa weithgarwch mwy gwrthgyferbyniol na gweithgarwch y meddyg, sydd wedi tyngu llw i achub bywyd? Pan ddechreuodd ar ei gwrs gwyddonol, 'rwy'n sicr fod cynifer, o leiaf, o ysgogiadau cadarnhaol ag o ysgogiadau adweithiol wedi ei arwain i'r cyfeiriad hwnnw.

O ran ei ddedwyddwch ei hun, os nad o ran ei gyfraniad, yn y diwedd, i'w genedl, fe fyddai wedi bod yn well iddo, hwyrach, pe bai wedi parhau yn ei ryddid a'i lawenydd newydd. Ond troi'n ôl a wnaeth, at lenyddiaeth ac ieitheg, a throi'n ôl, yr un pryd, ac am flynyddoedd, i'w gragen amddiffynnol.

Er mwyn gosod y ffeithiau ynglŷn â'r mater ar gof a chadw, nodwn fod Cyngor Coleg Aberystwyth wedi cyfarfod ar 6 Gorffennaf 1920, gan edrych ar argymhelliad diweddaraf y Pwyllgor Dethol ar gyfer Cadair y Gymraeg, sef:

> The Committee recommends that either Professor J. Lloyd Jones or Dr T. H. Parry-Williams (who are named in alphabetical order) be elected to the Chair of Welsh Language at Aberystwyth College.

(Y mae'r 'Teacher of Welsh' wedi diflannu, beth bynnag!)

> The committee further recommends the Council to provide some post for Mr Timothy Lewis with adequate remuneration to enable him to carry on his researches.

Ond nid oedd y gelynion wedi rhoi'r gorau iddi:

> A petition signed by Ex-servicemen from the Borough of Aberystwyth was passed round all members of the Council and telegrams were read from the Headquarters of the Comrades of the Great War and from General Sir Owen Thomas with reference to this appointment.

Yn wyneb y fath wrthdystiad, cyfaddawd y Cyngor oedd:

> After a lengthy discussion it was unanimously Resolved that the name of Mr Timothy Lewis be added to the list of Candidates for the Chair and that he be called to be interviewed by the Council.
>   The candidates were interviewed in the following order:
>   1.   Professor J. Lloyd Jones

2.   Mr Timothy Lewis
3.   Dr T. H. Parry-Williams

and after a ballot had been taken, it was Resolved that Dr T. H. Parry-Williams be appointed to the Chair.[117]

Y mae'n amlwg nad oedd y dyfarniad ddim yn unfrydol, ond yr oedd y frwydr hir o'r diwedd wedi ei hennill ac, fel yr adroddodd y Cyngor i'r Llys yn ddiweddarach yn y flwyddyn:

The Chair of Welsh vacant since the lamented death of Sir Edward Anwyl in 1914, has now been filled by the appointment of his most distinguished pupil Dr T. H. Parry-Williams.[118]

Yr oedd y mater ar ben, ond profodd y creithiau a adawyd ar feddwl ac ysbryd Tom yn greithiau parhaol.

Cyn belled ag yr oedd Timothy Lewis yn y cwestiwn, crëwyd swydd newydd sbon ar ei gyfer, sef Darllenyddiaeth mewn Ieitheg a Phalaeograffeg Geltaidd, a cherddodd ei lwybr digon anwastad ei hun o hynny ymlaen. Nid oedd y ffraeo a'r anwadalu wedi bod o fudd i neb, yn y pen draw.

3 ∽ *Ymlonyddu a Chreu, 1920–1928*

WRTH roi'r sylw priodol i frwydrau mewnol T. H. Parry-Williams, fel sy'n ddyledus, y mae'n bosibl inni golli golwg ar y ffaith ei fod yntau, fel Bob Parry, erbyn 1920 wedi tyfu'n ffigwr cenedlaethol o bwys ym myd llenyddiaeth Gymraeg, a hynny heb gyhoeddi unrhyw un o'r cyfrolau a fyddai'n ffurfio canon cydnabyddedig ei waith maes o law. Yr oedd ei gyfraniadau dadleuol a chyffrous i gylchgronau, ei gerddi eisteddfod a'i gerddi eraill a gyhoeddwyd yma a thraw, i gyd wedi ei wthio i sylw'r wlad fel y bardd coleg a gynrychiolai rywbeth newydd, modern. Yr oedd eisoes wedi beirniadu'r awdl yn Eisteddfod Genedlaethol Corwen ym 1919 ac fe fyddai'n beirniadu rhes o gystadlaethau barddoniaeth yn Eisteddfod Genedlaethol Caernarfon ym 1921.

Yr oedd pobl yn dechrau gofyn ei farn ar bethau llenyddol a'i gymorth ar faterion crefft. Atebai yntau bob amser yn ofalus ac yn drwyadl. Hyd yn oed ar yr adegau pryd yr oedd fwyaf anhapus ynddo'i hun, yr oedd gweddusder ei ymddygiad tuag at eraill, yn arbennig rai a oedd yn dod ar ei ofyn, yn ddi-ffael. Y mae dau o fysg sawl llythyr gofyn o'r fath a dderbyniodd yn ystod 1920 yn enghreifftiau teg, ac yn ddiddorol ynddynt eu hunain.

Llythyr oddi wrth Amanwy, y bardd o Rydaman, oedd un, wedi ei ddyddio 10 Hydref 1920. Yr oedd Amanwy yn edmygwr o 'Y Ddinas' ac yn holi a oedd modd cael rhagor o gopïau:

> Darllenais bopeth a allaswn o'ch gwaith; a bu copi o'ch 'Dinas' o gylch y lle yma oni aeth yn yfflon. Gyrrais ryw ddwsin arall i fechgyn y 'White House' – y Clwb Comunaidd sydd yma – a mawr y son amdani.[1]

Y mae'n ddiddorol ei fod yn sôn wedyn am ei frawd ac fel y mae yntau'n poeni braidd beth ddaw ohono:

Mae imi frawd a roes ei holl fryd ar bynciau cymdeithasol . . . Bu'n ffodus i gael dwy flynedd o ysgoloriaeth yng Ngholeg Llafur Llundain yn ddiweddar, ac ni wn beth ddaw ohono ymhen dwy flynedd eto. Roedd boethed a'r colsyn cyn iddo fynd.[2]

Y brawd, wrth gwrs, oedd Jim Griffiths, a ddaeth yn aelod blaenllaw o'r Blaid Lafur ac yn weinidog yn llywodraeth Harold Wilson.

Daeth yr ail lythyr, wedi'i ddyddio y dydd olaf o'r flwyddyn, oddi wrth brentisfardd o ucheldir Ceredigion o'r enw Prosser Rhys:

Efallai mae gwell fuasai imi ddywedyd wrthych mai llanc o ganol Ceredigion ydwyf, wedi fy magu mewn lle anhygyrch, gwyllt, – bro Mynydd Bach Llyn Eiddwen – lle mae hudoliaeth ryfedd mynydd, morfa a môr yn tario o hyd. Torrodd fy iechyd i lawr yn Ysgol Sir Aberystwyth yn 1915 a minnau ond dechreu fy nghwrs yno. Glynnodd y nychtod a fu arnaf a bu raid arnaf roddi i fyny bob gobaith o fyned ymlaen gyda f'addysg. Addawodd Mr Jenkin Jones MA imi 'pupil teachership' yn Ysgol Cyngor fy nghartref, ond cyn gynted ag y daeth lle yn yr ysgol honno'n wag, rhoed un arall yno, er ei addo imi. Euthum yn glerc i'r Dre, ond tri mis y bûm yno cyn y bu ofyn arnaf fyned yn ôl i'r wlad. Wedi blwyddyn arall o waeledd, penderfynais fyned yn newyddiadurwr. Cefais le yn y Welsh Gazette, Aberystwyth, i gychwyn ym Mai 1919, a deuthum i'r Herald, Caernarfon yn nechreu 1920, lle yr wyf o hyd. Rhwng 1915 a 1920, ysgrifennais lawer o farddoniaeth. Enillais dipyn o wobrwyon eisteddfodol a meddaf ar ddwy o'r pethau hynny y meddylir cymaint amdanynt yn y De, cadeiriau barddol. Nid wyf yn canu llawer yn awr, ond daliaf i astudio'n ddygn. Teimlaf rywfodd na fedraf ganu oherwydd bod yr hyn yr hoffwn ei ganu yn ormod imi.[3]

Y mae'r frawddeg olaf yn ddwysach yng ngoleuni'r helynt a grëwyd gan bryddest Prosser Rhys, 'Atgof', lai na phedair blynedd yn ddiweddarach, a 'does dim amheuaeth na fyddai hanes y Prosser Rhys ifanc yn deffro adleisiau yn Tom ei hun.[4] Aeth y prentisfardd ymlaen i ofyn rhes o gwestiynau ynglŷn â natur barddoniaeth.

Yr oedd yr Athro newydd, felly, mewn ffordd i'w sefydlu ei hun fel un o gonglfeini llên ei gyfnod, ac fe ellid disgwyl y byddai bywyd cyhoeddus prysur o feirniadu a phwyllgora a darlithio i'r llu o gymdeithasau a dosbarthiadau llenyddol a oedd yn bodoli'r pryd hwnnw yn ei ddisgwyl o hyn ymlaen. Nid felly y bu oherwydd, unwaith yr esgynnodd i'r Gadair, gwnaeth gyfres o benderfyniadau a oedd, mae'n sicr, yn corddi yn ei feddwl ers amser, ymgais gwbl resymegol i leihau'r posibilrwydd y byddai fyth eto'n wynebu'r fath dryblith emosiynol ag y bu'n byw drwyddo yn ystod blynyddoedd y rhyfel: ni allwn ond tybio fod y penderfyniadau hyn yn bolisi bwriadus a diwyro ar ei ran.

Yn y lle cyntaf, ar ôl cyflawni ei addewid i feirniadu yn Eisteddfod Caernarfon, nid ymddangosodd fel beirniad y Genedlaethol wedyn am ddeng mlynedd. Ni allwn ond tybio, unwaith eto, ei fod wedi gwrthod pob gwahoddiad. Gwrthododd yn gyfan gwbl adolygu llyfrau. Ni chyhoeddodd unrhyw ysgrif feirniadol na llenyddol-ddadleuol, dim ond darnau uniongyrchol ysgolheigaidd, yn gysylltiedig â'i waith ymchwil ef ei hun, a hynny mewn cyhoeddiadau academaidd fel *Aberystwyth Studies* a beibl (newydd) ysgolheigion Cymru, *The Bulletin of the Board of Celtic Studies*. Y mae un o'i sylwadau-wrth-fynd-heibio yn yr ysgrif 'Y Llyfr-Lòg', a gyhoeddodd yn *Lloffion* (1942), yn taflu rhyw fymryn o oleuni pellach ar y mater yma:

ofnaf mai un o'm gwrthod-bethau yw trafod pwnc dadleuol . . . Annhueddrwydd cynhenid, yn ddiau, yw'r achos, arswyd mentro ceisio ennyn ynof fy hun ddigon o frwdfrydedd calonnog neu o ddicter dwyfol. Ac ni waeth i mi gyfaddef hyn hefyd, y bydd dicter felly o sylweddoli anghyfiawnder (neu unrhyw gyffro arall a fegir gan ystyriaeth o bwnc llosg) yn cynhyrfu gormod arnaf, gorff ac ysbryd.[5]

Côd yr ysgrifau yw hwn am yr atgasedd a oedd wedi tyfu ynddo tuag at unrhyw fath o wrthdaro a chroesdynnu. 'Doedd hyn ddim yn 'gynhenid', fel y gwyddom, oherwydd bu'n tynnu torch yn ddigon egnïol rai blynyddoedd ynghynt, ond yr oedd wedi gwreiddio'n ddwfn iawn yn ei ymwybyddiaeth erbyn hyn.

Ymdaflu, felly, i'w waith academaidd a wnaeth, ac yr oedd hwnnw'n fwy na digon i lenwi ei amser. Y mae tystiolaeth myfyrwyr a oedd yn astudio dano yn ystod y 1920au yn hynod debyg i dystiolaeth myfyrwyr cyfnod y rhyfel, ar lawer ystyr. Y gwahaniaeth oedd mai'r 'Dr Parry' a welsant o'u blaenau oedd y cyfan o'r 'Dr Parry' cyhoeddus erbyn hyn; nid oedd unrhyw wedd arall arno'n cael gweld golau dydd, mewn cylchoedd cyhoeddus, beth bynnag. Yr hyn a welodd Tysul Jones, er enghraifft, a oedd yn yr adran rhwng 1920 a 1923, fel eraill o'i flaen, oedd gŵr anghyffwrdd, ond hynod o gwrtais a hynod o weithgar. Ac mae'n gwneud pwynt pwysig: 'Rhaid cofio bod hyn yn ôl ym 1920–23 cyn i argraffiadau safonol ar lawer o'r testunau Cymraeg gael eu cyhoeddi gyda rhagymadroddion a nodiadau manwl'.[6] Y mae hefyd yn pwysleisio ei allu cynhenid fel athro:

cefais fod pob un ohonom yn unfarn fod ganddo allu anghyffredin i drafod agweddau astrus ac anodd o'r gwaith yn grisial-glir a'u gwneud yn hollol ddealladwy i'r rhai mwyaf araf ohonom . . . pan ymdriniai â phynciau ymddangosiadol sych fel Ieitheg, cododd awydd arnaf i guro dwylo mewn cymeradwyaeth o'i ddawn egluro anghyffredin iawn.[7]

Y mae E. D. Jones, cyn-Lyfrgellydd y Llyfrgell Genedlaethol, a berthynai i'r genhedlaeth nesaf o fyfyrwyr, yn un arall sy'n pwysleisio llafur caled eu Hathro: 'Byddai'n anodd i'r rhai na wŷr am y cyfnod ddirnad maint y baich a oedd ar ysgwyddau'r Athro Parry-Williams yn yr ugeiniau';[8] ac mae yntau'n sôn am ddiffyg testunau priodol yn y cyfnod hwnnw:

Nid darlithiau yn yr ystyr gyffredin a gaem ganddo, ond esbonio a dehongli manwl drwyadl ar y pynciau a'r testunau gosod. Y pryd hwnnw, nid oedd ond ychydig iawn o destunau wedi eu golygu gyda nodiadau parod y gellid ein cyfeirio atynt. Nid oedd *Bwletin y Bwrdd Gwybodau Celtaidd* ond yn ei drydedd gyfrol, ac nid oedd *Geirfa Barddoniaeth Gynnar Gymraeg* na *Geiriadur Prifysgol Cymru* wedi cychwyn ei gyhoeddi; felly yr oedd yn rhaid i'r Athro ein tywys gam a cham drwy'r testunau gosod. Nid oedd offer arall iddo'n cyfeirio ato, a dibynnem bron yn llwyr ar y nodiadau a gaem wrth fynd ymlaen.[9]

Y mae'n sôn hefyd am berson yr Athro yn union fel y disgwyliem ei weld erbyn hyn:

Difrifwch a rhyw bell-oddi-wrthrwydd oedd nodweddion amlycaf yr Athro a gofiaf i. Ychydig iawn a wyddem amdano y tu allan i'r Ystafell Gymraeg. Ni ddatgelai nemor ddim amdano'i hun yn ei ddarlithiau. Nid oedd ganddo'r amser i wamalu na sôn am bethau amherthnasol yn ei ddosbarthiadau.[10]

Yna, y mae'n rhoi i ni ddau gameo o'r Athro yn ei gyfnod ef:

y mae'n solet rhwng ei ddesg uchel a'i fwrdd du, heb symud fawr mwy na throi yn ôl y galw, o un i'r llall. Ni fyddai ef yn crwydro'n ddramatig o flaen ei ddosbarth a lledu ei wn du yn eryraidd fel y gwnâi ei gyd-athro,

Thomas Gwynn Jones. Yn y darlun arall, llithro y mae gyda throed tŵr uchel porth y Coleg, gan edrych os rhywbeth yn fyrrach ar y cefndir hwnnw nag a wnâi y tu ôl i'w ddesg. Mae'n debyg mai cartŵn a ymddangosodd yn y *Dragon* yn y cyfnod hwnnw a bair i mi weld ei draed yn gwau'n fân ac yn fuan wrth droi'r gornel. Wrth basio, fe dd'wedai fore da'n gwta ond serchog wrth drŵp o'i fyfyrwyr, a fyddai'n loetran yno, cyn diflannu drwy ddrws y porth bwaog, a'i holl osgo'n awgrymu'r prysurdeb a oedd mor nodweddiadol ohono.[11]

Y mae pawb sy'n sôn amdano yn y cyfnod hwn yn rhyfeddu fod y fath ŵr swil, mewnblyg a phell yn medru tyfu, nid yn unig i fod y fath ffigwr cyhoeddus, ond hefyd y fath gwmnïwr hamddenol a difyr ar ei aelwyd ei hun, yn ei gyfnod olaf.

Yn gyfochrog â'i benderfyniad, hwyrach y rheidrwydd, i ganol-bwyntio ar ei waith academaidd ac i beidio ag adolygu a pheidio â chorddi'r dyfroedd llenyddol, yr oedd yr ymwrthod â chystadlu. Nid yn unig cefnu ar gystadlu llenyddol mewn eisteddfodau ond cefnu ar unrhyw fath o gystadlu.

Trwy gyfuniad o ffawd a bwriad, yr oedd ei brif faes ymchwil academaidd yn faes lle nad oedd yn cystadlu â'i gyd-ysgolheigion. Ei eiddo'i hun, i bob pwrpas, oedd cydberthynas ieithyddol y Gymraeg a'r Saesneg. Yn y man, yr oedd i fabwysiadu maes ymchwil arall a oedd wedi cael ei anwybyddu i raddau helaeth gan ysgolheigion eraill, maes llenyddol y tro hwn, sef y canu rhydd cynnar. Cyn belled ag yr oedd meysydd mawr llên Cymru yn y cwestiwn – llên Geltaidd yn wir yn yr achos cyntaf – y chwedlau Arthuraidd a chwedlau eraill yr Oesoedd Canol, a holl draddodiad y canu caeth o'r canu cynnar ymlaen, nid oedd am gyffwrdd â'r rheini.

Yr oedd cenhedlaeth lachar o'i gyd-ysgolheigion, y rhan fwyaf ohonynt wedi rhannu ei brofiad ef o eistedd wrth draed Syr John Rhŷs yn Rhydychen, a rhai ohonynt wedi teithio hefyd i'r cyfandir, naill ai wedi cychwyn neu ar gychwyn ar eu gwaith yn y meysydd eraill hyn. Yr oedd John Lloyd-Jones, dros y môr yn Nulyn, i gyhoeddi ei *Geirfa Barddoniaeth Gynnar Gymraeg* erbyn diwedd y degawd, ac yr oedd Henry Lewis yn Abertawe yn gweithio ar y Gogynfeirdd a thestunau rhyddiaith Cymraeg Canol yn ogystal â sawl astudiaeth ieithegol gymharol yn yr ieithoedd Celtaidd, maes yr oedd Parry-Williams wedi ei hyfforddi ei hun mor drylwyr ynddo ond nas datblygodd. Yr oedd Griffith John Williams newydd ddechrau ar ei waith bywyd yng Nghaerdydd ac Ifor Williams ym Mangor eisoes wedi mynd i'r afael â'r busnes o weddnewid ysgolheictod ym maes y canu cynnar Cymraeg, heb sôn am ei waith yn golygu rhyddiaith yr Oesoedd Canol. Y mae'n anodd osgoi'r farn fod Parry-Williams yn gwbl fwriadus yn cefnu ar hyn i gyd ac yn mynd allan o'i ffordd i ddarganfod meysydd ysgol-heigaidd lle y medrai weithio'n dawel ar ei ben ei hun, a braenaru tir nad oedd neb arall am ei gyffwrdd.

Yr un modd gyda'i gynnyrch creadigol. Yr oedd sawl rheswm, wrth gwrs, pam y trodd ei gefn ar y mesurau caeth. Fe wyddai bellach beth fyddai *raison d'être* ei gynnyrch barddonol – fe fyddai'n gwneud dim llai na throi ei hunanymholi yn ymchwil i natur bodolaeth; ymchwil ddwys a diflino fyddai ac, ar wahân i'r ffaith mai cyfrwng mawl oedd y canu caeth yn ei hanfod, gwyddai fod angen iddo ddefnyddio – ac yn wir ddyfeisio – cyfryngau cynnil a chaled i gyflawni'r fath swyddogaeth. Nid oedd cyfrwng cerddorol yn addas ar gyfer swyddogaeth mor fodern ac mor uchelgeisiol.

Gan hynny, creodd y rhigwm fel y cyfrwng sylwebaeth ffraeth a beirniadol, gweddnewidiodd y soned yn y Gymraeg fel cyfrwng crynhoad athronyddol o agweddau ar brofiad, a datblygodd yr ysgrif i fod yn rhywbeth anhraethol fwy na'r 'literary essay' a oedd yn ffasiynol yn Saesneg yn y blynyddoedd rhwng y ddau ryfel byd yn nwylo rhai fel Robert Lynd, ac a ddynwaredwyd gan gynifer o Gymry. Yr oedd hyn i gyd yn caniatáu iddo drin ei dir llenyddol ei hun heb wahodd cym-hariaeth â neb arall. Pa mor fwriadol bynnag oedd hynny, yr oedd yn sicr yn gwbl gydnaws â'r gweddill o'r patrwm a osododd i'w fywyd.

Yr oedd dwy agwedd arall ar ei bolisi o gau'r drws ar flynyddoedd y Rhyfel Mawr ac aildrefnu ei fywyd a'i waith. Yr oedd un yn ganolog-bwysig a'r llall yn ymddangos yn ddibwys, hyd yn oed yn ddibwrpas, ond hwyrach fod honno hefyd o bwys symbolaidd, o adnabod bwriad-usrwydd gofalus cynifer o weithredoedd y gŵr hwn.

Yr agwedd amlwg-bwysig yw ei fod bellach yn cychwyn ar y broses o greu'r corff o waith llenyddol a fyddai yn y diwedd yn 'gofadail' iddo (i atgoffa'n hunain o linell Horas ym myfyrgell Eiconoclastes a drafodwyd yn yr ail bennod). Fe fyddai'n creu hwnnw gyda'r gofal mwyaf, gan gau allan unrhyw beth nad oedd yn addas i'w gynnwys, sef bron popeth a gyfansoddodd cyn 1919.

Yr agwedd arall, os yn wir yr oedd yn rhan o'r strategaeth, oedd ymwrthod â'r enw 'Tom' a chofleidio'r enw 'Thomas'. Gwnaeth hyn wrth ysgrifennu, ar 8 Mehefin 1920, at Fwrdd 'Matric' Prifysgol Llundain, a oedd o hyd yn dilysu graddau yng Nghymru, i ddweud wrthynt y dylid 'cywiro' ei enw ar eu rhestrau.[12] Nid oedd ganddo unrhyw sail dros wneud y fath beth; gwyddom mai 'Tom' oedd yr enw ar y gofrestr bedydd ac ar bob rhestr arall. Ond, o'r foment honno, tyfodd 'Tom' yn 'Thomas'. A oedd hyn hefyd yn fath o ffarwel i bopeth a berthynai i Tom, ynteu a oedd Bob Parry yn iawn, yn ei gerdd ddychan, 'Y Wers Sbelio', i'w weld fel dim mwy nag ymgais i ym-bwysigo? Pwy a ŵyr, ond mae o leiaf yn bosibl ei fod yn un elfen fach arall yn ei ymgais i osod y gorffennol y tu ôl iddo – gorffennol y byddai'n galw arno'n aml, yn sicr, ond gorffennol, serch hynny.

Wrth edrych ar y modd y mae T. H. Parry-Williams yn mynd ati i greu ei gorff aeddfed o gynnyrch llenyddol o hyn ymlaen, y mae'n bwysig sylweddoli pa mor fwriadus ydyw. Y mae fel pe bai wedi sylweddoli, ar ôl blynyddoedd o ymbalfalu, ar ôl dod trwy'r heldrin, ei fod bellach wedi cyrraedd pwynt yn ei fywyd pryd yr oedd angen iddo hogi a disgyblu ei alluoedd ieithyddol digamsyniol er mwyn cyflawni'r gorchwyl oedd o'i flaen. Yn hyn o beth, yr oedd swyddogaeth benodol i'r tri chyfrwng a ddewisodd, y rhigwm, y soned a'r ysgrif.

Saunders Lewis, mewn adolygiad yn *Y Faner* ar y gyfrol *Cerddi* ar 7 Gorffennaf 1931, a welodd beth, mewn gwirionedd, oedd natur ysgrif Parry-Williams. Gwelodd rywbeth nad yw pob beirniad eto wedi ei ganfod, sef nad oedd hi ddim yn fath yn y byd o 'literary essay':

> a dyna yw rhigymau a sonedau Mr Parry-Williams, a dyna yw ei 'Ysgrifau' hefyd, sef dyddlyfr ei gyffroadau a'i dymherau meddwl. Mater barddoniaeth iddo ef – a chynhwysaf yr 'Ysgrifau' dan y teitl, canys er a ddywed cymaint o feirniaid am berthynas yr 'Ysgrifau' i waith traethodwyr byr llenyddiaeth Saesneg, y peth a welaf i yw mai caneuon prôs megis rhai Baudelaire yw'r 'Ysgrifau' hyn.

Dychwelwn eto at adolygiadau llachar Saunders Lewis ar *Ysgrifau* ym 1928 ac ar *Cerddi* ym 1931, gan mai ef, yn anad neb arall, a ddeallodd arbenigrwydd yr hyn a ddigwyddodd i lenyddiaeth Gymraeg gyda chyhoeddi'r ddau lyfr hyn.

Ond mae'n rhaid inni ddychwelyd am y tro i'r pwynt hwnnw mewn amser pryd yr oedd yr Athro newydd yn ceisio ymdopi â'i lwyth o waith ar y naill law, a dod i dermau, ar y llaw arall, â'i dynged fel llenor o ddifrif, anifail prin yn y byd Cymraeg.

Er nad ymddangosodd y gyfrol *Cerddi* tan 1931, gan ei fod wedi dyddio pob cerdd yn y gyfrol ar wahân i'r ddwy ar y cychwyn sy'n dyddio'n ôl, mewn mwy nag un fersiwn, i gyfnod y rhyfel, gwyddom fod saith o'r sonedau yn y gyfrol wedi'u hysgrifennu ym 1919 ac un ym

1920. Cawn gyfle i edrych eto ar y telynegion, pan fyddwn yn croesawu ymddangosiad y gyfrol, ond mae'n briodol inni edrych ar y sonedau yn awr, gan eu bod, yn wahanol i'r sonedau Saesneg y bu Iorwerth Peate yn ei wylio'n eu cyfansoddi, yn rhan o'r canon.

'Gwahaniaeth', 'Nef', 'Lliw', 'Ofn', 'Argyhoeddiad', 'Cydbwysedd' a 'Tylluan' yw sonedau 1919, yn y drefn y'u gosodwyd yn y gyfrol.[13] Gan nad oes unrhyw gerdd arall nac unrhyw ysgrif yn dyddio o'r flwyddyn honno, y saith soned, mae'n amlwg, yw ei destament i ni o'i brofiadau yn ystod yr *annus mirabilis*. Dyma Tom Parry-Williams, yn ystod y flwyddyn pryd y trodd ei gefn ar astudiaethau Cymreig, fel y mae am inni ei weld. O'u cymryd gyda'i gilydd, y maent yn becyn diddorol ac yn becyn nodweddiadol amlweddaidd.

Y mae 'Gwahaniaeth', yn yr wythawd agoriadol, yn datgan ei farn na ddylid barnu, mai cymharol yw popeth, cymhleth a 'chymysg oll i gyd'. Ond yn y chwechawd, y mae'n gwneud yn eglur nad rhyw ymosodiad llac i'r perwyl nad oes gwahaniaeth rhwng unrhyw beth a'r llall yw bwrdwn y soned. Y mae gwahaniaeth rhwng pobl a'i gilydd, ond y gwahaniaeth yw rhwng y mwyafrif sy'n derbyn safonau difeddwl y byd materol, y safonau y bu'n ymladd yn eu herbyn trwy gydol y rhyfel, a'r ychydig sy'n chwilio beunydd am ystyr pellach i fodolaeth, ac yn wir sy'n gwybod *fod* ystyr pellach a safonau gwell; y maent yn 'gweld y golau nad yw byth ar goll/ Yng nghors y byd – a'r lleill yn ddeillion oll'.

Y mae hon yn gerdd bositif iawn, ond yn gerdd sy'n dadlau dros gadw meddwl-agored, i beidio â chollfarnu a chategoreiddio gyda meddwl caeedig. Cors yw'r byd a deillion yw'r rhelyw o'r trigolion, ond mae modd i olygon dyn 'dreiddio beunydd trwy barwydydd clai', y mae 'golau nad yw byth ar goll' ac, yn bennaf oll hwyrach, y mae sialens seren Bethlehem o hyd yn yr awyr. Nid y lleiaf o agweddau arwyddocaol y soned yw'r ffaith ei bod yn apêl i Grist.

Y mae 'Nef' yn fersiwn datblygedig o un o'r cerddi rhyfel y cyfeiriwyd ati eisoes, 'Reasons', sy'n cynnwys y llinell 'A hell that's deep enough to be a heaven'. Y mae'n fynegiant o ryw lonyddwch meddwl ac ysbryd y mae wedi ei gyrraedd ar ôl disgyn i waelodion uffern a'r tu hwnt. Nid anobaith yw'r 'marweidd-dra melys' y mae'n sôn amdano ond, o gynefino â 'cornelau cras' a 'parwydydd llaith' ei 'bydew du', y mae wedi darganfod rhyw fath o dawelwch derbyn mewn 'Uffern ddigon dofn i fod yn Nef'.

Yn 'Lliw' y mae'n teithio mewn trên gyda ffermwr siaradus sy'n traethu wrtho am bethau ffermwrol fel prisiau'r farchnad, a'r tywydd a'r cynhaeaf gwair; wrth hanner gwrando, y mae'n gweld blodau o bob lliw a llun yn ymdoddi'n rhibidirês wrth lifo heibio'r ffenest. (Cofiwn ei obsesiwn â lliwiau yn ystod y rhyfel.) Yna y mae'n ffugio cysgu, a'r tu ôl i'r llygaid cau y mae fel pe bai'n gweld pladur a pheiriannau'r ffermwr yn torri'r blodau i gyd i lawr 'dan haul y nef'. Yna y mae 'chwibaniad croch' y trên yn ei ddeffro ac yn sydyn y mae'n 'ofni'r llofrudd lliw â'r wyneb coch'. Y mae yma'n sicr sylw brawychus ar y posibiliadau o ddinistr a chreulondeb sy'n gorwedd islaw ystrydebau bywyd cyffredin a phobl gyffredin. Y mae'r ffermwr wynepgoch yn ddiamau yn sefyll dros y werin ddifeddwl – 'yn ddeillion oll' – a gefnogodd mor frwd erchyllterau'r Rhyfel Mawr heb wybod beth yr oeddynt yn ei wneud.

Y mae 'Ofn' yn mynd â ni'n ôl i Ryd-ddu, ond nid yn gyfforddus. Sôn y mae – am y tro cyntaf mewn print – am yr ofn rhagargoelus sy'n dod drosto o hyd wrth iddo ddynesu at Dŷ'r Ysgol o gyfeiriad Beddgelert. Y mae'n gwybod, pan gyrhaedda:

> Bydd y llawenydd gynt yn fyw yn llam
> Y galon wirion eto, a bydd lli'r
> Hen hiraeth hyfryd na wnaeth siom na cham
> Ei rewi, 'n goglais ei meddalwch hi.

Ond cyn iddo deimlo 'lli'r/ Hen hiraeth hyfryd', gŵyr y bydd cyn hynny yn teimlo rhywbeth arall:

> Rhyw drymder difwynhad o rywle'n bwn
> Anesmwyth arnaf, a rhagargoel braw
> I'm mynwes, – arswyd gweled ôl tristâd
> Ar wedd fy mam neu'n llygad llym fy nhad.

Gellir dweud mai'r olwg gyntaf yw hon, nid yn unig o Ryd-ddu, yn ei waith, ond hefyd o'r ofn hollbresennol, cosmig a oedd yn rhan o'i ymateb i'r byd mor aml. Er hynny, y mae'n deg gofyn beth yw achos y tristâd ar wedd ei fam a'r llymder yn llygaid ei dad. Oherwydd, er y byddai'n aml yn symud o'r penodol i'r cyffredinol yn ei sylwadau, gyda'r penodol y byddai bob amser yn cychwyn; rhyw sylw neu ystum neu ddigwyddiad a gychwynnai'r broses o 'bensynnu' a fyddai maes o law yn cynhyrchu cerdd. Nid mympwyol yw'r llinell olaf – nid yw'n gadael sylwadau mympwyol o'i law – felly y mae rheswm pam y gallai weld y tristâd a'r llymder ar ôl cyrraedd adref. Ai digwyddiadau'r rhyfel, ei wrthdystiad ef a phryder dros y brodyr oedd yr achos? Neu ei benderfyniad i roi'r gorau i'w swydd? Neu ei gefnu ar grefydd gyfundrefnol? Neu gyfuniad o'r pethau hyn? Beth bynnag oedd yr achos neu'r achosion penodol, y mae 'Ofn' yn arddangos rhyw anesmwythyd mawr ynglŷn â'i berthynas â'i gartref yn ystod blwyddyn gyfnewidiol 1919. (Yr un anesmwythyd, wrth gwrs, mewn cyfnod cynharach, yw thema'r ysgrif 'Dieithrwch'.)

'Argyhoeddiad', hwyrach, yw'r fwyaf uniongyrchol o sonedau 1919. Yn y soned hon, tegan ffawd yw'r bardd, faint bynnag y mae'n meddwl ei fod yn feistr ar ei dynged ei hun – 'Like flies to wanton boys are we to the gods'. Nid yw'n rhyfedd ei fod yn teimlo felly, ar ôl y cyfan a ddigwyddodd. Y mae 'Cydbwysedd', ar yr wyneb, yn deyrnged annwyl i dynerwch ei fam a'i charedigrwydd chwedlonol i gardotwyr ac anffodusion eraill. Ond y mae hefyd yn feirniadaeth arno'i hun a hwyrach yn sylw ar y modd y mae caredigrwydd diamod yn meithrin ymateb gwâr, ac ymateb barnol yn ei dro yn creu rhagor o'r math o ymddygiad a gafodd ei farnu yn y lle cyntaf – 'Na alw arnom, Grist, yn ddrwg a da' y soned 'Gwahaniaeth' hwyrach. Y mae 'Tylluan', hefyd, yn eglur ei neges, sef nad oes modd dianc oddi wrth yr ofn cynhenid, ac felly'r peryglon cynhenid, sydd wrth wraidd y profiad dynol, hyd yn oed yn y lleoedd mwyaf ymddangosiadol ddiogel.

Un soned yn unig a ddyddiwyd 1920 ac y mae honno hefyd yn gwbl arwyddocaol, dan ei theitl 'Gorffwys'.[14] Y mae'r wythawd yn creu awyrgylch hyfryd o 'ludded wedi llafur maith' a'r 'marweidd-dra' y clywsom amdano yn 'Nef'. Ond wedyn y mae'r chwechawd yn ymysgwyd, ac yn mynnu mai rhywbeth dros dro, ymateb i 'dynnu'r ffrwyn/ A'r pwn a'r tresi trymion wedi'r daith', yw'r awydd i orffwys. 'Daw anesmwythyd wrth i'r blinder ffoi', a bwrdwn y soned yn y diwedd yw ei ymroddiad i ailafael mewn gweithgarwch 'Heb geisio gorffwys nes cael gorffwys byth'.

Wrth gwrs, cerdd yw cerdd, ac ni ellir gwneud mwy nag awgrymu ei chyfeiriad mewn dehongliad rhyddiaith. At hyn, y mae T. H. Parry-Williams, mewn sawl man, yn ein rhybuddio rhag chwilio am gysondeb rhwng cerdd a cherdd wrth edrych ar waith bardd: ymateb i un profiad yw cerdd, meddai, nid darn o athroniaeth. Gwir, wrth gwrs, ac eto y mae cysondeb rhyfeddol islaw'r wyneb yn ei waith ef fel y trown y tudalennau o gerdd i gerdd.

Yr hyn sy'n sefyll allan yn sonedau 1919 yw eu deunydd crai llenyddol, sef eu defnydd o iaith, yn ogystal â chynildeb tyn eu hadeiladwaith. Er mor ddiddorol yw'r modd y mae'r cyfan ohonynt yn tyfu allan o amgylchiadau penodol ei fywyd ef ym 1919, ar eu hansawdd fel darnau o gelfyddyd y mae eu gwir ddiddordeb yn gorwedd, ac mae'n ddiogel dweud fod y bardd wedi symud i ddimensiwn newydd yn ei grefft a'i grebwyll barddonol yn y sonedau hyn.

Os ystyriwn yr iaith yn y lle cyntaf, deunydd crai pob llenor, fel y mae paent yn ddeunydd crai pob arlunydd, cystal inni droi unwaith yn rhagor at Saunders Lewis, a'i adolygiad ar *Ysgrifau* ar 5 Mehefin 1928:[15]

> Camp y llyfr hwn yw ei Gymraeg. Fel y gwyddys, ieithegydd yw Mr Parry-Williams, athro yn hanes yr iaith Gymraeg, un a ddysg ei moddion hi, ei thyfiant, sut y lluniwyd ei geirfa a'i chystrawen, ei chysylltiad hi ag ieithoedd eraill, ei benthygiadau a'i dyfeisiau. Ni ddywedir y dim lleiaf am hynny oll yn y llyfr hwn. Yn hytrach, fe drinnir pynciau fel motorbeic a phryf genwair a pholion teligraff. Er hynny, yn y cefn, y tu ôl i'r cwbl, yn eglur fel y mae'r cynfas yn eglur mewn darlun oel, fe ganfyddir holl wybodaeth cyfarwydd mawr yn yr iaith Gymraeg. Diddorol yw sylwi ar y modd y defnyddir y wybodaeth honno. Nid i sgrifennu yn iaith y gorffennol, nid yn bedantig nac yn orburaidd. Effaith ei efrydiau ar Mr Parry-Williams yw ei argyhoeddi yn bendant ac yn drylwyr mai peth byw yw iaith, peth sy'n llifo fel afon, nad yw byth ddwywaith yr un fath, ac na ddylid fyth mwyach sgrifennu Cymraeg fel y sgrifennwyd gynt.

Y mae'n dweud fod angen gwybodaeth a disgyblaeth yn wir i ysgrifennu iaith sy'n glasurol, mewn hen ddull:

> Ond rhaid wrth fwy o lawer i wneud yr hyn a wnaeth Mr Parry-Williams. Rhaid bod ganddo feistrolaeth ar orffennol yr iaith a throi'r feistrolaeth honno yn offeryn beirniadol i ymdrin â'r iaith fyw . . . Bodlonaf ar ddweud bod tri pheth yn nodweddu'r iaith lenyddol fyw fel y ceir hi yn y llyfr hwn, sef ei chyfoeth, ei chymhlethdod a'i hystwythder. Ychwanegaf hyn hefyd: y peth sy'n newydd ynddi, yn rhoi lliw gwahanol arni i ddim a fu ar Gymraeg cyn heddiw, yw dylanwad gwyddoniaeth, yn arbennig bywydeg ac eneideg . . . Ni bydd na barddoniaeth na rhyddiaith yn union yr un fath . . . Ffrwyth disgyblaeth meddwl yw arddull gain, effaith ymdrech lafurus a llwyddiannus i roi trefn ar fywyd ac ar brofiadau gwasgarog.

Sôn am yr ysgrifau'n bennaf y mae Saunders Lewis yma, wrth gwrs, ond credaf ei fod yn llygad ei le cyn belled ag y mae'r cyfan o gynnyrch creadigol cyhoeddedig T. H. Parry-Williams o 1919 ymlaen yn y cwestiwn, ac mae gennyf syniad mai dyma'r prif reswm, wedi'r cyfan, pam y gwrthodwyd yr holl gynnyrch blaenorol. Os yw Saunders Lewis yn iawn i ddweud mai 'ymdrech lafurus a llwyddiannus i roi trefn ar fywyd ac ar brofiadau gwasgarog' yw 'arddull gain', yna dyna'n union yr hyn a welir yn sonedau 1919 a phopeth wedi hynny. Fel y gwelodd Saunders Lewis, yr oedd T. H. Parry-Williams wedi defnyddio ei holl brofiad a'i wybodaeth ieithegol, yn yr ieithoedd Celtaidd, yn Saesneg, a hyd yn oed yn Almaeneg, i hogi arddull Gymraeg addas i'w fwriadau llenyddol, arddull sydd yn gyfoethog ei geirfa, yn gymhleth ond hefyd yn hyblyg ei rhythmau a'i chystrawen. Y mae'n bwriadu archwilio profiad cymhleth ac anghyffwrdd yn aml, profiad cyfnewidiol a gwibiog, profiad sydd weithiau'n codi ofn arno, profiad sydd weithiau'n ei dywys yn agos iawn i lesmair cyfriniol, dro arall yn agos i anobaith, dro arall i gyfeiriad llonyddwch-a-derbyn. Ac weithiau mae'n gymysgedd o nifer o'r pethau hyn. Ei fwriad yw gwneud ei orau i ddweud y cyflawn wir am ei ysgogiadau – creu rhyw fath o synnwyr allan ohonynt, os yn bosibl, ond dweud y gwir, beth bynnag. Weithiau, hwyrach, fe fyddai'n gallu crynhoi'n dawel, neu rewi, rhyw agwedd ar brofiad, yn lled-wrthrychol, fel yn y sonedau; dro arall, fe fyddai am wneud datganiadau mwy unochrog, mwy emosiynol hwyrach, i bwysleisio rhyw agwedd benodol ar wirionedd a oedd dragywydd yn sifftio, yn newid ei ffurf, fel tywod ar draeth; ar adegau felly, yr oedd y rhigwm yn gyfrwng addas. Ond y rhan fwyaf o'r amser, nid oedd yn datgan nac yn crynhoi: yr oedd yn archwilio profiad nad oedd ef ei hun yn ei ddeall yn iawn cyn iddo ddechrau ei archwilio; yn y diwedd, hwyrach y byddai ganddo elfen o oleuni i'w gynnig, neu hwyrach ddim; hwyrach mai archwiliad oedd yr unig beth y gellid ei fynegi; dyma natur llawer o'r ysgrifau. Er mwyn hyd yn oed ceisio gwneud y fath beth, yr oedd rhaid wrth arddull gyfoethog, gymhleth a hyblyg tu hwnt, a dyma a greodd, a dyma a welodd Saunders Lewis wrth alw sylw yn gyntaf oll, wrth adolygu'r ysgrifau, at arbenigrwydd eu hiaith.

Fe drown ninnau at yr ysgrifau yn y man, ond mae'r un peth yn wir am sonedau 1919. Ni welwyd eu tebyg gynt yn y Gymraeg y tu allan i gyfnodau clasurol y canu caeth ac oes aur y cywydd. Yn eu rheolaeth dynn ar frawddegau cyfansawdd o fewn ffurf y soned – yn aml, nid oes ond dwy frawddeg yn y soned gyfan, un yn cyfannu'r wythawd a'r llall y chwechawd – ac yn hyblygrwydd llafar eu rhythmau, sy'n aml yn medru rhoi'r argraff o sgwrsio'n fyfyrgar yn hytrach nag o greu celfyddydwaith o fewn patrwm mydr ac odl, y mae naturioldeb ymddangosiadol

anffurfiol y sgwrs yn creu dwyster a thyndra mawr drwy wrthweithio'n
erbyn ffurfioldeb strwythur caeth a chymhleth y soned. At hyn, y mae
natur y mynegiant – mewn cyfnod cyforiog o ansoddeiriau moethus
a melys – yn ferfol a berfenwol iawn, a'r defnydd o ansoddeiriau yn
gynnil ac, at ei gilydd, yn diffinio yn hytrach nag yn creu awyrgylch;
crëir awyrgylch y soned trwy rym ei symudiad a chyhyredd ei berfau. Y
mae natur y cyfanwaith yn nes at gerddediad gewynnog sonedau
Shakespeare neu Donne yn Saesneg nag at unrhyw beth arall yn y
Gymraeg, er ei fod hefyd yn ein hatgoffa o rythmau'n cywyddwyr ar eu
gorau. Sylwn, er enghraifft, ar 'Tylluan', er y gellid yn hawdd ddewis
unrhyw un arall o sonedau 1919:

> Gartref yn Arfon, lle nid oes ond sŵn
> > Y gwynt a'r afon a mân donnau'r llyn,
> Ac weithiau gyfarth sydyn, cryg y cŵn
> > Busneslyd, pan êl rhywun dros y bryn:
> Gartref yn Arfon, pam y dylwn i
> > Falio pa beth a wnêl na theyrn na chranc
> Nac ofni gwg gormeswyr? Ni ddaeth cri
> > Dyhirod byd erioed dros ben y banc. . . .
> Yn eon a di-feind, a'r nos yn cau,
> > Troediwn y briffordd ar fy mhen fy hun,
> Gan gyfri'r polion pyglyd bob yn ddau
> > A'r gwifrau swnllyd bob yn un ac un, –
> Rhwng prop a pholyn, ar ryw beipen gron,
> Gwelais dylluan, – a daeth braw i'm bron.[16]

Yn y soned hon, y mae'n chwarae â'r hen arfer o adeiladu'r gerdd yn y
dull traddodiadol o osod y mater allan yn yr wyth llinell cyntaf, ac yna
cynnig sylw ar y mater hwn yn y chwe llinell olaf, naill ai'n
ddatblygiadol neu'n wrthgyferbyniol. Y mae'n wir yn gosod allan y
mater, trwy ofyn cwestiwn crwydrol a hamddenol mewn un frawddeg,
ond dros chwe llinell a hanner yn hytrach na thros wyth llinell. Yna, y
mae'n rhoi'r ateb disgwyliadwy i'r cwestiwn mewn llinell a hanner.
Yna, yn y chwechawd, y mae'n dweud stori, eto mewn un frawddeg
gyfansawdd, gyda thro annisgwyl ar y diwedd. Defnddir ansoddeiriau'n
bur cynnil a hwythau'n syml ddiffiniadol, ac mae tri ohonynt –
busneslyd, pyglyd, swnllyd – yn greadigaethau'r bardd. (A dau, beth
bynnag, o'r rhain bellach yn rhan naturiol o'r iaith). Yr oedd gair fel
'[p]eipen' y math o air a fyddai wedi bod dan lach yr Ysgol Newydd, fel

llawer iawn o eiriau dyfeisgar a llafar Parry-Williams, am eu bod yn 'anfarddonol' a hyll, ac mae ansoddair fel 'di-feind', ac yn waeth byth berf fel 'malio', yn eiriau a gododd o iaith lafar Arfon a'u gosod am y tro cyntaf yn yr iaith lenyddol. Cyn belled ag y mae'r sonedau yn y cwestiwn – o'u gwrthgyferbynu â'r rhigymau – cyfrinach yr eirfa yw mai geirfa glasurol a ffurfiol, a ffurfiau clasurol ar y ferf – êl, wnêl – a ddefnyddir gan mwyaf, ac mae'r geiriau llafar, neu newydd-gyfansawdd, yn sbeis yn y cymysgwch yn hytrach nag yn norm. (Gwelwn wrth fynd ymlaen fwy a mwy o eiriau-gwneud cyfan-sawdd, yn arbennig yn yr ysgrifau, a byddai'n ddiddorol ystyried i ba raddau yr oedd astudiaeth o'r Almaeneg, sy'n chwannog i greu cyfansoddeiriau amlsillafaidd iawn ar adegau, wedi ei arwain i'r cyfeiriad hwn.)

Yr oedd T. H. Parry-Williams, erbyn 1919, yn dechrau gosod y cyfan o'i astudiaethau ieithyddol ar waith i ddarganfod yr ieithwedd briodol i unrhyw gerdd – ac yr wyf innau, fel Saunders Lewis, yn cynnwys yr ysgrifau yn fy niffiniad o gerdd.

Ar wahân i'r sonedau, ysgrifennodd bum ysgrif a thair cerdd (dau rigwm ac un delyneg estynedig) yn y cyfnod o lonyddwch rhwng 1920 a 1925, pryd yr oedd yn ei sefydlu'i hun yn Aberystwyth. Y mae'r tair cerdd, fel ei gilydd, yn ddwys iawn – ymysg y dwysaf a ysgrifennodd – ac felly ni ddylem synnu fod y tair hefyd wedi'u hargraffu gydag is-deitlau ymddiheuriadol, yn awgrymu na ddylid eu cymryd yn gyfan gwbl o ddifrif. Y tair yw 'Dwy Gerdd', 'Yr Esgyrn Hyn' a 'Celwydd', ac mae i bob un fwy nag un rhan, yn mynegi mwy nag un agwedd ar yr hyn y mae'r bardd yn ei ddweud.[17] Yn is-deitl i'r gyntaf, gosododd driban:

> (Sy'n tywyll sôn am beth a ddaeth
> I'm dirnad unwaith, ac a aeth.
> Ni wn beth ydoedd. – A pha waeth?)

Yn is-deitl i'r ail, y mae'r cymal syml '(Ffansi'r funud)', ac i'r drydedd '(Awr ddu)'. Pryd yr ysgrifennais yn Saesneg am T. H. Parry-Williams,[18] a mynnu fod y cerddi hyn yn cynrychioli ei olwg dywyllaf ar fywyd, ac yntau'n edrych ar ofnadwyaeth difodiant bod meidrol lygad yn llygad heb amodi na chysgodi, cefais fy ngheryddu gan ei wraig a'm cyfeirio at yr is-deitlau difrïol. Y gwir yw ein bod yn dechrau arfer ag ebychiadau ymddiheuriadol o'r fath – 'Ta waeth', 'Tybed?', 'Hwyrach yn wir?', 'Pe bai o wahaniaeth' – a'r rhain, 'rwy'n ofni, yn hytrach na'r cerddi y maent yn ymddiheuro drostynt, yw'r pethau na ddylem gymryd gormod o sylw ohonynt. Y mae'r cerddi wedi eu cynnwys yn y canon, nid ydynt yn wrthodedigion, ac felly y mae'n deg inni eu cymryd o ddifrif. Ac, o'u cymryd felly, y maent lawn mor gythryblus â rhai o'r cerddi rhyfel.

Yn y lle cyntaf, er eu bod wedi eu dyddio 1922, 1923 a 1924, y maent yn amlwg yn perthyn i'w gilydd fel grŵp. Ac er bod yr awdur yn ein rhybuddio i beidio â chymryd yn ganiataol ei fod yn ysgrifennu'n hunangofiannol pryd y mae'n dramateiddio ac yn creu cymeriadau yn ei gerddi, y maent yr un mor amlwg yn gerddi serch. Ni wyddom pwy oedd y gwrthrych, ond gallwn fod yn ddigon sicr fod gwrthrych yn bod, pe na bai ond oherwydd nad yw Parry-Williams ddim yn creu ffuglen; y mae ei gyffredinoli a'i ledaenu haniaethol bob amser yn cychwyn gyda diriaeth sydd, o leiaf, yn rhannol seiliedig ar ei brofiad real ef ei hun. Fe welodd hen geiliog diolwg ei grib ar Ben-y-Pas, fe welodd ferch ar y cei yn Rio, fe welodd garcharor yn cael ei ddal gan blismyn a golwg erlidiedig ar ei wyneb wrth iddo gerdded rhyngddynt, fe welodd wallgofddyn ar fwrdd llong, fe brofodd angerdd serch. A gallwn fod yr un mor sicr fod y berthynas serch wedi mynd o chwith, ac mai Thomas, am ba gyfuniad bynnag o resymau, a oedd yn gyfrifol am hynny; ac eto yr oedd profiadau'r berthynas yn cyfrif llawer iddo, ac mae tynerwch ac anwyldeb mawr yn llechu yn arbennig yn 'Dwy Gerdd', mynegiant grymus iawn o'i amwysedd wyneb yn wyneb, ar y naill law, â realiti serch rhwng mab a merch ac, ar y llaw arall, â'i ymdeimlad nad oes unpeth sy'n barhaol nac o werth parhaol. Y mae deuddyn mewn cariad yn gorfod credu fod eu serch yn barhaol, ond, yn y diwedd, twyllo y maent wrth feddwl ac addo hynny.

A thwyll yw thema 'Dwy Gerdd', y masg yr ydym i gyd, fel bodau dynol, yn ei wisgo wrth ymwneud â'n gilydd, ein hanallu i wynebu'n gilydd yn onest, heb sôn am wynebu'r gwirionedd ynglŷn â'n tynged derfynol. Ac mae ymhell o fod yn gerdd syml ynglŷn â siomedigaethau serch.

Y mae'n dechrau trwy ddweud ei fod yn cyffesu 'ger bron Duw' mai twyllwr ydyw. Yna y mae'n dweud, 'Ond ni'th ddychrynir: ni ddychrynwyd neb/ Ohonoch eto'. Pwy yw'r 'ohonoch'? Pob merch mewn cariad? Pob merch y mae wedi'i hadnabod? Pawb sydd mewn cariad? Pob merch? Sonia Geraint Gruffydd, wrth drafod y gerdd, am Baudelaire yn cyfeirio at 'naturioldeb brawychus gwragedd'. Ta waeth – 'Felly y bu erioed'. Ond mae am iddi wrando arno'n datgan y ffaith mai gwacter yw popeth, a hyd yn oed os oes realaeth ym modolaeth dau –

'nid ydynt hwy/ Ond dwbwl wegi – gwag yn troi mewn gwag o hyd'. Ond yr oedd y sawl y mae'n siarad â hi yn meddu ar y gallu i lenwi'r gwagle, ac i ddysgu iddo yntau lenwi'r gwagle hefyd:

> Dy felltith ydyw'r ddawn a roed i ti
> I lenwi'r gwagle â thydi dy hun
> Dysgaist i minnau lenwi a lliwio'r byd
> Nad yw ond gwag a deuliw, ag amlder lliw a llun.

Y mae'n ddiddorol fod lliwiau, eu heffaith a'u natur, yn crwydro i mewn i'r gerdd yma eto. Yn y pen draw, yn athroniaeth y gerdd hon, nid oes ond deuliw, du a gwyn, y negyddol a'r cadarnhaol, y mab a'r ferch, a'r gwahaniaeth – a'r gagendor – rhyngddynt; ffug yw'r lliwiau eraill, er cymaint y mae'n eu hoffi. Ac, wrth gwrs, yn wyddonol, y mae hyn yn digwydd bod yn wir. Gwyn wedi'i fforchi trwy brism yw'r lliwiau i gyd yn y pen draw. Ffug ydynt. Ac, yn y pen draw, er iddi hi lenwi'r gwag-le iddo, ffug oedd hynny hefyd. Y mae delwedd hynod iawn yn enghreifftio natur ddiaros popeth, gan gynnwys bodau dynol:

> Gwrando ar anniddigrwydd dafnau'r glaw, –
> Ffurfiau dros dro ŷm ninnau, yn disgwyl fel hwynt-hwy.

Ac eto, yr oedd math o realaeth, a hwnnw'n realaeth annwyl, yn y profiadau a rannodd y ddau. Y mae'r pennill nesaf yn brydferth ac yn ddelicet:

> Ac eto yr oedd Medi'n Fedi'n wir,
> Ac Arfon yn fynyddoedd dan ein traed,
> Y niwl yn niwl, ac un ac un yn ddau,
> Ac awr ac awr yn oriau, tithau'n gig a gwaed.

Y mae arwynebedd bywyd yn bod, ac mae'n medru bod yn felys iawn. Ond wedyn, unwaith y mae wedi llithro i'r gorffennol, y mae'n peidio â bod, a hwyrach mai rhith oedd ei fodolaeth, beth bynnag:

> Nid oes yn Arfon heddiw i mi, sy 'mhell,
> Fynydd na niwl na dim ond ffurfiau'n cadw oed.

Ac yna y mae'n symud y gerdd i dir gwahanol. Hyd yn oed os oes sail i realaeth profiad, nid yw'r uniad a brofodd y ddau ar y mynydd yn Arfon

yn uniad. Os profwyd unrhyw beth rhwng y ddau, twyll, er hynny, oedd
y serch a'u hunodd:

> . . . Nid gwyn yw du,
> Fe ŵyr y gwagle'n burion, ac ni ddaw
> Dewin a'u huno hwy. Rhwng du a gwyn
> Mae pellter, dyfnder, gwagle, gagendor di-ben-draw.

A rhan o'r broblem yw fod y bardd yn ymwybodol o wacter ac af-
realaeth pethau, pryd nad yw hi ddim. Y mae hi'n credu ei addewidion
ac yn credu yn eu serch, gan nad yw hi'n ymdeimlo â'r byd yn yr un
ffordd ag ef:

> Rhyngom, o'n cwmpas, amgylch ogylch mae
> Diddymdra sydd yn bod i mi, i ti nad yw.

Ac eto, er y gŵyr mai twyll yw'r teimlad o undod sy'n tyfu rhwng dau
gariad, y mae'r teimlad a grëwyd rhyngddynt yn dal i fod, ac ni all
yntau wadu hynny:

> . . . Ni ddaw du a gwyn
> Fyth fyth yn unlliw, mwy na dau yn un.
> Ond gwir neu beidio, gwn mai dal a wnei
> O hyd i lenwi'r gwagle â thydi dy hun.

Yna, y mae'n mynnu atodi ail ran i'r gerdd, sydd fel pe bai'n edifar
am y cefnu a'r gwamalu yn y rhan gyntaf, ac sy'n ddatganiad
cadarnhaol o realaeth a gwerth yr hyn a brofodd ef a'i gariad mewn
man a lle arbennig, yn Arfon ac ym Medi. Y mae'r profiad ar gadw yno
rywsut, ac yno fe grëwyd y wyrth o asio un ac un yn ddau; yr oedd
'cnawd ei llaw' ac 'awel wynt o'r mynydd' yn 'gwasgar niwl ar draws ein
taith', y naill mor real â'r llall, a'r cyfan yno'n aros:

> Mae'n chwerthin eto'n aros ar y ffordd,
> A'n prudd-der eto 'nghadw ar y rhiw,
> Ac mae'n distawrwydd o'r naill du dan glo
> Yng nghoffrau creigiau Arfon heb na siw na miw
>
> Ac yno'r ydwyt tithau – a myfi,
> Am byth yn chwerthin, tewi a thristáu,

Ac yno mae'r clogwyni, a'r niwl yn niwl
A Medi'n Fedi o hyd, ac un ac un yn ddau.

Y mae'r darlun o'r ddau, ymysg y clogwyni, yn y niwl, yn chwerthin, ac yna'n sobri, yn distewi ac yna'n sydyn yn teimlo tristwch serch, yn ddarlun prydferth iawn ac yn ddarlun diriaethol iawn yn ei fanylion. Yr oedd rhyw wyrth wedi digwydd rhyngddynt, ond yno y mae, yn y fan ac ar y pryd y'i profwyd.

Y mae hon yn gerdd gymhleth. Y mae'n amlwg wedi'i hysgogi gan brofiad dwfn a chynhyrfus, ond mae'n anodd crynhoi mewn rhyddiaith yr hyn y mae'n ei ddweud yn y diwedd am y profiad hwnnw. Yr oedd yn ddewinol, ond yn ffug, yn real, ond yn ddiflanedig, yn wyrthiol, ond yn amhosibl. Yn y pen draw, os oedd iddo realaeth o unrhyw fath, hwyrach fod y realaeth ynghlwm wrth y lle a'r foment pryd y profwyd y pethau hyn, ac na ellir eu datgysylltu oddi wrth amser a gofod eu bodolaeth.

Credaf fod hon yn gerdd serch arbennig iawn, yn dechrau mewn negyddiaeth sydd ymron yn ddifrïol, ac fel pe bai'n cael ei gorfodi, wrth fynd ymlaen, i symud tuag at dderbyn gwerth y profiad y mae'n ceisio gwadu'i ddilysrwydd, ac yn gorffen mewn datganiad o blaid realiti'r hyn a rannwyd rhyngddo ef a'i gariad, hyd yn oed os yw'r realiti hwnnw'n fregus ac yn amodol.

Gellid treulio cryn ofod yn dadansoddi'r modd y mae triawd Saunders Lewis, cyfoeth, cymhlethdod ac ystwythder iaith, yn cael ei roi ar waith yn y gerdd hon, oherwydd y mae'n gerdd hynod hefyd yng nghynildeb ei rhythmau ac amrywiaeth ei symudiad. Bodlonwn ar nodi dau beth. Yn gyntaf, y llinell iambaidd ddegsill yw sail fydryddol y gerdd, ond mae pob pennill pedair llinell yn gorffen mewn llinell ddeuddegsill, sydd yn arafu'r mydr ac yn difrifoli'r symudiad. Yn ail, y mae modd sylweddoli pa mor dynn a pha mor gwbl ddisgybledig yw'r defnydd o iaith, mewn cerdd sydd, wedi'r cyfan, yn emosiynol iawn yn ei hanfod, wrth sylwi nad oes yn y gerdd gyfan yr un ansoddair. Y mae'r cyfan o'i delweddau'n dibynnu ar effaith ferfol a berfenwol. Dyma fesur newydd-deb y defnydd o iaith a gynigir yn y cerddi hyn.

Y mae'r ail gerdd, 'Yr Esgyrn Hyn', yn llawer mwy caled, yn llai cymhleth a chynnil ei gwead a gellid meddwl amdani, hwyrach, fel yr hyn yr oedd y bardd yn ceisio'i ddweud wrth ei gariad yn y gerdd flaenorol, sef terfynoldeb absoliwt bywyd dyn, a'i ddibyniaeth lwyr ar gorff meidrol a fydd, maes o law, yn marw, yn pydru, heb adael dim ar ôl ond esgyrn noeth. Y mae hon, o'i gwrthgyferbynu â'r gerdd flaenorol, yn blaen ac yn llawn dicter. Beth yw pwynt unrhyw beth, yn arbennig nwyd ac angerdd serch, os nad oes parhad? Ond mae'n dweud mwy na hynny hefyd. Y mae'n mynnu mai meidrol a chnawdol yw bywyd dyn, a dim mwy na hynny. Ac mae credu hynny yn ei wneud yn ddig â'r cnawd ei hun a phopeth sy'n perthyn i'r cnawd. Y mae fel pe bai'r gerdd yn tyfu'n anochel o'r rhan gyntaf, sy'n ysgogi rhyw 'frawd' i ystyried sut y mae ysgerbwd dafad yn pydru ar drugaredd y pedwar gwynt. Yna, y mae'n troi'n ffyrnig at ei gariad:

> Beth fyddi dithau, ferch, a myfi,
> Pan gilio'r cnawd o'r hyn ydym ni?

Yr ateb yw dim. Dim serch, dim siom, dim cyffwrdd, dim canfod:

> Nid erys dim o'r hyn wyt i mi, –
> Dim ond dy ddannedd gwynion di.

Y mae fel pe bai'n mynd allan o'i ffordd i fod yn filain. Y dannedd gwynion oedd yn creu ei gwên ddeniadol wedi'r cyfan. Y neges derfynol a digyfaddawd yw 'Nid ydym ond esgyrn'. Y mae hon yn gerdd ryfeddol o chwerw a diamod, y mynegiant mwyaf chwyrn ac absoliwt mewn Cymraeg o fateroliaeth benderfyniadol, athroniaeth y mae wedi bod yn ymladd yn ei herbyn ond sy'n ei demtio, serch hynny, yn arbennig pryd yr hoffai fwyaf gredu fod teimladau a serchiadau dyn yn fwy parhaol nag 'asgwrn ac asgwrn ac asgwrn mud'. Ond, ar y foment pryd yr ysgrifennodd y gerdd hon, dyna a gredai, dyna oedd 'y gwirionedd ar y pryd', ac yr oedd llymder y gerdd yn codi o'r ffaith yr hoffai â'i holl enaid gredu nad oedd yn wir.

Y gwir a'r gau, a'r modd y maent yn bodoli ochr yn ochr ym mywyd dyn, yw thema'r drydedd gerdd hefyd. Ond mae hon, er yn dechrau ym myd serch, yn agor allan yn y diwedd i wneud datganiadau eang a chynhwysfawr ar y cyflwr dynol yn gyffredinol. Ac er bod y ddau rigwm yn sefydlu'r patrwm o linell pedair acen, gan amrywio nifer y sillafau diacen, a fydd yn norm i'r rhigymau o hyn ymlaen, y mae 'Celwydd' yn sefydlu mŵd a rhythm gwahanol iawn i rythm y gerdd flaenorol. Y mae trymder y llinell gyntaf yn cyhoeddi naws 'Yr Esgyrn Hyn' ar unwaith, ac fe grëir y trymder trwy gael pedair sillaf acennog mewn llinell wythsill:

> Beth ydwyt ti a minnau, frawd,

tra bod rhythm ysgafnach llinell gyntaf 'Celwydd' yn cyhoeddi ar y cychwyn fŵd mwy eironig a ffwrdd-â-hi, trwy greu llinell un sill ar ddeg ar gyfer y pedair acen:

> Daeth Haf Bach Mihangel trwy weddill yr ŷd,
> Yn llond ei groen ac yn gelwydd i gyd.

A phery'r mŵd eironig, er bod yr ystyr a'r rhythm yn caledu, wrth iddo droi'r gosodiad arno ef ei hun:

> Adwaen ei driciau bob yr un, –
> Ei ddynwaredwr wyf fi fy hun.

> Twyllwr wyf innau, Pwy nad yw,
> Wrth hel ei damaid a rhygnu byw?

Ac yna y mae'n agor y gerdd allan i wneud gosodiadau am fywyd yn gyffredinol, bywyd sy'n llawn twyll ac anwiredd, bywyd sy'n cael ei fyw mewn tywyllwch a chaethiwed. Er bod ambell fflach o oleuni yn sgleinio drwodd ambell waith, nid yw'n parhau, oherwydd 'Trech ydyw'r nos na'r goleuddydd clir'.

Y mae ail ran y gerdd yn troi'n ôl i'r rhan gyntaf o 'Dwy Gerdd', gan barhau i gadw'r rhythm ysgafala a sefydlodd yn y rhan gyntaf, a gwrthweithio hwnnw yn erbyn caledi'r ystyr. Ac mae'n gosod yr hyn a ddywed mewn dyfynodau, er mwyn gwneud yn eglur mai siarad â'i gariad y mae, ac nid cyffredinoli:

> 'Gwae nad oes gwir! Ni bu rhyngom ein dau
> Ond cusanau celwyddog a geiriau gau.

> 'Anwiredd gloyw oedd y llygaid llyn,
> A gwên dy ddannedd yn gelwydd gwyn.

> 'Ysmalio dichellgar a thwyllo ffri
> Oedd chwerthin a chyffwrdd ein caru ni.'

Ond nid eu caru hwy yn unig sy'n llawn twyll; y mae'n sydyn yn agor allan y rhan hon o'r gerdd hefyd, ac yn gwneud gosodiad absoliwt ac apocalyptaidd ynglŷn â phob pâr a fu erioed, gosodiad sy'n ein hatgoffa o ddicter Hamlet wrth wynebu Ophelia – 'To a nunnery, go' – a'i ddatganiad fod pob addewid serch yn dwyll:

> Rhwng pob rhyw ddau a fu 'rioed yn y byd
> Ni bu ond anwiredd, – dyna i gyd.

Yn y drydedd ran, y mae'n amlwg mai angau sy'n creu'r twyll. Nid bod dyn yn bwriadu twyllo, ond fod y ffaith mai angau yw terfyn popeth yn gwneud jôc o unrhyw uchelgais meidrol ac unrhyw addewid meidrol hefyd. Jôc drist – *sick joke* a defnyddio ffordd-o-siarad gyfoes – yw bywyd dyn, gan fod popeth, yn hwyr neu'n hwyrach, yn arwain i ddiddymdra. Y mae yma ddiflastod dwfn a chwerw wrth ystyried natur y cyflwr dynol, ac mae'n cael ei fynegi'n foel, yn oer ac yn ddidrugaredd:

> Tristach na holl ddinodedd dyn
> Yw chwerthin y cnawd am ei ben ei hun.

Y mae'r cwpled sy'n dilyn yn gwpled aruthrol, yn y modd y mae'n cyfosod llonyddwch sefydlog y cosmos a bychander dibwrpas bywyd dyn:

> Sobrach na syn sefydlogrwydd y sêr
> Yw anwadalwch ei fywyd blêr.

Y mae'r rhan olaf yn galw gwae ar fodolaeth yn gyffredinol. Y mae amodau bodolaeth mor anwadal, ac mor afresymol, fel nad oes modd byw o gwbl yn synhwyrol:

> Gwae ni ein dodi ar dipyn byd
> Ynghrog mewn ehangder sy'n gam i gyd,
>
> A'n gosod i gerdded ar lwybrau nad yw
> Yn bosib eu cerdded – a cheisio byw;

Os mai fel hyn y mae, os oes rhaid twyllo a chymryd arnom er mwyn ymdopi o gwbl ag amodau byw 'Rhwng pechod ac angau', y mae'n dilyn mai cariadon, gyda'u haddewidion am serch tragwyddol a di-droi'n-ôl, yw'r twyllwyr mwyaf i gyd, gan fod y cnawd yn hanfodol i hapusrwydd serch, a chan mai dros dro yn unig y mae'r cnawd yn bodoli. Nid oes hir oes i unrhyw addewid serch, ac mae

> . . . ofn wrth ein sodlau'n syfrdanu serch
> Wrth gyfrif celwyddau mab a merch.

Wedi ei ddilyn cyn belled â hyn, gallwn adrodd ei gwpled olaf gydag ef:

> Pa ryfedd, yn wir, fod y cnawd di-lun
> Yn cael y fath sbort am ei ben ei hun?

Yr ydym wedi teithio'n bell oddi wrth gerddi'r Rhyfel Mawr. Dyma bellach fardd sydd â llywodraeth lwyr ar ei ddeunydd a'i ddull. Y mae angen dweud pethau anodd, ac mae'r arfau ganddo i'w dweud. Wrth gwrs, y mae mwy nag un Parry-Williams, ac un Parry-Williams sy'n llefaru yn y cerddi hyn. Y mae rhywfaint o gyfiawnhad dros yr is-deitlau. Ie, cerddi 'awr ddu' ydynt. A hyd yn oed yn y cerddi hyn y mae gwahaniaeth mŵd ac ysbryd. Y mae ail hanner 'Dwy Gerdd', fel y gwelsom, yn gân serch bositif iawn. Ond nid awr ddu mewn byd ffantasi a gawn yma. Y mae dicter, angerdd, tyndra ac egni'r cerddi hyn yn dweud yn eglur fod eu hynni'n dod o brofiad gwirioneddol y bardd. Y mae'n dweud fwy nag unwaith mewn mannau eraill nad yw edrych yn llygad y gwir yn brofiad cysurus, ac yn wir nad yw, hwyrach, yn brofiad addas i fod dynol o gwbl. Y mae'n rhy glwyfus. Ond dyma ei genhadaeth fel bardd, ac yn yr achos hwn, terfynoldeb bywyd, ei grêd absoliwt mai gwacter sy'n dilyn, mai twyll yw pob sôn am unrhyw beth, sy'n ei ysgogi, ac yn ei ysgogi gyda'r dicter dyfnaf.

Y mae'n debygol, fel yr awgrymais eisoes, iddo brofi cynnwrf a siom serch, a bod y berthynas ar ben – hwyrach ei fod yn sôn am fwy nag un berthynas – gan mor gwbl angerddol a phersonol yw llawer o gynnwys y tair cerdd. Ond mae'r dicter yn lletach na hyn. Ni all wahanu ei brofiad personol o dynerwch a chynnwrf serch – gweler ail ran 'Dwy Gerdd' – oddi wrth ei ymwybyddiaeth ysol o greulondeb bywyd y gellir ei derfynu unrhyw bryd, a hwyrach yn gwbl ddisymwth, gan y gelyn angau. Hwyrach yn wir fod ei gonsýrn am y gwirionedd golau mor obsesiynol fel na fedr gynnal perthynas 'anonest' ag unrhyw ferch, ac ailadrodd ystrydebau serch na allant, fel y gŵyr, fod yn wir. Beth bynnag oedd seiliau'r cerddi hyn yn ei brofiad personol, y maent yn gerddi arbennig – yn boenus o onest ac ymchwilgar, yn gymhleth ac yn bellgyrhaeddol, yn lân a chaled eu crefft. Yma, yn fwy hyd yn oed nag yn sonedau 1919, y mae bardd mawr yn cyhoeddi ei bresenoldeb.

Yn cydredeg â'r tair cerdd, y mae tair soned, 'Ailafael' (1922), 'Sialens' (1923) a 'Paradwys' (1924).[19] Agwedd arall ar bethau a gawn yn y rhain, sef amrywiadau ar thema'r tawelwch ymddangosiadol sydd wedi dod dros ei fywyd. (P'run a oedd y cerddi serch yn edrych yn ôl ar brofiad a fu ac y mae bellach yn ymwadu ag ef, ynteu'n mynegi profiad

cyfredol sy'n gwrthweithio'n erbyn ei dawelwch, pwy a ŵyr. Er bod y
cyntaf yn fwy tebygol, y mae peth tystiolaeth dros yr ail hefyd, fel y
gwelwn yn y man.) Y mae 'Ailafael' yn datgan ei anfodlonrwydd ei fod
bellach yn cael ei ddiddanu

> . . . gan gwmpeini'r lleng
> Llyfrau cysurlon sydd o'm cwmpas i
> Yn gwarchod dros fy myw, yn rheng ar reng . . .

oherwydd, gan ei fod yn cael ei ddiddanu felly, nid yw bellach yn clywed
cri'r mynyddoedd a oedd yn arfer ei alw'n ôl mor gyson atynt,

> Oherwydd cwsg yw'r cariad a fu gynt
> Yn gyffro gwyllt cynddeiriog yn fy ngwaed.

Yn y chwechawd, serch hynny, y mae'n ffyddiog y daw'r hen deimlad-
au'n ôl pan fydd yn dychwelyd 'ar ryw sgawt', a'r pryd hwnnw

> . . . Af o'm co'
> Gan hagrwch serchog y llechweddau syth
> Gan gariad na ddiffoddir mono byth.

Y mae'r ail soned, 'Sialens', yn ddilyniant naturiol i'r gyntaf, oherwydd
yma y mae'n rhag-weld 'blynyddoedd crablyd canol oed' yn dod fel
ysbeiliwr, nid yn unig i roi taw ar ysgogiadau ieuenctid, ond i ddinistrio
rhin y byd dychymyg y mae wedi'i adeiladu,

> A gadael fyth yn anrhaith yr ystad
> A driniais yn gariadus fore a nawn . . .

Pryd y daw'r ysbeiliwr hwn – ni ddywed ei fod eto wedi cyrraedd, ond
hwyrach ei fod yn ofni fod y lled-dawelwch y mae wedi llwyddo i'w greu
yn rhagflas ohono – yna bydd rhaid iddo ymladd yn ei erbyn â'i holl
egni. Yn 'Paradwys', y mae'n troi'n ôl at y syniad mai camgymeriad yw
chwilio am y gwirionedd sy'n gorwedd islaw pethau arwynebol bywyd:

> Ni roddes Duw i'r doeth ddim namyn gwae
> O wybod dyrys ffyrdd Ei arfaeth Ef
> A dysgu canfod bywyd fel y mae . . .

Y mŵd ymddangosiadol y mae ynddo wrth ysgrifennu'r soned hon yw ymwrthod â'r fath ymchwilio, a byw bywyd o 'ddylni drud'. Ond mae digon o eiriau amwys wedi'u hau drwy'r soned i'w gwneud yn berffaith eglur i'r darllenydd gofalus mai cellwair y mae, os cellwair yn ddigon digalon. Y 'doeth', wedi'r cyfan, yw'r ymchwiliwr yn y llinell gyntaf a'r 'ffŵl' gydag 'ymennydd pŵl' yw'r sawl sy'n trigo ym mharadwys ar ddiwedd y gerdd. A phan yw'n sôn, ynghanol y soned, am 'Y gweld sy'n gwneuthur uffern o bob nef', y mae'r pethau sydd ynglŷn â'r gweld i gyd yn cael eu disgrifio'n bositif iawn, uffernol neu beidio:

> . . . wrth hau gwreichion hyd ei ddellni du

(sef 'dellni' y gŵr nad yw'n 'dysgu canfod bywyd fel y mae')

> A thaflu golau creulon ar ei rawd
> A dangos rhin gogoniant lliwiau lu
> A'r hud sydd yng nghelfyddyd bys a bawd.

Er bod y golau'n 'greulon' y mae'n dangos 'rhin gogoniant lliwiau lu' ac yn datgelu hud celfyddyd. Er ei fod yn gorffen trwy ddweud 'Nid oes paradwys fel paradwys ffŵl', a'i fod, ym mŵd y soned, yn dweud y gwir, nid oes unrhyw amheuaeth, o ddarllen rhwng y llinellau, mai'r 'golau creulon' y mae ef yn ei bleidio.

Er eu bod, ar yr wyneb, yn mynegi agweddau ar lonyddwch, y mae'r sonedau hyn yr un mor ddiddorol â sonedau 1919 ar un ystyr, oherwydd anfodlonrwydd ynglŷn â'r llonyddwch, ac amwyseddau croes-acennog sy'n llechu yn y geiriau. Gall hwn fod yn gyfnod llonydd, o'i gymharu â chyfnod y rhyfel, ond mae'r hen gyffroadau yno o hyd dan yr wyneb, a phan yw'n ofni nad ydynt, y mae'n protestio. Y cyffroadau, wedi'r cyfan, er mor greulon y medrant fod, yw ystyr bywyd iddo, faint bynnag y mae'n ceisio osgoi eu harwyddocâd o bryd i'w gilydd.

Ochr yn ochr â'r sonedau a'r cerddi eraill, y mae pum ysgrif yn perthyn i'r cyfnod hwn: 'KC 16', 'Gwybedyn Marw', 'Y Pryf Genwair', 'Oedfa'r Pnawn' a 'Ceiliog Pen-y-Pas'.[20] 'KC 16' oedd y gyntaf i ymddangos mewn print, yn *Y Llenor* ac fe greodd gryn gynnwrf. Dyma rywbeth hollol newydd yn y Gymraeg, a dyma fardd 'Y Ddinas' yn lluchio rhywbeth gwahanol iawn eto at ei ddarllenwyr.

Y gwir yw *fod* arbenigrwydd yn yr ysgrif, a bod y pump yma eto, o'u cymryd gyda'i gilydd, yn cynrychioli croesdoriad teg o'i sylwebaeth ar y byd a'i bethau mewn cyfnod pryd yr oedd yn ceisio dod i dermau â'i ddisymudrwydd newydd ac anghyfarwydd.

Yr oedd peth o'r syndod ynglŷn â 'KC 16' yn codi o'r ffaith fod bardd yn ysgrifennu yn y Gymraeg am fotor-beic. Ni ddylent fod wedi synnu oherwydd, ar y naill law, yr oedd i'r motor-beic swyddogaeth gymdeithasol bwysig yn ystod y 1920au ac, ar y llaw arall, yr oedd peiriannau, ynghyd â gynnau ac, i raddau llai, gelfi pysgota, yn hoff bethau gan y Parry-Williams hwnnw a hoffai adael bywyd academaidd, a hyd yn oed 'bensynnu', y tu ôl iddo a thorchi'i lewys a gwneud rhywbeth gyda'i ddwylo: felly yr hoffai gario gwair yn Oerddwr, mynd i'r afael â chelfi saer yn fferm Hafod Lwyfog,[21] ym mhen uchaf Nantgwynant, lle'r oedd Morfudd, merch Oerddwr a'i gŵr, William arall, yn ffermio, a mynd i hela gyda chyfeillion. Yr oedd y motor-beic yn boddhau elfen arall hefyd wrth gwrs, yr elfen grwydrol, ac yn ei foddhau'n well na'r 'beic bach' y bu'n bustachu cymaint ar ei gefn o gwmpas Arfon: y gwahaniaeth oedd fod cyflymdra'r motor-beic, a'r cynnwrf a gâi wrth hyrddio trwy'r awyr agored ar ei gefn yn ei blesio'n fawr. Yr oedd y motor-beic, fel y soniais, yn ffenomen o bwys yn y cyfnod hwnnw. Yr oedd yn gymharol rad i'w brynu ac yn symbol o'r oes beirianyddol newydd a oedd o fewn cyrraedd y werin, mewn modd nad oedd car modur eto. 'Rwy'n cofio fy hun, a minnau'n fachgen bychan iawn ar ddiwedd y 1930au a dechrau'r Ail Ryfel Byd, yn cael fy ngosod ar biliwn motor-beic gan un o'm hewythrod, er mawr fraw a dicter fy mam pan glywodd hi am y peth, a rhuo trwy Forfa Nefyn a'm breichiau'n gafael yn dynn dynn am y marchog a eisteddai o'm blaen. Nid oedd bechgyn y werin, yn y rhan fwyaf o Gymru, beth bynnag, ddim erioed wedi medru fforddio teithio'r wlad ar gefn ceffylau: braint yr uchelwyr, ac ambell ffermwr cefnog, oedd hynny; cerdded oedd hanes y werin. Yna fe ddaeth y 'beic bach' i hwyluso pethau rywfaint. Ond dyfodiad y motor-beic oedd y chwyldroad. Dyma gynnwrf cyflymdra a modd i deithio'r wlad wedi dod yn sydyn i afael y werin. Fel y gellid disgwyl, sôn am deithio o Ryd-ddu i Aberystwyth, neu o Aberystwyth i Ryd-ddu y mae'r ysgrif – fe brynwyd KC 16 cyn gynted ag yr oedd Thomas yn gyflogedig unwaith yn rhagor ym mis Medi 1920. Nid yw'n dweud hynny yn uniongyrchol, ond mannau ar y daith honno y sonnir amdanynt yn ddieithriad – Llyn y Tri Greïenyn, Pont Dôl Gefeiliau yn y Ganllwyd, Cwm Prysor, y Gelli Lydan a dyffryn Maentwrog.

Ond, fel y gellid disgwyl, y mae'r ysgrif yn gwneud mwy na blasu cynnwrf cyflymdra. Yn y lle cyntaf, y mae'n ystyried y modd argraffiadol y mae bod dynol yn canfod y byd o'i gwmpas, un o'i hoff themâu, ond yn arbennig felly y modd y mae'n ei ganfod wrth symud drwyddo. Dyma syniad a oedd hefyd yn rhan o'r soned 'Lliw', a syniad a archwiliwyd gyda blas gan yr arlunwyr *Impressionistes* Ffrengig ar dro'r ganrif, gan newid dull arlunwyr o baentio tirlun am byth yn y broses. Dyma fel y mae'n sôn amdano yn 'KC 16':

> Y mae'r ffordd oddi tanodd a'r gwrychoedd o boptu yn troi'n rhwyllwaith dyrys o linellau lliwiog cyfochr: y mae'r mynyddoedd yn symud yn araf, y gwynt yn chwythu'n ei erbyn ei hun, a'r byd yn mynd heibio i rywle, a byd newydd yn dod rownd y gornel bob gafael.

Y mae'n disgrifio'r un math o ryfeddod yn y nos: 'Eisteddir megis yn y cyswllt rhwng canol dydd a chanol nos, a phopeth yn gwibio o'r nos i'r dydd ac yn ôl i'r nos.' Ac yna y mae'n cyffwrdd ag elfen arall o'r un ffenomen pryd y mae'n cyfeirio at yr hyn y mae'n ei brofi wrth weld 'peiriant arall yn dyfod i gyfarfod â ni, gan ymddangos fel petai'n hollol lonydd er ei symud'. Y mae'n gorgyffwrdd â rhywbeth sy'n agosáu at ddysgeidiaeth cymaroldeb Einstein, a rhywbeth sy'n ganolog i un o 'Four Quartets' T. S. Eliott,[22] wrth sylwi ar argraff o natur amser sydd erbyn hyn yn gwbl uniongred ond a oedd ar y pryd yn ddiau yn newydd iawn:

> ac nid yw'r amser a gymer i fynd heibio yn rhan o amser o gwbl. Rhywbeth ar ddigwydd neu wedi digwydd ydyw'r pasio. Nid yw'r bwlch mewn amser a deimlir yn y bore weithiau wedi trymgwsg, yn ddim tebyg i hwn.

Yna, y mae'n mynd ymlaen ar yr un trywydd i ddod yn nes fyth at syniadaeth cymaroldeb:

> Ond dyma'r teimlad rhyfeddaf oll. Wedi trafaelio'n ddygn a di-stop am bedwar ugain milltir o'r bryniau i lawr ymhell i lan y môr, dyweder . . . teimlaf fel petawn wedi fy ngadael fy hun ar ôl yn rhywle, a bod rhaid disgwyl i'r hyn ydwyf fy ngorddiwes, cyn fy nheimlo'n fyfi fy hun.

Y mae'n arwyddocaol, hwyrach, fod profiadau o'r fath, mewn cyfnod diweddarach, wedi ysgogi llyfr a enillodd statws cwltaidd am gyfnod ac a roes fod hefyd i ffilm o'r un enw.[23] (Fel mater o ffaith, ni fu hir oes i fotor-beics a'u cynyrfiadau dirgel yn hanes T. H. Parry-Williams. Nid oedd am fod yn fwy ffyddlon nag y bu, yn ôl ei gyffes beth bynnag, i'w gariadon eraill, oherwydd y mae llun ar gael o'r bardd a'i chwaer, Eurwen, yn gyrru o Ryd-ddu i Feddgelert yn ei gar modur cyntaf – y Bayliss Thomas, CC 3111 – ym 1922, yr un flwyddyn ag y cyhoeddwyd 'KC 16'. Ceir fyddai hi o hyn ymlaen.)

Y mae 'Gwybedyn Marw' yr un mor gyfoethog, er nad mor enwog, hwyrach, â rhai o'r ysgrifau eraill, ac mae'n enghraifft dda o'r modd y mae llawer o'r ysgrifau'n dod i fodolaeth. Y mae'n dechrau trwy ddisgrifio'r cyflwr meddwl lle mae dyn yn ymgolli yn ei fyfyrdodau, ac yn ei ynysu ei hun oddi wrth unrhyw beth allanol a allai ei styrbio:

> Gwyddwn fod sŵn o'm cwmpas, ond ni chlywn fawr ohono. Yr oeddwn mewn hanner distawrwydd. O'r distawrwydd hwn syllwn ar draws y stwr drwodd i'r mudanrwydd pell oedd y tu hwnt i'r awyr las.

(Y mae pawb wedi sylwi, mae'n sicr, mai rhai o'i hoff dermau am y cyflwr hwn yw teitlau tair o'i gyfrolau o ysgrifau, *Synfyfyrion*, *Myfyrdodau* a *Pensynnu*). Ta waeth, y mae rhywbeth yn yr amgylchedd yn ei dynnu'n ôl am ennyd o'r pellterau, sef yr union wydr y mae'n syllu drwyddo 'i'r mudanrwydd pell'. Ac mae'n dechrau myfyrio ar ryfeddod gwydr: 'Onid yw gwydr yn beth rhyfedd ac ofnadwy, yn ei hanes, ei gyfansoddiad a'i nodweddion?' (Dyma gwestiwn cyfan gwbl ddeallusol, ac 'rwy'n teimlo ambell dro fod ei feddwl chwilfrydig, diflino weithiau'n ymgiprys â'i dawelwch myfyriol yn y broses o greu'r cyfanwaith sydd, yn y diwedd, yn gyfuniad o'r naill a'r llall.) Y mae'r deall yn gyrru ymlaen: 'Datguddiodd gwydr a phelydr goleuni gyda'i gilydd ogoniant y cread i ddyn. Gwydr a holltodd oleuni a darganfod hanfod lliw.' Ac yna, fel pe bai'n cloffi ar hanner brawddegau, y mae'n symud yn ôl i ddull myfyrio, ac mewn paragraff sydd i raddau'n ein bwrw ymlaen i'r soned fawr, 'Dychwelyd', y mae'n rhoi rhwydd hynt i'w ddychymyg grwydro unwaith yn rhagor:

> Llithrodd cwrs fy myfyrdod i'r pellterau glas a thu hwnt, lle y mae'r distawrwydd mawr. Distawrwydd i ni, efallai, am na allwn glywed y sŵn. Yno, ond odid, yr â pob ochenaid, pob rheg, pob cryndod. Onid yw'r cynnwrf a gychwynnir ganddynt yn trafaelu tuag yno, ac yn distewi a llonyddu am nad oes neb yno i glywed na theimlo?

Ond mae'r myfyrdod am y pellterau llonydd yn cael ei styrbio unwaith eto gan iddo ganfod rhywbeth sydd rhyngddo a nhw: 'Rhyngof a glesni'r pellter canfûm yn sydyn ysmotyn tywyll, llonydd yn yr awyr,

Cudyll coch, mi wyddwn.' Yr oedd y gwybod fel pe bai'n reddfol, a bellach y mae'r dychymyg yn cael rhwydd hynt eto i adeiladu ar yr hyn a ganfu'r llygad. Y mae'n dychmygu 'ei ysglyfaeth yn crynu ar y ddaear dano â chryndod a'i cadwai yntau yn ei unfan'. Ac mae ef ei hun yn dechrau teimlo'r ofn y mae'n dychmygu fod y creadur ar y ddaear yn ei deimlo. Yna, y mae'n cystwyo'r ymennydd am greu'r fath beth ag ofn. Ni fyddai neb na dim yn ofni oni bai fod yr ymennydd yn cyfieithu'r ysgogiadau sy'n dod iddo a rhoi 'ystyr' yddynt. Y mae'n ceisio gwadu dilysrwydd ofn – ffansi ydyw. Ond 'tybiwn weld cryndod adenydd y cudyll eto, a neidiodd arswyd trwof. Ofn? Oes, ac nid oes dim sy'n fwy byw. Gwae'r creadur bychan, a gwae finnau wrth gydymdeimlo ag ef.' Ac mae'n mynd ymlaen i ddychmygu'r cudyll yn hofran yn hir, gan fwynhau'r aros, ac ofn y creadur islaw yn cynyddu. Yna, y mae'r awdur yn symud ei ben, ac mae'r 'cudyll' yn symud gydag ef; nid yw'r cudyll yn gudyll o gwbl, ond gwybedyn marw sydd wedi glynu wrth wydr y ffenest. Y mae'r gwydr ei hun, sy'n ei alluogi i edrych i'r pellterau, sy'n hollti goleuni er mwyn creu lliwiau, wedi ei dwyllo a gwneud ffŵl ohono. Nid oes unpeth yn sicr, ac mae hyd yn oed yr ofn sydd mor ganolog i'w brofiad yn medru bod yn gwbl ffug.

Fel y mae Saunders Lewis yn dweud yn ei adolygiad ar *Ysgrifau* yn *Y Faner*, er bod peth o'r 'pensynnu' ambell waith yn ymylu ar hunan-dosturi, y mae islais eironig a chyhyrogrwydd yr ymson deallusol ymron bob amser yn ei dynnu'n ôl o'r dibyn, ac mae hynny'n sicr yn wir am yr ysgrif hon, ac yn fwy byth am yr un ddilynol.

Molawd i'r cread, i gymhlethdod prydferth ei holl fanylion, yw 'Y Pryf Genwair', gyda'i ddisgrifiad telynegol rhyfeddol o weld y pryf genwair wedi'i binio ar fainc pryd yr oedd 'gwybod ei dras a hanes ei fywyd yn anfeidrol bwysig i mi'. Ond nid yw'n aros yn y fan honno. Y mae'n symud ymlaen i 'eiddigeddu' wrth ffordd o fyw y pryf genwair, gan mai 'Meudwy pridd y ddaear' ydyw. Y mae'n hollol amlwg fod cymhariaeth wamal yma rhwng y pryf genwair ac ef ei hun, a hwyrach mai'r llinellau mwyaf arwyddocaol yw:

> Yswil iawn ydyw: nid yn aml y daw'r cwbl ohono allan. Glŷn wrth y pridd cyhyd ag y gallo. Ie, creadur unig ydyw, a di-asgwrn-cefn (ond pa waeth? nid yw'n anystwyth nac ystyfnig) . . .

Ond druan â'r pryf genwair, er cymaint yr hoffai gael llonydd i fyw felly, y mae iddo yntau ei beryglon a'i elynion, er na wnaeth ddrwg i neb. Dyma natur y cread.

Hwyrach mai 'Oedfa'r Pnawn' yw'r fwyaf tryloyw o'r grŵp hwn o ysgrifau, gan nad yw'n cynnwys unrhyw un o'r ystrywiau a'r dyfeisiau llenyddol sy'n helpu i gynnal y gweddill. Y mae modd ei derbyn fel darn dilys o hunangofiant, darn sydd, fel y mae'n digwydd, yn dangos yn eglur fod ei ymlyniad wrth y capel fel gweithgarwch ac wrth grefydd fel consept yn parhau'n gryf iawn yn y 1920au, er iddo droi cefn ar aelodaeth eglwysig, ac er iddo golli ei ffydd yn y 'gwirioneddau' crefyddol. Parhaodd ar hyd ei oes i deimlo'n gynnes iawn tuag at y profiadau a gafodd yn y capel yn Rhyd-ddu yn ystod ei ieuenctid. Nid oedd yn creu na dicter nac ofn ynddo, er bod ei anallu i gredu yn sicr yn creu ymdeimlad o bechod.

Yn ystod yr ysgrif hon, y mae'n llechu mewn 'congl gynefin' yn y capel, yn lled gymryd rhan mewn oedfa brynhawn, a thra bod un rhan ohono'n gwrando ar y bregeth (ac yn wir, gallai ddweud am ba bethau yr oedd y pregethwr yn sôn), yr oedd rhan arall ar grwydr o gwmpas sawl synfyfyr cyfarwydd – natur yr hyn a welir trwy wydr, y synau a glywai'n bwrw i mewn o'r tu allan i'r capel, ac atgofion am bobl neu funudau arwyddocaol yn ei hanes. Y mae'n werth oedi gyda dau o'r rhain, gan eu bod hwythau'n codi rhyw fymryn ar gwr y llen. Wrth weld cipolygon trwy'r ffenest ar ffermwr yn cerdded ei stoc ar ochr y bryn:

> Cofiais am ŵr o Fôn yr ysgrifenaswn amdano rywdro yn rhywle, gŵr oedd 'ar gyfeiliorn', gŵr a'r ysfa fynd rownd ynddo. Gŵr doeth ydoedd, ond heb fod yn gall: dywedai'r gwir: siaradai'n ynfyd. Daeth rhai o'i ddywediadau i'm cof . . .

Ac ymysg nifer o ddywediadau digon bachog a berthynai i'r gŵr ffug neu ffeithiol hwn, yr oedd y canlynol: 'Twyll yw sail popeth – gêm ydyw hi i gyd'. Y mae'n gorffen trwy ddweud am y gŵr o Fôn: 'Ynfytyn: Proffwyd'. Y mae'r gwahaniaeth rhwng callineb a doethineb yn wahaniaeth y mae'n dychwelyd ato fwy nag unwaith ac, wrth gwrs, y mae'n arwyddocaol fod yr ynfytyn-broffwyd o Fôn yn gweld twyll ym mhopeth. Y mae'r ail atgof yn dod â ni'n ôl at hen thema hefyd:

> Clywn chwyrnellu motor car hyd y ffordd ac i lawr yr allt. Ar bnawn Sul tebyg ryw drimis ynghynt yr oeddwn innau'n mynd ar yr hen feic, ac wedi eistedd dan goeden ar ochr y ffordd ar gwr tref Dolgellau i ymochel rhag cawod o law taranau. Gyferbyn â mi yr oedd adeilad mawr, a chanu gwresog o'r tu mewn am 'gymdeithas yma'n gref', a 'braint yw cael cymdeithas gyda'r saint'. Teimlwn yn euog a digalon. Gofynnais i fachgen a âi heibio, pa addoldy oedd hwnnw, 'Wercws'.

Yr oedd y teimlad o euogrwydd yn anochel: yr oedd hyd yn oed drueiniaid y wercws yn medru sôn am fraint cymdeithas y saint, rhywbeth na fedrai ef ei rannu.Wrth godi i fynd allan, cofiai mai cyfarfod gweddi fyddai moddion yr hwyr, a daeth i'w gof

> ryw ŵr mwynllais oedd bob amser yn gweddïo yng ngeiriau'r Salmydd a'r Perganiedydd . . . Wrth fyned adref hyd ochr y ffordd . . . cofiwn amdano un tro yn gofyn i'r Arglwydd gofio am 'y rhai oedd ar ochrau'r ffyrdd'. Y gŵr melyslais, duwiol. Odid na chawn glywed sŵn ei lais hyfryd yn fy nghyfareddu eto a'i sôn am 'afonydd Babilon' a'r 'pethau nad adnabu'r byd'.

Y mae rhywbeth uniongyrchol ac agosatoch yn yr ysgrif hon sy'n adlewyrchu'r hiraeth sydd ynddo am gael rhannu duwioldeb syml y pregethwr a'r hen ŵr yn y cyfarfod gweddi.

Hiraeth a cholled yn ddiamau yw thema 'Ceiliog Pen-y-Pas' hefyd. Y mae gweld hen geiliog di-raen, di-gân ar ochr y ffordd ar ben Pas Llanberis yn rhyddhau pob math o emosiynau ynddo:

> Syllais yn hir arno, a daeth rhyw hiraeth rhyfedd drosof am bethau a fu, am geiliogod eraill y gwyddwn yn dda amdanynt . . . Parai'r olwg ddi-raen a digalon oedd ar y ceiliog hwn imi ofidio a chywilyddio – ni wn am ba beth.

Ond fe wyddai am beth y gofidiai, am fod erlid a dioddef erlid yn rhan o natur y cosmos, anifeiliaid a dynion fel ei gilydd. Y maent yn clywed cân ceiliog ifanc, ac y mae ofn i'w weld yn llygaid yr hen geiliog –

> yr ofn sydd yng nghalon yr erlidiedig, yr arswyd a ddaw o deimlo presenoldeb yr heliwr a'r disodlwr. Os byth yr ewch dros y Bwlch, teflwch olwg i'r chwith ar y top, ac odid na welwch yr hen bererin sydd wedi heneiddio ar y mynyddoedd: ac o fynd yn agos ato, cewch weld hefyd yn ei lygaid gysgod yr ofn anhraethadwy sydd yng nghalon yr hwn a erlidir.

Wedi anghofio'n llwyr, fel y dywed, am geiliog Pen-y-Pas, ryw ddeufis wedi iddo ei weld, yr oedd y Parry crwydrol yn disgwyl y trên olaf am adref ar y lein fach – yn ôl ei arfer, a allwn fentro dweud? Yr oedd yn noson lawog, niwlog, ac yn sydyn digwyddodd rhywbeth annisgwyl:

> gwelwn bedwar o blismyn talgryf (plismyn oedd tri wrth eu gwisg, a dyna oedd y pedwerydd, y mae'n debyg, 'yn ei ddillad ei hun') yn dyfod

dros wifrau'r ffensin i gyfeiriad y stesion, a chyda hwynt lefnyn o ddyn ieuanc main . . .

Yr oedd y gŵr ifanc wedi ei ddal yn cuddio mewn beudy. Yr oedd yn droseddwr yn erbyn y gyfraith. Ond yr hyn a welai Thomas oedd yr ofn yn ei lygaid, a chofiodd ar unwaith am yr olwg yn llygaid y ceiliog ar Ben-y-Pas. 'Daethai drosof eto ofid a chywilydd na wyddwn yn iawn am beth', ac 'Yr un yw'r cysgod a welir yn llygaid yr erlidiedig, boed ddyn ieuanc, boed hen aderyn.'

Y mae 'Ceiliog Pen-y-Pas' yn gerdd bros arbennig iawn, yn waedd o gydymdeimlad dros bawb a phopeth sy'n cael ei erlid, am ba reswm bynnag. Nid oes lle i amau dyfnder cydymdeimlad y bardd â thrueiniaid y byd, na'r ffaith ei fod yn gweld ym mhobman o'i gwmpas, fel y dywedodd y bardd, William Blake:

> And mark in every face I meet
> Marks of weakness, marks of woe . . .

a'i fod hefyd yn gorfod dweud, gyda Blake:

> Can I see anothers woe,
> And not be in sorrow too?
> Can I see anothers grief,
> And not seek for kind relief.[24]

Dyma'r 'cydymdeimlad' y soniodd amdano yn ei gyfweliad â Caerwyn Williams.[25] Gall fod digwyddiadau penodol yn ei fywyd ef ei hun, a phethau a welai ac a glywai y tu allan iddo ef ei hun, yn ysgogi'r angerdd a greodd y cerddi ond, y tu hwnt i hynny, yr oedd ynddo reidrwydd anochel y gwir artist i ymateb i brofiad y greadigaeth a'i fynegi. I Parry-Williams, ar y pwynt yma yn ei fywyd, ac yn wir bob amser ar ôl iddo adael Rhyd-ddu, yr oedd y profiad yn drasig, er mai ymateb priodol y bod dynol oedd stoiciaeth ffraeth, ddeallus a dewr.

Wedi treulio yn agos i bum mlynedd yn gweithio'n galed iawn gyda'i fyfyrwyr ac yn gosod sylfeini ei *oeuvres* llenyddol, aeth Parry-Williams dros y môr ar antur a oedd, ar yr wyneb, yn annisgwyl. Penderfynodd y byddai'n treulio'r gwyliau haf, yn lle mynd yn ôl i Ryd-ddu yn ôl ei arfer, trwy fynd ar fordaith hir i Dde America.

Fel hyn y mae'n disgrifio'r mater mewn ysgrif, 'Llysywod', a gyhoeddodd flynyddoedd yn ddiweddarach, yn *O'r Pedwar Gwynt* (1944):[26]

Duw yn unig a ŵyr pa beth a barodd i mi wneud peth mor rhyfedd – i mi. Yr oedd cymaint o fodder gyda chael pob math o visa a gweld cynrychiolwyr y gwahanol wledydd tramor oedd i fod ar lwybr y daith, a chant a mil o ffwdanau a thrafferthion, fel y mae'n broblem annatrys i mi yn awr wybod sut yn y byd mawr y mynnais wneud y fath beth a threfnu'r daith hon.

Aeth, fel mater o ffaith, ar *liner* ddigon cyfforddus, i lawr i arfordir gogledd Sbaen i ddechrau, ac yna rhwng ynysoedd yr Azores i Ciwba, ar draws Môr y Caribî, trwy Gamlas Panama ac i lawr arfordir gorllewinol De America cyn belled â Valparaiso. Wedyn, aeth ar draws gwlad, gan groesi'r Andes mewn trên, i Buenos Aires; yna i fyny'r arfordir dwyreiniol cyn belled â Pernambuco, ac yn ôl ar draws yr Iwerydd i Southampton, gan alw ar hyd arfordir Portiwgal ar y ffordd. Cychwynnodd o Lerpwl ar 9 Gorffennaf 1925, a glaniodd yn Southampton ar 8 Medi. Bu ymron union ddeufis ar y daith, ac yr oedd yn wir yn daith anturus, a hyd yn oed yn beryglus, yn y dyddiau hynny. Â'r ysgrif yn ei blaen:

Gwarchod pawb! Dyna wallgofrwydd. A mynd fy hun. Ond mi euthum – do; y mae'n rhyfedd gennyf ddweud – ac yr wyf hyd heddiw yn methu coelio i mi wneud y fath beth anghredadwy. Dyn oedd yn cydio ym mhob cyfle i fod gartref yn ei ardal gysefin a chynefin, yn aberthu o'i wirfodd fisoedd o aros braf yno . . . a mentro i leoedd mor ddieflig o anystyriol a pheryglus.

Wel ia. Ond mae'n cynnig math o reswm i ni ymhellach ymlaen:

Am a wn i nad y diawledigrwydd hwnnw sy'n corddi dyn weithiau, a'm gyrrodd ar y daith ofnadwy honno. Mi wneuthum beth tebyg wedyn, fwy nag unwaith. Dyn yn mynnu creu ystorm yn ei enaid ei hun, efallai, i ddarganfod ei gynheddfau a'r hyn sy'n ffurfio'r peth a elwir yn 'bersonoliaeth'.

Wel ia, eto. Gwyddom am y 'diawledigrwydd' sy'n peri iddo fynd yn groes i'w natur arferol a chymryd penderfyniadau mawr yn ymddangosiadol fympwyol ar adegau. Ond mae rheswm amdanynt bob amser; nid mympwy ydynt, mewn gwirionedd. Tybiaf ei fod yn nes at y gwir pryd y mae'n dweud mewn man arall ei fod angen dod wyneb yn wyneb ag ef ei hun ymhell o'i gynefin a'i gydnabod. Yr oedd yr angen wedi dod unwaith yn rhagor, dybiwn i, am ba gyfuniad bynnag o resymau, i'w ailystyried ei hun a phwrpas ei fywyd. Nid oedd llonyddwch y pum mlynedd a aeth heibio ddim yn boddhau'r cyfan ohono'n ddigonol; hwyrach fod gwewyr pa berthynas bynnag yr oedd yn cyfeirio ato yn y cerddi serch o hyd yn ei glwyfo. At hyn i gyd, a hwyrach yn bwysicaf oll, er bod angen dybryd am dawelwch meddwl arno ym 1920, ac er bod llonyddu ac ystyried wedi ei alluogi i ysgrifennu cerddi o bwys, credaf ei fod yn dechrau ofni fod yr ysgogiadau a roes fod i'r cerddi yn y lle cyntaf yn prinhau. (Nid oes yr un ysgrif gyhoeddedig yn dwyn y dyddiad 1924, dim ond un rhigwm, 'Celwydd', ac un soned, a honno'r ebychiad eironig, 'Paradwys'. Mewn ffordd, yr oedd wedi ei ddal mewn paradocs na allai ddianc ohono: ar y naill law, yr oedd am ei ddiogelu ei hun rhag yr ergydion a oedd wedi ei glwyfo yn y gorffennol; ar y llaw arall, yr ysgogiadau emosiynol dyfnaf oedd gwreiddiau ei gerddi – hyd yn oed os oedd eu ffurfiant yn codi o ddigwyddiadau diriaethol a gwahanol – a chreu'r cerddi, bellach, oedd *raison d'être* ei fywyd. Hwyrach y byddai taith bellenig, ymhell o'i fro a'i gydnabod, yn creu emosiynau newydd y byddai'n medru delio â nhw, a hwyrach y byddent hwythau yn eu tro yn ysgogi cerddi. Credaf mai rhan o fwriad y daith, yn syml iawn, oedd chwilio am ysbrydiaeth newydd.

Faint bynnag o wir sydd yn hynny, gyda meddwl trwblus yr aeth ar fwrdd yr *Oropesa* ar 9 Gorffennaf, yn ôl tystiolaeth ei ddyddiadur. Dyma'r nodiadau a ysgrifennodd ar y diwrnod hwnnw:

Nid oedd (o drugaredd) neb o'm ceraint yn ffarwelio â mi ar y lan nac ar y bwrdd. Heddyw yr wyf yn unig iawn – ond yr wyf wedi arfer bod yn unig erioed. Credaf fy mod yn giamstar ar fod yn unig.

Weithiau daw rhyw fflach o feddwl am fy rhieni – ond nid wyf am adael i'm teimladau fy llethu os gallaf beidio.

Gellais ymadael â chartref yn weddol ddibrofedigaeth; nid oedd fy nhad a'm mam na minnau, efallai, yn gadael i ni ein hunain sylweddoli fy mod yn mynd ymhell – Enghraifft arall o'r bod yn ddidaro rhyfedd hwn. Credaf i'r teimlad ryw ddechrau cynhyrfu ryw unwaith wrth edrych drwy'r gwydrau ar yr hen fynyddoedd.[27]

Bu'n sâl môr, fel sawl un arall, wrth groesi Bae Biscay, ond erbyn 11 Gorffennaf, yr oedd rhigwm wedi dod, er nad oedd yn rhigwm a gynhwyswyd yn *Cerddi*. 'La Rochelle' yw ei deitl, a galaru y mae am ei gyflwr dideimlad:

> Nid oes arnaf hiraeth, – O Dduw, paham?
> Nid yw fy nghalon am roddi llam.

Nid oes farddoniaeth mewn sêr na môr
I mi ar y llong.
A newidiodd yr Iôr
Fi'n rhywun arall cyn mynd i'r môr?[28]

Trannoeth, glaniodd yn Santander, a mwynhau ffair yn y dref. Hyn a ddywed yn ei nodiadau:

Ni bûm yn myfyrio llawer eto ar y fordaith: ceisio cadw rhag hynny orau y gallaf, rhag i bryderon a phethau annifyr ddigwydd dyfod i mewn i'r myfyrion. Felly byw ar yr wyneb yr ydwyf – cymryd pethau fel y deuant. Am hynny, ond odid, nid oes gennyf destun cân.[29]

Ond daeth cân arall y diwrnod wedyn, i 'La Corunna', sy'n cyffelybu bryniau Galisia i fryniau Arfon – 'Nid wyf yn Ysbaen, – ni welaf i/ Ond bryniau Arfon ar draws y lli.' Erbyn 15 Gorffennaf, y mae allan ar y môr mawr, yn gweld 'dim ond môr ac awyr a chymylau', ac 'yn y pnawn daeth rhyw ffit fer o hiraeth neu'n hytrach o eisiau mynd adref. Lleddais ef yn y fan. Ni wiw i mi ddechrau coleddu teimladau na meddyliau o'r fath.'[30] Daw un arall o'r *genre* y gallwn eu galw yn rhigymau daearyddol y diwrnod hwn, ac yr oedd hon hwyrach yn nes at yr hyn y mae'n chwilio amdano:

Tir a Môr

Gynt yng nghyfnod fy mebyd gwyn
Trafaeliai'r dyddiau o fryn i fryn.

Wedyn trafaelient wrth alw'r (yn nwylo'r)* Iôr
Hanner yn hanner – o fryn i fôr.

Ond erbyn hyn, trwy niwl a nwy,
O'r môr i'r môr y trafaeliant hwy.[31]

*[Nid oedd yn siŵr p'run.]

Nid oedd hyn yn debyg o godi ei galon, gan nad oedd yn hoff iawn o'r môr ar y gorau! Y diwrnod canlynol, cawsant gipolwg ar yr Azores wrth fynd heibio, a chreodd y cipolwg hwnnw y rhigwm cyntaf iddo ysgrifennu ar y daith a'i gynnwys wedyn yn *Cerddi*, y rhigwm 'O

Pica',[32] teyrnged fer i fynydd sy'n codi'n syth o'r môr ac yn glynu yn ei ymwybyddiaeth er mai cip yn unig a gafodd arno. Erbyn 17 Gorffennaf, y mae mewn tipyn gwell ysbryd, ac mae'n dechrau cymryd sylw o'r hyn sy'n digwydd o'i gwmpas:

> 9.30 pm. Dawnsio ar y dec. Dawnsiais gyda Saesnes a Sbaenes![33]

Y diwrnod hwn, hefyd, y mae'n ysgrifennu'r rhigwm 'Undonedd',[34] ac mae fel pe bai'r fordaith yn dechrau ateb ei phwrpas, ac ar y diwrnod canlynol y mae'n derbyn nodyn radio o gartref yn dweud fod 'Dr Jones' yn adrodd 'Great improvement father'. Ac os oedd angen inni gael rheswm ychwanegol dros ei ysbryd isel ar gychwyn y daith, byddai afiechyd ymddangosiadol ei dad, ac yntau eisoes wedi penderfynu mynd ymhell oddi cartref, yn sicr yn trymhau'r cymylau. Y mae hefyd yn nodi 'Heddyw, onide, y mae Blodwen yn gadael am yr Amerig'; yn ddiau i ymweld â'r teulu, ond yr oedd aelwyd Rhyd-ddu am weld haf go amddifad. Dydd Sul oedd y diwrnod canlynol, ac aeth i wasanaeth Anglicanaidd – arferiad go gyson ganddo ar y daith – ac ysgrifennodd y rhigwm 'Ar y Dec',[35] y gryfaf yn sicr o'i gerddi taith hyd yn hyn. Y mae'n gweld lleian yn cerdded y dec a chroeslun am ei gwddf, ac mae'n dotio at y ffaith mai'r 'ddolen' sy'n dal y Crist croeshoeliedig am ei gwddf yw 'ei phaderau hi', sef, wrth gwrs, y gleiniau rosari y mae'n eu cyfrif wrth ddweud ei 'phaderau'. Ac yna y mae'n gorffen gyda chwpled cryf ym mhob ffordd, yn ei eironi, yn ei gytbwysedd, yn rhythm urddasol yr ail linell estynedig, ac yn wir yn ei ddiwinyddiaeth: y mae'n sylw cynnil a chyfoethog ar archolladwyaeth yr Ymgnawdoliad:

> A Chrëwr y môr, fel ninnau bob un,
> Yn ysgwyd ar ymchwydd ei gefnfor ei hun.

Os oedd yn wir yn teimlo fod yr ysbrydoliaeth wedi gwanio, siawns na fyddai dyfodiad y cwpled hwn wedi codi tipyn ar ei galon. Ac i gadarnhau fod pethau'n edrych yn well, cafodd sgwrs â Chymro ar y dec y diwrnod canlynol – saer coed y llong. 'Wedi cael sgwrs â'r Cymro aeth y cymylau a'r môr a phopeth yn fwy cartrefol'.[36]

Trannoeth, yr oedd pethau'n gwella eto, gan iddo gyfarfod â rhywun â synnwyr digrifwch tebyg i'w synnwyr digrifwch ef ei hun, cyfrifydd o'r enw Tomlinson, a gwelodd y ddau bysgod hedegog gyda'i gilydd, arwydd ddigamsyniol fod y môr yn cynhesu. Ond nid yw'r boen meddwl wedi diflannu chwaith. Ar 23 Gorffennaf, ar ôl nodi ei fod yn dechrau darllen *Arrow of Gold* Joseph Conrad – y mae'n llarpio nofelau Saesneg ymron yn ddyddiol ar hyd y daith – y mae'n dweud: 'Ni waeth heb a dechrau myfyrio a phensynnu. Edrych ymlaen sydd orau – a dal i gredu.'[37] Dau ddiwrnod wedyn, ceir rhigwm arall a ddaw yn rhan o'r canon, 'Yng Ngwlff Mecsico'.[38] Yr ydym yn ôl gyda'r thema o dwyll, neu'n hytrach hunan-dwyll, yn y rhigwm hwn, sef fod y 'llanc o Arfon' wedi cael ei dwyllo gan hud 'Enwau a phellter' i '[w]eld y byd', ac mai yn yr enwau a'r syniad o bellter, nid yn y realiti, sy'n medru bod yn ddigon hyll a brawychus pan ddaw, y mae'r hud. Sonia yn y rhigwm am sefyll yn hurt, 'ymhell o'i Ryd-ddu', wedi angori ym mhorthladd Hafana. Cafodd amser digon difyr y diwrnod canlynol, serch hynny, wrth lanio gyda'i gyfaill newydd, Tomlinson, Cymro o Abertawe, ac Americanwr a oedd yn gwybod ei ffordd o gwmpas. Aeth ef â nhw i erddi trofannol yn perthyn i fragdy, lle'r oedd cwrw i'w gael am ddim o ffownten – cyffesodd Thomas iddo gael dau lasiad! Ond wedyn trawodd ar rywbeth a lusgodd ei feddwl yn ôl i bethau meidrol yn ddigon cyflym. Gwelodd fynwent, lle'r oedd tomen o esgyrn dynol wedi'i ffensio i ffwrdd mewn un gornel. Yr hyn oedd wedi digwydd, mae'n debyg, oedd fod esgyrn unrhyw gorff nad oedd y teulu'n medru talu rhent am ei fedd yn cael eu codi, ar ôl tair blynedd o bydru angenrheidiol, a'u taflu i'r domen. Aeth yn ôl i'r llong mewn cyflwr meddwl sobr iawn, ond codwyd ei galon rywfaint unwaith yn rhagor trwy dderbyn cebl oddi wrth ei dad yn dweud 'All right'.

Wedi iddynt adael Ciwba, cododd storm, fel y gall wneud yn sydyn ar fôr y Caribî, ac fe deimlodd '[d]ipyn o rywbeth ym mhwll y stumog'. Aeth y tri chyfaill i'r lan eto, serch hynny, yn yr harbwr nesaf, Colon, ar 29 Gorffennaf, ynghanol storm liwgar o fellt didaranau – un arall o driciau'r Caribî – a mynd i'r *Government Club* am 'drinks'. Gwelodd Thomas y negroaid, nid am y tro olaf ar y daith, yn byw'n 'rhyfedd iawn'. Yna, y maent yn mynd trwy Gamlas Panama y diwrnod canlynol ac ar 31 Gorffennaf yn cyrraedd 'Y Pasiffig', ac mae'n ysgrifennu rhigwm sy'n nodi'r ffaith fod y Tawelfor yn troi'n dawelfor yn wir ar ôl ymdrechion y Caribî i'w ddychryn â'r mellt a'r glaw didrugaredd, a diflaniad Seren y Gogledd o'r awyr i droi ei fyd wyneb-i-waered:

> Nid oedd hyn ond dy giprys ysmala di
> Â llanc anghyfarwydd â thriciau'r lli:
>
> Ac ni'm dychrynaist, cans gwn mai'r Môr
> Tawel y'th elwir – (a) diolch i'r Iôr.[39]

Y mae'n ddiddorol sylwi ei fod yn anhapus â'r cwpled olaf, a'i ddat-ganiad trwm-ryddieithiol, a chyn ei gyhoeddi y mae wedi ei newid i ddarllen:

> Ond gwn i mi ddysgu nad oes brad
> Yn ystyr d'enw, yn ysgol fy nhad.[40]

Y mae'n anodd gwybod pryd y gwnaethpwyd y newid, na faint o arwyddocâd sydd i'w gynnwys, o'i wrthgyferbynu â thyndra ei ystyr a'i rythm, sy'n sicr yn gryfach na'r diwedd gwreiddiol. Ond mae'n wir hefyd fod cyflwr iechyd ei dad ar ei feddwl gryn dipyn y dyddiau hyn, oherwydd y mae'n ymateb i bob cebl sy'n cyrraedd.

Yn ystod dyddiau cyntaf Awst, y mae'n hwylio'r Tawelfor 'tawel' ac yn gwneud a gweld rhyfeddodau – croesi'r cyhydedd, gweld albatros yn dilyn y cwch, gweld morlo, ac, am y tro cyntaf, gweld llongau hwyliau'n mynd heibio, gweld Croes y Deau yn yr awyr am 9.00 yr hwyr, ac yn y bore gweld yr Andes ar y gorwel. Ond yna, yn ystod y dyddiau canlynol, y mae'r ysbryd yn plymio eto, a'r tro hwn, yn y lle cyntaf, oherwydd iddo weld ynys San Lorenzo ar y gorwel, ynys a grëwyd dros nos gan ddaeargryn ac a oedd, erbyn iddo ef ei gweld, yn garchar i droseddwyr. Ysgrifennodd rigwm grymus, ffyrnig, sy'n bwrw ei lid ar yr ynys yn gwbl ddigyfaddawd. Y mae'n cychwyn trwy weld ei chreadigaeth yn ffenomen ofnadwy:[41]

> Gwthiodd daeargryn dy domen di
> Ryw noswaith ddychrynllyd i wyneb y lli,

fel pe bai yno o'r cychwyn i gyflawni rhyw bwrpas dieflig. Y mae'n ei ddisgrifio'n sefyll yn 'swrth' ym mae Callao, ac yna, fel pe bai'n newid y cywair, yn disgrifio Croes y Deau yn syth uwchben, gyda chymhariaeth eironig amlwg â seren Bethlehem ar y naill law, ac â'r brynedigaeth ar y Groes ar y llaw arall. Ond nid yw symbol y groes o unrhyw fudd i'r ynys gondemniedig hon, oherwydd:

> . . . 'does ynot ond fflyd
> Mwrdrwyr a lladron a sgarthion byd.

A ffawd yr ynys, medd y bardd, ryw noson dywyll, ddi-loer, fydd diflannu'n ôl i'r dyfnder, hi a'i thrigolion. Y mae'n gorffen gyda chwpled ofnadwy, sy'n atgoffa dyn o linellau hunanfelltithiol Eliot:

'I should have been a pair of ragged claws/ Scuttling across the floors of silent seas':[42]

> A mwyach ni byddi, yng ngolwg yr Iôr,
> Ond cramen esgymun ar waelod y môr.

Y mae cerddediad morthwyliol pedair acen y llinell olaf yn derfynol yn eu mynegiant o gas. Y mae rhai pethau, a rhai lleoedd, y tu hwnt i waredigaeth iddo. Ysgrifennwyd y rhigwm yn harbwr Callao, ac mae'r cas a deimla tuag at yr ynys yn cael ei ategu'n llwyr gan y cas a deimla tuag at Callao, unwaith y mae'n glanio yno y bore wedyn: 'Lle ofnadwy ydyw Callao – budr a phob ysborion cymysglyd o bobl i'w gweld o gwmpas. Ni welais y fath wynebau anfad erioed.'[43] Y mae'n mynd ar fws i Lima, ond mae'r byd yn hyll iawn ar hyn o bryd – nid yw Lima fawr gwell na Callao: 'Nid oes arnaf eisiau gweld y lle hwn byth eto.'[44] Yr oeddynt wedi gorfod cael eu harchwilio gan filwyr/plismyn ar fwrdd y llong cyn cael glanio yn Callao a dangos tystysgrif chwistrelliad, a chael rhybudd fod pawb i fynd a'u pasport i *prefectura* yr heddlu ar ôl cyrraedd y lan: 'Nid oedd eisiau dim o'r holl lol yn y diwedd. Ni welent byth neb gwaeth na hwynthwy eu hunain.'[45] Ar 6 Awst y mae'n cyrraedd Mollendo. Nid yw'r lle hwnnw'n galw am rigwm, ond rhoddodd fodolaeth i un o'i ysgrifau pwysicaf, 'Yr Ias';[46] gan mai 1927 yw'r dyddiad sydd ynghlwm wrthi, a chan fod ystyriaethau lletach o lawer na'r profiad uniongyrchol o weld Mollendo yn ymhlyg ynddi, bodlonwn ar ddweud, am y tro, fod Mollendo hefyd yn codi arswyd arno: 'Dyma'r lle mwyaf diolwg a phrimitif a welais eto ar y daith.'[47]

Y diwrnod canlynol, y mae'n mynd i'r lan yn Arica, sy'n ei blesio rywfaint yn well, gyda chyfeillion newydd, gan fod ei hen gyfeillion i gyd wedi gadael y llong yn Callao, ac mae'n cael cebl arall o Gymru yn dweud 'All well' am ei dad. Ar y ffordd i'r lle nesaf, Antofugosta, y mae'n cael profiad arall sy'n codi ei ben mewn ysgrif ymhellach ymlaen, sef cyfarfod â gwallgofddyn ar fwrdd y llong, a chredu fod hwnnw am ymosod arno. Rhwng popeth y mae pethau'n parhau'n dywyll, ac yn Antofugosta, y mae'n cofnodi ymateb chwyrn arall i bethau:

> Yr oedd haid o dagoes – fel arfer – yn dadlwytho trwy'r dydd heddiw . . .
> Yr oedd golwg arw ar rai o'r giwed a ddaeth i'r llong, yn enwedig rai o'r taclau sy'n mynd i'r trydydd dosbarth.[48]

ac yna:

Y mae'n rhy hwyr gennym gael cychwyn o'r fangre diolwg yma.[49]

Nid wyf yn credu y dylem wneud môr a mynydd, o'n safbwynt gwleidyddol-gywir ni, o'r ffaith ei fod yn croniclo, â'i onestrwydd arferol, sylwadau y byddem heddiw yn eu hystyried yn hiliol ynglŷn â negroaid, 'dagoes' ac ati. Y gwir yw, 'rwy'n credu, fel y gwelwn i raddau wrth drafod 'Yr Ias', ei fod wedi cael llond bol ar fod ar fwrdd llong, fod budreddi a blerwch a thlodi eithafol yr hyn y byddem yn ei alw bellach yn 'Drydydd Byd' wedi cael effaith fawr, ymron yn gorfforol, arno, a bod y ffaith ysgytwol wedi dod drosto, yn y fath amgylchedd, ei fod mor bell oddi cartref, 'ac mor anobeithiol fyddai gallu dychwelyd mewn pryd petai'r peth mwyaf erioed yn galw amdanaf'. 'Y peth mwyaf erioed', wrth gwrs, fyddai iddo glywed fod ei dad yn gwaelu, neu hyd yn oed wedi marw. Yr oedd y Thomas ofnus, gorofalus, petrus, wedi dychwelyd yn ei anterth am rai dyddiau a pheri iddo ofyn beth yn y byd yr oedd yn ei wneud yn y fath le, yn lle bod gartref yn Rhyd-ddu.

Yr oedd, serch hynny, yn teimlo digon o gywilydd ei fod yn casáu pawb a phopeth nes iddo ysgrifennu, rywdro yn ystod y dyddiau hyn, y gerdd 'Carchar',[50] lle mae'n sôn am 'Ciwed gymysglyd gwledydd y De' a dweud yn blwmp ac yn blaen:

> Ni allaf oddef eu gwep a'u gwedd,
>   Cas gennyf dro'r llygad a'r trwyn,
> Siâp eu pennau a llyfnder eu gwallt,
>   Eu dwylo modrwyog a lliw eu crwyn.

Y mae wedi ei garcharu ymysg y rhain, ac mae'n gofyn caniatâd ei Greawdwr – a'u Creawdwr hwythau – i gael gwneud rhywbeth y mae'n gwybod sy'n anamddiffynadwy, ond mae'n gofyn, serch hynny:

> Gad imi ennyd, O Arglwydd Dduw,
>   Gasáu dy greadigaethau Di.

'Rwy'n credu hefyd mai i'r dyddiau hyn y perthyn y gerdd fach dyner, 'Y Weddi',[51] lle mae'n dweud ei fod yn teimlo cynhesrwydd cyffyrddiad rhyw weddi, a'i fod yn gwybod pwy a'i hanfonodd o Gymru i'w gysuro. Nid oes unrhyw amheuaeth nad yw, ar y pwynt yma ar ei daith, yn dyheu am fod gartref yn ôl.

Ond, yn ffodus, y mae'r llong yn awr yn cyrraedd Valparaiso, a diwedd y rhan honno o'r daith, ac mae prysurdeb glanio a delio ag anghenion swyddogol cyrraedd gwlad newydd yn cymryd drosodd. At hyn, yr oedd Valparaiso yn ddinas hardd, ac yntau'n cael 'lunch' yn y Valparaiso Club gyda chynrychiolydd y cwmni llongau: 'Dau cocktail a gwin gwyn – siriolais lawer'. Y mae'n mynd i Santiago ar y trên y diwrnod canlynol – yr ydym bellach wedi cyrraedd 13 Awst – ac mae'n gwneud llawer o gymariaethau â Drws-y-coed, yr Wyddfa ac yn y blaen, wrth fynd trwy'r mynydd-dir. Y mae'n mwynhau Santiago hefyd, ond mae'n deffro'r diwrnod canlynol gydag annwyd pen, ac mae pethau'n dechrau mynd ar i waered eto! Y mae 15 Awst yn ddiwrnod drwg. Y mae ei docyn trên i Buenos Aires wedi mynd i'r lle anghywir, y mae ei fagiau ar goll, ac mae'r annwyd pen yn gwaethygu. Y mae pethau'n dod at ei gilydd cyn diwedd y dydd, a'r diwrnod canlynol y mae'n cychwyn ar y *Pullman* at draws yr Andes. Ar 17 Awst, y mae'n deffro i weld gwastadeddau'r pampas ac yn y man yn cyrraedd Buenos Aires. Nid oes neb yno i'w gyfarfod, ac mae'n rhaid iddo ffeindio'r gwesty ar ei ben ei hun. Yn Buenos Aires y mae'n oer ac yn bwrw glaw, ac mae Thomas yn cofio mai'r gaeaf ydyw islaw'r cyhydedd. 'Does dim awydd arno archwilio Buenos Aires, ac mae'n mynd ar ei union ar fwrdd y llong newydd, yr *Avon*. Y mae llythyrau'n cyrraedd oddi wrth Oscar, Blodwen a'i dad cyn i'r llong gychwyn, ac mae'n dechrau ei gysuro'i hun ei fod bellach ar ei ffordd adref:

Erbyn hyn rwyf wedi ymollwng rhyw fymryn bach i feddwl neu'n hytrach fyfyrio. Ni feiddiwn wneud hynny o'r blaen . . . Yr wyf wedi edrych ymlaen llawer – yn ddistaw bach – at gael bod ar fwrdd y llong hon adref – ond nid wyf am lawenychu gormod yn rhy fuan. Dysgais yn ystod fy mywyd beidio â gorfoleddu.[52]

Ac ymhellach ymlaen:

Bûm yn crwydro'n unig ar y dec heno . . . Aeth rhyw arswyd drosof wrth feddwl am y noson gyntaf honno o Lerpwl. Diolch nad oeddwn yn gadael i mi fy hun geisio sylweddoli 'enbydrwydd yr antur'.[53]

Y mae'n deffro ar fore 19 Awst yn Montevideo, ond mae mŵd digalon iawn arno, ac, am y tro cyntaf, nid yw'n codi i frecwast. Y mae darn o'i ddant yn disgyn allan, ac mae'n aros yn ei ystafell yn darllen Chesterton. Y mae'n dal yn ddifywyd ac yn croniclo ychydig iawn o'r hyn y mae'n ei weld nes cyrraedd Rio de Janeiro ar 23 Awst. Yno, y mae'n penderfynu mynd i'r lan a chymryd trên ar hyd yr arfordir.

Ar ei ffordd yn ôl i'r llong y min nos hwnnw y mae'n gweld 'Y Ferch ar y Cei yn Rio' ac fe ddaw un o'i gerddi enwocaf i fodolaeth. Fel gyda 'Dwy Gerdd' a 'Carchar', y mae cerddi'n dod, o bryd i'w gilydd, na ellir eu cynnwys o fewn fframweithiau gofalus naill ai'r rhigwm na'r soned. Caneuon ydynt, mynegiant uniongyrchol o gyflwr emosiynol, a ffurf telyneg sy'n addas ar eu cyfer. 'Y Ferch ar y Cei yn Rio', hwyrach, yw'r enghraifft glasurol. Fel y mae'n egluro mewn man arall, y mae'n sylwi ar y ferch hon, ynghanol miri a phrysurdeb y cei, fel pe bai ei lygaid yn gamera ffilm, yn closio i mewn ar wyneb y ferch arbennig hon. Y mae'r olwg sydd ar ei hwyneb yn codi arswyd arno ac, ar yr un pryd, dosturi mawr drosti. Ac yna fe ddaw'r gerdd, math o stori fer gynnil, gynnil mewn mydr. Y mae'r gerdd yn rhy gyfarwydd i'w hatgynhyrchu yma, ond dylid nodi pa mor dynn ei gwead a pha mor drymlwythog o ystyr yw hon sydd hefyd yn gân hynod gerddorol. Ac mae ysgafnder ei miwsig yn gwrthweithio, linell wrth linell, yn erbyn trasiedi anniffiniadwy y stori. O'r cychwyn, nid yw'n gweld neb arall yn y dorf ond hyhi; y mae'n ei hudo i edrych oherwydd ei bod, yn ei hunigedd, yn gwneud ystum o ffarwel i bob cyfeiriad, fel petai ei hanwyliaid i gyd o'i chwmpas ond, fel mater o ffaith, 'nid adwaen neb', ac mae hi a'r llygoden Ffrengig wen ar ei hysgwydd yn nerfus ac aflonydd, y naill fel y llall. Ond 'does neb o'r 'giwed' ar y doc yn chwerthin am ei phen; y mae rhywbeth o'i chwmpas sy'n gwneud iddynt ei derbyn, pwy bynnag a beth bynnag ydyw. Y mae'r gerdd yn gorffen:

> Pwy a edrydd ynfydrwydd ei chanu'n iach,
>   Neu'r ofn a ddaeth im wrth bitïo
> Penwendid y ferch a'r llygoden wen –
>   Y ferch ar y cei yn Rio?

Pam y cyd-deimlo hwn, a'r cyd-ofni? Pwy a ŵyr yn wir, ond mae'r ferch ar y cei yn rhan o gwmni anrhydeddus, sy'n cynnwys Dic Aberdaron, Ceiliog Pen-y-Pas, y troseddwr ifanc a ddaliwyd gan y plismyn, triawd rhyfeddol y Ffatri, y tramp a fu farw ar ei daith dros y bwlch, y gwallgofddyn a'i hwynebodd ar fwrdd y llong, y bobl hynny nad ydynt ddim, yn ôl safonau'r byd, yn llawn llathen. Onid oedd ef ei hun yn un ohonynt? A hwyrach fod edrych arnynt yn codi ofn am eu bod yn gwybod pethau nad yw pobl gyffredin ddim yn eu gwybod, ac yn cyffwrdd, yn eu naïfrwydd, â rhyw ddimensiwn o wybod nad yw o fewn cyrraedd y rhelyw. Nid yw hon yn gerdd a dalai i'w dadansoddi'n rhy fanwl. Y mae ynddi rin barddoniaeth ac, fel llinellau Keats i'r

'Charmed, magic casements, opening on the foam of perilous seas, in faery lands forlorn,'[54] neu linellau Wordsworth am 'old, unhappy, far-off things/ And battles long ago . . .',[55] y mae'r cyfuniad o'r dweud syml a'r miwsig cynnil a chymhleth yn cyfleu rhyw bethau wrthym sydd y tu hwnt i'r geiriau eu hunain.

Er bod peth trafod ar ddawnsio ar y dec fin nos, a chroesi'r cyhydedd ac ati, y mae'r croniclo'n prinhau bellach a chyn bo hir, y mae'r llong yn glir o benrhyn Pernambuco, ac yn cychwyn dros yr Iwerydd am adref. Yn Pernambuco, y mae dynion yn dod ar fwrdd y llong i werthu parots, y mae'n derbyn cebl o gartref yn dweud 'All well' ac mae'n ysgrifennu'r rhigwm ffarwel, 'O'r Golwg'.[56] Y mae'r daith, beth bynnag a'i hysgogodd, i bob pwrpas ar ben, ac atodiad, mewn ffordd, yw'r ffaith fod hen ŵr a ddaeth ar y bwrdd yn Lisbon, yn marw tra bo'r llong yn y Sianel, ac yn cael ei gladdu yn nyfroedd y môr. Y mae'n adrodd stori'r angladd yn fanwl a chraff-ddarluniadol ac yn gorffen, nid am y tro cyntaf, gyda chwpled sy'n agor allan nodau mawr yr organ, a'r llinell olaf, fel sawl gwaith yng ngherddi Parry-Williams, yn gorymdeithio'n araf ac urddasol i'w therfyn, ond gyda thro annisgwyl yn y gair 'trwy' yn lle'r disgwyliedig 'i', sy'n rhoi dimensiwn pellach i'r holl gerdd:

Daeth fflach o oleudy Ushant ar y dde,
A Seren yr Hwyr i orllewin y ne',

A rhyngddynt fe aeth hen ŵr at ei Iôr
Mewn sachlen wrth haearn trwy waelod y môr.[57]

Nid oes unrhyw sôn yn y dyddiadur am gyrraedd adref yn Rhyd-ddu. Y mae'n glanio yn Southampton a chymryd y trên i Waterloo. Yno, y mae'i frawd Wynne yn ei gyfarfod, a dyna ddiwedd y daith.

Os rhan o bwrpas y daith oedd dod wyneb yn wyneb ag ef ei hun mewn math o unigedd, fe wnaeth hynny'n sicr, a darganfod rhai pethau nad oedd am eu darganfod. Os oedd ailysgogi'r awen yn rhan o'r bwriad, fe wnaeth hynny hefyd, ond dim ond dros dro. Wedi cyrraedd yn ôl, yr oedd yn bryd ymdaflu ar unwaith i waith coleg ac, yn ôl ei ddyddiadau ef ei hun a'i restr gyhoeddiadau, yr oedd y flwyddyn 1926 yn flwyddyn hesb cyn belled ag yr oedd ei gynnyrch creadigol yn y cwestiwn.

Y mae cyfle, felly, i ofyn un neu ddau o gwestiynau ynglŷn â chwrs ei fywyd a'i feddwl ar hyn o bryd, a natur ei waith creadigol hyd yn hyn, cyn symud ymlaen i'r cynhaeaf creadigol nesaf – oherwydd yr *oedd* cynhaeaf newydd ar y gorwel.

O ran crefft, un o'r pethau mwyaf diddorol ynglŷn â'i waith hyd yn hyn yw mai storïwr byr yw'r bardd yn ei hanfod yn ei gyfnod aeddfed cynnar. Adrodd stori y mae yn y lle cyntaf, a thynnu casgliadau ar gorn y stori honno. Y mae'r casgliadau weithiau'n annisgwyl, weithiau'n ddychanol, weithiau'n athronyddol, weithiau ymron yn apocalyptaidd sythweledol. Ond profiad diriaethol, penodol yw man cychwyn pob cerdd – gan gynnwys yr ysgrifau, wrth reswm – i ba le bynnag y mae'n mynd wedyn, a pha un bynnag ai ffeithiol ynteu ffuglennol, ynteu rywle rhwng y ddau, y mae'r profiad yn gorwedd. (Y tebyg yw gyda Parry-Williams mai rywle rhwng y ddau y mae!) Y mae am ddweud stori wrthym, ac mae'n storïwr hynod o gelfydd a chrefftus. Y mae'n gwybod yn dda sut i gynllunio stori ac, yn anad unpeth, sut i ddethol y manylion arwyddocaol sy'n gwneud stori'n gredadwy ac yn ddiddorol i ddarllenydd. Y mae hyn yn haws iddo oherwydd fod ganddo lygad arlunydd ac oherwydd ei fod, beth bynnag, y math o berson, fel y gwelsom yn y dyddiaduron cynnar, sy'n obsesiynol ynglŷn â manylion, ac yn obsesiynol hefyd ynglŷn â lliwiau. Y mae'r cyfan yn ei wneud yn hynod lwyddiannus wrth greu cameo o sefyllfa neu o berson. Sylwer unwaith eto ar y gerdd fer, 'Y Diwedd'. Y mae'n dechrau trwy nodi mai 'tua saith' yr aeth yr henwr 'I ddiwedd ei siwrnai cyn pen y daith'. Ac yna y mae'r cwpled nesaf yn gwbl nodweddiadol o'i ddull fel storïwr. Y mae'r llinell gyntaf yn strôc eang, ac ymddangosiadol ffwrbwt, o'i frws:

> Gwasanaeth – gweddi – sblais ar y dŵr,

Ac yna y mae'r ail linell, mewn termau ffilm, yn zwmio i mewn ac yn ein gwahodd i edrych ar fanylyn cwbl arwyddocaol, ac apocalyptig yn wir:

> A phlanciau gweigion lle'r oedd yr hen ŵr.

Dro ar ôl tro gwelwn y gallu hwn i ganoli'r sylw ar fanylyn arwyddocaol, a hynny ar yr un pryd ag y mae'n bwrw ymlaen gyda rhediad cyffredinol y stori. Y llygoden Ffrengig wen sy'n rhoi crediniaeth ar unwaith i ddarlun y ferch ar y cei yn Rio. Yn 'Y Pasiffig',[58] cawn y disgrifiad o'r glaw, 'Pistylliodd cawod, fel môr i fôr', ac yn 'Yng Ngwlff Mecsico',[59] y mae'r gwrthgyferbyniad manwl rhwng dau liw yn rhoi blas real i'r cwpled:

Yfory gollyngir gyda'r wawr
Yr angor pygddu i'r glesni mawr.

Soniais am enghreifftiau tebyg mewn cerddi eraill. Ond mae'r ysgrifau hefyd yn llawn o'r un math o fanylu trawiadol ac arwyddocaol. Y mae'r enghreifftiau'n llu, ond sylwer ar fanylder ei ddisgrifiad yn 'Oedfa'r Pnawn':[60]

> Yr oedd hi'n bwrw glaw yn ddafnau breision, a'r rheiny'n disgyn ar hytraws ar chwareli'r ffenestr ac wedyn yn disgyn i lawr yn betrusgar ac igamogam nes cyrraedd y llinell derfyn bren rhwng y chwareli. Gwelwn hwy'n cronni'n fân lynnau llonydd, disglair nes mynd o'r diwedd yn un, a disgyn wedyn yn bistyll i lawr o'r golwg. Daeth awel o wynt: ysgydwai drysau ffrynt y capel. Yr oedd y bonau eithin ar y bryn yn mynd yn llwytach lwytach. Nid oedd dim i'w weld trwy'r ffenestr mwy.

P'run ai ffeithiol ai ffuglennol yw hyn, y mae'n ein darbwyllo'n llwyr ein bod yno gyda'r awdur yn y capel, a'r prynhawn glawog yn graddol droi'n gyfnos o flaen ein llygaid. Y mae artist geiriol wrth ei waith, a thrwy gydol cynnyrch 1919 i 1925, y mae wrthi'n perffeithio'i grefft yn ymwybodol iawn.

Ond mae nodweddion eraill sy'n dod i'r golwg wrth ddarllen cynnyrch y cyfnod hwn yn ei grynswth, nodweddion mewn perthynas â'i safbwynt a'i athroniaeth. Ac mae un cwestiwn sy'n codi'n deg ym meddwl y darllenydd gan mor aml y mae'r bardd yn cyfarch y duwdod yn ei gerddi – y mae'r geiriau 'Iôr', 'Creawdwr' a 'Christ' yn frith drwy'r gwaith, ac mae'r bardd yn aml yn ymbil ar Dduw neu'n apelio ato dan un o'r enwau hyn, neu ryw enw arall: y mae, mewn geiriau eraill, yn gweddïo. Sut y gall anffyddiwr weddïo? Neu, os dyfais rethregol yn hytrach nag ymbil go iawn yw'r galw cyson, pam y dylai anffyddiwr ddefnyddio'r fath ddyfais, beth bynnag?

'Rwy'n credu fod rhai pethau y gellir eu dweud yn weddol ddiogel. Y mae'n amlwg, er ei fod wedi ymwrthod â llawer o'r uniongrededd Fethodistaidd, ei fod nid yn unig yn trysori atgofion melys am y rhan honno o'i fagwraeth a oedd yn gysylltiedig â'r fuchedd deuluol a'r capel, yr oedd hefyd yn parchu ac yn cenfigennu wrth y rhai hynny a oedd o hyd yn medru coleddu ffydd syml eu tadau. Y mae cryn sôn am y fath bobl yn ei ysgrifau. Ymddengys hefyd, ynghanol yr holl hunanymholi, a'r holl ymholi ynglŷn â natur y greadigaeth o'i gwmpas, ei fod yn dal i ragdybio bodolaeth creawdwr hollalluog a hollbresennol. Y mae hefyd yn sicr yn credu fod dimensiwn ysbrydol, cyfriniol, goruwchnaturiol hyd yn oed, i brofiad dynol, ac mae'n ymchwilio'n barhaus i natur y fath ddimensiwn. Y mae'n aml yn agos at gyfriniaeth grefyddol mewn rhannau o'i waith. Ond mae un peth na all ei dderbyn, a'r peth hwn yw'r maen tramgwydd, yr achos ei fod, yn ei onestrwydd diwyro, wedi ymddatod oddi wrth grefydd gyfundrefnol. Nid am ei fod wedi digio wrth grefyddwyr oherwydd eu hagwedd at ryfel, er nad oedd hynny ddim wedi bod o gymorth iddo, mae'n sicr. Y rheswm canolog oedd ei fod yn medru derbyn y Groes, ond nid yr Atgyfodiad. Gallai sôn â chynhesrwydd am oedfaon, am bregethau, am sawl agwedd ar grefydd ond, i Parry-Williams, angau oedd y gelyn mawr; nid oedd angau wedi'i goncro, a dyna oedd yn gwneud nonsens o fywyd yn y pen draw. A'r gred hon, a oedd yn mynd yn groes i sylfaen ganolog, ac yn wir unig sylfaen ystyrlawn, y ffydd y'i codwyd ynddi, oedd yn ei gwneud yn amhosibl i ddyn poenus o onest i barhau i ymhél ag allanolion y ffydd honno. Nid oedd hynny'n ei wneud yn anffyddiwr: nid wyf yn credu ei fod, ar unrhyw bwynt yn ei fywyd, yn anffyddiwr, yn yr ystyr nad yw anffyddiwr ddim yn medru credu mewn Duw; ond nid oedd yn grediniwr chwaith oherwydd, i Parry-Williams, angau oedd diwedd popeth. Nid oedd na nefoedd na bywyd tragwyddol nac atgyfodiad y meirw na chymundeb y saint, yn gwneud synnwyr iddo. Y mae bellach wedi gwneud hynny'n glir yng nghynnyrch ei gyfnod mawr cyntaf, er y gallai barhau i gyfarch creawdwr a'i gwnaeth, am ba reswm bynnag, i fyw ar blaned sydd yn gam i gyd, ac yna i farw.

Gan hynny, gan mor ddychrynllyd a therfynol o beth oedd marw, yr oedd marwolaeth ei rieni, pan ddigwyddodd, yn drobwynt aruthrol yn ei fywyd. Ei reini, ac adeilad Tŷ'r Ysgol, wedi'r cyfan, oedd y ddolen-gydiol rhyngddo a'r blynyddoedd cyn yr ymwahanu, y blynyddoedd pryd yr oedd ef a'i fyd yn un. Ni allent fyth eto fod felly – yr oedd yr undod wedi ei chwalu'n derfynol pryd yr aeth i Borthmadog – ond yr oedd modd dal gafael yn rhywbeth, cadw ffydd yn rhannol â'r gorffennol tra parai'r aelwyd a hwythau o hyd arni. Bu farw ei dad yn sydyn ar Ddydd Nadolig 1926, ac yr oedd ei farwolaeth yn sicr yn sioc fawr, er nad oedd wedi bod mewn llawn iechyd ers tro. Daeth llawer teyrnged i Dŷ'r Ysgol, ac yn eu mysg un dwymgalon iawn o Utrecht, oddi wrth van Hamel, y soniwyd amdano eisoes:

I feel his loss very deeply. I am thinking of him the whole day long, for I loved him and I reverenced him with all my heart . . . In 1908, I came to Wales for the first time and I lived in his house for three weeks . . . For whatever I know of modern Welsh and its literature, I am indebted to him. Besides, he gave me an insight into many other things . . . it would have been difficult to find anyone better equipped to open the recesses of Welsh psychology to a stranger.[61]

Nid oedd y mab ei hun yn medru rhoi unrhyw beth ar bapur am ei dad am flynyddoedd lawer, a hyd yn oed pan wnaeth – cyhoeddodd 'Carol Nadolig' yn *Myfyrdodau*, gyda'r dyddiad 1949 ynghlwm wrthi – rhyw fath o ddicter eironig oedd naws yr hyn a fynegodd:

> Dyna gythraul o beth oedd i'r Angau ar fore'r ŵyl
> Ddod heibio fel Ffaddar Crismas o ran rhyw hwyl
>
> A mynd ag ef oddi arnom, ac ar un strôc
> Droi Gŵyl y Geni'n Ddygwyl y Marw, fel jôc.[62]

Ac yna, lai na blwyddyn yn ddiweddarach, bu farw ei fam hithau, ar ddydd Sul, 24 Hydref 1927. Y mae'n sôn os mewn modd eliptig, am farwolaeth ei fam yn yr ysgrif 'Adar y To',[63] lle mae'n ei chanmol i ddechrau am ei thynerwch, gan gyfeirio at ei gofal am adar y to:

> Yr oedd yr anwylaf gennyf erioed yn porthi hanner dwsin neu ychwaneg ohonynt ar garreg y drws ar hyd y blynyddoedd . . .

ac am y robin goch a oedd yn ffefryn ganddi. Ac yna y mae'n mynd ymlaen i ddisgrifio'r diwrnod y bu farw:

> Pan aeth hi'n waelach nag yr ofnasid, a minnau'n mynd ar ffrwst mewn cerbyd yn gynnar ryw fore Sul dychrynllyd, tawel yn yr hydref, ar hyd y ffordd ddiddiwedd i'r lle y gorweddai, sylwais – yn wir, yn wir meddaf i chwi, oherwydd ni sylwais fawr ar ddim arall – ryw ychydig cyn cyrraedd y fan, ar swp o weddill aderyn briw ar ganol y ffordd, a phlu ei frest fach coch wedi eu sbybio, a'i big bach pwt tua'r nefoedd a'i lygaid ynghau. Mi wyddwn yn sydyn trwy ragargoel beth i'w ddisgwyl wedi cyrraedd. Ac felly yr oedd.

Bellach yr oedd yr aelwyd yn wag, a'r ymwahanu'n derfynol. Ac yr oedd fel pe bai trawma'r ddwy farwolaeth wedi rhyddhau egnïon creadigol ar ôl y cyfnod hesb. Ysgrifennodd ddeg ysgrif ym 1927, a hwy yw'r mwyafswm o gynnwys y gyfrol *Ysgrifau*.

Ar wahân i'r cyfeiriad penodol at farwolaeth ei fam yn 'Adar y To', y mae cysgod marwolaeth, meidroldeb a cholled yn gorwedd yn drwm dros ysgrifau 1927. Dros 'Yr Ias',[64] er enghraifft, ysgrif y cyfeiriwyd ati o'r blaen, ac un y mae Saunders Lewis yn sôn amdani fel enghraifft glasurol o'r *frisson* a ddisgrifir gan rai o'r Dirfodwyr wrth fynegi'r profiad o golled ac unigedd. I T. H. Parry-Williams, yr oedd yr ias yn brofiad real iawn a chwbl gorfforol. Ond yr oedd yn codi'n ddigamsyniol o ddyfnderoedd y diymwybod:

> Un elfen a rydd fod iddi yw ymdeimlo i'r byw â phellter, ac mi euthum i ymhell rai blynyddoedd yn ôl, yn unig (am a wn i) i brofi grym yr ymdeimlad hwn o fod neu fynd ymhell. Ni pharodd yr ias imi chwerthin na chrio: yr oedd fel petai rhywbeth dieithr wedi dyfod i fôn yr ymennydd o rywle, gan bwyso ar feddalwch yno ac andwyo a drysu popeth am dro yn y peiriant hwnnw.

Y mae'n sôn fel y mae pellter yn ysgogi'r peth hwn nad yw'n feddwl 'na theimlad chwaith, na breuddwyd na gweledigaeth', ond yn 'gosfa, losg, dreiddgar', ac mae'n disgrifio'r pwynt hwnnw ar ei fordaith pryd yr oedd, fel y gwelsom, yn ymdeimlo'n go iawn â'i bellter o'i gartref:

> fel ffŵl mi ymdrechais sylweddoli'r pellter, mewn cyngwystl gorchestol â mi fy hun. Peth anodd ydyw sylweddoli hyn i'r byw: rhaid bod neu fynd ymhell, wrth gwrs, ond nid yw hynny'n ddigon. Yn sydyn, am eiliad, daeth yr ias ryfedd ac ofnadwy hon, o sylweddoli am ennyd fer gynghreiddiol mor bell oeddwn . . . Yr oedd ymdeimlo â'r anobaith digymorth hwn sydd ynglŷn â phellter yn rhan o'r broses hefyd . . .
>
> Ond nid gweld dinas estron na mynyddoedd mawreddog na phobl ddieithr nac wybren o sêr anghynefin a barodd i mi fynd i fodd yr ymdeimlad hwn cyn profi'r ias y tro cyntaf, ond rhyw fudr-esgus o dref fwngloddiol ar forlan Perw, – y wlad y canaswn gymaint am ei haur gynt.

Y mae'n disgrifio'r llong yn angori y tu allan i Mollendo, yntau'n mynd ar y bwrdd gyda phawb arall, fel arfer, i gael golwg ar y lle, ac ar unwaith yn cymryd yn eithafol yn ei erbyn. Y mae'n disgrifio'r clwstwr o gytiau, yr ychydig goed llipa a diolwg yma a thraw a'r ffaith na ellid cyrraedd y lle 'ond mewn cwch ac wedyn i fyny mewn basged i'r tir':

> Gwnaeth argraff annileadwy ar fy meddwl a'm hysbryd. Tynnais lun y lle, ond nid oes mo'i angen arnaf. Dyma'r unig le o ugeiniau ar y daith na fentrais fynd iddo.

Y mae'n sôn am ei gasineb tuag at Callao a Lima, ac am y 'criw o ddynion gwyllt mileinig' a ddaeth ar y bwrdd, ac am y gwylanod a'r hwyaid gwylltion a'r pelicanod a ddilynodd y llong am hir, fel pe bai'r lle'n mynnu dal gafael ynddynt.

> Pa ryfedd, felly, i mi ddechrau ymsynio y noswaith honno ynghylch pellter a'r anobaith digynhorthwy sydd ynglŷn ag ef, wedi gweld a theimlo'r anialwch dilesni a diobaith hwn? . . . Yn sydyn, daeth yr ias, megis gwasgu swrth cynnes gan grafanc flewog, tebyg iawn i oroglais. Creai'r ias gymysgedd o ofn ac anobaith, hurtrwydd a difaterwch, a phopeth negyddol felly, a'r rheiny'n troi'n ddisymwth yn bethau croes i hynny, – rhyw bendraphendod meddwol; ac ynghanol y cwbl yr oedd sylweddoliad pellter a'r elfen o ddigynorthwywch terfynol . . . A dyma sy'n rhyfedd, a chwerthinllyd braidd, ond yn gyflawn wir er hynny, – yr ymennydd fel petai'n ymgrebachu neu'n ymgynghreiddio nes ei deimlo fel pysen fach yn ysgwyd mewn penglog wag ond hynny. Chwerddwch, goegwyr: ond arhoswch chwi nes dyfod o ryw ddieflyn direidus sy'n ymhyfrydu mewn chwarae mig â dyn wrth daflu haniaethau'n ôl a blaen yn ei ymennydd a gadael i ambell un syfrdanol, megis pellter, lynu am eiliad wrth gell fach fyw, a pheri i honno sugno'r ymennydd megis iddi ei hun yn llwyr am dro, nes sylweddoli'n groyw am ennyd y gresyni erchyll sydd yn y madrondod a greir gan y goroglais briwiog hwn. Gwae a'i caffo!

Yr oedd angen dyfynnu'r disgrifiad hwn yn llawn, oherwydd y mae'n ddisgrifiad llythrennol fanwl o brofiad angerddol a dirdynnol sy'n cymryd meddiant o'r ymwybod dros dro, ac yn brofiad nad yw'r bardd, am unwaith, yn ei hanner wadu. Nid oes unrhyw 'Tybed' neu 'Lol i gyd' yn y fan hyn. Yn wir, y mae'r coegwyr yn cael cerydd y tro hwn. Pa syndod felly, a'r profiad yn un o 'resyni erchyll' wyneb yn wyneb â rhyw sylweddoliad dyfnach a mwy treiddgar nag arfer ynglŷn â thrueni'r cyflwr dynol, ei fod yn ei gysylltu hefyd â marwolaethau ei dad a'i fam?

> Profais yr ias ddwywaith o leiaf ar ôl hyn, mewn lle ac amgylchiadau gwahanol ac eto'n debyg, pan gollais ddau o'm hanwyliaid. Yr oedd pellter yno, lle y buasai agosrwydd mor wiw; a digynorthwywch, lle y buasai ymgeleddu mor annwyl.

Ond wedyn, unwaith eto, y mae'n rhoi tro annisgwyl hyd yn oed i'r sylweddoliad hwn:

Daethai'r eithafrwydd. Drylliwyd y gell fach fyw. Ni ddichon yr ias ddychwelyd mwy.

Rhywbeth sy'n perthyn i adegau prin o dreiddgarwch canfod sydd ymron y tu hwnt i brofiad dynol yw'r ias, ac mae'r 'gell fach fyw' y mae'r sylweddoliad hwn yn cydio ynddi yn gell o hydeimledd eithafol a phrin. Y mae marwolaeth ei rieni, meddai, wedi lladd y gell hon yn ei gyfansoddiad; ni fydd fyth eto'n agored i'r fath angerdd cyfrin.

Y mae'r ysgrif nesaf yng nghyfres 1927, 'Cydwybod',[65] hefyd yn edrych yn ôl ar y fordaith. Y mae'n dechrau trwy drafod pam yr ydym, fel bodau dynol, weithiau'n teimlo ton o euogrwydd yn golchi drosom pan nad ydym yn ymwybodol ein bod wedi gwneud unrhyw beth penodol o'i le. Ond, yn y man, y mae, fel bob amser, yn dod at y profiad diriaethol a roes fod i'r ysgrif, ac unwaith eto y mae'r storïwr byr yn mynd ati i lunio ei gameo:

Yr oedd fy nghydwybod i yn hollol glir, fel y tybiwn, ryw noswaith wrth edrych dros ymyl y llong i lawr i gei prysur yng ngenau Camlas Panama, cyn gollwng y gangwe i lawr. Nosasai'n sydyn, fel y gwna yn y trofannau, ond yr oedd lampau'r llong a'r cei yn gwneuthur y lle fel cefn dydd golau. Syllwn i lawr yn synfyfyriol ar faes o wynebau'n edrych tuag i fyny, dynion o bob lliw a llun a llewyrch, y gymysgfa ryfeddaf a welsoch erioed.

Ymysg y gymysgfa hon, teimlodd yn sydyn fod un o fysg y dorf yn ei lygadu. Ac aeth i hel meddyliau ynglŷn â'r ffaith fod drwgweithredwyr weithiau'n ceisio dianc ar fwrdd llong, a phlismyn yn disgwyl wrth y cei yn y porthladd nesaf i'w restio. Aeth i ofni, a pherswadiodd ei hun, pan ddaeth y gŵr oedd yn ei 'lygadu' i fyny'r gangwe ei fod am gael ei gyhuddo o ryw drosedd nas gwyddai beth. Hyd yn oed pan welodd mai gyda swyddogion y llong a neb arall yr oedd busnes y gŵr, ni thawelodd ei gydwybod: 'Cefais gryn drafferth, er hynny, i dawelu'r gydwybod "euog".' Ac mae ei eglurhad am hyn yn od:

Y mae'n rhaid bod rhyw un o'm hynafiaid rywbryd wedi ceisio dianc o afaelion cyfraith ei wlad a hwylio'n hanner hyderus tua'r gorllewin, a minnau'r dieuog yn ailddioddef, yn f'unigrwydd digymorth, bangfeydd ei gydwybod ef . . . Onid oes dyfnder didrugaredd i drueni dyn?

Ond nid yw'n gadael pethau yn y fan yna, wrth reswm. Y mae'n cydio'r digwyddiad hwn wrth y digwyddiad llawn dychryn arall pryd y daeth wyneb yn wyneb â gwallgofddyn ar fwrdd y llong, y naill a'r llall ohonynt yn cerdded y dec fin nos ar eu hochr priodol hwy i'r glwyd oedd yn gwahanu'r naill ddosbarth oddi wrth ddosbarth arall o deithwyr:

> Ysgyrnygodd fel ci cynddeiriog arnaf, gan fytheirio ymadroddion bygythiol a'i haddo hi'n enbyd i mi mewn iaith ddieithr. Beth wnawn innau, druan, diniwed, unig? Yr oedd golwg wallgof, ddi-drefn a ffyrnig arno . . . Deffrôdd fy nghydwybod, – ac eto yr oeddwn yn berffaith sicr na welswn ef erioed o' r blaen na gwneuthur dim niwed iddo na'i ddrygu ychwaith i'r gradd lleiaf mewn unrhyw fodd.

Sylwer ar y mynnu absoliwt yma nad oedd ynddo unrhyw euogrwydd mewn perthynas â'r dyn hwn – 'dim niwed . . . i'r gradd lleiaf mewn unrhyw fodd' – oherwydd y mae 'ac eto' i ddod yn yr achos hwn hefyd. Y mae'n clywed mai gwallgofddyn yw'r dyn, ac mae hynny'n lled-egluro'r mater. Ac eto:

> Cefais i bigiad cydwybod a oedd yn bur boenus tra parhaodd. Efallai mai rhyw euogrwydd mechnïol oedd hwn eto, a bod y truan hwnnw am dywallt ei lid ar un o deulu dyn am y cam a ddioddefai. Ac, yn wir, onid oeddwn innau, ddyn, fel y rhelyw o ddynion, yn rhannol euog o'r cam?

Y mae'r ofn, yr euogrwydd, yr ias, y teimlad o annigonedd, yr hanner-yn-hanner a dim yn iawn, y mae'n ei deimlo mor boenus o aml amdano'i hun a'i gyflwr, er yn sylwadaeth gwbl ddidwyll amdano'i hun a'i brofiad, hefyd yn lledu'n aml, fel y mae yn yr achos hwn, i fod yn sylw holl-gynhwysfawr am y cyflwr dynol yn gyffredinol. Y mae euogrwydd, os mynnwn ni, yn rhan gynhenid o brofiad dyn, am fod sail, wedi'r cyfan, i gred y Methodistiaid a Christnogion eraill fod y fath beth yn bod â phechod gwreiddiol, caethiwed y mae pob dyn wedi'i eni yn ei afael.

Y mae trydedd ran i'r ysgrif, pryd y mae'n mynd yn ôl i Baris, ac yn cofio iddo fwrw sen, yn ddifwriad, ar Hwngariad a oedd yn cydletya ag ef. Bu ffrae rhyngddynt, a bu'n hanner disgwyl 'cyfranc ben bore y tu allan i'r ddinas' i setlo'r mater. Ni ddaeth i hynny, ond yr oedd y teimlad o ofn yn gymysg ag euogrwydd yn gysgod drosto tra bu'n aros yn y lle, a hyd yn oed wrth ymadael:

> Wrth i'r trên ado'r stesion, lled-ddisgwyliwn ei weld yn rhuthro ataf ar hyd y platfform. Nis gwelais, ond yr oedd yn eglur ddigon fod fy

nghydwybod euog-ddieuog yn codi bwganod ac yn boenus o effro, – a minnau'n ddiniwed. Paham, ni allaf egluro. Gwendid etifeddol, cyn-hwynol, efallai, a hwnnw'n ei ddangos ei hun yn amlycach pan fo dyn ar ei ben ei hun ac ymhell o'i gynefin.

Ond wrth nesu at ddiwedd yr ysgrif, y mae'n dod adre'n ôl ac yn cyfaddef nad oes dianc rhag y gydwybod ddireswm hon:

Torrwch ben ysgallen, a gwêl fai arnoch: ysgubwch we'r pryf copyn, a dyna chwi'n euog drachefn: ymwrthodwch â hen bibell neu hen bâr o esgidiau neu hen fotor beic, ac ni chewch lonydd.

Y mae'n dewis gorffen ar dinc ysgafn, eironig a phersonol, ond mae'r ysgrif, yn ei chylchdaith, wedi plymio dyfroedd dyfnion.

Y mae 'Boddi Cath'[66] yn ein hatgoffa o'r hyn y mae Saunders Lewis yn ei ddweud am yr ysgrifau, sef fod ffraethineb a hiwmor eironig arwyneb yr ysgrif yn aml yn achub yr ymchwil i grombil bod rhag troi'n forbid ac yn sentimental – rhywbeth yr oedd Parry-Williams yn echrydu rhagddo. Ar gychwyn yr ysgrif, y mae'r awdur a chyfaill yn mynd, yn anfoddog ac yn anhapus, i foddi cath. Yr oedd yr awdur yn mynd yn gwmni i'w gyfaill 'i roddi tipyn o wroldeb moesol iddo'. Yn ffodus i'r ddau, nad oeddynt yn foddwyr cathod naturiol hyd yn oed os oeddynt yn helwyr cwningod ac adar gwyllt, bu farw'r gath yn y cwd cyn iddynt gael cyfle i'w boddi. Y mae'r ysgrif yn crwydro yn ei blaen, gan drafod ansawdd amser unwaith yn rhagor, cyn dod at rai sylwadau cwbl ganolog i athroniaeth bywyd Parry-Williams, wedi eu cuddio, fel sydd mor aml, rywle yng nghorff ysgrif sy'n honni sôn am rywbeth gwahanol:

Ambell dro yn unig mewn bywyd y byddwn yn byw, ac wedi byw rhyw hanner dwsin o bethau, yr ydym yn barod i fynd. Un waith y gwneir y pethau mawr, ond ein bod yn ad-fyw ac yn rhag-fyw amryw ohonynt . . .

Ie, rhyw hanner dwsin, mwy neu lai, o ddigwyddiadau sydd yng nghwrs bywyd, a rhyngddynt nid oes odid ddim o wir bwys. Pan ddêl y pethau mwyaf, nid oes i ni ymwybod â dim arall, oherwydd ni allwn ymdeimlo â dim ond un llawenydd llesmeiriol neu un gwae cynddeiriog ar y tro . . . Am rai ohonynt, gwyddom cyn eu dyfod eu bod i ddyfod, felly yr ydym yn eu rhag-fyw, ac wedi eu dyfod yn eu had-fyw.

Wedi datgan y gred hon, sy'n sicr yn cael ei hadlewyrchu yn ei waith, ac sy'n ddatblygiad o syniad Wordsworth am farddoniaeth fel 'emotion recollected in tranquillity', y mae'n caniatáu i'r ffansi gymryd drosodd, fel y gwna ambell waith – at bwrpas arbennig, wrth reswm:

> Wedi mynd trwy'r bwlch olaf a gorffen profi a theimlo, tybed a oes yng ngweddill peiriant y corff ryw hen ysfa i ymysgwyd ac ad-fyw rhai o'r pethau mawr a fu gynt yn ei hanes?

Wedyn, y mae'n ymddangos ei fod am droedio tir y mae'n chwannog i'w grwydro ambell waith, tir penglogau ac ysgerbydau a chyrff, tir morbidrwydd, tir sy'n atgoffa dyn o rai o weithiau ysgrifwyr Saesneg diwedd y Dadeni, yn arbennig Thomas Browne yn 'Hydrotaphia', lle mae'n rhyfeddu at brydferthwch yr hyn sy'n farwol yn y greadigaeth. (Y mae Thomas Browne, fel y gŵyr y cyfarwydd, yn awdur molawd i'r pryf genwair!) Ond wedyn ein twyllo y mae Parry-Williams fel arfer wrth wneud hyn; nid yw'n crwydro i dir morbidrwydd mewn gwirionedd. Y mae'n sôn am dorrwr beddau yn amau fod rhyw fath o fywyd yn ymysgwyd mewn penglog y mae'n ei godi o'r pridd, ac mae'n ei osod ar dwmpath o bridd a'i archwilio mewn ofn a dychryn:

> tybiai weled arwyddion cyffro yn y benglog. Wedi galw ar y gof ac archwilio gydag afiaith ysbrydolegol, canfuwyd mai nyth twrch daear oedd ynddi ac nad oedd y cyffro ond gwingo cibddall cywion y wadd. Fel yna'n siomir o hyd ar drothwy darganfod.

Wel, fel yna'n sicr y mae dychymyg trofaus a direidus Parry-Williams yn ein harwain at ymyl y dibyn, ac yna'n ein tynnu'n ôl dan gilwenu. Ac eto . . . Ac eto yn y pen draw, at bwrpas cwbl ddifrifol y mae'r gêm hon yn cael ei chwarae. I ddechrau, mae'n mynd â ni oddi wrth y torrwr beddau siômedig i'r fordaith, i Ciwba ac i'r pentwr esgyrn yng nghornel y fynwent:

> ymddangosai'r rhain i mi fel petaent wedi ceisio dyfod yn ôl i'r haul a'r awyr-agored i ad-fyw rhai o'r hen brofiadau. Eto golwg lonydd ac anobeithiol enbyd oedd arnynt pan syllais i ar y cruglwyth trwy grac yn y ddôr.

Y mae'n adrodd stori'r rhent a'r rheswm pam yr oedd y pentwr esgyrn allan yn yr awyr agored, ac yna:

> Na, er cynhyrfu'r esgyrn ac er datbriddo'r penglogau, nid oes dychwelyd. Wedi gorffen byw, nid oes ad-fyw na dadebru yma mwy. Ac un waith y

profir y pethau mawr. Un waith yr yfir 'gwaddod y cwpan erchyll': un waith y dringir i 'fynydd y myrr a bryn y thus': un waith y boddir cath. Unwaith. Nid oes eilwaith.

Ie, dyma'r gosodiad absoliwt ynglŷn â therfynolrwydd marwolaeth: ac eto y mae'r daith tuag at y gosodiad yn daith drofaus a chymhleth iawn, yn yr ysgrif hon fel mewn sawl ysgrif arall. A gwelwn mai rhan o'r cymhlethdod yw ei fod yn ad-fyw ac yn ail-ymweld â phrofiadau allweddol, beth bynnag a ddywed ar ddiwedd yr ysgrif.

At hyn, dylai man cychwyn arwynebol yr ysgrif hon ein hatgoffa fod Parry-Williams arall yn bodoli erioed ochr yn ochr ag awdur y gwaith llenyddol, ac mai'r Parry-Williams hwnnw oedd yn galluogi'r llall, yn ei wewyr a'i angerdd, i aros yn ei iawn bwyll. Gwyddom mai Harry Evans, prifathro ysgol Tal-y-bont, ger Aberystwyth, oedd y cyfaill y bu'n ceisio ei gynorthwyo i foddi cath, ac y byddai'n dianc i'w gwmni'n aml o fyd y coleg. Gyda Harry Evans y byddai'n saethu a physgota, i fyny yn y bryniau, y tu hwnt i Elerch a'r Bont-goch. Ef, am gyfnod pwysig, oedd y cyfaill y gallai ymlacio yn ei gwmni heb orfod dychwelyd i'r hen fro. Ond yr oedd Harry Evans yn gyd-fyfyriwr â Thomas yn y coleg flynyddoedd ynghynt, ac yr oedd hefyd yn medru ymuno mewn sgwrs a thrafod, fel y sylwodd David Jenkins:

> bob pnawn dydd Gwener cyrchai Syr Thomas ddrws yr ysgol erbyn amser gollwng y plant a mawr y difyrrwch am gampau'r wythnos a aethai heibio . . . a phan ddôi'r diweddar Fred Jones (a oedd yn weinidog gyda'r Annibynwyr yn y pentref) atynt, nid oedd gyfrif amser gan faint y sgwrsio difyr. Un tro cyrhaeddodd y wraig oedd yn glanhau'r ysgol a sefyllian o gwmpas gan obeithio yr aem bawb i'w fforedd. Gwelodd Evans ei gofid a meddai wrthi, 'Yr Athro Parry-Williams sy'n ein cadw, Mrs Jones – ceisio esbonio beth yw amser.'[67]

Y mae David Jenkins hefyd yn disgrifio'n fyw iawn un arall o'i ddulliau o ymdopi â bywyd yn y cyfnod anodd hwn:

> Pnawn tesog o Orffennaf yng nghanol y dau-ddegau oedd hi pan gwrddson ni gyntaf. 'Roedd fy modryb a minnau yn tynnu tua'r tŷ o'r cae gwair pan gerddodd tuag atom yn swil ei osgo gan wthio'i feic modur marw . . . O bell yn unig y gwelwn fotor-beic. Mae'n wir mod i wedi arfer â chlywed y motor-beic arbennig hwn yn fynych chwyrnu'i ffordd drwy'r fro ar ei ffordd at gyfeillion i'w berchen – ac i'm teulu innau hefyd, o ran

hynny – ym mhen ucha'r cwm . . . Ni bu raid fy annog i ddal sbanar ac i estyn scriw dreifar ac ati – canys braint oedd cael gweld diberfeddu'r injan gan ddwylo mor fedrus.[68]

Ac mae digon o dystiolaeth i'r ffaith eu bod yn ddwylo medrus. Nid oedd yn ddyn i chwarae o gwmpas yn ddiletantaidd ag unrhyw beth, ac yr oedd mor hoff o dreiddio i grombil peiriant ag yr oedd o dreiddio i grombil pry genwair. Pan ddaeth yn berchen ar geir, yr oedd yr un mor awyddus i ymhél â'r rheini. Ac mae sôn amdano, flynyddoedd yn ddiweddarach, yn gyrru i fyny heibio i Bonterwyd i gyfeiriad Llangurig, pan glywodd sŵn yn y peiriant nad oedd y gweddill o'i gyd-deithwyr yn ei glywed. Stopiodd y car, agorodd y bonet, ac wedi archwilio'r injan am dipyn, trodd ar ei sawdl, ac aeth drosodd i'r gwrych, lle torrodd sbrigyn o ddraenen a dychwelyd at yr injan. Daeth yn ôl at y car, plygodd dan y bonet, dechreuodd y peiriant, a gwrando am funud neu ddau. 'Mi fydd hi'n iawn rŵan,' meddai, 'mi oedd contact y carburettor yn llac.' Ac felly y bu.

Y mae ymhob un o ysgrifau'r gyfrol y math o ymgordeddu meta-ffisegol a welsom yn y rhai y buom yn sylwi arnynt, ynghyd â sylwgar-wch manwl-fanwl, llinell storïol gelfydd gyda thro yn ei chynffon yn aml, a'r iaith newydd, ewynnog, gyfoethog a chwbl unigryw sy'n nodweddu'r llyfr i gyd. Gallem sylwi, er enghraifft, ar y sylwgarwch gwyddonol yn 'Tywod',[69] lle mae'n gwylio'r gronynnau mewn 'peth-berwi-wyau':

Ymddengys y llif gronynnau fel un darn llinyn solet, llonydd hollol. Yr unig symud neu newid a ganfyddir ydyw gostyngiad y domen uchaf a chodiad y domen isaf, y naill yn gostwng gyda phant yn ei chanol a'r llall yn codi'n grugyn pigfain. Yn sydyn weithiau daw chwalfa ar y domen fach isaf, fel afalans, a chwymp yn yr uchaf, ond ailgyfyd y pigyn drachefn. Ac y mae'r llif mor llonydd, a'r cwbl yn digwydd mor an-hraethol ddistaw a disymud, – ac nid oes nemor ddim sy'n ddistawach na llonyddach na rhywbeth a fo'n chwyrn-symud yn unionsyth a di-stŵr. Wedi cwympo o'r tywod i'r gwaelod i gyd . . . y mae distawrwydd neu lonyddwch mwy fyth, wedi gorffen symud, ac yn sicr nid oes dim oll sy'n llonyddach na distawach na rhywbeth a fu'n cyflym-symud yn ddistaw, ac yn sydyn wedi peidio â symud.

Y mae'r un ymson ynghylch symud a pheidio â symud yn yr ysgrif 'Aros',[70] sy'n enghraifft wych o'r math o *essay* a oedd yn wir yn cydoesi â'i ysgrifau ef yn yr iaith Saesneg, sef godro gair o'i ystyron a'i gyfystyron a'i gyfeiriadaeth, lenyddol ac fel arall. Wedi trafod sawl math o aros, y mae'n dod at yr aros ar ôl symud:

> yr aros mwyaf arhosol i'r golwg ydyw hwnnw a geir wedi gorffen symud, – y sefyll sydyn disymwth sy'n beidio â mynd . . . Y mae cymaint o wahaniaeth rhwng y symud cynt a'r aros wedyn nes peri syndod anghrediniol am foment, ond ar drawiad daw ymdeimlad o wacter.

Ac mae'r sylw sy'n dilyn yn ein hatgoffa fod meinder ei glust yr un mor arbennig â sylwgarwch ei lygad: 'peth tebyg o ran natur i'r hyn sy'n cyffwrdd â rhyw synnwyr yn y distawrwydd a ddaw wedi caniad ceiliog neu lefain plentyn'. Y mae'n mwynhau troi geiriau a syniadau yn ôl a blaen yn 'Aros', ond at angau y mae'n dod ar ddiwedd hon eto:

> fel hyn y saif y galon yn angau, – y disymudrwydd mawr anesgor hwnnw nad yw na diwedd na dechrau, yr aros a erys wedi peidio o bob aros arall.

Ac mae'n arwyddocaol hefyd mai'r math o aros a drafodwyd cyn hyn oedd yr aros ar ôl sy'n digwydd i rai wedi i eraill fynd:

> trist a hiraethus yw'r aros hwn. Dyma fel y mae'r mynyddoedd yn aros 'mewn mawredd didymhorau' wedi i'r hen fugeiliaid fynd; y gerdd, wedi cilio o'r cerddor; y weddw, wedi marw'i chymar. Bu rhwygo a gwahanu, didol ac ysgar, a gweddill a gweddwdod yn unig sy'n aros.

Y mae'r elfen stori fer yn gryf yn 'Glaw',[71] lle mae'n dychwelyd, fel yn 'Oedfa'r Pnawn', i awyrgylch y capel. Ond mae'n werth sylwi nad yw yn y capel yn hollol y tro hwn. Wedi mynd i mewn i'r cyntedd i ymochel rhag glaw y mae, ac yno wedi ei ddal rhwng dau fyd – sŵn y glaw y tu allan a sŵn canu emynau y tu mewn. Yn y fath sefyllfa gaeth, y mae'n dechrau 'pensynnu'. A phensynnu gwyddonol ydyw ar y cychwyn, ynglŷn ag ansawdd dŵr sy'n cronni, ac wedyn, o glywed canu emyn, ynglŷn ag ansawdd sŵn a glywir trwy bared. Ac yna y mae'r dychymyg, fel arfer, yn mynd 'yn drên', chwedl yntau, ac mae'n mynd i bensynnu am natur glaw fel y cyfryw ac, yn anochel, am ei atgofion ef ei hun o law pan oedd yn blentyn. Y mae'r dychymyg, wrth wneud hyn, yn cydio yn y math o ymson gwyddonol-fetaffisegol y mae mor hoff ohono, sef diangenrheidrwydd glaw yn disgyn ar ddŵr:

Daethai cawod sydyn un o'r troeon cyntaf y bûm mewn cwch ar y llyn gartref, ac yn fy niniweidrwydd yr oeddwn wedi tybied (er nad oedd y peth wedi crisialu yn fy meddwl ychwaith) nad oedd eisiau iddi fwrw ar lyn o bobman . . . Yr wyf hyd heddiw, o ran hynny, yn methu ymysgwyd oddi wrth y syniad hwnnw, ac erbyn meddwl, y mae rhywbeth chwithig ynddo.

Ac wedi dod i ben â'i synfyfyr, y mae'n rhoi inni ddarlun disgwyliadwy iawn o 'Parry bach':

Ond daeth sŵn yr offeryn eilwaith o'r tu mewn: yr oeddid ar ddechrau canu drachefn, a rhaid oedd i mi hel fy nhraed ac ymryddhau o'm carchar. Cilagor y drws: yr oedd hi'n dal i fwrw hen wragedd a ffyn. Rhois fy het am fy mhen a chodi coler fy nghôt ac i'w ganol.

Dro ar ôl tro, sylwn fel y mae'n rhyfeddu'n ddirfodol hollol at fodolaeth peth fel peth, neu le fel lle, ar wahân i unrhyw ryfeddod penodol sy'n perthyn iddo. Y mae'n wir ei fod ymron bob amser yn darganfod rhyfeddod mewn unrhyw beth bron, unwaith y mae'n caniatáu i'w chwilfrydedd di-ben-draw ei arwain i syllu a gwrando. Felly y mae gyda 'Polion Teligraff'[72] i ddechrau:

Y maent yn lluniaidd a gosgeiddig, gan brydferthwch plaen a harddwch gerwin. Safant yn fonheddig hunan-feddiannol, yn dal ac unionsyth, yng ngogoniant eu symledd llym.

Ond yna y mae'r cymariaethau'n dechrau digwydd ac wedyn y personoli, ac erbyn diwedd yr ysgrif 'Urdd Dominig yr awyr agored' ydynt, 'Brodyr Duon priffyrdd y byd'. Robin y Gyrrwr yw Robin y Gyrrwr hefyd i ddechrau, yn yr ysgrif sy'n dwyn ei enw:[73]

pryf tebyg i gacynen ydyw Robin y Gyrrwr. Dan ei drwyn yn rhywle y mae ganddo swmbwl, peth tebyg i bicell fain i wanu'r croen fel y gallo sugno'r gwaed.

Ond cyn y diwedd, y mae wedi mynd yn gyfrwng i ymson am natur ofn, yn benodol felly mewn gwartheg sy'n cael eu pigo gan y creadur hwn ac sydd, wedi cael eu pigo unwaith, yn ofni cael eu pigo eto: 'Rhag-arswyd, neu olarswyd, felly, – ofn cael ofn, ydyw'r ysbryd sy'n gyrru'r gwartheg'. A bydd Robin y Gyrrwr yn dal i boeni'r gwartheg ymhell ar ôl i Robin ei hun fynd i gadw:

Trwy'r ysbryd yr oedd Robin yn gyrru, a hynny yng ngolau'r haul. Haws cyfodi ysbrydion na'u gostwng, ac wedi unwaith gyfodi ysbryd i'r gwynt, camp yw ei alw'n ôl, ac nid ar chwarae bach y'i gorddiweddir chwaith.

Ie, 'a hynny yng ngolau'r haul'. Ni ddylai ofnau ddod yng ngolau'r haul.

Fel i Bob Parry, y mae'r gwynt yn symbol o'r cyfriniol a'r goruwch-naturiol i T. H. Parry-Williams. Ysgrifennodd gerdd i'r perwyl, ac yn 'Gweld y Gwynt',[74] yr ysgrif sy'n cloi ei gyfrol gyntaf, y mae'n cysylltu'r ymwybod hwn ag adegau yn ei fywyd pryd y bu dan bwys teimladau trist a hiraethus, adegau pryd yr oedd yn gadael cartref a phryd yr oedd y gwynt yn chwythu i'w wyneb ac felly'n teithio'n ôl i gyfeiriad y man lle'r hoffai fod. Y mae'n synio y gall dyn, ar adegau pryd y mae'n 'fwy na dyn', weld yr anweledig, ac mae'n cymryd 'gweld y gwynt' fel enghraifft drosgynnol o'r fath weld. Y mae'r rhan olaf o'r ysgrif, fel sawl rhan o sawl ysgrif, yn delyneg bros ynddi ei hun, ac mae'n edrych ymlaen at yr amser pryd y bydd yn ffarwelio â phawb a phopeth am y tro olaf. Fel hyn y mae'n gorffen:

> wedi cyrraedd pen y daith, cyn fy ngollwng i'r tywyllwch, bydd yn syn o beth oni ddaw chwa o wynt trwy'r Gymwynas oddi lawr heibio i'r fan ac i fyny Nant Colwyn am Ben Pont Cae'r Gors. Os daw – a pham na ddaw? – yr wyf yn gwbl sicr y bydd i'r dall distaw, yn ei unigrwydd gorweiddiog, weld y gwynt yr ennyd honno.

O'r diwedd, a hithau'n wanwyn 1928, a Gwenallt – 'Mr D. J. Jones of Bryn Alltwen, Pontardawe', yn ôl y nodyn a anfonodd y coleg at yr Athro – wedi ei benodi i ysgafnhau rywfaint ar ei faich dysgu, yr oedd T. H. Parry-Williams, ar ôl saith mlynedd a hanner fel Athro'r Iaith Gymraeg yng ngholeg Aberystwyth, yn barod i ryddhau corff o waith mewn cyfrol brintiedig. Fel hyn y crynhodd Saunders Lewis ei ymateb i'w hawdur yn ei adolygiad yn *Y Faner* ar 5 Mehefin:

> Y mae'r llyfr, wrth imi ei ddarllen, yn creu distawrwydd o'i gwmpas. Er bod ynddo stor o arabedd, ei ddwyster enbyd yw ei arbenigrwydd. Oblegid hynny nid yw'n hawdd ei adolygu. Cyhoeddwyd ym Mharis yn ddiweddar gyfres o gyfrolau dan y pennawd Ecrits Intimes, ysgrifau cyfrinach, neu ysgrifau agos-atoch. Rhai felly yw llithoedd Mr Parry-Williams. Ynddynt mi welaf ddyn tyner iawn ei natur, yn craffu mewn tawelwch ar yr unig beth y gall ef ei adnabod yn dda yn y byd a chymdeithasu ag ef: ei ysbryd ei hun.

Fe fyddwn innau'n ychwanegu: wrth wneud hynny, yr oedd yn gwneud dim llai na cheisio egluro iddo'i hun beth allai natur a phwrpas peth mor fregus ac anghyflawn, peth mor gyfrin ac anghyffwrdd, ag einioes dyn fod.

Cafodd y gyfrol dderbyniad gwresog, fel y cawsai'r ysgrifau unigol yn *Y Llenor* a mannau eraill eisoes, hyd yn oed os nad oedd pawb yn gweld pa mor newydd oeddynt. Fe fyddai yntau'n sicr yn gwerth-fawrogi'r derbyniad, ond hwyrach mai'r llythyr a roddasai'r boddhad dyfnaf iddo fyddai hwnnw a dderbyniodd, heb ei ddyddio, mewn ysgrifen fregus, o Fetws Garmon, oddi wrth R. R. Morris, brawd ei fam:

Annwyl Tom fy nai,
 Yr wyf yn falch iawn o'r 'Ysgrifau'. Nid oes eu bath mewn Cymraeg. Yn wir mae ei ddonioledd yn heulwen a'i gyffyrddiadau cartrefol i mi yn ogleisiol – y garreg wen – gweddi'r hen daid – Pont cae'r Gors a Phen y Pas a'r oedfa ddau o'r gloch – diolch yn uchel amdano.[75]

4 ⚬ Y Myth yn Crynhoi, 1928–1942

GYDA chyhoeddi *Ysgrifau*, yr oedd T. H. Parry-Williams, er ei waethaf, unwaith eto yn llygaid y cyhoedd llenyddol – ac yr oedd cyhoedd llenyddol yn y Gymru Gymraeg y pryd hwnnw. Y mae llythyr oddi wrth Caradog Prichard, wedi ei ddyddio 18 Medi 1928, yn enghraifft deg o'r math o beth a oedd yn dechrau digwydd. Yr oedd Caradog Prichard, yn bedair ar hugain oed, newydd ennill ei ail Goron yn olynol, ac yr oedd i ennill ei drydedd ym 1929. Yr oedd y ddwy gyntaf yn hunangofiannol i raddau helaeth, ac yn delio â sefyllfa ganolog ei nofel, *Un Nos Ola Leuad*, sef y ffaith fod yn rhaid iddo fynd â'i fam i ysbyty'r meddwl, ac yntau ond yn blentyn. Hwyrach fod rhyw reddf wedi ei arwain at Parry-Williams fel rhywun a allai roi barn ddyfnach a mwy cydymdeimladol na barn yr Eisteddfod ar ei gerdd, fel yr oedd Prosser Rhys yntau wedi teimlo hynny'n gynharach, a John Eilian, hefyd, wrth anfon copi cyfarch o *Gwaed Ifanc* iddo. Y rhain oedd y beirdd ifainc a oedd yn ymdeimlo fwyaf â hydeimledd yr oes, ac mae'n arwyddocaol mai at Parry-Williams yr oeddynt yn troi, er nad oedd ef, ar y pryd, ddim yn ymwneud o gwbl â'r byd llenyddol fel y cyfryw. Fel hyn y mae Caradog Prichard yn ymddiheuro am ei drafferthu:

> Rhyw ffansi'r funud a barodd imi ofyn i chwi edrych dros y deunydd cyfrol yna yn stesion Aberystwyth y dydd o'r blaen . . . Onid yw beirniadaeth yn beth prin gennym? Disgwyliwn gael rhyw fath ar feirniadaeth yn Nhreorci ac yng Nghaergybi cyn hynny, ond ni chefais ddim.[1]

Y mae'n amlwg ei fod wedi taro ar Parry-Williams yn y stesion, ac wedi gwthio'i gerddi i'w ddwylo, ac yn hanner difaru, o ailfeddwl am y peth wedi cyrraedd adref. Ond 'doedd dim rhaid iddo bryderu. Y mae'n ysgrifennu eto ar 10 Hydref:

Diolch o lwyrfryd calon am y fath drafferth yr aethoch iddi. Y mae'n werth ennill coron yr Eisteddfod petai ond er mwyn denu sylw a diddordeb rhai fel chwi.[2]

Ac mae'n amlwg nad canmol llac a wnaethai Parry-Williams, oherwydd, flynyddoedd yn ddiweddarach, daw llythyr arall yn hollol ddigymell oddi wrth Caradog, ym 1949:

Wrth fynd drwy hen 'scrapbook' . . . deuthum y pnawn yma ar draws hen lythyr dyddiedig 1928! Gair o gyngor doeth ac o feirniadaeth lem-garedig ar gasgliad o gerddi a anfonais atoch ydoedd.[3]

Hwyrach fod y ffaith na chyhoeddwyd cyfrol gyntaf Caradog Prichard, *Canu Cynnar*, tan 1937, yn awgrym o natur beirniadaeth 'lem-garedig' Parry-Williams!

Y mae'r math yma o sylw manwl i gais am gyngor yn gwbl nodweddiadol ohono, ac fel yr âi'r blynyddoedd heibio, yr oedd ar ofyn sawl un mewn llawer dull a modd. Ond nid yn unionsyth oherwydd, yn fuan ar ôl cyhoeddi *Ysgrifau*, a'r posibilrwydd y byddai'r ymateb ffafriol iddo'n ei arwain yn ôl i'r bywyd llenyddol, digwyddodd un arall o'r trasiedïau personol a oedd wedi ei yrru'n ôl yn glwyfus i'w gragen fwy nag unwaith o'r blaen. Yr oedd ar y pryd, yn dawel fach, yn ymgyfeillachu â merch ifanc gryn dipyn ifancach na'r Athro ei hun, athrawes a merch i deulu cymeradwy iawn yn yr ardal. Y mae un a oedd yn ei hadnabod yn sôn amdani fel 'Dyddgu o ferch'. Yn gwbl ddisymwth un noson, bu farw'r ferch yn y broses o erthylu plentyn. Yn ôl tystiolaeth un yr oedd ei deulu'n agos iawn i'r digwyddiad, nid oedd neb yn gwybod fod y ferch yn feichiog, ac yr oedd y cyfan, yn naturiol, yn sioc fawr i bawb. Bu cryn ddyfalu, wrth reswm, pwy oedd y tad, ac enwau mwy nag un o blith y rhai y bu hi'n ymgyfeillachu â hwy yn cael eu trin a'u trafod, gan gynnwys Parry-Williams. Yn ôl y dystiolaeth, y mae'n ddigon sicr nad Parry-Williams oedd y tad, ond ni ellir ond dychmygu effaith y fath ddigwyddiad ar hen lanc deugain oed a oedd yn ffigwr cenedlaethol, os yn ffigwr gochelgar a phreifat tu hwnt. Nid oes angen llawer o ddychymyg i weld y drasiedi'n ergyd driphlyg i Thomas. Yn y lle cyntaf, yr oedd marwolaeth ddisyfyd y ferch yn sicr yn ergyd aruthrol ynddo'i hun. Yn yr ail le, yr oedd yr wybodaeth ei bod wedi caru'n glòs iawn â rhywun arall pryd yr oedd ef a hithau'n ymgyfeillachu'n ail ergyd; y mae rhywun yn cael ei demtio i ddweud y byddai'n anodd meddwl am enghraifft fwy egr o'r twyll yr oedd ef

eisoes wedi ysgrifennu cymaint amdano. Yn y trydydd lle, yr oedd y
ffaith fod rhai pobl yn ddiamheuol yn blasu'r elfen o sgandal, ac
yntau'n gyfan gwbl ddiniwed yn y mater, fel pe bai ffawd yn mynnu
distrywio'r tawelwch di-sôn-amdano yr oedd wedi gwneud ei orau i'w
sicrhau iddo'i hun. 'Does dim syndod felly ei fod, yn ôl tystiolaeth rhai
a oedd yn fyfyrwyr iddo ar y pryd, wedi cilio fwy fyth i'w gragen o 1928
ymlaen. Ni ddaeth cerdd o fath yn y byd o'i ddwylo tan 1930, ac mae'n
anodd gwybod pryd yr ysgrifennwyd y rhan fwyaf o ysgrifau'r gyfrol
nesaf, *Olion*, a gyhoeddwyd ym 1935, gan nad oes dyddiad wrth yr
ysgrifau unigol, er bod 'Darnau' wedi ymddangos yn *Y Traethodydd*
ym 1929 a 'Pryf Genwair' yn *Cymry'r Plant* yr un flwyddyn. Ond yn
sicr, nid oedd yn medru cyfeirio at y drasiedi hon yn uniongyrchol yn
ei waith, hyd yn oed yn y modd mwyaf gochelgar, yr adeg honno na
byth wedyn, er bod modd synio hwyrach fod cysgod y digwyddiad
yn gorwedd dros un o sonedau *Cerddi*, ac un o leiaf o'i gerddi
diweddarach.

Yr oedd bywyd y coleg yn mynd yn ei flaen, gyda 'Dr Parry', heb fod
hynny'n fawr o syndod i neb, yn fwy encilgar a gofalus nag erioed yn ei
gysylltiadau â'r myfyrwyr a phawb arall. Dyma dystiolaeth Gwyndaf
ar ddechrau'r 1930au, ac yntau'n disgwyl am ei ddarlith gyntaf yn
Adran y Gymraeg:

> agorodd drws cafell yr Athro, a chamodd yntau'n gyflym at ei ddesg,
> cododd ei ben, gwenodd yn gynnes groesawgar dros ei sbectol am eiliad a
> dweud, 'Bore da, foneddigesau a boneddigion,' ac yna, heb wastraffu
> cymaint â gair, ymlaen ag ef ar ei union at drefniadau'r flwyddyn . . .
> Daeth yr awr i ben, a diflannodd yntau mor ddistaw ag y daeth. Ac megis
> yn y ddarlith gyntaf honno y bu ar hyd y blynyddoedd wedyn.[4]

Y gwahaniaeth rhwng tystiolaeth myfyrwyr dechrau'r 1920au a myfyr-
wyr diwedd y 1920au a'r 1930au oedd fod rhyw fath o fyth wedi tyfu o
gwmpas 'Parri bach' erbyn hyn. Yr oedd yn ffigwr pell a dirgel, ond yn
ffigwr a ddenai rywbeth yn debyg i barchedig ofn yn y rhelyw o'i
fyfyrwyr. Gwyndaf eto:

> Gwelais ef ugeiniau o weithiau yn dod i gyfeiriad y Coleg a'i getyn yn ei
> geg, a hwnnw fel pe bai rhyw dân hud yn ei fowlen yn lled-dynnu'r Athro
> ar ei ôl. Arhosai criw ohonom gan amlaf y tu allan i'r fynedfa, ond
> erioed ni welais mohono'n mynd heibio i ni heb ein cyfarch. Brasgamai i
> fyny'r grisiau i gyfeiriad ei ystafell, arhosai weithiau i edrych i lawr o'r

balconi, ac yna, pe digwyddem fod yn agos, gwelem ef yn diflannu trwy'r drws du i'w ffau.[5]

Y mae'n pwysleisio tegwch yr Athro i bawb o'r myfyrwyr, ond hefyd nad oedd unrhyw agosrwydd yn datblygu rhyngddo a neb ohonynt – 'ni chlywais ef yn galw'r un ohonom wrth ei enw bedydd tra buom yn Aberystwyth'. Ac mae'n mynd ymlaen:

> Yn wir, er mor gyfeillgar oedd ei gyfarchiad, yr oedd rhyw bellter anghyffwrdd rhyngom ag ef yn y blynyddoedd hynny. Rhyw gymysgwch o 'ofn' a 'pharchedig ofn' o'n tu ni oedd hyn o bosibl. Yr oedd ei ddylanwad arnom yn aruthrol. Cofiaf gerdded ar y prom yn un o haid ddireidus a digon swniog yn hwyr un noson, ac yn sydyn dyna rybudd gan y mwyaf a'r cryfaf o'r criw . . . 'Tendiwch, dacw Parry bach yn dod' – a bu distawrwydd mawr. 'Nos da,' meddai ef, 'Nos da, syr,' meddem ninnau. Yr oedd wedi hen fynd o'n cyrraedd cyn i ni ail-ddechrau codi hwyl. Yr oedd arnom ei ofn . . . a hynny nid oherwydd iddo'n ceryddu erioed . . . Ond er na chlywsom amdano'n dweud dim yn gas wrth undyn byw, yr oedd gennym ryw syniad y gellid pechu'n anfaddeuol yn erbyn yr addfwynaf hwn o ddynion.[6]

Yr oedd hyn yn dangos craffter a hymdeimledd go fain ar ran y myfyrwyr, er na allent ddechrau dirnad, wrth reswm, i ba raddau yr oedd 'yr addfwynaf hwn o ddynion' eisoes wedi'i glwyfo. Y mae'n mynd ymlaen i sôn fel na welent ef ymron fyth y tu allan i'r ystafell ddosbarth. Yr oedd yn cadw iddo'i hun ac ni fyddai'n mynychu cyfarfodydd y Gymdeithas Geltaidd. Pwynt diddorol iawn yw'r ffaith y byddai ei frawd Oscar a'i wraig yn mynychu'r cyfarfodydd hynny fel pe bai'r Athro'n teimlo y dylai fynd i gefnogi'r gymdeithas, a chan na fynnai, Oscar oedd y nesaf peth. Yr oedd un eithriad, hyd y gwyddent hwy, i'r ymguddio yn ei dŷ lojin – Lyndhurst yn North Road – a hynny oedd:

> Caem gip arno ar ambell bnawn Mercher yn gwibio heibio yn ei gerbyd – y Lea Francis hedfannol hwnnw – ar drywydd rhyw helfa neu'i gilydd, dybiem ni. Clywsem sibrydion y byddai ef a dau gyfaill iddo yn cyhoeddi angau disyfyd i unrhyw betrisen neu gyffylog a feiddiai godi ar adain ym mawnogydd a rhostiroedd Ceredigion, a hwythau yn y cyffiniau.[7]

Harry Evans, wrth gwrs, oedd un o'r cyfeillion, a'r llall, Tom James hwyrach, athro hanes ysgol Ardwyn, neu R. L. Gapper, y cerflunydd, a oedd newydd ymuno fel tiwtor yn yr Adran Addysg, ac a ddaeth yn gyfaill agos am flynyddoedd lawer, cyfaill parod am fygyn neu helfa neu sgwrs.

Erbyn diwedd 1930, yr oedd yn ailddechrau cyhoeddi yn y cylchgronau, oherwydd ymddangosodd 'Rhieni' ac 'Y Rheswm' yn *Y Llenor* y flwyddyn honno, ac arwydd arall hwyrach ei fod yn ailafael mewn rhyw fath o normalrwydd oedd y ffaith ei fod wedi cytuno i feirniadu barddoniaeth yn Eisteddfod Falmouth Road, yn Llundain, ym 1930, a'i fod hefyd wedi cychwyn ar weithgarwch a fyddai'n gyfrwng mwynhad a boddhad mawr iddo weddill ei fywyd, sef cyfieithu caneuon o ieithoedd eraill i'r Gymraeg. Cyfieithodd ac addasodd nifer o ganeuon gwerin ar gyfer y *Llyfr Canu Newydd*, a gyhoeddwyd mewn dwy gyfrol gan Wasg Prifysgol Rhydychen ym 1929 a 1930. Ac erbyn 1931, yr oedd wedi ailgydio mewn beirniadu yn yr Eisteddfod Genedlaethol, gan ei fod yn beirniadu'r awdl yn Eisteddfod Bangor, lle'r oedd ef a J. J. Williams a J. Lloyd-Jones yn gytûn mai awdl Gwenallt, 'Breuddwyd y Bardd', a oedd yn teilyngu'r Gadair. Cyhoeddodd ddwy gyfrol ysgolheigaidd yn ystod 1931, *Carolau Richard White* a *Llawysgrif Richard Morris o gerddi*, ffrwyth ei ymchwil i'r canu rhydd cynnar. Ym 1931 hefyd, wrth gwrs, y cyhoeddwyd *Cerddi*, ei gyfrol gyntaf o farddoniaeth a chymar deilwng i *Ysgrifau*. Yr oedd cyhoeddi *Cerddi* ym 1931 yn bosibl oherwydd fod hon hefyd yn flwyddyn pryd y daeth grŵp o gerddi gyda'i gilydd, yn yr achos yma naw soned, i'w hychwanegu at un a ysgrifennodd ym 1930.

Ymysg y sonedau hyn y mae rhai o'i gerddi gorau, ac, wrth edrych arnynt fel grŵp, y maent yn arddangos lefel o gytbwysedd ac o dawelwch derbyn nad yw wedi medru ymgyrraedd ato cyn hyn. Y mae fel pe bai'r 'marweidd-dra melys' y soniodd amdano yn y soned 'Nef'[8] wedi symud i ddimensiwn gwahanol, a'r 'uffern ddigon dofn i fod yn nef' wedi troi'n rhywbeth mwy sefydlog a pharhaol.

Soniais y gellid meddwl fod cysgod trasiedi'r ferch yr oedd yn 'cerdded allan' â hi yn gorwedd dros un soned. A honno, os yn wir y gellir honni hynny, yw'r un soned a ysgrifennodd ym 1930, 'Y Rheswm'.[9] Y mae rhywbeth hudolus iawn yn y gerdd hon, fel mewn sawl un o'i gerddi sy'n cymryd delwedd o fyd natur fel ei man canol. Y mae'n dechrau:

> Nid am fod brigyn briw ar goeden ir
> Yn gwyro tua'r llawr yn llipryn claf,
> A'i dipyn dail ar wasgar hyd y tir
> Yn efelychu'r hydref yn yr haf

Ac mae'n datblygu'r ddelwedd o dymhorau angau'r ddaear yn dod cyn pryd trwy ddarlunio niwl ar y bryniau'n ymddangos fel eira ac yn awgrymu fod y gaeaf wedi dod cyn pryd. Ond mae'n dweud nad oherwydd i hynny ddigwydd

> ... y clywaist sŵn
> Rhyw chwithdod oer annhymig yn fy llais,
> Ond am fod ynof fis Gorffennaf ffôl
> Yn ciprys gydag Ebrill na ddaw'n ôl.

Y mae ef, bellach, yn dair a deugain oed, yng Ngorffennaf ei ddyddiau, a digon naturiol iddo, fel sawl un arall, ddyheu am gael ei 'Ebrill' yn ôl, a siarad yn gyffredinol. Ond a oedd yn siarad yn benodol hefyd, a chofio'r 'mis Gorffennaf ffôl' pryd yr oedd wedi breuddwydio am ennill serch Ebrill yn ei hugeiniau?

Am y gweddill o'r sonedau, sonedau 1931, setlo am yr hyn sydd y maent, mewn dull urddasol a di-gŵyn. Y mae'r darlun a gawn yn 'Tŷ'r Ysgol' yn un trist tu hwnt, ond yn ddarlun yr ydym yn ei ddeall yn iawn bellach, gyda'r manylu tawel yn creu awyrgylch y gellir ymron ei gyffwrdd:[10]

> Mae'r cyrn yn mygu er pob awel groes,
> A rhywun yno weithiau'n 'sgubo'r llawr
> Ac agor y ffenestri, er nad oes
> Neb yno'n byw ar ôl y chwalfa fawr.

Ac mae'r darlun yn y llinellau nesaf, ohono ef a'i frodyr a'i chwiorydd yn cadw tân ar yr aelwyd a dod yno 'am fis o wyliau, mwy neu lai, yn Awst', a phawb yn y pentref yn synnu eu bod yn dal i wneud y fath beth 'a ninnau hyd y byd', yn dyner iawn. A'r unig reswm y mae'n medru ei roi dros wneud y fath beth, hyd yn oed iddo'i hun, yw:

> Onid rhag ofn i'r ddau sydd yn y gro
> Synhwyro rywsut fod y drws ynghlo.

Gwyddom nad ffansi mo'r syniad yma i Parry-Williams. Iddo ef, beth bynnag am y gweddill, byddai cloi'r drws yn gloi drws ar yr unig beth a allai roi rhyw lun ar ystyr i'w fodolaeth, ei berthynas, nid yn unig â'i fro, ond â'r bywyd teuluol ar aelwyd Tŷ'r Ysgol ar bwynt arbennig mewn amser. Dyma'r unig elfen o brofiad, er iddo ei golli'n rhy fuan o lawer, neu oherwydd iddo ei golli'n rhy fuan o lawer, na throdd yn llwch a lludw yn ei ddwylo. Y mae 'Gweddill'[11] yn yr un modd, yn ceisio dal gafael yn yr etifeddiaeth a roddwyd iddo trwy gyfrwng ei deulu a'i fro, trwy bwysleisio'r unig wedd ar anfarwoldeb y medrai ef ei phriodoli i ddynion, sef y rhannau hynny o dad a mam sy'n byw mewn plentyn. Yr oedd i fyny i Thomas 'eu coledd fel petaent deganau brau' ac o wneud hynny

> Nid wyf yn llwyr amddifad yn y byd,
> Cans tra bo cerdd yn swyn a nwyd yn fflam,
> Bydd gennyf innau ran o dad a mam.

A gwyddom pa mor bendant ydoedd ei fod wedi derbyn doniau pwysig ond doniau gwahanol iawn i'w gilydd, gan ei ddau riant. Y mae 'Tynfa', 'Llyn y Gadair' a 'Moelni',[12] y tair yn ddarnau pwysig iawn o'r Rhyd-ddu fythaidd y mae'n mynd allan o'i ffordd i'w chreu o hyn ymlaen. Perthynas yw thema'r tair, perthynas anochel y sawl sydd wedi ei wreiddio mewn lle arbennig ac sydd, o'r herwydd, yn annatod yn rhan ohono. Fel yr awgrymais eisoes, aeth moelni'r mynyddoedd, fel y dywed yn y soned, 'i mewn i'm hanfod i', nid am ei fod yn hoffi moelni, ond am fod 'henffurf y mynyddoedd hyn . . . drwy flynyddoedd syn bachgendod' wedi ffurfio'i bersonoliaeth yntau, doed a ddelo. Ef a'r mynyddoedd, un oeddynt. Y mae Llyn y Gadair yn arbennig oherwydd y profiadau sydd ynglŷn wrtho, oherwydd ei dad a Dafydd Ffatri a'r rhai a ddysgodd iddo bysgota, ac yn wir oherwydd ei fod yn rhan ddisymud o'r byd y tyfodd i fyny'n rhan ohono, yn ffenomen a welai bob bore wrth godi o'i wely ac a welai yn y gwyll wrth fynd i'w wely'n ôl. Hwyrach mai'r ddelwedd o Afon Gwyrfai yn y soned 'Tynfa' yw'r gryfaf o'r holl ddelweddau sy'n codi o'r sicrwydd o berthynas, gan mor glòs yw'r gymhariaeth rhyngddo a'r afon fach ddisylw sy'n llifo trwy'r pentref. Y mae'r trosiad estynedig sy'n rhedeg trwy'r soned yn rymus tu hwnt, ac yn ennill ystyr ar ystyr wrth fynd ymlaen, gan orffen yn y cwpled olaf ymron fel cwlwm Celtaidd sydd heb ddechrau a heb ddiwedd. Neges y soned, iddo ef a'r afon, yw nad oes unrhyw ddewis, unrhyw bosibilrwydd o ymwahanu oddi wrth fynydd-oedd Arfon a roes fod i'r ddau ohonynt:

> Os ydyw Afon Gwyrfai wedi troi
>   Düwch ei dyfroedd trwy fy ngwaedlif i,
> A rhyw dynghedfen dywyll wedi rhoi
>   Yn llais i minnau sŵn di-sôn ei lli:

Ac os yw bryniau Arfon ar bob llaw
    Yn gwylio'n eiddigeddus gwrs ei thaith,
Fel y gwarchaeant beunydd oddi draw
    Ar dro fy ngyrfa innau, ŵyl a gwaith;
Nid rhyfedd, canys y mae'r fan a roes
    Ein cychwyn gyda'n gilydd, yn parhau
Ynglŷn wrth ein crwydriadau, ac nid oes
    Dim a'u hysgaro, nes ein bod ein dau,
Er ymwahanu, yn trafaelio ynghyd,
Yn mynd, ac wedi mynd, ond yno o hyd.

Ond er mor gryf ac anochel yr ymdeimlad o berthynas, y mae'r ymdeimlad o ddiffyg perthynas gyflawn, o ddiffyg cyflawnder mewn unrhyw fodd, yn ymdeimlad cryfach. Nid yw, wedi'r cyfan, yn medru teimlo perthynas gyflawn, hyd yn oed â Rhyd-ddu. Y mae'r dieithrwch a grëwyd ynddo wedi difetha hyd yn oed hynny, ers blynyddoedd lawer:

    . . . Nid wy'n byw
Un amser nac yn unlle'n gyfan oll:
Mae darn o hyd ar grwydr neu ar goll.[13]

Y mae 'Ymwelydd',[14] fel 'Tynfa', yn un o'i gerddi mwyaf oll, ac yn ddychrynllyd yn ei goblygiadau. Y mae'n cydnabod, ar ei chychwyn – cydnabyddiaeth brin yn ei hanes – y gall fod rhyw 'lygedyn bach o rywbeth gwell/ Na phridd y ddaear' wedi ffeindio'i ffordd rywsut i'w gynhysgaeth 'Gylch Gŵyl y Grog ar nos fy ngeni gynt', gan beri fod rhyw elfen o'r 'angerdd hwnnw sydd yn bywiocáu' wedi dod yn rhan ohono. Nid yw hyn yn golygu dim mwy na 'bod fy muchedd ar y ffin/ Rhwng nef a llawr – heb fod yn un o'r ddau'. Dyma'r ddeuoliaeth eto, ond deuoliaeth apocalyptig y tro hwn, nid rhwng gwahanol fannau neu ddyheadau, ond rhwng yr hyn sy'n ddaearol a'r hyn nad yw'n ddaearol. Er mor glwm ydyw wrth gyfyngiadau'r pridd, wrth reswm a deall a chnawd ac esgyrn, eto y mae rhywbeth arall yn ceisio'i dynnu oddi wrthynt. Ond os oes, cael ei fenthyg y mae, nes y daw'r amser iddo adael pethau'r byd am byth a dyna pryd y bydd yr elfen annaearol yn ei adael ac yn ffoi i'w chartref ei hun. Os oes elfen oruwchnaturiol mewn dyn – neu mewn rhai dynion – nid yw hyn yn golygu fod bodolaeth y tu hwnt i angau i ddyn fel y cyfryw. 'Lojer' yn unig yw'r elfen hon, ac ni all dyn ond benthyg ei hysgogiadau:

> . . . fe'i gwelir eto maes o law
>   Pan fydd cawodydd Medi yn crynhoi
> O amgylch man fy ngeni, yn y glaw
>   Yn gloyw ddisgwyl am yr awr i ffoi
> Adref o nos y byd a'i siomi brwnt,
> I dwllwch diedifar y tu hwnt.

Ac yn y soned 'Dychwelyd'[15] y mae'n wynebu, yn dawel ac yn ddi-gwestiwn, oblygiadau rhesymegol yr holl ymholi a rhesymoli y mae dragywydd yn ymwneud â hwy, sef nad oes unrhyw beth yn bodoli i ddyn y tu hwnt i farwolaeth. Gosodiad syml iawn sydd yn y soned, ond mae'n osodiad mor absoliwt fel y mae'n osodiad o fath anghyffredin iawn i Parry-Williams ei wneud; er mwyn ein darbwyllo ei fod o ddifrif, y mae'n rhaid iddo wneud y gosodiad yn y modd mwyaf gwrthrychol posibl. Gan hynny, y mae'r soned hon yn gwbl glasurol a 'di-sôn-amdani'. Y mae pob llinell yn ddegsill, pob odl yn gyflawn, pob rhythm yn rheolaidd; y mae cerddediad y soned yn llyfn a chwbl drefnus, un frawddeg i'r wythawd, un frawddeg i'r chwechawd. Nid oes yn y soned unrhyw driciau, unrhyw ddelweddau mentrus, unrhyw dro yn ei chynffon. Y mae fel pe bai'n dweud: 'Yr wyf am wneud y gosodiad hwn; y mae'n osodiad o bwys, a'r gosodiad, ac nid y modd yr wyf yn ei fynegi, sy'n bwysig. Pan ddywedaf, "Ni wnawn, wrth ffoi am byth o'n ffwdan ffôl,/ Ond llithro i'r llonyddwch mawr yn ôl", dyna'n union beth 'rwy'n ei olygu.' Y mae'n soned fawr ac yn soned ddewr, ac mae'n dweud wrthym, heb flewyn ar ei thafod, ble'n union y mae'r bardd yn sefyll yn athronyddol ym 1931. Nid oes i ddyn ond un bywyd, un cyfle i fyw, ac yn y byd creulon a mympwyol hwn, gwaetha'r modd, y mae'r cyfle hwnnw.

Y mae cryn drafod wedi bod ar y cerddi sy'n agor a chloi'r gyfrol *Cerddi*, a pheth gwahaniaeth barn. Y mae Caerwyn Williams, wrth gyfweld Parry-Williams, yn gweld y delyneg 'Rhaid',[16] sy'n dyddio o'r cyfnod cyn y rhyfel, yn enigma yn y gyfrol. Y mae Saunders Lewis, yn ei adolygiad ym 1931, yn llai poléit, ac yn gwneud sylw pwysig:

Da gennyf, am ddau reswm, fod Mr Parry-Williams wedi cynnwys y gân hon yn y llyfr. Y rheswm cyntaf yw ei bod hi'n delyneg mor eithriadol o ddrwg. Prawf o hynny yw bod ei miwsig hi'n gyffredin a digymeriad. Rhithmau y beirdd gweinion sy'n eu bradychu bob tro. Ac y mae rhithm y gerdd hon yn llac oblegid bod y bardd wedi ymwrthod â chaledwaith ymholiad a dadansoddiad. Yn hytrach na cheisio deall ei wylo a throi ei dristwch yn degan i'w ddeall ac felly yn ddefnydd celfyddyd, yr hyn a wnaeth y bardd oedd taflu'r cyfrifoldeb oddi arno'i hun a cheisio'i dwyllo'i hun fod ei dymer yn farddonol drwy syrthio'n ôl ar ffigyrau ei blentyndod a'i addysg, a'i amddiffyn ei hun y tu ôl i'r Duwdod . . . Yr ail reswm dros groesawu'r gân hon yw ei bod yn dangos o ba le y cychwynnodd Mr Parry-Williams, a hefyd ei bod hi mor llwyr wahanol, mor darawiadol wahanol, i bob cerdd arall yn y llyfr. Canys yn union trwy ddinistrio tueddiadau'r delyneg hon y daeth Mr Parry-Williams yn fardd anghyffredin o bwysig.[17]

'Rwy'n credu fod Saunders Lewis yn llygad ei le, a theg dweud fod Parry-Williams, mewn ateb i Caerwyn Williams, ei hun wedi dweud:

'D wn i ddim sut y daeth hi i'r casgliad o gwbl, ond fe ddaeth. Hwyrach y dylwn i ei diarddel![18]

Fel y dywed Saunders Lewis, arbenigrwydd Parry-Williams, yn ei rigymau, ei sonedau a'i ysgrifau fel ei gilydd, yw ei allu i ddisgyblu a ffrwyno ysgogiadau barddonol trwy arfer deall llym i lunio a dadansoddi a beirniadu ac archwilio, ond heb ddofi grym yr ysgogiad gwreiddiol. Dyma'r cyfuniad sydd wrth wraidd moderniaeth mewn barddoniaeth, yr ymwrthod â'r llacrwydd emosiynol ac ieithyddol a lastwreiddiodd y mudiad rhamantaidd ymhob gwlad unwaith yr oedd yr angerdd cyntaf wedi oeri: a dyma'r cyfuniad, wrth gwrs, a oedd wrth wraidd barddoniaeth, yng Nghymru fel yng ngwledydd eraill Ewrop, cyn dyfod y mudiad rhamantaidd.

Pan ddywed Parry-Williams, yn ei soned ymddiheuriadol enwog ar gychwyn y gyfrol, pam y mae wedi gwrthod y 'cerddi na cheir yma':[19]

Am i chwi losgi'n lludw gan eich nwyd,
Nid dyma'ch lle, wrthodedigion llwyd.

Y maent wedi llosgi allan am nad oedd eu crefft yn ddigon disgybledig i gynnwys y nwyd yn ddiogel. Gwelsom yn ddigon eglur, wrth ei ddilyn hyd yn hyn, o ble y daeth Tom Parry-Williams yn farddonol, a damwain ddigon ffodus, siŵr o fod, yw ei fod, yn ddiarwybod wedi cynnwys yn *Cerddi*, gerdd a ddangosai, fel y dywed Saunders Lewis, sut bethau yr oedd yn eu hysgrifennu cyn iddo osod trefn, unwaith ac am byth, ar ei grefft fel bardd. Ond oni wyddom hefyd nad oedd Thomas, erbyn 1931, byth yn gwneud pethau'n ddiarwybod, cyn belled ag yr oedd ei waith cyhoeddedig yn y cwestiwn? Ar ddiwedd y gyfrol, y mae'n cynnwys soned sy'n cynnig gwrthbwynt i'r soned ymddiheuriadol ar y dechrau, sef ymddiheuro, mewn ffordd, i'r cerddi nas ysgrifennwyd, oherwydd ni ddaw'r cerddi hynny fyth yn ôl:[20]

> Gresyn im esgeuluso mor ddi-hid
> Groniclo'r cyffroadau gynt a gawn

oherwydd y mae wedi darganfod

> . . . na ddaw dim yn ôl o'r pedwar gwynt, –
> Dim ond rhyw frithgo' am ryw gyffro gynt.

Gyda chyhoeddi *Cerddi*, a chymryd y ddwy gyfrol gyntaf gyda'i gilydd, yr oedd Parry-Williams wedi dweud ei ddweud, ar un ystyr. Yr oedd wedi marcio allan y diriogaeth y byddai'n ei harchwilio o hyn ymlaen. Ni ellid disgwyl unrhyw chwyldroadau rhagor, dim ond amrywiadau a gwelliannau ar yr hyn a wnaeth eisoes.

O ystyried yr hyn a ddywedodd Saunders Lewis am T. H. Parry-Williams fel bardd, a'r ffaith fod sawl un wedi ei adnabod fel arloeswr moderniaeth yn y Gymraeg, y mae paradocs arall eto y dylid ei ystyried mewn perthynas ag ef. O edrych ar yr hyn a oedd yn digwydd yn llenyddiaeth Ewrop yn ystod y blynyddoedd pryd yr oedd deunydd *Ysgrifau* a *Cerddi* yn dod i fodolaeth, gwelir mai dyma'r cyfnod pryd yr oedd stormydd yn rhuo o gwmpas *Ulysses* James Joyce, a gyhoeddwyd ym 1922, ac a oedd yn dyst i argyhoeddiad Joyce fod yn rhaid ailstrwythuro'r iaith Saesneg yn sylfaenol os oedd hi am fod yn arf effeithiol i fynegi gwewyr dyn yn yr ugeinfed ganrif. Ym 1922 hefyd y cyhoeddwyd 'The Waste Land' T. S. Eliot, cerdd a danseiliodd syniadau'r mudiad rhamantaidd, yn ei henaint, am y modd y dylid ysgrifennu barddoniaeth, o safbwynt thema a geirfa fel ei gilydd. Dyma'r cyfnod pryd yr oedd Ezra Pound yn gweithio'i ffordd trwy brosiect anferth y 'Cantos' a phryd yr oedd Marcel Proust yn Ffrainc yn creu ei gampwaith mewn wyth cyfrol, *À la recherche du temps perdu*, y math o astudiaeth fewnol, led hunangofiannol, a welwn yn ysgrifau Parry-Williams yn y Gymraeg. Yr oedd yn gyfnod radical a chwyldroadol yn hanes llenyddiaeth Ewrop. Ar yr un pryd yr oedd Braque a Picasso yn dadelfennu hanfodion arlunio ac Igor Stravinsky yn dod â phatrymau newydd sbon i mewn i gerddoriaeth glasurol. Yr oedd Tom Parry-Williams yn ddi-ddadl yn rhan o'r symudiad hwn. Ailstrwythurodd yr iaith Gymraeg er mwyn iddi geisio bod yn addas i fynegi profiad toredig ac amwys y dyn modern ansicr ei seiliau ac amwys ei ddaliadau yn yr ugeinfed ganrif. Ac eto, y tu allan i'r iaith Gymraeg, ei ddeunydd darllen arferol, os derbyniwn dystiolaeth ei fân nodiadau dyddiadurol, oedd ysgrifwyr fel Robert Lynd, a beirdd ac ysgrifwyr fel G. K. Chesterton. Nid oes unrhyw sôn am Eliot, Pound, Joyce. Gwyddom ei fod yn feistr ar Ffrangeg ac Almaeneg, ac eto ni chlywn o gwbl am Proust na neb arall o fodernwyr mawr Ffrainc a'r Almaen. Awduron eilradd, diddorol oedd Chesterton a'i debyg, yn ysgrifennu mewn dull ac am themâu a oedd wedi hen chwythu eu plwc.[21] A rhaid cyfaddef mai cerddi y gellid bod wedi eu hysgrifennu gan Chesterton – neu eraill o'r beirdd Sioraidd Saesneg yr oedd ef a Bob Parry yn eu hedmygu, rhai fel Francis Thompson, W. H. Davies, Lascelles Abercrombie ac eraill o'u tebyg – oedd ei sonedau Saesneg ef ei hun, faint bynnag o edmygedd a gawsant gan y llenorion Cymraeg a'u derbyniodd trwy'r post. Ni ellir ond dweud nad oedd, yn y sonedau hyn, yn dangos unrhyw ymdeimlad â'r chwyldroad a oedd wedi digwydd ym myd barddoniaeth Saesneg ers cyhoeddi 'Prufrock' gan T. S. Eliot ym 1917. Sonedau Sioraidd crefftus ydynt, dim mwy a dim llai. Ac eto, nid oes unrhyw amheuaeth nad oedd yr un ymdeimlad ag annigonedd y traddodiad fel yr oedd, ac annigonedd yr iaith ei hun fel yr oedd, yn gynsail i waith Parry-Williams yn y Gymraeg, fel yr oedd yn gynsail i waith yr arloeswyr mawr yn yr ieithoedd eraill. Y casgliad y mae'n rhaid dod iddo yw ei fod, fel un a dreuliodd amser hir yn ymwneud ag ansawdd gwaelodol yr iaith Gymraeg, wedi ymdeimlo drosto'i hun, yng nghyd-destun y Gymraeg, â'r hyn yr oedd Eliot, Joyce, Proust a sawl un arall wedi ymdeimlo ag ef mewn perthynas â'r Saesneg a'r Ffrangeg. Credaf fod ei amser yn Lloegr, Ffrainc a'r Almaen wedi ysgogi ei ymwybod llenyddol i'r hyn a oedd ar gerdded yn y gwledydd hynny, fel pe bai'n isymwybodol. Yr oedd ei ymwybod yn gwbl wreiddiol, yn ffrwyth ei ymchwil fewnol ei hun, yn arddangos hydeimledd cynhenid gŵr o athrylith i'r hyn a oedd yn digwydd o'i gwmpas. Dywedodd Eliot rai pethau perthnasol iawn i natur Parry-Williams fel bardd. Dywedodd, yn y lle cyntaf:

> The great poet, in writing himself, writes his time. Thus Dante, hardly knowing it, became the voice of the thirteenth century; Shakespeare, hardly knowing it, became the representative of the end of the sixteenth century.[22]

Ond fe ddywedodd hefyd:

When a poet's mind is perfectly equipped for its work, it is constantly amalgamating disparate experience: the ordinary man's experience is chaotic, irregular, fragmentary. The latter falls in love, or reads Spinoza, and these two experiences have nothing to do with each other, or with the noise of the typewriter or the smell of cooking; in the mind of the poet these experiences are always forming new wholes.[23]

'Forming new wholes' yw'r hyn y mae Parry-Williams yn ei wneud drosodd a throsodd yn ei fyfyrdodau, gweld cysylltiadau, gweld tebygrwydd rhwng yr annhebygol. Yr oedd hefyd yn adnabod yn dda yr hyn a ddywedodd Eliot mewn man arall:

It is not in his personal emotions, the emotions provoked by particular events in his life, that the poet is in any way remarkable or interesting . . . The business of a poet is not to find new emotions, but to use ordinary ones and, in working them up into poetry, to express feelings which are not in actual emotions at all . . . It is a concentration, and a new thing resulting from the concentration, of a very great number of experiences which to the practical and active person would not seem to be experiences at all.[24]

Dyna'n union fel y mae llawer o ysgrifau Parry-Williams yn dod i fodolaeth: taro ar y di-sylw a'r cyffredin a'i wneud yn anghyffredin ac yn werth sylwi arno wrth ei gysylltu â rhywbeth arall sydd, ynddo'i hun, hefyd yn ymddangos yn ddi-sylw a chyffredin. 'Forming new wholes' ar hyd yr amser ac, wrth wneud hynny, ddangos inni ryfeddodau yn y cosmos na welsom o'r blaen. Ond mynegodd Eliot hefyd yr anhawster mawr i'r bardd modern wrth iddo geisio creu unoliaethau newydd mewn gwareiddiad ar chwâl. Yr oedd yn llawer haws i Dante neu Shakespeare, pryd yr oedd unoliaeth cred yn dal pethau at ei gilydd, o leiaf yn ymddangosiadol:

We can only say that it appears likely that poets in our civilization, as it exists at present, must be difficult. Our civilization comprehends great variety and complexity, and this variety and complexity, playing upon a refined sensibility, must produce varied and complex results. The poet must become more and more comprehensive, more allusive, more indirect, in order to force, to dislocate if necessary, language into his meaning.[25]

Dyma oedd Parry-Williams, yn rhannol ddiarwybod hwyrach, yn ei wneud yn ei ddwy gyfrol gyntaf, ceisio datrys problemau'r bardd

modern mewn gwareiddiad ar chwâl. Nid y lleiaf o'i orchestion oedd ei
fod yn aml yn llwyddo, ac fe fyddai'n parhau i lwyddo, i wneud y fath
ymson o leiaf yn rhannol ddealladwy, ac o fewn cyrraedd darllenwyr
Cymraeg llengar ond cymharol ddiaddysg. Llwyddodd yn hynny o beth
am ei fod wedi medru llunio'r iaith Gymraeg at ei bwrpas mewn modd
nad oedd modernwyr mawr Ewrop wedi llwyddo i lunio'u hieithoedd
hwy. Yr oedd hynny i raddau oherwydd natur a hanes unigryw yr iaith
Gymraeg, ac yn rhannol oherwydd natur a hanes unigryw T. H. Parry-
Williams ei hun. Y mae'n rhywbeth y bydd rhaid inni ei drafod ym-
hellach, wrth weld ei waith yn ei gyfanrwydd.

Gwelsom ei fod wedi anfon copïau o *Ysgrifau* at nifer o'i ffrindiau;
gwnaeth yr un peth gyda *Cerddi*, ac o hyn ymlaen daeth hyn yn arferiad
cyson ar ei ran; arferai anfon nifer sylweddol o'i lyfrau at sawl un o'i
gydnabod ac at ffigyrau llenyddol yng Nghymru, ac yn wir o'r tu allan i
Gymru hefyd, fel y dengys llythyr oddi wrth Idris Bell, ac yntau ar y
pryd yn Geidwad Llawysgrifau yn yr Amgueddfa Brydeinig, ym mis
Tachwedd 1931, yn diolch am ei gopi o *Cerddi* ac yn anfon cyfieithiadau
o ddwy ohonynt yn ôl i'r bardd, gan ofyn caniatâd i'w cyhoeddi yn
Welsh Outlook.[26] Yr oedd hyn yn gychwyn ar ohebiaeth gyson a
chyfeillgarwch hir rhyngddo ac Idris Bell, a ddatblygodd, wrth gwrs, yn
gyfieithydd deallus a chyson o farddoniaeth Gymraeg i'r Saesneg.
Gohebydd arall o Lundain oedd y tenor, Owen Bryngwyn, a oedd wedi
gofyn iddo gyfieithu caneuon iddo i'w canu yn y Gymraeg. Yr oedd
y canwr yn amlwg am i Parry-Williams fod yn llai ffurfiol yn ei
gyfarchiadau gohebol:

> First of all, let me say that unless you give up calling me 'Mr Owen
> Bryngwyn', I shall not write to you any more – How can we possibly
> disagree with or swear at each other properly if we are polite like this?
> Anyhow you would never have written 'Mr' Llew Tegid – and mine, after
> all, is only a 'ffugenw' like that.[27]

Datblygodd perthynas ffrwythlon rhyngddo ac Owen Bryngwyn, a
chryn ohebiaeth, ond nid oedd y canwr yn adnabod ei 'Parry' os oedd
yn meddwl y gellid ei berswadio i arfer 'ti a tithau' ar chwarae bach.

Soniais ei fod wedi ailddechrau beirniadu yn yr Eisteddfod Genedl-
aethol ym 1931, a bod Gwenallt wedi ennill y Gadair â chanmoliaeth
unfryd y beirniaid y flwyddyn honno. Byddai wedi bod ychydig yn
anodd hwyrach, o ystyried ei natur, pe na fuasai'r farn yn unfryd, a
Gwenallt yn gydweithiwr iddo. Yn anffodus, digwyddodd problem

debyg, ond fwy diflas, yn Aberafan ym 1932, pryd nad oedd y beirniaid yn unfryd.

Y testun oedd 'Y Fam' a'r beirniaid oedd J. J. Williams, J. T. Job a T. H. Parry-Williams. Yn ôl nodiadau a wnaed gan Brinley Richards fel ysgrifennydd y Pwyllgor Llên, yr oedd ymgeiswyr cryf yn y maes, gan gynnwys D. Lloyd Jenkins o Dregaron, Dewi Emrys, W. Roger Hughes, y bardd-offeiriad o Faldwyn, a Rolant o Fôn, a oedd i ennill y Gadair – heb sêl bendith T. H. Parry-Williams – ymhen blynyddoedd i ddod. Ond yr oedd dau ymgeisydd arall, un, y Parchedig D. J. Davies, gweinidog Capel Als, Llanelli, yn ddisgwyliadwy, a'r llall yn llai felly. Y trydydd o wyrion athrylithgar Thomas Parry ydoedd, cefnder arall Parry-Williams, Thomas Parry yr ail, a oedd ar y pryd yn ddarlithydd yng Ngholeg Bangor. Ni wyddai neb fod Thomas Parry yn y maes; yn wir, nid oedd neb yn meddwl amdano fel bardd, gymaint felly nes bod Parry-Williams, pan alwodd ei gefnder heibio iddo yn Aberystwyth, wedi trafod rhai o'r awdlau gydag ef, ac yn wir wedi darllen dyfyniadau o'i awdl ei hun iddo. Yn y diwedd, daeth pethau i ben yn y modd gwaethaf posibl. Dyfarnodd J. J. Williams a J. T. Job awdl 'Bardd Tir Coch', sef D. J. Davies yn orau, ac fe'i cadeiriwyd. Ond yr oedd T. H. Parry-Williams wedi gosod ei bleidlais wrth awdl arall, gwaith 'Mabon fab Modron', a 'Mabon fab Modron' oedd Thomas Parry, ei gefnder.

Yr oedd Thomas Parry, y lleiaf croendenau o'r cefndryd, hwyrach, yn sylweddoli ei fod mewn picil, ac ysgrifennodd at Parry-Williams yn syth ar ôl yr Eisteddfod:

> Y mae'n debyg eich bod yn deall erbyn hyn mai myfi oedd Mabon fab Modron ym Mhorth Talbot. Yn awr, erfyniaf arnoch yn onest a diffuant iawn beidio â digio wrthyf, yn gyntaf am gynnig, yn ail am ragrithio cymaint pan oeddwn yn Aberystwyth . . . Sylweddolais mai annoeth braidd oedd imi gynnig, a chwithau'n beirniadu, ond pe pwyswn ar hynny, ni chynigiwn byth, achos yr ydych chwi neu Bob ar y rhaglen yn gyson . . . Pan adroddasoch ddarnau o'm hawdl i fy hun wrthyf, teimlwn yn euog iawn iawn, ac yn fwy annifyr nag y gwnaethum fawr erioed . . . Y peth sy'n fy mhoeni i, ac yn fy mhoeni'n ddirfawr, yw i chwi deimlo'n annifyr, a theimlo'n ddig tuag ataf i am eich arwain i'r trybini.[28]

Yr oedd Thomas Parry *wedi* arwain ei gefnder 'i'r trybini', ac o wybod natur ei ymateb i bethau fel hyn, y tebyg yw ei fod yn teimlo'n ddig a diflas iawn. Ac yr oedd rhai, wrth reswm, yn fodlon edliw i Parry-Williams ei ffafriaeth o'i gefnder. Wedi cael amser i feddwl, serch hynny, y mae'n amlwg ei fod, fel arfer, wedi ymateb yn rasusol, oherwydd, ymhen ychydig ddydd-iau wedyn, daw llythyr fel ochenaid o ryddhad oddi wrth y Thomas arall:

> Diolch i'r drefn a chwithau am y llythyr heddiw. Ni chefais gymaint gollyngdod ers llawer dydd.[29]

Y mae'n bosibl, serch hynny, fod y ffrwgwd hon, ffrwgwd hollol ddi-alw-amdani cyn belled ag yr oedd Parry-Williams yn y cwestiwn, wedi ei ddiflasu unwaith eto rhag mentro i lygaid y cyhoedd llenyddol. Beth bynnag oedd y rheswm, nid oedd llais 'Parry bach' i'w glywed eto oddi ar lwyfan y Genedlaethol tan 1939, pan wrthododd y Goron i Caradog Prichard: ond stori arall yw honno.

Fe ddylem ddychwelyd i 1932, pryd y cyhoeddwyd ei lyfr nesaf yn ei briod faes ymchwil, *Canu Rhydd Cynnar* gan Wasg Prifysgol Cymru, a'r sonedau Saesneg yn breifat gan y Cambrian News. Yr oedd ysgrifau ei gyfrol nesaf, *Olion*, hefyd yn dechrau ymddangos mewn cylchgronau fel *Y Traethodydd, Yr Eurgrawn, Y Ford Gron* ac *Yr Efrydydd*. Yr oedd yn gredwr mawr mewn gwasgaru ei ffafriaeth ymysg yr holl gylch-gronau, a pheidio â 'pherthyn' i unrhyw un ohonynt. Yn ystod y flwyddyn hon hefyd, ymddangosodd y trydydd o lyfrau Gwasg Prifysgol Rhydychen, *Llyfr Canu Newydd, Part III*, a oedd yn cynnwys nifer o gyfieithiadau o ganeuon gwerin gan T. H. Parry-Williams.

Y mae'n ddiddorol hefyd ei fod wedi cyhoeddi, yn ystod 1932, dri rhigwm yn *Y Tyst* yn ystod Mawrth, Ebrill a Mehefin. Yr oeddynt yn 'ôl-wrthodedigion' fel petai, oherwydd 'does dim golwg ohonynt yn ei gyfrol nesaf, *Olion*, nac yn unman arall. Gall hynny'n hawdd fod oherwydd mai cerddi serch yw'r tair, a cherddi serch positif ac angh-ymhleth iawn. Ond y maent yn delyneigion crefftus ac uniongyrchol, â chryn gynildeb geiriol a syniadol ac, o ran crefft, yn sicr yn haeddu'u lle yn y canon lawn gymaint â'r rhigymau taith. Y mae'r gyntaf yn darlunio dau gariad yn crwydro Dyffryn Elan, heibio i'r argae newydd, a rhyw drosiad ysgafn a ffansïol yn cymharu'r cronfeydd dŵr a fyddai'n 'diodi'r ddinas draw' i ysgafnder serch yn dyfrhau ysbryd y bardd wrth iddo grwydro'r dyffryn yng nghwmni ei gariad:

> Dringo, ill dau, lle mae goludoedd glaw
> Maesyfed yn diodi'r ddinas draw . . .

> Cronfeydd di-lac fu'r diwrnod ar ei hyd,
> A Dyffryn Elan yn argaeau i gyd.

Y mae'r ail, yn fwy ffansïol fyth, yn dychmygu'r 'Pen-Darlunydd Mawr Ei Hun' yn edrych trwy ei albwm ffotograffau ar ôl i gwrs bywyd dyn ar y ddaear ddod i ben, i'w atgoffa'i hun o bethau fel yr oeddynt unwaith. Ymysg y lluniau y mae un o ddeuddyn:

> Yn oedi'n uchel, ryw brynhawnddydd llwyd,
> Yn ymyl nef ar ffiniau Dyffryn Clwyd.

> A gwena'n glên, er Ei wyryfdod mawr,
> Wrth gofio cryfder gwendid llwch y llawr,

> A throir y ddalen drosodd; ond er hyn,
> Bydd cofnod yno byth mewn du a gwyn,

> O dario deuddyn, ryw brynhawnddydd llwyd,
> Ar ffin y nef yn ymyl Dyffryn Clwyd.

Ni ddylid ei gymryd ormod ar ei air hwyrach mewn cerdd 'ffansi' – fel y mae'n dweud wrthym yn ddigon aml – ond mae'r cwpled sy'n darlunio'r Hollalluog yn gwenu, 'er Ei wyryfdod mawr' wrth wylio dau gariad, a'r llinell rymus 'Wrth gofio cryfder gwendid llwch y llawr' yn osodiad positif iawn mewn perthynas â serch dynol. Ysgafnder yw nodwedd y trydydd rhigwm hefyd, lle mae'r ddau y tro hwn yn ymweld â Phistyll Rhaeadr, a thegwch gwyn y pistyll ymron yn aros cyn disgyn, wedi cael ei syfrdanu gan brydferthwch y 'Tegwch Du' islaw iddo:

> Petrusodd, yr ennyd fyrraf erioed,
> O weled Tegwch Du wrth ei droed,

> Troesom, a'i adael yn disgyn o hyd
> Yn wylaidd a llawen ym mhen draw'r byd.

Y mae'r 'Tegwch Du' ar droed y pistyll yn ein hatgoffa'n anochel o'r 'Dyddgu o ferch' y clywsom amdani eisoes. Ond nid caneuon trist na hiraethus mo'r rhain, a'r tebyg yw ei fod wedi darganfod rhyw Ddyddgu arall, nad yw, serch hynny, am i neb ond darllenwyr Y Tyst ei glywed yn canu iddi. Y mae'n enghraifft dda iawn, mewn ffordd, o'r 'hanner-yn-hanner'. Y mae am gyhoeddi'r cerddi, y mae am ganmol hyfrydwch ei serch ar goedd – wedi'r cyfan, y mae darllenwyr Y Tyst, beth bynnag yw eu nifer, yn fodau dynol sy'n medru darllen. Ar y llaw arall, nid yw am eu cyhoeddi chwaith, gan nad ydynt yn unol â'r canon: y mae'r 'canon' wedi tanseilio hygrededd serch ers tro. Ond hwyrach ei fod yn teimlo rhyw lun o ddiogelwch wrth eu hymddiried i olygydd *Y Tyst*.

O edrych allan ar y byd mawr o'r tŵr ifori yn Adran y Gymraeg yn Aberystwyth, yr oedd y blynyddoedd pryd yr oedd Thomas wedi ceisio cadw ei fywyd ei hun iddo'i hun wedi bod yn flynyddoedd o gynnwrf a newid mawr yng Nghymru a'r byd. Yr oedd gorfoledd diwedd y rhyfel wedi rhoi lle i ragargoel y Dirwasgiad fel yr âi'r 1920au yn eu blaenau.

Daeth Llywodraeth Lafur i rym ym Mhrydain ym 1924 ac, ym 1925, sefydlwyd y Blaid Genedlaethol newydd yng Nghymru. Yr oedd nifer o ddisgyblion disgleiriaf Parry-Williams yn weithgar ynglŷn â'r blaid newydd. Pe bai'r Parry-Williams a welodd y pethau hyn yn crynhoi o'i gwmpas yr un Parry-Williams ag a fu'n adlewyrchu artaith y Rhyfel Mawr yn ei gerddi a'i ysgrifau cynnar, byddai'r cynnyrch barddonol yn gignoeth gymdeithasol, fel y tyfodd gwaith ei gydweithiwr, Gwenallt, i fod. Ond nid yr un Parry-Williams oedd o, fel y gwyddom, ac nid oedd a wnelai Parry-Williams y 1920au a'r 1930au ddim â'r pethau hyn, yn allanol, beth bynnag.

Y mae'n debyg y dylid nodi yma fod un Amy Thomas o Bontyberem wedi graddio yn y Gymraeg yn Aberystwyth yn 1932, ond gan na chymerodd yr Athro unrhyw sylw arbennig ohoni y pryd hwnnw – hyd y gwyddai neb, beth bynnag – nid yw'n addas i ninnau sylwi arni chwaith ar hyn o bryd. Llawn cyn bwysiced, hwyrach, oedd y ffaith fod myfyriwr disglair arall, Thomas Jones, yntau'n hanu, fel Gwenallt, o'r Alltwen, hefyd wedi graddio y flwyddyn honno, ac wedi mynd, fel ei Athro, i Baris i astudio ymhellach. Gohebai'n gyson â Parry-Williams o Baris, a phan ddychwelodd i Gymru ym 1933, fe'i penodwyd yn ddarlithydd cynorthwyol yn yr adran. Ef, wrth gwrs, fyddai'n dilyn Parry-Williams i'r Gadair ugain mlynedd yn ddiweddarach. Tybed a welai Thomas ryw debygrwydd rhwng eu perthynas hwy a'i berthynas ef ei hun ag Edward Anwyl ugain mlynedd ynghynt? Dylid nodi hefyd, gan fod cerbydau yn rhan bwysig o'i fywyd, fod yr hen Bayliss Thomas wedi rhedeg ei gwrs a bod car newydd, y Lea Francis a fyddai'n rhan ohono am flynyddoedd, wedi cyrraedd y tŷ lojin yn North Road erbyn hyn.

Yr oedd 1933 a 1934 yn flynyddoedd tawel cyn belled ag yr oedd cynnyrch llenyddol yn y cwestiwn. Yn academaidd, cyhoeddodd ar-graffiad o Lawysgif Hendregadredd, wedi ei olygu ar y cyd gyda John Morris-Jones; cyhoeddodd ddau rigwm a cherdd, a fyddai'n ymddangos yn y man yn *Olion*, yn *Y Llenor*; a bu'n beirniadu'r cynnyrch barddonol yn Eisteddfod Môn. Ond yn gynnar yn y flwyddyn, yr oedd yr hen elyn wedi ergydio unwaith yn rhagor. Ym mis Ebrill, bu farw Blodwen, ac yn ôl pob tebyg, dyna ddiwedd ar yr ymgais i gadw tân ar yr aelwyd yn Rhyd-ddu. Parhaodd i dalu rhent i'r pwyllgor addysg am beth amser eto, ond Blodwen, yn ddiamau, oedd ei gydymaith mwyaf cyson pan ddychwelai i Dŷ'r Ysgol dros wyliau'r haf. Nid oedd hi ond yn 47 oed, ac yr oedd ei cholli mor gynnar, yn dilyn colledion eraill y 1920au, yn sicr yn ergyd fawr. Pan gyhoeddwyd *Olion* ym 1935, yr oedd y gyfrol yn cynnwys rhigwm byr sy'n deyrnged syml, dyner a diamod i ofal diflino Blodwen dros y teulu i gyd, gan gynnwys, mae'n sicr, ei gofal dros ei rhieni yn eu dyddiau olaf, pryd yr oedd y gweddill o'r teulu ar chwâl:

Chwaer

Ni wyddai'r gog a ganai, pan gleddid hi'n y llan,
Ddim am y gofal eirias a daniai'i heinioes wan.

Ni wŷr y garreg oerddu sy'n sgleinio ar y bedd,
Ddim am y wenfflam eiddig a'i llosgai mor ddi-hedd.

Ond gwyddom ni. – Ymgeledd am ffawd ein teulu ni
Oedd unig angerdd ysol ei byw a'i marw hi.

A gallwn feddwl, wrth ddarllen y rhigwm, fod y Tom a arferai ddanfon 'Blod' adref o'r ffermydd cyfagos fin nos yn Rhyd-ddu, ac a ofalai anfon 'PC' i Blod o ble bynnag ar y blaned y digwyddai fod, yn gweld wrth ei ysgrifennu y chwaer fechan bengoch yn ymbrysuro ynglŷn ag anghenion y brodyr a'r chwaer arall a'i rhieni, ac yn 'trefnu eu bywydau'. Yr oedd angor arall wedi tynnu'n rhydd, a'r angor pwysicaf hwyrach, ar wahân i'w dad a'i fam.

Aeth bywyd ymlaen yn weddol ddidramgwydd yn ymddangosiadol trwy weddill 1933 a 1934. Yr oedd bellach wedi ailgychwyn hen arferiad o gynnal dosbarthiadau nos, ac ym mis Medi 1934, y mae J. Breeze Davies, ysgrifennydd y dosbarth, yn anfon llun ato o aelodau'r ysgol haf a gynhaliodd yn Ninas Mawddwy yr haf hwnnw. Yn ystod 1934, hefyd penderfynodd roi cais i mewn am radd D.Litt. Prifysgol Cymru ar gorn ei dair cyfrol ysgolheigaidd, *The English Element in Welsh, Canu Rhydd Cynnar* a *Llawysgrif Richard Morris o gerddi*. Cafodd y radd heb ddim trafferth. Ymysg y llythyrau yn ei longyfarch ar y llwyddiant newydd hwn, daeth un oddi wrth neb llai na'i gefnder, Bob Parry, llythyr a oedd yn dangos nad oedd y berthynas rhyngddynt ddim wedi newid llawer yn ei hanfod dros y blynyddoedd, er bod Bob, mae'n amlwg, yn teimlo fod Tom yn esgeuluso eu cyfeillgarwch: 'Nid wyt wedi bod y ffordd hon ers hylltod bellach. Pa bryd y doi? . . . Pan ddelych i'r Gogledd, cofia fod yma wely i ti.'[30] Y mae dadrithiad Bob ynglŷn â'r Brifysgol a'i phethau wedi gwreiddio'n ddwfn erbyn hyn, ac mae'n ddigon digalon ynglŷn â'i stad. 'Rhyw ledfyw yr wyf fi o hyd tua'r Coleg yma. Ni fyddaf yn mynd yno ond pan fo raid.' Gwelwn, wrth i'r 1930au ddirwyn ymlaen, y bydd Bob yn mynd yn fwy a mwy anfodlon ac anhapus ac y bydd yn rhannu'i deimladau â Tom. Mwy uniongyrchol berthnasol inni y tro hwn, hwyrach, yw'r ffaith mai llugoer, a dweud y lleiaf, yw ei longyfarchion ar y ddoethuriaeth. Nid yw'n cymeradwyo awydd y cefnder bach i hel anrhydeddau a gorchestion, yn awr fwy nag yr oedd ers talwm. Dyn a ŵyr beth fyddai wedi ei ddweud pe bai wedi byw i weld yr hyn a oedd i ddigwydd yn y 1950au a'r 1960au! Dyma beth bynnag, a ddywedodd y tro hwn, gan ddechrau'n gamarweiniol ganmoladdd:

Fy llongyfarchiadau cynnes iti ar dy Ddoethuriaeth newydd! Ni theimlwn yn rhyw frwd iawn pan glywais gyntaf dy fod i mewn amdani, a thithau eisoes yn ddoethor *magna cum laude* ym Mhrifysgol Freiburg. Yr oedd i mi fel dyn yn mynd am ei BA ar ôl ennill ei MA! Ond tydi a ŵyr, tydi a ŵyr, tydi . . .[31]

Diau fod hynny wedi dwyn rhywfaint o flas oddi ar y pwdin. (Y mae'n ddiddorol, gyda llaw, mai 'ti a tithau' yw hi bob amser rhwng Bob a Tom, ond 'chi a chithau', fel y gwelsom yn achos styrbans eisteddfodol 1932, yw hi rhwng Thomas Parry, Bangor ac yntau.)

Ar wahân i gyhoeddi *Olion*, yr oedd 1935 i weld tro arall ar fyd a thri digwyddiad a oedd, hwyrach, yn gysylltiedig â'i gilydd, er na ellir dweud hynny a sicrwydd. Ond cyhoeddi *Olion* a ddigwyddodd yn gyntaf. Fel y cyflwynodd *Ysgrifau a Cerddi* i goffadwriaeth ei dad a'i fam, y mae *Olion* wedi'i gyflwyno 'I Goffadwriaeth fy Rhieni a'm Chwaer'. Hwy sydd fwyaf ar ei feddwl o hyd. Rhennir *Olion* yn ddwy ran, chwe ysgrif ac ugain o rigymau. Yn y dull cwbl fwriadus a ddisgwyliwn erbyn hyn, er nad yw'n dyddio'r darnau'n unigol y tro hwn, nodir mai i'r blynyddoedd 1928–32 y mae'r ysgrifau'n perthyn a'r rhigymau i'r blynyddoedd 1923–35. Cyfrol dawel yw hon, ac yn wir, y mae'n berthnasol ar un wedd i feddwl am ei chynnwys fel 'olion' yr hyn a adawyd ar ôl gan *Ysgrifau a Cerddi*.

Ar wahân i 'Prynu Caneri',[32] sy'n bartner teilwng i 'Boddi Cath' ac yn deyrnged gyfochrog i bwysigrwydd cyfeillgarwch, a'r 'Dewis',[33] sy'n ymson ynglŷn â'r dewisiadau y mae dyn yn gorfod eu gwneud mewn bywyd ac sy'n gallu ei arwain ar hyd llwybrau na ellir rhag-weld eu troadau, ymwneud â thiriogaeth y ffin mewn gwahanol ffyrdd y mae'r ysgrifau eraill. Y mae fel pe bai wedi cyrraedd pwynt lle mae'n medru edrych yn fwy ystyriol a deallusol ar y profiadau a'r ffenomenau 'rhwng-dau-fyd' sy'n gymaint o destun chwilfrydedd iddo, nag yr oedd yn *Ysgrifau*, cyfrol fwy angerddol o gryn dipyn.

Ond y mae ysgrifau *Olion*, serch hynny, yn ychwanegu'n ystyrlon at yr hyn y mae'n ceisio'i ddarganfod ynglŷn â'r profiadau hyn. Yn 'Bwrn', y mae'n dechrau gydag ysgogiad penodol a diriaethol fel arfer, y tro hwn engrafiad gan Blake – y mae'n meddwl! – sy'n hongian mewn ffenestr siop yn Aberystwyth, ac yn symud o hwnnw i ystyried y stad-rhwng-dau:[34]

> Wrth geisio dianc rhag cyffredinwch nychol byw-bob-dydd a newid cyfeirbwynt ein gwelediad arferol, i ganfod pethau nid fel y maent ond fel y maent yn cyfrif (os ydynt yn gwir gyfrif o gwbl), y mae amryw ystadau y gellir yn ddiofal ac yn ddioglyd lithro iddynt.

Dyma graidd un o'i broblemau. Y mae wedi creu patrwm o fyw sydd, y mae'n gobeithio, yn lleihau i'r eithaf y perygl o'i gael ei hun i'r math o sefyllfa o bwysedd a gwrthdaro a brofodd mor seicolegol glwyfus iddo yn y gorffennol. Ond ochr arall y geiniog yw fod rhan o bersonoliaeth Parry-Williams nad yw'n fodlon o gwbl ar y fath fyw diddigwydd: 'cyffredinwch nychol byw-bob-dydd' ydyw, ac mae mwy na hynny mewn bywyd. Felly, y mae'n 'ceisio dianc' o'r 'cyffredinwch' hwn, ac mae modd gwneud hyn trwy 'ymgodi'n foethus i gyflwr ecstatig dyrchafedig, lle'r ymddengys yr hyn sy'n amhosibl yn fwy posibl na'r hyn sy'n debygol'. Bron na ellid dweud fod hwn yn ddisgrifiad o'r math o gyflwr y mae person yn chwilio amdano wrth gymryd cyffur fel LSD, y cyflwr a ddisgrifiwyd gan Aldous Huxley yn *Doors of Perception* (1954) a *Heaven and Hell* (1956). Neu, gellir gwneud y gwrthwyneb ac ymwadu â phrofiad yn gyfan gwbl a 'disgyn yn dawel fach i'r dyfnder distaw lle nad oes dim – ond dim – o bwys. Nid oes neb a ŵyr. Oherwydd hyn, y mae'r antur yn swynol – ac yn beryglus.' Beth yw'r gwrthwyneb i ecstasi? Anymwybodolrwydd? Mae'n bosibl. Ac mae'n sylweddoli bellach ei fod yn dechrau dweud pethau peryglus. Ac felly mae'n amser i roi'r *caveat* arferol i mewn, y math o beth y mae'n ei ddweud pryd y mae'n agos i'r dibyn: 'Lol i gyd! Efallai.' Ac yna y mae'n archwilio'r cyflwr rhwng y ddwy eithafiaeth o ecstasi a diddymdra. Ac nid 'cyffredinwch byw-bob-dydd' yw hwn o gwbl:

rhyw gyfnos ydyw lle y mae beiau'n rhinweddau, lle y llunnir diarhebion. Yno y mae pethau'n iawn ac yn aniawn, y mae dwy ochr i bopeth . . . Yr ydys ar beidio â meddwl ac ar ddechrau pensynnu.

A dylid aros yma i ddweud fod y paragraff hwn yn allweddol, gan ei fod yn diffinio yr hyn sydd i bob pwrpas yn 'normal' ym mhrofiad Parry-Williams, y cydbwysedd bregus sy'n caniatáu iddo, ar y naill law, godi am ysbaid i gyflwr sydd ymron yn gyfriniol a goruwchnaturiol, neu ddisgyn ar y llaw arall i lonyddwch rhyw 'uffern ddigon dofn i fod yn nef'. Ond nid oes rheidrwydd i godi na disgyn; y mae cyflwr arall, rhyw 'dŷ-hanner-ffordd, sefyllfa ganol, lle y gellir ymaros am ddyddiau a misoedd a hyd yn oed flynyddoedd'. Man canol yw hwn rhwng y 'cyffredinwch' sy'n cael ei reoli gan y meddwl rhesymegol, ac felly sy'n gwbl ryddieithol a diantur ei natur, a'r cyflwr bregus, uwch sy'n dod i fodolaeth trwy 'bensynnu'. Y mae'r geiriau 'pensynnu' a 'synfyfyrio' ac yn wir 'myfyrio' yn gyfystyron manwl i Parry-Williams am gyflwr lle mae dyn yn gadael terfynau rheswm y tu ôl iddo ac yn caniatáu i ryw gwmpawd arall gymryd drosodd. Y mae'n golygu rhywbeth tebyg iawn i 'fyfyrdod' y crefyddau dwyreiniol; nid geiriau llac yw 'pensynnu' a 'synfyfyrio' a 'myfyrio' i Parry-Williams.

Y mae'n mynd ymlaen i ddisgrifio'r cyflwr ymhellach, a pho fwyaf y gwna hynny, mwyaf yn y byd y medrwn ei weld fel disgrifiad o'r 'hanner-yn-hanner a dim yn iawn' y mae, mewn mŵd arall, yn ei gondemnio ynddo'i hun:

> Y mae oriau unig yn llawn o bobl, ac ni welir neb mewn torf. Y mae'r un pethau a phersonau yn denu ac yn gwrthladd. Y mae dewrder a llyfrdra yn mynd law yn llaw. Ymdeimlir â rhyw hyder ofnus, herfeiddiwch dof, hiraeth diamcan, – dyhead y seren am y gwyfyn.

Sef aralleiriad o linellau enwog y bardd Saesneg Shelley:

> The desire of the moth for the star,
>   Of the night for the morrow,
> The devotion to something afar
>   From the sphere of our sorrow . . .[35]

Ond hwyrach mai'r cymal anwylaf, a mwyaf hunanddatguddiedig yn yr holl ddisgrifiad yw 'herfeiddiwch dof'. Dyma, i mi, ddisgrifiad perffaith o Tom, pryd y mae greddfau mentrus teulu Glan Gwyrfai ymron â

threchu gofalusrwydd ei dad. Dyma'r Tom sy'n gwylio Willie,
ymgorfforiad o deulu ei fam, yn dringo i ben to ac i lawr trwy'r simdde,
gan ddyheu am wneud y fath beth ei hun, ond yn gwybod yn iawn na
fyddai fyth yn mentro; ond dyma'r Tom hefyd a aeth ar siwrnai i Dde
America, yn llawn ofnau a hiraeth ac annwyd yn ei ben, a dyma'r Tom
a aeth, yn gawr i gyd, i astudio meddygaeth, gan synnu pawb. Dylid
cydnabod fod y Tom hwn yn medru gwneud pethau dewr iawn ar
brydiau, er cymaint yr oedd hynny'n ei frifo.

Y mae'r ysgrif 'Darnau'[36] yn dod at y thema o gyfeiriad gwahanol,
trwy nodi nad mewn continwwm llyfn o 'gyffredinwch' y mae bywyd,
mewn gwirionedd, yn mynd yn ei flaen, ond fesul 'hwb-cam-a-naid', a
cherrig milltir yn mesur y daith. Yn yr un modd, y mae 'Ar chwâl'[37] yn
ystyried bywyd fel rhywbeth pytiog, anorffenedig, yn gorffen cyn y
dylai orffen, a phethau'n aros dragywydd ar eu hanner:

> Y mae popeth fel petai'n dyfod cyn amser ei ddigwydd, a phawb yn
> cyrraedd pen y daith cyn diwedd y siwrnai. Felly, i bob golwg, nid oes
> dim mewn bywyd yn cael ei orffen yn llwyr na'i gyflenwi'n hollol: y mae
> rhyw ddarn yn ymddangos ar goll bob amser.

Nid yw'n syndod ei fod yn chwarae â'r syniad o anorffenedigrwydd
bywyd mewn cyfnod pryd y mae marwolaeth ifanc a chyn pryd ar ei
feddwl. Y mae'n chwarae, trwy'r ysgrif, â'r syniad o gymaroldeb, ac yn
arbennig o gymaroldeb amser, ac yn dwyn un wers ddiddorol ar gyfer
ein bywyd pob-dydd oddi wrth ddysgeidiaeth Einstein:

> Y mae'r drefn dybiedig fel petai'n drysu yn aml hefyd pa fo dyn mewn
> ystad o angerdd, – megis egni disgwyl dwys a dygn, er enghraifft, neu
> unrhyw gynnwrf nwydus ac ymdeimlad llethol . . . Y mae'r fam a fu'n
> disgwyl ei phlentyn adref, wedi ei glywed wrth y drws ac yn gwybod ynddi
> ei hun yn sicr ei fod yno, ac yntau, i bawb arall . . . eto'n bell o gyrraedd . . .
> Dyna'r pryd y mae dyn yn gweld rownd y gornel ac yn 'treiddio trwy'r
> parwydydd' . . . Wrth ddyfod cyn eu tro fel hyn y mae'r profiadau miniog
> a'r 'amgylchiadau' cythryblus yn rhoi cyfle i ddyn gael ei draed dano ac
> ymsefydlogi cyn iddynt ddigwydd. Ac y mae hynny'n drugaredd, oherwydd
> heb hyn ni allem ddal sioc y cynyrfiadau mawr gystal ag y gwnawn.

Cipolygon, ambell weledigaeth y foment, ar rai o'r ystyriaethau dwys
a chymhleth y mae'n ymdrin â hwy yn yr ysgrifau yw cynnwys
rhigymau'r gyfrol. Ond, o graffu arnynt, y mae ambell gyfrinach yn

dod i'r golwg yma hefyd. Crynodeb o'r hyn a ddywed sawl tro am y
cymhlethdod yn ei bersonoliaeth ei hun a gawn yn y rhigwm adna-
byddus 'I'm Hynafiaid', a hwyrach mai'r cwpledi mwyaf arwyddocaol
yn ail hanner y gerdd, pryd y mae'n rhestru'r hyn a etifeddodd gan ei
hynafiaid, yn hytrach na'r hyn *na* chafodd, yw:[38]

> Mi gefais gennych gred trwy'r hil i lawr
> Mai trech na dysg yw dwyster munud awr

ac

> Mi gefais gennych fodd i synio'n glir
> Mai mewn anwybod y mae nef yn wir.

Y mae'n rhaid cyfaddef, serch hynny, fod sawl rhan o bersonoliaeth
amlweddaidd y bardd yn debyg o anghytuno, mewn mŵd gwahanol, â'i
gwpled clo:

> A dyna pam, gan gymaint a roed im,
> Nad ydwyf yn dyheu am odid ddim.

Nid oedd y cydbwysedd mewnol cymharol yr oedd wedi ei gyrraedd
erbyn dechrau'r 1930au, yn gyfystyr felly â bodlonrwydd, a dweud y
lleiaf. Ymysg yr amrywiaeth o sylwadau ar gymhlethdod ei bersonol-
iaeth ac ar derfynolrwydd bywyd dynol, gan gynnwys y rhigwm grymus
'Gwynt y Dwyrain',[39] sy'n sylw anghyffredin o galed yng nghyd-destun
y gyfrol hon ar anocheledd ffawd a gwendid dyn yn wyneb ei fympwy,
un o'r rhigymau mwyaf anodd ei ddirnad yw'r gerdd fach, 'Cyn-
harwch',[40] a gyhoeddwyd gyntaf ym 1933 yn *Y Llenor*, ac sy'n sefyll ar
y tudalen dan yr is-deitl 'Dameg'. Y mae'n amlwg fod y gerdd yn sôn
am farw cyn pryd, ac mae'r ddelwedd o'r ddeilen fach yn disgyn 'o frig
y pren' mewn 'hydref cynnar' yn ddigon eglur; ond mae'r bardd yn
mynd ymhellach trwy ddweud fod y ddeilen wedi disgyn 'am fod ei
bonyn wedi mynd yn llac'. Ac yn yr ail bennill, y mae'n dweud:

> Mae gyda dail y daeth eu gwyrdd i ben
> Aml hydref cynnar gynt, a'u bonau'n llac.

Pam? Beth yw'r aml hydref? A beth yw arwyddocâd y bonau llac?
O dderbyn fod dwy farwolaeth gynnar wedi digwydd ym mywyd

T. H. Parry-Williams o fewn ychydig flynyddoedd, y mae'n deg tybio fod a wnelo'r rhigwm hwn ag un o'r rhain, neu'r ddwy ohonynt. Rhaid cyfaddef nad wyf yn sicr sut i ddehongli'r ddameg hon, oherwydd y mae'n fwy na mynegiant o alar am farwolaeth cyn pryd. Y mae'n beio rhywbeth a eilw'n 'fonyn llac' am y ffaith fod y ddeilen fach wedi disgyn cyn pryd. Ai sôn y mae am y baban a anwyd yn farw-anedig i'r ferch y bu'n 'cerdded allan' â hi ym 1928? Ai moesau'r ferch yw'r 'bonyn llac' a achosodd farwolaeth y baban, hynny yw a barodd i'r ddeilen fach ddisgyn cyn pryd? Os na, beth arall yw'r arwyddocâd? Sut bynnag, ni allaf weld sut y mae manylion metaffisegol y gerdd yn berthnasol i farwolaeth Blodwen, y farwolaeth gynnar arall a fu'n rhan o'i brofiad yn ystod y blynyddoedd perthnasol. Ni allaf ond gosod allan y gerdd a gofyn i'r darllenydd benderfynu:

> Syrthiodd y ddeilen fach o frig y pren
>   Am fod ei bonyn wedi mynd yn llac.
> Mewn hydref cynnar daeth ei gwyrdd i ben
>   Cyn dyfod hydref hwyr ei halmanac.
>
> Mae gyda dail y daeth eu gwyrdd i ben
>   Aml hydref cynnar gynt, a'u bonau'n llac;
> A mwy ni thyf un fach ar frig y pren
>   A ddeil hyd hydref hwyr ei halmanac.

Cystal nodi, cyn gadael y pwnc, fod *Olion* yn cynnwys hefyd rigwm cwbl ddiamwys, dan y teitl 'Tegwch Pryd',[41] pryd y mae'r bardd yn cwyno am y 'gloes a chlwy' a rydd tegwch pryd i ddynion, ac yn croesawu'n ddigon sarrug y ffaith mai rhywbeth byrhoedlog ydyw:

> Mae'n ormod o ormes i bara'n hir.

A hefyd rigwm arall, ar hyd llinellau tebyg, dybiwn i, dan y teitl 'Dau ac Un',[42] lle mae'n cwyno fod bywyd fel pe bai'n cael ei reoli gan y syniad fod yn rhaid i bawb a phopeth fod yn ddeuoedd:

> Dau, dau, o hyd ac o hyd,
> Nes bod deudod yn fwrn ar fywyd y byd.

Er na ddylid cymryd y rhigwm hwn ormod o ddifrif hwyrach, eto ni ellir chwaith osgoi'r ffaith fod ymson ynghylch terfynolrwydd bywyd yn gorwedd yn drwm ar nifer o rigymau eraill *Olion*, ar wahân i 'Cynharwch' a 'Chwaer'. Y mae'n chwarae â'r syniadau o nef ac uffern yn 'Hyfrydwch',[43] ac yn mynnu yn 'Daear'[44] mai deunydd daearol yw popeth ym mhrofiad dyn, hyd yn oed pethau sy'n ymddangos, hwyrach, yn annaearol:

> Daear yw'r cwbl. Nid yw'r sêr uwchben
> Ond egin daear yn deifio'n fy mhen.

A phan ddaw'r amser iddo ymuno â'r ddaear, yr unig beth y bydd yn ei ddysgu fydd cyfrinachau'r 'Ddaear ei hun'. Y mae 'Bargen',[45] wrth sôn am ei gred fel plentyn yn y Tylwyth Teg, yn dweud y rhoddai lawer am gael clywed tystiolaeth y rhai a'u dilynodd, fel a ddigwyddasai yn ôl y gred, i fyd

> . . . uwch neu is
> Na'r fuchedd hon . . .

Ac yna, yn 'Y Diwedd',[46] y mae'n herio'r angau y mae ef a llawer yn ei ofni trwy ei ddelweddu fel barcud yn hofran ac yn disgwyl ei gyfle, ond yn honni nad yw marwolaeth, pan ddaw, yn medru cael yn ei chrafanc ddim byd elwach na 'darfod byw'. Yn 'Gwaed',[47] sy'n gymar mewn ffordd i 'Daear', pery pob ias a phob cyffro a brofodd y bardd erioed, dim ond cyhyd ag y pery'r gwaed i lifo trwy'r gwythiennau. Unwaith y derfydd hynny, derfydd yntau:

> Mi fyddaf i, tra bo'r llifo brwd,
> Nes dyfod rhyw ellyll i atal ei ffrwd.

Ac yn 'Nid Drychiolaeth',[48] y mae'n sôn am ryw 'ef' a welodd hers ar y ffordd adref, ac sy'n diolch 'i'r Mawredd â distaw gri' pan ddywed ei fab wrtho ei fod yntau wedi ei gweld hefyd, gan gyfeirio, wrth gwrs, at yr hen ofergoel fod gweld 'toili', sef drychiolaeth o angladd, yn ernes fod angladd ar y ffordd i'r sawl a welodd y ddrychiolaeth neu i rywun agos ato. Y mae rhywfaint o galedi, ac yn sicr o ddicter, yn rhigymau *Olion*, a hwyrach na fyddai Saunders Lewis ddim wedi synhwyro person llawn mor addfwyn ar gorn y gyfrol hon. Y mae'n ddiddorol hefyd, ac yn haws ei ddirnad, ei fod yn gorffen y gyfrol gyda rhigwm sy'n dweud fod ymwneud â geiriau, a'u defnyddio i greu cerddi, yn fodd i ddatgelu ystyr iddo lawn cymaint ag i fynegi ystyr a oedd yn eglur yn barod. Y mae hon yn ymagwedd fodern dros ben tuag at natur barddoniaeth, ac yn safbwynt cwbl gyson â'r cyfan o'i archwiliad o'r profiad dynol.

Soniais fod tri pheth wedi digwydd yn ystod 1935, ar wahân i gyhoeddi *Olion*, a'u bod, hwyrach, yn gydgysylltiol. Y tri oedd marwolaeth ei frawd Willie yn America, ei benderfyniad ef i fynd ar daith i Ogledd America, a'i benderfyniad ysgytwol a chwbl annisgwyl i wneud cais unwaith yn rhagor i astudio meddygaeth.

Ac ystyried y tri digwyddiad yn eu tro, gan ddechrau â'r olaf, ar 23 Mehefin 1935, daeth llythyr oddi wrth yr Athro Gwilym Owen, Is-Brifathro Coleg Aberystwyth, at bennaeth yr Ysgol Feddygol yng Nghaerdydd, yr Athro A. W. Sheen, fel a ganlyn:

> I wonder if you have noticed the name T. H. Parry-Williams in the list of applicants for entry to the second year medical course at your School, and you may have guessed that the applicant is my friend and colleague Prof. Parry-Williams, MA, D.Litt., Professor of Welsh at the College. If so, you have guessed correctly . . . It may seem strange to you that a man who has been for several years a successful and distinguished professor here should wish to throw up his post and embark afresh on quite a new line of work. However, I know that this has been Dr Parry-Williams' ambition for quite a long time.[49]

Y mae'n mynd ymlaen i adrodd hanes ei flwyddyn wyddonol, a'i lwyddiant mawr yn ystod y flwyddyn honno. Y mae hefyd yn dweud ei fod yn deall fod prifathro Coleg Aberystwyth yn gwneud ei orau i ddarbwyllo'r Athro Parry-Williams i newid ei feddwl.

Ymhen ychydig, daw llythyr yn ôl i ddweud fod yr Athro Parry-Williams yn amlwg yn gymwys i fynd yn syth i mewn i ail flwyddyn y cwrs, ac yn gofyn a ddylai ef fynd ymlaen i brosesu'r cais. Y mae'r Is-Brifathro'n amlwg wedi pasio'r llythyr hwn ymlaen i Thomas ei hun, oherwydd y mae'r cwestiwn 'Pa ateb a gaf i ei anfon i hwn?' wedi ei ysgrifennu arno. Islaw'r cwestiwn, y mae'r scribl canlynol i'w weld mewn pensil:

> PW regrets that pressure of circs. have necessitated his abandoning his project of following the course at the Welsh NSM (National School of Medicine).[50]

Pa beth a ysgogodd y cais rhyfeddol hwn gan un a oedd wedi bod yn Athro cadeiriol am bymtheng mlynedd? Ond, naill ai cyn i'r cais fynd i mewn, neu'n fuan wedyn, cafodd Tom wybod fod Willie, 'yr hogyn drwg', wedi marw yn America. Ysgrifennodd at gyfnither bell, Ethel, yn Poultney, Vermont, i ofyn a fyddai'n mynd i'r angladd yn Efrog Newydd. Ysgrifennodd hithau'n ôl i ymddiheuro, gan ddweud, 'as New York is 250 miles from here, it was not possible'.[51] Ai hynny a yrrodd Tom ar ei ail daith i'r Byd Newydd, pwy a ŵyr, ond derbyniodd y llythyr o Vermont ar 12 Gorffennaf; ar 20 Awst, yr oedd yn hwylio o Southampton am Efrog Newydd ar y *Majestic*, gydag Oscar a'i blant, Nanw a Wyn, yn ei hebrwng at y llong; 'Dechrau dilol,' meddai'r dyddiadur.[52] Y mae'n amlwg, oddi wrth y dyddiadur, nad yw mewn cyflwr meddyliol mor fregus o bell ffordd ag yr oedd pan gychwynnodd am Dde America. Ffeindiodd ei fod yn rhannu caban â Chymro ifanc o sir Benfro, 'Chief Officer' yn mynd i Efrog Newydd i ymuno â'i long. Y mae'n derbyn llythyrau oddi wrth Eurwen, Wynne ac Oscar, ac mae'n mynd yn gynhyrfus iawn wrth gyfarfod â Syr Malcolm Campbell, a oedd ar ei ffordd i dorri'r 'land speed record' ar y Salt Lake Flats yn Utah. Tybed a fu'n trafod peiriant y Lea Francis gyda Campbell? Serch hynny, y nodyn ar ddiwedd 21 Awst oedd 'Nid wyf wedi teimlo unrhyw gic awenyddol eto', sy'n awgrymu mai un o gymhellion y daith hon eto oedd yr awydd i ysgogi'r awen. Y diwrnod wedyn, aeth i'r sinema ar y llong ond, am ba reswm bynnag, 'Allan cyn y diwedd rhag ofn'. Yr oedd y môr yn dechrau aflonyddu, ac mae'n amlwg fod bwgan mynd yn sâl môr yn ei boeni. 'Heb fod yn sâl eto,' meddai. Ar 23 Awst, mae'n aros yn ei gaban, ar wastad ei gefn – 'Rwy'n simsan ar fy nhraed', a chawn nodyn tywydd ar ddiwedd y tudalen: 'Mod. gale – rough sea – heavy NW swell'. Trannoeth, y mae'n teimlo'n well. Y mae'n 'chwarae ar y dec' ac, ar ôl cinio, 'tipyn o chwaraeon a dawnsio'. Y diwrnod canlynol, y mae'n dadansoddi ei sefyllfa: 'Rhyfedd mor *ddisensation* ydwyf ynglŷn â'r siwrnai – fel petawn yn mynd i rywle yng Nghymru neu Loegr yn union.' Ar 27 Awst, y mae'n cyrraedd Efrog Newydd, a'r tro hwn y mae gosgordd o Gymry alltud yn ei dderbyn: 'Ethel Dalston, Gwilym Evans ac Evan R. Evans yno yn fy nisgwyl.' Y mae'n aros yn y Prince George Hotel ar 5th Avenue gyda'r ddau ddyn ac yn sgwrsio hyd oriau mân y bore. Y diwrnod wedyn, y mae'n mynd i weld bedd 'Willie fy mrawd' gydag Ethel Dalston – yr Ethel na lwyddodd i fynd i'r angladd – yn y Cypress Hills National Cemetery yn Brooklyn. Yna, wedi gwneud ei ddyletswydd deuluol, y mae'n mynd i ben yr Empire State Building – yr adeilad uchaf yn y byd y pryd hwnnw – a chyda'r trên wedyn i weld y Niagara Falls. Daw rhigymau taith yn y man ar gorn ei brofiadau yn y lleoedd hyn ond, hyd yn oed yn y dyddiadur, y mae'r diwrnod yn ddiwrnod arbennig. 'Gwelais ryfeddodau heddiw.' Gwelodd enfys yn taro drwy'r rhaeadr, profodd 'sŵn tragwyddol a thawch neu niwl parhaus', wrth fynd ar lwybr creigiog y tu ôl i'r rhaeadr, a gwnaeth gyfeillion â gŵr o Awstralia a merch o Ganada. Ond y profiad mwyaf ysgogol oedd gweld gŵr â bys clec, yr un fath yn union â'r bys clec a oedd gan Parry-Williams ei hun.

Erbyn 30 Awst, y mae wedi cyrraedd Chicago, ar ôl teithio dros nos ar y *Pullman*. 'Doedd pethau ddim yn hwylus yno. Nid oedd y bobl a oedd i fod i gyfarfod ag ef ddim yn y stesion, felly aeth i grwydro ar ei ben ei hun, ar ôl anfon *wire* i Los Angeles, yn y gobaith y byddai modd cael rhywun i gyfarfod ag ef yno. Bu'n gweld siop fawr Marshall Field, 'lle y bu Willie fy mrawd pan ddaeth i America gyntaf'. Wedyn, bu'n ddyfal yn ceisio cysylltu â'r Cymry alltud a oedd i fod i gyfarfod ag ef, ond heb fawr o lwyddiant: 'Ffonio Mr Humphreys: Gone to lunch. Ffonio Mrs M. R. Williams: Try later'. Y mae'n eistedd, braidd yn ddigalon, yng ngorsaf Dearbon, yn ysgrifennu yn ei ddyddiadur, ac yn cyfansoddi'r rhigwm 'Chicago'. Y mae'n cael gafael ar Mr Humphreys o'r diwedd, ac mae hwnnw'n mynd ag ef i ginio ac i gyfarfod â Miss Protheroe, merch Dan Protheroe, y cerddor. Dim ateb, serch hynny, o Los Angeles.

Y diwrnod canlynol, y mae wedi cael y tocynnau angenrheidiol ac mae ar y trên yn mynd i Los Angeles trwy Kansas City. Y mae'n ysgrifennu'r rhigwm 'Santa Fe' ar y trên cyn cyrraedd Kansas City. Bydd y rhigwm hwn yn ymddangos ymysg y rhigymau taith yn y gyfrol nesaf, *Synfyfyrion*, ac mae'n ymgorffori thema sy'n ymddangos o bryd i'w gilydd o hyn ymlaen, sef hudoliaeth enwau, a'r cyswllt, ym meddwl T. H. Parry-Williams, rhwng bodolaeth lle a hudoliaeth yr enw a roddwyd arno. Y mae un beirniad wedi awgrymu fod ystyr yr enw, 'Santa Fe', sef 'y ffydd sanctaidd', yn rhan o'r rheswm pam y mae T. H. Parry-Williams yn 'wylo gan enw' – am ei fod wedi colli'r ffydd honno ei hun. 'Rwy'n ofni na allaf dderbyn hyn: am unwaith yn hanes y gŵr cymhleth hwn, 'rwy'n credu fod yr ateb yn symlach, sef fod sŵn enw yn creu ymatebion yn ei ddychymyg, enwau fel 'Soar-y-mynydd', 'Grand Canyon' a 'Santa Fe'. Nid yr ystyr sy'n bwysig, ond y ffaith fod dyn wedi gosod ei stamp ar fan a lle trwy roi sain a rhythm ei ddewis enw arno.

Ta waeth, y mae'r trên yn mynd yn ei flaen am Kansas City, ac yno y mae Thomas yn cael achos i fynd yn syth yn ôl i Ryd-ddu yn ei ddychymyg. Y mae'n cofio am athro ysgol Sul, 'Jack bach', John Jehu Williams, a'r ffaith fod cyfeiriad yn Kansas City wedi ei ysgrifennu ar dudalen flaen Beibl 'Jack Bach', gan ei fod wedi byw yno ar un adeg. Nid hynny oedd yn cymryd ei sylw fwyaf yn nhalaith Kansas chwaith:

> Y mae Kansas yn 'dry state'. Nid bod hynny'n amharu dim arnaf i. Ond pan euthum i ofyn am rywbeth i'w yfed yn y Coach Club y prynhawn yma, tuag amser tê arferol, eglurwyd hynny imi gan y 'dyn du'. Sarsaparilla a gefais – y tro cyntaf erioed – er y bydd Evans, Talybont yn sôn am adeg pan fyddai ef yn y Coleg ac yn mynd i siop Charlie's Chips am 'Fish and Chips', ac yn ordro Sarsaparilla yn llanc ofnadwy . . . Gweled eraill wrth fwrdd (4 ohonynt) yn yfed rhywbeth a wneuthum, ond deall mai 'diod hefo nhw' oedd hynny.

Y mae'n amlwg fod ambell lasiad o win neu gwrw yn ddisgwyliedig ar deithiau o'r fath, ac mae'r ffaith fod y pedwar o gwmpas y bwrdd yn cael yfed eu diod eu hunain yn achos siom. Cyn hir, serch hynny, codwyd calon Thomas pan gyfarfu â'r nofelydd, J. B. Priestley, ar y trên, a chael sgwrs ag ef.

Fel y mae'n agosáu at Colorado, y mae'r trên yn dechrau dringo, ac mae nodyn ar ymyl y ddalen, sy'n dweud, 'Mynyddoedd o'r diwedd'; y mae'r nodyn yn cyd-fynd yn hapus â rhigwm a ymddangosodd yn *Synfyfyrion*, 'Nebraska', a ysgrifennwyd ar y trên hefyd, ac sy'n gorffen gyda'r cwpled piwis:[53]

> I mi gael cyrraedd rhyw dir lle mae
> Rhywbeth i'w weld heblaw gwlad o gae.

Y gwir yw, 'rwy'n credu, nad mater o ystum lenyddol, nac o greu delwedd briodol o Ryd-ddu, yw dweud, fel y dywedodd yn y rhigwm 'Cynefin' a ymddangosodd yn *Olion*:[54]

> Ni byddaf yn siwr pwy ydwyf yn iawn
> Mewn iseldiroedd bras a di-fawn.

'Rwy'n credu ei fod yn dweud calon y gwir wrth leisio ei ddiflastod wyneb yn wyneb â 'gwastadeddau indian-corn' peithdir America ac unrhyw wastadeddau eraill. Y mae tirwedd yr ucheldir yn rhedeg trwy ei wythiennau, a

> . . . gwn pwy wyf, os caf innau fryn
> A mawndir a phabwyr a chraig a llyn.

Fel y mae'r trên yn dringo, y mae'n dechrau sylwi ar yr hyn a wêl o'i gwmpas, sef: 'Pedair o grotesi ifanc stwrllyd yn chwarae cardiau yn y "Club" yma – un reit ddel!' Y mae'n 'teimlo'n benysgafn' ar ôl cael torri ei wallt gan Sgotyn o farbwr. Y mae'n cyrraedd Albuquerque, ac yn mynd ar daith gylch ar drên arall i'r Pueblo Isleta, lle mae Indiaid yn byw mewn tai *adobe*. Y mae'n disgrifio'r ffaith fod tai'r Indiaid yn lân iawn, gyda llawr gwyn o'r tu mewn a hen bobl yn eistedd ar y feranda – 'y dynion ifainc wrth eu gwaith, mae'n debyg'. Wedyn: 'daeth dyn reit neis ar y trên yrŵan (Indian Reserve – Fred Harry) yn gwerthu silverwork gan Indiaid. Prynais ddwy frooch ($2.00 yr un)'.

Wedi cyrraedd Arizona, y mae'n mynd tua'r Grand Canyon, ac mae'n dechrau sôn, fel y gwna yn un o'i ysgrifau, mai syniad ac enw'r Grand Canyon a'i denodd ar y daith yn y lle cyntaf. Y mae'n amlwg fod y lle ei hun yn cael argraff fawr arno, a bod yn rhigwm, 'Grand Canyon', yn mynegi'r rhyfeddod hwn i raddau.[55] Y mae'n debyg mai'r hyn a oedd yn ei daro fwyaf oedd hynafiaeth y lle, a'r ffaith mai i'r gorffennol y perthynai ei holl fywyd. Ychydig o groniclo sydd ar y daith adref, a rhaid derbyn, beth bynnag oedd y cymhelliad gwreiddiol, fod taith 1935 yn llawer mwy twristaidd-fwriadus na mordaith 1925 ac mai ysgogiadau arwynebol, at ei gilydd, a grëwyd ganddi.

Wedi iddo ddychwelyd i Gymru ac i'w waith yn Aberystwyth, y mae'n ailgydio yn yr ohebiaeth anferth sy'n ei gadw mewn cyswllt â'r byd y tu allan i'r coleg. Ymysg yr ohebiaeth, y mae pedwar llythyr sydd o ddiddordeb arbennig i ni. Y cyntaf yw llythyr oddi wrth y gweinidog, yr heddychwr a'r Aelod Seneddol, George M. Ll. Davies, o Drealaw yn y Rhondda; yr oedd fel pe bai ffawd yn anochel yn ei dynnu'n ôl i Ryd-ddu:

> Y bore yma gwelais ddyn yn y llyfrgell yma yn ceisio astudio'r Almaeneg. Wedi siarad peth deallais mai Northman ydoedd. Dywedodd ei fod o Ddrwsycoed. Canmolai eich tad yn fawr a dywedodd ei fod yn yr un dosbarth â chwithau. Y mae allan o waith ers deng mlynedd ac yn rhygnu byw ar y Dole. Ond y mae yn siriol ac yn hoff o ddarllen . . . Daeth pang o ryw hiraeth ynof drosto wrth feddwl am y cwm cul dienaid ei olwg ym Mlaenclydach a chofio unigeddau Drwsycoed. Tawel a dwys oedd ei osgo; hiraethai dipyn am olwg unwaith eto ar yr hen ardal . . . sunt lachrymae rerum.[56]

Y mae'r llythyr yn dweud llawer am yr hyn a oedd wedi digwydd i gymdeithas wledig Rhyd-ddu, a sawl Rhyd-ddu arall yng nghefn gwlad Cymru, tra bu Parry-Williams yn ei gosod ar gof a chadw yn ei ddychymyg. Yr oedd yr ail lythyr yn ei ddwyn yn ôl yn yr un modd. Fe'i hysgrifennwyd gan hen gyfaill, D. Parry Jones, o Benrhyndeudraeth, ac y mae yntau'n sôn hefyd am Ryd-ddu:

> Yr oedd yno ryw gyfriniaeth od i mi o gwmpas Y Factory bob amser. Teimlwn rhyw ias debyg i fel y teimlais lawer tro wrth fynd i rai o Eglwysi Cadeiriol y wlad yma . . . Rhyfedd y newid yn yr henfro. Tybed oes yno rhywun heddyw rydd ei farc ar y fan?[57]

Y trydydd llythyr oedd y cyntaf o gyfres o lythyrau a dderbyniodd oddi wrth ferch anghyffredin, ond anadnabyddus o'r enw Myfanwy Morris, a oedd yn byw yn Rhuthun. 'Nid wyf fi fawr o ysgolor,' meddai hi, 'ond byddaf weithiau yn cael rhyw brofiadau rhyfedd.'[27] Ac mae'n mynd ymlaen i sôn am rai o'r profiadau cyfriniol, neu led-gyfriniol, sy'n ymddangos fwyfwy yn ysgrifau Parry-Williams. Y mae'n amlwg fod y fath brofiadau yn gyfarwydd iddi (er bod yma adlais o Eliot: gweler n.22, pen.3):

> nid oeddwn i erioed wedi meddwl am amser – a oedd yn symud neu yn sefyll yn stond etc, . . . ond daeth y frawddeg yma ataf mewn breuddwyd . . . 'Time is static. Time never moves . . . we are made up of things that have happened in time: thus, the Past is in the Present: the Present includes the Future.'

Y mae'n ddigon posibl fod T. H. Parry-Williams yn meddwl, ar y cychwyn, mai'r math o ohebydd ffansïol a direol sy'n debyg o ysgrifennu at ffigwr cenedlaethol oedd hon. 'Rwy'n credu iddo sylweddoli'n weddol fuan nad un felly oedd y gohebydd yma. Yr oedd hi wedi synhwyro natur y math o brofiadau yr oedd Parry-Williams yn eu harchwilio, ac yn derbyn, fel pethau yr oedd hi ei hunan yn eu hadnabod, ddilysrwydd profiadau cyfriniol, profiadau'r ffin:

> Mae yn ddrwg gennyf am 'y gri' sydd yn eich poeni: ond nis gwn pam y dylai eich poeni chwaith. A gaf fi droi i'r Saesneg? I have read somewhere that if you call out your own name and ponder over it you can induce yourself into a state of trance . . . It seems to me that the opposite is your case. You, being a poet, are more into the mystical state than out of it. Hence the name is coming to you, not you calling it. Dychymyg? – feallai!

(Os oedd angen prawf fod hon yn ferch ychydig allan o'r cyffredin – a hwyrach yn werth gwrando arni – siawns fod y ffaith ei bod yn mentro tynnu ei goes fel hyn yn rhoi iddo'r prawf hwnnw. Y mae'n mynd yn ei blaen.)

> But did not one of the great mystics, St Augustine or St Francis, become one simply by pondering over the thought – 'What art thou, and what am I?' . . . I do know something of that state of 'treiddio trwy'r parwydydd'. It comes very rarely, but it's a wonderful feeling. You feel part of some great whole. Some Power seems around you and in you: things respond . . . Those are times when I feel 'we are greater than we know'.

Y mae'r ohebiaeth yn mynd yn ei blaen, trwy gydol 1937 ac ymlaen i 1938. Fe ddychwelwn ati ond, i aros gyda 1936, yr oedd pedwerydd llythyr o ddiddordeb arbennig. Ac yr oedd hwn yn dangos fod digwyddiadau'r byd mawr yn mynnu gwthio i mewn i fyd bach Parry-Williams fel yr oedd cymylau rhyfel unwaith eto'n crynhoi, pa mor galed bynnag yr oedd yn ceisio eu cau allan. Oddi wrth Kenneth Jackson, Athro Celteg yng Nghaeredin yr oedd y llythyr, yn gofyn i Parry-Williams lofnodi deiseb o blaid un o'i hen athrawon ieitheg, Jacob Pokorny, ysgolhaig o'r radd flaenaf, a oedd wedi colli ei Gadair yn Berlin, a'i hawliau dinesig wedi cael eu cipio oddi arno dan y Cyfreithiau Nürnberg gwrth-Iddewig a oedd bellach mewn grym yn yr Almaen:

> The reason is that two of his grandparents were Jews . . . living in Germany and carrying on his Celtic work in private even would be impossible without the status of a citizen. A number of German scholars who have been deprived of their rights have had them given back at the intercession of their colleagues in other countries . . . Pokorny hopes the same could be effected for himself with the support of British Celtic scholars, seeing that the German government is so anxious at present to be on good terms with Britain and British opinion.[59]

Wel, ar y pryd yr oedd hynny'n wir, a phrysurodd Parry-Williams i lofnodi'r ddeiseb. Llwyddodd Pokorny, mae'n debyg, i adael yr Almaen, ond pa faint o bwys a roddwyd ar ddeiseb yr ysgolheigion Celtaidd, pwy a ŵyr?

Soniais fod pedwar llythyr o ddiddordeb arbennig, ond yr oedd pumed. Oherwydd yr oedd Bob ei gefnder yn parhau i'w blagio:[60]

> Wyt ti'n nabod fy llaw? Rydan ni wedi anghofio d'un di . . . Mae M yn methu dallt ymhle rwyt yn tario.

[M, wrth gwrs, oedd Myfanwy, gwraig annwyl a ffyddlon Bob, a fu'n gefn ac yn gynhaliaeth iddo ymhob trafferth a digalondid, ac am yr hon yr ysgrifennodd:

> Y ferch o fro Eglwyseg
>   A'm dilyn drwy bob dim;
> Hoffusach ei Phowyseg
>   Na chân y mwyalch im;
> Fy nghymar hawddgar, beniog,
>   Fy angel ar fy hynt,
> Gall hithau fyw ar geiniog
>   Na bu'n ei gwario gynt.][61]

Damn it all, anghofiais dy fod wedi bod yma adeg agor Neuadd Mynytho! D oes bosib dy fod yn sore am yr helynt a fu!

Yr oedd Bob, wrth gwrs, wedi ysgrifennu englyn enwog iawn ar gyfer agor Neuadd Mynytho, ond pwy a ŵyr beth oedd yr helynt erbyn hyn. Ta waeth, yr oedd Bob am symud ymlaen i drafod pethau eraill:

Wyt ti'n cofio rhyw gân agnostig fer a ddarllenais iti pan oeddit yma? Wel, yr wyf wedi ei hanfon i'r 'Llenor', dan y teitl 'AE Housman'. Dyna iti opportunist! Mae gennyf druth yn y Bulletin hefyd 'Cyfieithwyr y Dramâu Cernyweg': elfennol iawn, ond fe ddengys fy mod yn gwneud rhywbeth heblaw darllen Edgar Wallace. Mi ro i Gyhoeddi iddyn' nhw! Ond peidio â chyhoeddi barddoniaeth oedd y dynged a dyngais i mi f'hun. Bydd y gerdd yn 'Y Llenor' heb enw wrthi. Cefais air WJ am hynny.

(Hwyrach fod angen nodi bellach mai awdur nofelau antur a nofelau ditectif enwocaf ei ddydd oedd Edgar Wallace, a bod Bob Parry, fel rhan o'i ymgyrch yn erbyn y sefydliad llenyddol yng Nghymru, ac yn arbennig felly, hierarchiaeth y Brifysgol, wedi tyngu na fyddai'n cyhoeddi dim barddoniaeth yn y Gymraeg. Y mae rhesymeg ei ddadl dros anfon cerdd 'yn ddienw' i'r *Llenor* yn anodd ei datrys!) Cyn belled ag yr oedd Bob Parry yn y cwestiwn, wrth gwrs, yr oedd 1936 yn flwyddyn gwbl dyngedfennol. Dyma'r flwyddyn pryd yr achoswyd tân yn yr Ysgol Fomio yn Llŷn gan Saunders Lewis, D. J. Williams a Lewis Valentine, ac yr ysgogwyd Bob Parry, o'r herwydd, i ysgrifennu mewn cywair gwahanol iawn i'w ddull o ganu hyd yma; digwyddiadau 1936 a greodd sonedau mawr *Cerddi'r Gaeaf*.[62]

I'w gefnder, mater o barhau gyda'r gwaith coleg oedd hi, a mater o barhau i adeiladau'r *oeuvre* llenyddol a'r *oeuvre* academaidd hefyd, o ran hynny! Ym 1937, cyhoeddodd y gyfrol, *Synfyfyrion*, ac nid oes unrhyw amheuaeth nad Rhyd-ddu – a'r ddelwedd lenyddol o Ryd-ddu – oedd ei thema ganolog. Fel gydag *Olion*, y mae'n cyflwyno'r gyfrol i aelodau o'r teulu, ond erbyn hyn y mae Willie, yn ogystal â Blodwen, wedi mynd, ac felly y mae'n geirio'r cyflwyniad i gynnwys y cyfan o'i gymheiriaid ar aelwyd 'Tŷ'r Ysgol': 'I Oscar a Wyn ac Eurwen ac i Goffadwriaeth Blodwen a Willie'. Y mae, wrth gwrs, wedi cyffwrdd â Rhyd-ddu o'r blaen yn ei ysgrifau, ond braidd-gyffwrdd ag agweddau ar y lle a'i bwysigrwydd y mae wedi ei wneud, mewn ysgrifau sydd â'u canol yn rhywle arall. Erbyn hyn, y mae'n amlwg yn teimlo, ac yntau ar ei hanner canfed blwyddyn, fod yr amser wedi dod i archwilio Rhyd-ddu, ei thiriogaeth a'i phobl, yn fanylach, ac i ddechrau gosod sonedau mawr *Cerddi* mewn cyd-destun llawnach a mwy dadansoddol-ystyriol. Felly, y mae 'Grisial', 'Moddion Gras', 'Rhobet', 'Mynwent', 'Pen Bwlch', 'Atodiad' a 'Drws-y-Coed' i gyd yn elfennau pwysig yn y broses o bensaernïo chwedloniaeth ei Ryd-ddu.

Y mae i bob un o'r ysgrifau hyn ei diddordeb arbennig, ond y bwysicaf yn ddiddadl yw 'Drws-y-Coed' ac, i raddau llai, 'Pen Bwlch'. Y mae pwysigrwydd yr ysgrifau hyn yn codi o'r ffaith eu bod, ynghyd ag 'Yr Ias' yn *Ysgrifau*, 'Y Gri' yn *Olion* ac 'Oerddwr', ymhellach ymlaen yn *Lloffion*, i gyd yn ceisio dod i dermau, wyneb yn wyneb fel petai, â'r ysgogiadau cyfriniol 'rhwng-dau-fyd' a oedd yn bendant yn rhan o brofiad Parry-Williams, ac na allai eu hegluro naill ai yng nghyd-destun gwyddoniaeth nac yng nghyd-destun rhesymeg, er ei fod yn mynnu arfer ei reddf wyddonol a'i allu rhesymegol nid bychan i fynd mor agos fyth ag y gallai tuag at eu hegluro.

Y mae cyfrinwyr ac y mae profiadau cyfriniol. Ac y mae, bid sicr, bersonau mor llym eu meddwl ac mor frwd eu diddordeb mewn ffenomenau gwyddonol materol ag yr oedd yntau, sydd ar yr un pryd yn sicr iawn fod rhai elfennau o fywyd, a'r rheiny'n elfennau o'r pwys mwyaf, yn gorwedd y tu hwnt i gyrraedd y naill a'r llall. Ond y mae dau arbenigrwydd mawr yn agwedd Parry-Williams at y dirgelion hyn. Yn y lle cyntaf, y mae'n credu mai dim ond o drwch blewyn y tu hwnt i gyrraedd gwyddoniaeth a rhesymeg y mae'r profiadau hyn yn gorwedd; y mae modd arfer y naill a'r llall i fynd ymhell, ond nid yr holl ffordd, tuag at eu hegluro, ac mae'n mynnu gwneud hynny; nid yw'n fodlon derbyn profiad heb geisio'i ddadansoddi, hyd yn oed brofiad y mae'n gwybod na fedr ef, yn y pen draw, ei ddadansoddi. Yr ond-y-dimrwydd yma sy'n egluro ei obsesiwn parhaus ynglŷn â'r 'ffin' lle mae'r pethau hyn yn digwydd. Yn ail, ac yn groes i safbwynt unrhyw gyfrinydd Cristnogol, nid yw'n derbyn o gwbl fod y ffaith fod dyn, tra'n byw yn y corff, yn medru profi'r rhyfeddodau hyn ar adegau prin ac mewn mannau arbennig, yn golygu hefyd y bydd tynged dyn, wedi darfod o'r corff, yn ei arwain dros y ffin i gyflawnder profiad rhyw fyd arall. Na; fel y gwelsom yn ddigonol eisoes, ac fel y gwelwn eto, angau yw'r concwerwr, marwolaeth yw terfyn profiadau dyn, profiadau o unrhyw fath. Hwyrach y gallwn weld rhywfaint o debygrwydd rhwng ei 'lithro i'r llonyddwch mawr yn ôl' a'r safbwyntiau dwyreiniol sy'n dal fod dyn, yn y diwedd oll, yn ymgolli yn y Duwdod. Ac eto, nid hynny chwaith yw ei lonyddwch ef. Y mae'n greulonach ac yn fwy terfynol. Y mae'n fwy animistaidd, ac yn nes at bantheistiaeth ei gefnder, Bob Parry, neu William Wordsworth, pryd y mae yntau'n dweud am ferch fach wedi marw ei bod:

> Rolled round in earth's diurnal course,
> With rocks, and stones, and trees.[63]

Os perthyn dyn yn y diwedd i unrhyw beth, fe berthyn i'r ddaear ei hun, a bywyd tymhorol a pharhaol y ddaear yw'r unig fywyd parhaol sy'n perthyn iddo yntau. Gan mor benderfynol y mae i adael i'r rheswm fynd cyn belled ag y gall i ddehongli'r pethau hyn, y mae'n bwysig inni wrando ar ei eiriau ef yn 'Drws-y-Coed',[64] gan ddechrau lle mae'n llunio delwedd garlamus er mwyn cymharu'r ffin anweledig hon rhwng corff ac ysbryd â'r man mewn plyg neu glwt sy'n 'ffin' rhwng un llechen a'r llall, gan mai ar hyd y ffin honno y mae yn hollti, o'i tharo'n iawn yn y lle iawn:

(Y mae'r lwmp carreg sets neu'r clwt llechen yn torri yn ei 'ffordd' dan gnoc ddeheuig y setsmon a'r chwarelwr: dyna ffordd nad yw yno, er sôn amdani, nes ei gwneud yn agen weladwy gan grac a hollt.) Pan fo synhwyrau cydnabyddedig ac anghydnabyddedig y corff trwy ryw offerynoliaeth neu'i gilydd yn gallu ymestyn allan i'r ffin hon y daw i ddyn brofiadau nad ydynt o'r byd hwn. Yr adeg honno y gwêl ysbrydion, y clyw ganu yn yr awyr, yr ymdeimla ag ymdoddiad y gorffennol a'r dyfodol. Y tu hwnt i'r ffin, pe gallem fyned yno, ni byddai ymwybod i ni â'r ysbrydolion bethau hyn, gan eu bod o gyrraedd y rhan honno o'r byd ysbrydol sydd o'n mewn, ac o afael pegynau'r synhwyrau sy'n ymestyn hyd y ffin.

O'r gorau. Un neu ragor o'r synhwyrau yn ymestyn fel hyn sy'n peri bod dyn weithiau, wrth geisio meddwl yn glir a myfyrio'n ddwys, yn teimlo mai o'r tu allan i'w ymennydd, – yn rhywle o gwmpas ei lygaid ambell waith, efallai, y tu mewn a'r tu allan, – y mae'r meddwl a'r myfyrio'n 'gweithio', fel y gellir weithiau brofi iasau meddwl ofnog neu ddychymyg dychrynedig yng nghyffiniau'r gwegil.

Nid y corff ei hun sy'n rhyfedd ac ofnadwy, ond y ffin hon iddo. Ni synnwn i ddim nad un o'r synhwyrau wedi ymestyn i'r ffin hon sy'n dal y gri ryfedd honno sy'n treiddio'n fferrol i'm hymwybod ar dro ac yn atsain trwof, – cri y ceisiais unwaith ei disgrifio.

Yn awr, y mae'n pwysleisio mai rhywbeth sydd â'i hanfod yn synhwyrau'r corff yw profiad fel hyn. Y mae hefyd yn pwysleisio ei fod yn perthyn i fan a lle arbennig, a bod rhai lleoedd yn fwy tebyg o'u hysgogi na mannau eraill:

Mewn ambell fangre ac ar ambell adeg yn fwy na'i gilydd, y mae cynyrfiadau'r ffin, y pwerau ysbrydol hyn, yn haws eu synhwyro a'u profi'n ysmudiadau angerddol.

Ac mae gweddill yr ysgrif, mewn modd hynod o farddonol, yn angerddol ar brydiau, yn dangos sut y mae ardal Drws-y-coed yn ardal felly:

Yr oedd y cyfan yn fyw o arall-fydedd; bwgan yr adwy, hawntiau'r Tylwyth Teg, agosrwydd dychrynllyd hen dŷ Drws-y-Coed i'r ffordd unig ac i'r llyn bygythiol, difeddeurwydd yr hen fynwent, pendro rhyfeddol pen y bwlch, sydynrwydd parhaus y Clogwyn Brwnt wrth ddyfod i'r golwg ar y tro a diffwys cwterog y Mynyddfawr yn anesgor o sefydlog o'i flaen o hyd, ac arswyd hynafiaeth yr hen waith copr.

Y mae'n dilyn hanesion y lleoedd hyn, yr hanesion a glywodd gan ei dad pryd yr oedd y ddau yn mynd ar y daith ddeddfol flynyddol i ymweld â theulu ei dad yng Ngharmel. Ac mae'n gorffen:

Nid oes dileu ar yr argraffiadau hyn mwyach. Yr oeddwn wedi gweld a theimlo 'ysbryd lle' yr ardal gynefin hon heb sylweddoli hynny yn llwyr yr adeg honno. Peth plentynnaidd efallai, oedd y profi, ond y mae'n sicr gennyf fod synhwyrau'r ffin ynof yn fyw i'r pethau arall-fydol hyn.

Y mae'r ysgrif 'Pen Bwlch'[65] yn mynd ymhellach i gysylltu'r profiadau â mannau arbennig a mathau arbennig o diriogaeth:

> Wrth esgyn i ben ambell fwlch fe deimlir ysgafnder rhyfedd, – nid yr un peth ag a deimlir wrth nesáu at gopa mynydd, oherwydd teneuwch awyr ydyw'r rheswm pennaf am hynny, efallai, – a ias wefreiddiol yn dechrau cerdded y corff . . . a mwy na'r cwbl ryw gysylltiad anniffiniol â'r ddaear ei hun. Profiad digon diniwed, fel y tybir, ar y cychwyn, ond yn araf deg y mae'n dechrau gwasgu a datblygu'n enbydrwydd dieflig yn eich enaid. Tybed a oes rhin neilltuol mewn daear bylchau ac uchelfannau tebyg, am eu bod yn ffiniau, yn ymylon, nid yn unig rhwng ardal ac ardal ond, rhywsut, rhwng daear ac awyr mewn modd eithriadol.

Y mae'n sôn am gael ei daro gan un o'r profiadau hyn unwaith ar frig 'banc' rhwng 'Cynwyl Elfed a Dyffryn Teifi'.

> Bu bron i gysylltiad â'r ddaear yn y fan honno fynd yn drech na mi. Cyfodais rhag angerddoldeb yr ymdeimlad, – ymdeimlad bod yn un â'r ddaear neu'n rhan o symud anferth y bydysawd. Yr oedd yn hwyr bryd cyfodi rhag fy llethu gan gryfder aruthr y synhwyriad hwn . . . Ofn y ddaear, – ac eto ar yr un pryd yn cael eich tynnu tuag ati, a'ch cofleidio ganddi, megis, yn erbyn eich ewyllys.

Y mae'n amlwg ei fod yn ofni'r math yma o brofiadau, ac yn aml yn ceisio eu bychanu, neu droi cefn arnynt. Ond yn ei hanfod y mae'n derbyn eu bod yn rhan o realiti'r profiad dynol fel y mae ef yn ei brofi, ac mae'n ceisio eu ffitio i mewn i'w ddarlun o'r cosmos. Po fwyaf y mae'n myfyrio dros yr elfennau cyfriniol hyn, mwyaf yn y byd y maent yn dod yn rhan o'i ddelwedd o Ryd-ddu, o leoedd arbennig fel Drws-y-coed, a'r Lôn Uchaf a'r Coed Bach a Phen Bwlch, a phobl arbennig fel teulu'r Ffatri sydd, y tri ohonynt, yn tyfu i fod yn symbolau o'r mwyna'r-cyffredin sy'n perthyn i rai bodau dynol.

Y mae 'Rhobet',[66] er enghraifft, yn bortread felly o un o deulu'r Ffatri ac, wrth ei lunio, y mae'n creu darlun o'r gwerinwr diwylliedig, agos at ei wreiddiau ond eang ei ddiddordebau, sydd hefyd yn arbenigwr ar grefftau sy'n codi o'r filltir sgwar:

> yr oedd ei iaith yn goeth ryfeddol, a'i ynganiad yn groyw anghyffredin. Yr oedd yn ddiwylliedig arbennig – yn ysgrythurwr golau (er mai tipyn o bagan oedd yng ngolwg rhai), yn wleidyddwr tanbaid, yn ystorïwr

huawdl, yn gerddor hyddysg, ac yn dipyn o fydryddwr at alwad. Heblaw hynny, yr oedd ganddo law gywrain a llygaid craff.

Nid T. H. Parry-Williams oedd yr unig lenor Cymraeg o'r cyfnod, bid sicr, i bortreadu'r Cymro cefn gwlad yn y fath fodd, a chred rhai fod llawer o ramantu yn y fath ddisgrifiadau. Diau fod. Ar y llaw arall, dylid cofio nad oedd yr haen uchaf o'r boblogaeth, cyn belled ag yr oedd deallusrwydd yn y cwestiwn, ddim eto wedi cael ei denu i ffwrdd er mwyn gweithio mewn banciau a swyddfeydd yn y trefi; yr oedd croesdoriad llawn o ddeallusrwydd yn aros yn y rhan fwyaf o gym-unedau diarffordd yn y cyfnod hwnnw, a phobl o allu gwirioneddol ac amrywiaeth o dalent a gwybodaeth yn perthyn iddynt i'w cael ymron ymhob pentref. Cyfnod plentyndod Parry-Williams oedd penllanw diwylliant ym mhentrefi'r Gymru Gymraeg.

At y ffaith eu bod yn ddeallus a gwybodus o fewn eu terfynau, yr oedd llawer o'r gwerinwyr hyn, fel yr awgrymais, yn gwirioneddol adnabod eu milltir sgwâr. 'Rwy'n ddigon hen i gofio'r fath bobl yn Llŷn: un o drigolion Ynys Enlli, er enghraifft, tipyn o ddyddynwr a physgotwr digon anarbennig; ond pan osodech chi'r gŵr hwnnw mewn cwch ar y Swnt, darn o fôr peryglus a thwyllodrus iawn rhwng Enlli a thir mawr Llŷn, yr oedd yn bencampwr; nid oedd neb yn gwybod mwy am y mymryn hwnnw o'r ddaear na'r gŵr arbennig hwn, sut i'w drin a sut i ymateb i'w fympwyon. Ac felly gyda Rhobet. Llyn y Gadair oedd ei diriogaeth ef:

> yr oedd ef wedi treulio oes arno, ac yn gwybod ei holl ddirgelion. Ac y mae angen oes i ymgydnabod â holl briodoleddau a chwimiau hyd yn oed arwynebedd bychan o ddŵr fel hyn. Y mae'n fyd ynddo'i hun, ac fe synnech gymaint sydd i'w wybod amdano ef a'i ddirgelion anweledig, – gwybod amser pryfed neilltuol, tymheredd y dŵr, lliw'r awyr, argoelion tywydd, cryfder y gwynt, ystad yr afonydd sy'n ei borthi, dylanwad oriau a goleuni dydd a nos, adegau ymborthi'r pysgod, a llu o amodau dyrys eraill.

Y mae Rhobet yn rhyfeddod ynddo'i hun, ond mae'n cynrychioli hefyd y llu hwnnw a edrychai allan i'r môr er mwyn deall yr arwyddion, yn unrhyw fan ar arfordir Cymru rhwng Ynys Môn a phenrhynion sir Benfro, neu i fyny i'r mynydd yn Eryri neu ar wrych a bryncyn a phorfa a chlawdd yn unman o Feirion trwy Faldwyn i diroedd bras sir Gâr. Yr oedd gan y bobl hyn berthynas glòs a gwybodus â rhan fechan o'r ddaear; yr oedd yr wybodaeth a oedd ganddynt yn gwbl berthnasol i'w hanghenion pob dydd, ac yn cynnal eu bywoliaeth. Ond mwy na hynny hefyd:

> Pan fyddai wrthi'n pysgota'n ddeheuig ar ei ben ei hun ar y llyn, tybed a ymollyngai yr adeg honno yn llwyr ddwys i fynegi cyfrinach ei galon. Wel, yn wir, dyma Robet newydd i mi. Nid crimpyn o hen lanc yn tueddu i fod yn fustlaidd, a'i feirniadaeth yn finiog am i'w fywyd fod yn llwm o ramant, ydoedd wedi'r cyfan, ond gŵr gofidus a chroes anweledig ar ei gefn, yn beiddio byw'n ôl yn unigrwydd ei gwch, a'i hyder yn llonyddwch y llyn a sigl yr enwair; a phan yng ngrym hynny y deuai'r weledigaeth wen iddo rhwng y mynyddoedd, yn ail-brofi mewn hanner llesmair ogoniant rhyw gyffro gynt a fu.

Ac er nad yw'n ei enwi y tro hwn, y mae'r un unigrywiaeth yn perthyn i Dafydd Ffatri, gyda'i stondin gwerthu grisial ar garreg fflat ym Mhen-ar-lôn ger y Dolau Gwynion.

Ei allu i ymuniaethu â'r bobl hyn yn eu perthynas gyd-ddibynnol â'r ddaear yr oeddynt yn rhan ohoni oedd un o'r rhesymau pam yr oedd Parry-Williams yn wahanol i 'alltudion' dinesig Ewrop. Er ei fod ef ei hun wedi ei wahanu mewn sawl modd oddi wrth gymdeithas Rhyd-ddu, gallai dystio i'w fodolaeth fel casgliad o fodau dynol yn hawlio perthynas glòs a pharhaol â'r rhan honno o'r ddaear a'u cododd ac a'u cynhaliodd. Ac unwaith eto yn *Synfyfyrion*, gwelwn ysgrif, 'Moddion Gras' – a rhigwm hefyd, 'Oedfa'r Hwyr' – lle mae'n mynegi'r ffaith ei fod ef ei hun yn medru dwyn maeth a chysur o un o elfennau cynhaliol y gymdeithas hon, ei chyfarfodydd crefyddol, er nad yw'n medru derbyn *raison d'être* y cyfarfodydd. Nid yw'r rhigymau taith yn y gyfrol yn gwneud mwy na thynnu sylw at rai o nodweddion taith nad oedd, yn y diwedd (fel y gwelsom), mor ysgytwol o bell ffordd â thaith 1925, er bod anwyldeb y rhigwm 'Chicago', a'i gyfeiriadau at Willie, y llinell derfynol ysgubol i'r rhigwm bach o'r un enw 'Rwy'n wylo gan enw – Santa Fe', a'i ffarwel i'r Pasiffig o Santa Monica i gyd yn dangos fod llawer islaw'r wyneb bob amser, hyd yn oed yn y rhigwm byrraf. Y mae'r ffarwel i'r Pasiffig yn pwysleisio'r un peth ag a welir ar ddiwedd y soned 'Y Rhufeiniaid', lle mae'n pwysleisio nad oes unpeth yn barhaol ond 'man a lle'. Yn y rhigwm 'Y Pasiffig', fe ddywed:[67]

> . . . dyma fi'n gwybod i mi fy hun
> Dy weled o'r blaen, – ac 'r wyt ti'r un un,

A minnau'n newid . . . Ffarweliaf â'th li:
Mae dwywaith yn ddigon i'th weled di.

'Rwy'n credu fod hyn, mewn ffordd, yn ffarwel, nid yn unig i'r Pasiffig, ond i'r arfer o deithio-er-mwyn-darganfod: y mae wedi gweld, ar y daith hon, mai ychydig a welir o'r newydd, mewn gwirionedd, wrth deithio. A hwyrach fod y soned bwysig, 'Beddgelert', yn ei chwpled olaf, yn dechrau cyfaddef yr un peth:[68]

Oherwydd y mae haenau'r clai a'r gro
Yn tynnu atynt fwy na mwy bob tro.

Gall wylo dros ei deulu dan y cerrig beddau yn y fynwent ym Meddgelert, neu ymatal rhag wylo, yn ôl ei dymer, ond ei feidroldeb ef ei hun a galwad anochel y pridd sy'n pwyso drymaf arno bellach wrth ymweld â'r lle.

Y mae dwy soned yn *Synfyfyrion* sy'n arddangos nad yw'r bardd hanner cant oed yn rhydd o boenau'r byd o bell ffordd. Yn 'Crefft', y mae'n amddiffyn, ar un wedd, ochelgarwch ei ffordd o fyw, ac yn datgan y pwysigrwydd o gadw'r teimladau dyfnaf yn gudd rhag tresmas y byd:[69]

Yn ystod y blynyddoedd, mi ni wn
A ddysgais un amgenach crefft na hon, –
Sef rhwystro i boenau'r byd a'r bywyd hwn
Oresgyn cysegr sancteiddiola'r fron.

Fel bob amser, pa mor ddwys bynnag y profiad a fynegir, y mae'r artist yn rheoli'r gerdd ac, fel bob amser hefyd, y mae'r ddelwedd lywodraethol ynghanol y dweud. Y tro hwn, datblygu wrth i'r gerdd fynd yn ei blaen y mae'r ddelwedd, yn hytrach na tharo ar y cychwyn. Y mae'r bardd yn dod i weld poenau'r byd i ddechrau fel ymosodwyr yn ceisio torri i mewn i'r 'fynwes daclus a'u cybôl di-drefn', yn heidio o gwmpas y ffenestri, ac yn ei orfodi i fario'r drysau yn eu herbyn. Wedyn y maent yn gwaethygu ac yn troi'n llu o gythreuliaid o gwmpas ei dŷ:

. . . gant a mil,
Yn ysgyrnygu fel pwerau'r Fall,
Ac ym mhob twll a chornel fel rhai chwil
Yn ymdrybaeddu a gwthio'r naill y llall:

> Ond nid oes rhith o siawns i'w giwed hyll
> Gael dim o'u pig i mewn o'r hanner gwyll.

Ond yn y weddi, 'Ymbil', sy'n gorffen y gyfrol, nid yw mor sicr o gwbl ei fod yn medru llwyddo i gadw allan y 'giwed hyll', oherwydd ei ymbil yw:[70]

> . . . am i mi, fel tithau, ambell awr
> Gael llonydd gan holl derfysgiadau'r llawr.

Ar adegau, y mae lle i feddwl y byddai Parry-Williams, fel Keats, a sawl bardd rhamantaidd o'i flaen, yn hanner croesawu'r llonyddwch mawr.

Ar wahân i'w drallodion personol ef ei hun, yr oedd cynyrfiadau eraill yn crynhoi. Yr oedd cryn helynt wedi bod yn datblygu ers blwyddyn neu ddwy yn y coleg, wrth i rai rag-weld ymddeoliad Gwynn Jones ym 1937. Yr oedd carfan gref am i Gwenallt esgyn i'r Gadair Lenyddiaeth fel olynydd i Gwynn Jones, nifer ohonynt yn gyfeillion a chydfforddolion iddo yn y Blaid Genedlaethol. Ond cadair bersonol oedd cadair Gwynn Jones o'r cychwyn, modd, wedi'r cyfan, i ddatrys cybolfa 1919 a 1920. A phenderfyniad y Coleg yn y diwedd oedd uno'r ddwy Gadair eilwaith dan Parry-Williams. Er bod Parry-Williams ei hun wedi ceisio ymbellhau o'r ddadl, yr oedd, ar un wedd, yn anochel yn ei chanol. Ac, wrth gwrs, ar gynfas ehangach, yr oedd yn amlwg bellach fod y byd yn mynd ar ei ben i ryfel unwaith yn rhagor, a'r Almaen unwaith eto'n brif achos pob cynnwrf. Ni allai yntau lai na mynd yn ôl yn ei feddwl i helyntion personol a llanastr cyffredinol y Rhyfel Mawr. Yr oedd yn anodd atal y 'giwed hyll' rhag treisio'r 'fynwes daclus'.

At hyn, y mae elfennau yn yr ysgrif heintus, 'Mynwent',[71] yn awgrymu fod poenau a siomedigaethau blynyddoedd a fu yn parhau i hofran yn ei feddwl. Thema'r ysgrif ar y cychwyn yw'r ffaith nad tiriogaeth gynnes a chartrefol iddo yw'r cyfan o ddalgylch yr Wyddfa. Y mae fwy nag unwaith yn ei ysgrifau yn dangos pa mor gyfyng yw terfynau Rhyd-ddu yn ei ddiogelwch, sy'n gwbl gyson, wrth gwrs, â'r plwyfoldeb clòs a benderfynai deyrngarwch a chlustnod perthynas y Cymro ers talwm. Y tu draw i Lyn Cwellyn, i Parry-Williams, y mae'r diriogaeth yn ddieithr. A'r ochr arall i'r Wyddfa, y mae nid yn unig yn ddieithr ond yn fygythiol:

> yr oedd rhyw ddirgelwch a dieithrwch ynglŷn â'r ochr arall, yn enwedig wedi cael cip arni ar ôl dringo droeon i'r top. Rhyw le tywyll, anghyfarwydd, tu-hwnt-i'r llen ydoedd i ni . . .

ac:

> yr wyf o dro i dro wedi sylwi ar wedd arbennig i'r ochr hon i'r mynydd,
> sef y düwch dwfn sydd iddi pan weler hi o gyfeiriad y dwyrain tuag adeg
> y machlud, a'r haul wedi mynd o'r golwg y tu ôl i'r cribau.

Wrth grwydro i fyny'r ochr yma 'am y tro cyntaf, rai misoedd yn ôl', ar
hyd y llwybr o Ben y Pas, a dechrau dringo i fyny'r llethrau, y mae'n
edrych i lawr a gweld llecyn o dir glas yn ymylu ar 'hen furddyn wedi
mynd a'i ben iddo'. Y mae'r tir glas: 'wedi ei gau i mewn â mân gerrig
gwynion gan rywun, ac o'r tu allan i'r llan hon groes fler o gerrig gwynion
hefyd'. Y mae'n neidio i'r casgliad mai mynwent o ryw fath oedd y darn
hwn o dir ac, wrth ddringo'n uwch, y mae'n cael prawf o hynny:

> Yma a thraw o'r tu mewn i'r fynwent hon y mae darnau o lechau (o'r hen
> do adfeiliedig, yn ddiau) ac enwau arnynt, ac ambell garreg wen a darn o
> lechen yn gorffwyso arni.

Hyd yn hyn, darn o sylwgarwch craff yr ysgrifwr sydd yma, a dim mwy.
Ond y naid dychymyg y mae'n ei chymryd o hyn ymlaen sy'n rhoi
arbenigrwydd i'r ysgrif, ac arwydd i ninnau o'r 'ysgerbydau' sy'n
chwarae beunydd yng nghilfachau ei fod:

> Y mae'n bosibl mai mynwent ydoedd i gladdu ynddi, heb dorri bedd,
> unrhyw ysgerbwd a oedd yn eneidiau'r bobl hyn. Go brin mai mynwent i
> gysegru ac atgyfodi hen serchiadau a dyheadau ydyw . . . yn nhywyllwch
> yr ochr honno i'r Wyddfa erys gwynder ei cherrig yn arweiniad ac yn
> wahoddiad i bererinion blinderog a llwythog daflu eu baich oddi ar eu
> gwar, a chael esmwythâd wrth ollwng o'r golwg i'r fynwent fach fregus
> hon unrhyw siomedigaeth drom, unrhyw ofid cudd, unrhyw ymserchu
> diymateb a ddigwyddo lechu fel ysgerbydau yn eu mynwes.

Y mae'r syniad o ddiosg baich pechod neu bryder neu euogrwydd ar
berson arall i'w gael, wrth gwrs, mewn sawl diwylliant – hen a newydd
fel ei gilydd – o'r bwytawr pechodau cyntefig sy'n dal i fodoli mewn rhai
diwylliannau yn Affrica, trwy'r derbyniwr cyffes Pabyddol i'r
'cynghorydd' modern. Eto, y mae gwneud mynwent yn dderbynfa
beichiau'r byd yn dro gwreiddiol ar y syniad a, sut bynnag, y mae'r
pethau sy'n cydlynu ym meddwl Parry-Williams yn arwyddocaol iawn
yma: siomedigaeth drom, gofid cudd, ymserchu diymateb.

Yn *Synfyfyrion*, am y tro cyntaf, y mae Parry-Williams yn ymdrin yn uniongyrchol â'r broses greadigol, yn yr ysgrif 'Llenydda',[72] ac fe dalai inni oedi am ychydig gyda'i sylwadau. Y mae'n dechrau trwy wamalu ynglŷn â'r ffaith fod pobl yn ystyried bardd yn od, yn ddyn 'a chinc yn ei gyfansoddiad'. Yna, y mae'n dweud ei *fod* yn wir felly:

> Y mae'r dyn sy'n llenydda'n mynd weithiau i fyd neu ystad neu fodd dieithr: neu, beth bynnag, y mae'n synio ambell dro am bethau cynefin a chyffredin fel petaent yn bethau anghynefin ac anghyffredin.

Y mae'n mynd ymlaen i ddatgan nad rhywbeth a ddysgir, naill ai trwy addysg ffurfiol na thrwy amgylchiadau, yw'r duedd hon, ond rhywbeth etifeddol:

> peth sydd ynddo wrth natur a greddf ydyw hyn, rhywbeth cyntefig, cynwareiddiad o bosibl; synnwyr dros-ben: mesurdeb newydd.

Nid yw'n dechrau, sylwer, trwy sôn am ddiddordeb mewn iaith, na hyd yn oed mewn mynegiant; y mae'n dechrau trwy sôn am ffordd arbennig o sylwi. Y mae'n dod yn weddol gyflym at yr arfau angenrheidiol i wneud y gwaith, serch hynny:

> y mae hyd yn oed arfau a thaclau'r gelfyddyd yn apelio ato yn gynnar: y mae'r swyn sydd i gyfosodiad a chyflead geiriol yn rhan o gyfansoddiad ambell un, heb, o angenrheidrwydd, gael cyfarwyddyd gan neb erioed.

Ond mae'n dychwelyd i ddweud nad dyma'r peth sylfaenol:

> y mae hefyd yn ymdeimlo â rhywbeth arall, rhyw egni neu gynnwrf o'i fewn: a hwnnw, yn y gwir lenor yw'r peth sylfaenol.

Yna, y mae'n gofyn beth yw nodweddion y sawl sy'n teimlo'n reddfol y cynnwrf mewnol hwn a'r awydd i'w fynegi:

> Un peth sydd ganddo yn sicr – y gallu i fyfyrio a phensynnu, cynneddf ddigon prin. Yn llenyddol, ar fyfyrdod y mae'r dyn yn byw. 'Tra yr oeddwn yn myfyrio,' medd y Salmydd, 'enynnodd tân a mi a leferais a'm tafod.' Weithiau ymhen hir a hwyr ar ôl y myfyrio, y mae'r 'tân' yn ennyn, ond canlyniad y myfyrio ydyw, er hynny.

(Dyma'r 'emotion recollected in tranquillity' y sonia Wordsworth amdano yn ei ragair enwog i'r *Lyrical Ballads*.)[73]

> y mae'n anodd dweud pa beth neu bethau sy'n peri i ddynion fyfyrio; argyfwng weithiau, efallai; neu ofid, neu hiraeth, – neu ddim byd pendant o gwbl, ond 'am fod rhyw anesmwythyd yn y gwynt' . . . Pan fo'r dyn hwnnw yn gallu myfyrio'n ddigon dwys, ac yn ymgolli yn ei fyfyr, y mae o angenrheidrwydd yn gweld pethau mewn golau anghyffredin ac yn ymdeimlo â phethau mewn modd anghynefin; hynny yw, y maent yn mynd yn ddieithr iddo, o safbwynt pob dydd o edrych ar bethau. Y mae'r dyn yn ddeoledig ac wedi colli arno'i hun arferol. Beth sydd wedi digwydd iddo?

Ac mae'n cynnig rhai atebion sy'n ganolog i'w syniadaeth am natur celfyddyd – unrhyw gelfyddyd, ond llenyddiaeth yn benodol:

> Y mae'r dyn . . . wedi ei ddarganfod ei hun ac mewn cymundeb ag ef ei hun . . .

(Rydym yn cofio mai 'dod wyneb yn wyneb ag ef ei hun' oedd un o bwrpasau cydnabyddedig y ddwy daith fawr.)

> . . . sylwer . . . ar waith yr ysgrifwyr diffuant a'r telynegwyr personol cywir; y maent yn mynegi'r darganfyddiad hwn ohonynt eu hunain trwy gysylltu'r mynegiant â rhywbeth diriaethol – rhywbeth i afael ynddo; rhywbeth, efallai, sydd wedi bod trwy ddamwain yn achlysur i'w gyrru i'r myfyrdod.

Dyma'n sicr, fel y gwelsom, ddisgrifiad cywir o'r modd y mae T. H. Parry-Williams ei hun yn gweithredu'n aml iawn.

> Ail ateb posibl i beth yw effaith myfyrdod ar ddyn o'r teip hwn, yw ei fod wrth fyfyrio yn teimlo ei fod yn rhan o'r bydysawd . . . ac mewn cymundeb ag ef.

Y mae'n sôn mai pobl felly yw rhai llenorion cyfriniol. Yna, y mae'n ystyried trydydd ateb:

> sef bod dyn yn teimlo'i hun yn rhan integrol o ddynoliaeth yn gyffredinol, a thrwy hynny ag ysbryd dynolryw.

Ac yna, fel pe bai'n ychwanegu ôl-nodyn, y mae'n dod at yr olaf :

> sef ymdeimlad gorchfygol o ddiddymdra a darfodedigrwydd pethau, ac mai 'gwagedd o wagedd' ydyw'r cwbl; sylweddoli nad oes unoliaeth na chymundeb rhyngddynt a dim.

Ac wedyn:

> Y mae pob gwir lenor felly, pa beth bynnag fo pen-draw neu gasgliad ffrwyth ei fyfyrio, yn argyhoeddedig ar y pryd ei fod wedi cael gafael ar wirionedd am y tro, wedi cael cyfrinach o rywle, wedi profi synhwyriad sy'n newydd iddo ef, – ac yng ngrym yr argyhoeddiad hwnnw y mae'n ysu am ei fynegi, er iddo, rywdro wedyn, yn ddigon posibl anghytuno ag ef ei hun, oherwydd fe all yr un llenor gael ei arwain yn ei dro i fwy nag un o'r gwahanol gyflyrau y cyfeiriwyd atynt.

Yn wir; a gwyddom am lenor sydd felly. Ond:

> Antur enbyd yn aml ydyw myfyrio i'r pererin llenyddol: ond y mae boddhad gogoneddus yn yr ystad lesmeiriol yr eir iddi ambell dro, a swyn yn y datguddiad a'r weledigaeth a geir.

Ac mae'n gorffen yr ysgrif trwy ddatgan rhywbeth y gwyddom yn ddigon da amdano erbyn hyn, sef mai dweud y gwir, fel y mae'n ei brofi ar y pryd, yw'r peth o bwys canolog:

> Ni waeth ryw lawer beth fo natur 'gwirionedd' y deunydd, os cafodd y llenor ef, ond cael gonestrwydd mynegiant. Hoced anesgusodol ydyw ffug-lenydda.

Y mae'n rhaid ei fod wedi teimlo'n ddig yn aml wrth ddarllen sawl cerdd eisteddfod; a hwyrach yn wir fod mwy nag un rheswm pam yr aeth trwy gyfnodau o wneud dim â'r fath greadigaethau.

Beth bynnag am berthynas yr hyn a ddywedir â dull y dweud, yr ysgogiad â'r arfau, wrth i ddarn o lenyddiaeth ddod i fodolaeth, yr oedd un darllenydd brwd ac ystadegol ei naws, wrth droi dalennau *Synfyfyrion*, wedi mynd ati i gyfrif sawl gair 'gwneud', 'nad ydynt yng Ngeiriadur Bodfan' – y Beibl ar y pryd – y daeth ar eu traws yn y gyfrol. Llwyddodd i ddarganfod cant a phump, ac mae'n rhannu ffrwyth ei ymchwil â'r genedl mewn llythyr i'r *Faner* ar 19 Chwefror 1938, dros y ffugenw 'Stiwdant', gan restru'r cyfan, o 'adlewyrchedig' ac 'anghydnabyddedig', trwy 'garidyms' a 'pendympian' i 'stelcian' ac 'ystribed'. Y mae'r fath ymarfer, rhaid cyfaddef, yn ein hatgoffa o gyfraniad aruthrol Parry-Williams yn ei ddydd tuag at ehangu ac ystwytho geirfa weithredol y Gymraeg.

Faint bynnag yr hoffai iddo beidio â gwneud hynny, yr oedd y byd mawr yn parhau i dorri i mewn arno trwy ohebiaeth, os nad mewn unrhyw ffordd arall. Yr oedd ei weithgarwch cyfieithu yn cynyddu; yn ystod 1936, cyhoeddwyd *Saith o ganeuon enwog Brahms* gan Wasg Prifysgol Rhydychen a'r anthem 'Gwelwch pa gyfryw gariad a roes y Tad', ar gerddoriaeth Mendelssohn, gan Gyngor Cerdd y Brifysgol yng Nghymru. Ond nid oedd hyd yn oed y gweithgarwch hwn bob amser yn ddidrafferth. Yr oedd wedi rhoi caniatâd i Idris Bell gyfieithu'r soned 'Dychwelyd' i'r Saesneg, er mwyn i'r cyfansoddwr Bryceson Treharne gael ei gosod fel rhan-gân. Fe'i cyhoeddwyd gan gwmni Gwynn, Llangollen, ond bu cryn lythyru cynyddol biwis rhwng Parry-Williams a Gwynn Williams ynglŷn â hawlfraint,[74] cyn i Parry-Williams gael tâl o 'guinea' yn y diwedd. Yr oedd llythyr gan ei hen ddisgybl, Cassie Davies, hefyd yn ei atgoffa o bethau'r byd, ond mewn ffordd lawer mwy difrifol a sylweddol. Yr oedd Saunders Lewis, erbyn canol 1937, yn y carchar fel canlyniad i helynt Penyberth, ac mae Cassie Davies, ym mis Awst, yn gofyn am gyfraniad i gronfa gyfrin er mwyn galluogi Plaid Cymru i gynnig swydd iddo wedi iddo ddod allan. Y mae nodyn o ddiolch ymhen ychydig ddyddiau yn dangos fod Parry-Williams wedi cyfrannu ar unwaith.

Gohebydd anos i gael gwared arno oedd Bob Parry – yntau wedi ailgydio yn yr arfer o ysgrifennu at Tom ei gefnder i gwyno am bechodau'r Brifysgol, a oedd, wrth gwrs, yn waeth fyth yn ei olwg bellach, ar ôl y modd y cafodd Saunders Lewis ei drin ganddi. Ym 1937, yr oedd Tom wedi gwahodd Bob i draddodi darlithiau cyhoeddus yn Aberystwyth. Y mae Bob yntau'n ceisio bod mor rasusol ag y gall yn y broses o wrthod:

Diolch yn gynnes iti am dy wahoddiad caredig. Mae'n dda gennyf wrtho er mwyn cael dangos i'r diawliaid yma fod yna rai pobl yn fy ngwerthfawrogi onid ydynt hwy. A gaf i ychydig amser – dywed wythnos – i benderfynu gennyt?[75]

Yna, y mae'n troi'n ffyrnig at ddrygau pobl y Coleg:

Diawliaid a ddywedais. Wyddost ti bedi'r *move* ddiwetha'? Mae Adran Gymraeg y Coleg wedi cael £250 o rywle (? Quinquennium

? Quinquennial) ac y mae yn eu bryd apwyntio Darlithydd Cynorthwy newydd! A rhoi'r £250 yn gyflog iddo. Hyn oll yn wyneb addewidion Ifor [Ifor Williams, yr Athro] a'r Prif i mi ar lafar ac ar glawr . . . Rhyngot ti a fi a'r wal, nid wyf yn rhy keen ar fynd i mewn yn gyfan gwbl. Mae Tom [Thomas Parry] a minnau wedi ymrwbio'n ddigon didramgwydd hyd yma, ond wn i ddim sut y byddai ped elwn i mewn, a bod ar ei ffordd.

Dyddiwyd y llythyr hwn 1 Gorffennaf. Daw un arall yn yr haf, yn fwy llenyddol ei naws y tro hwn, mewn amlen heb stamp arno! Tybed a oedd Tom bellach yn gorfod talu am dderbyn llythyrau gan Bob?!

Bydd gennyf gân fer ar Saunders yn rhifyn Gorff. 'Heddiw'. Anfonais hi – cyfansoddais hi'n hytrach – yn lle'r soned honno iddo yr oeddwn yn ormod o lwfryn i'w chyhoeddi! (Mae'n ddiau fod dy wên yn un sardonig pan agoraist 'Y Llenor'.) Cymru fydd odani hi yn hon, nid Prifysgol Cymru. Ond paid â synnu gweld y soned yn rhifyn Awst, yn enwedig os try Llys y Brifysgol benderfyniad y graddedigion i lawr.[76]

Yna, y mae'r mŵd yn troi'n sydyn, ac mae'n son am beidio â mynd i'r Eisteddfod y flwyddyn honno, yn bennaf am ei fod ef ac M yn treulio llawer o amser yn y 'giarifan' y maent wedi ei phrynu, a bod hynny'n well hwyl. Y mae'n awgrymu fod Tom yn llogi 'tent' ac yn dod i aros wrth ymyl y 'giarifan'. 'Cei dalu am 1/3 y bwyd, os mynni; mi edrychaf i ar ôl y drinks.' Prin y gellid dychmygu'r Tom canol-oed yn mynd ar ei bedwar i mewn i babell drws nesaf i 'giarifan' Bob! Daw llythyr tristach o gryn dipyn yn yr hydref:

Mae Ifor yn gwrthod cyhoeddi f'ysgrif ar Dri Englyn y Juvencus . . . fy atal rhag gwneud ffŵl ohonof fy hun, medda fo; efo yw fy nghyfaill gorau o bawb, ac mai chwerthin i fyny eu llewys a snigro (ei air) yn fy nghefn a wna J. Ll. J. [J Lloyd-Jones] a T. H. P-W; ac nad yw o bwys ganddynt hwy faint o ffŵl a wnaf ohonof fy hun! . . . Gwn, wrth reswm, nad oes neb yn fy nghymryd i o ddifrif fel ysgolhaig.[77]

Y mae'n cwyno'n gyson yn ei lythyrau fod Tom yn dod i fyny i Fangor heb alw i'w weld: 'Rydym yn dal i fyw ym Methesda wsti'. Yn ôl pob hanes, yr oedd Tom yn gwneud ei orau i gadw'r cyfeillgarwch yn fyw, ond o bell, y mae'n debyg. Hwyrach ei fod yn blino ar gŵynion Bob am yr Adran a'r Coleg, yn arbennig gan fod angen iddo gadw'r ddysgl yn wastad yn y fan honno hefyd.

Mwy ysgogol, hwyrach, na llythyrau Bob Parry oedd llythyrau 'Y Ferch o Ruthyn', fel yr oedd Parry-Williams wedi dechrau ei galw erbyn hyn. Mewn llythyr ato yn Ebrill 1937, y mae'n sôn wrtho am rai breuddwydion proffwydol a gafodd, ac yna'n sôn rywfaint amdani ei hun:

> Rwyf wedi stopio ers llawer dydd dweud dim wrth fy nheulu – na fawr o neb arall – Roeddynt yn fy mhlagio mai rhyw 'changeling' oeddwn pan own yn blentyn – Mae hi yn braf ar y beirdd; fe gânt hwy ddweud fel y mynnont.[78]

Ymhen dau ddiwrnod, y mae llythyr arall yn cyrraedd. Erbyn hyn, y mae hi wedi darllen 'Adar y To' yn *Ysgrifau*, ac mae'n taro ar y man gwan ar unwaith:

> Beth na chostiodd i chwi i'w ysgrifennu, gan fod episode y Robin Goch wedi cael y fath effaith arnaf i. Nis gwn im ddarllen dim byd fwy poignant erioed.[79]

Ymhen tri diwrnod eto, daw trydydd llythyr o Ruthun:

> Fe fydd raid i mi losgi'r 'Ysgrifau' yma: does yna ddim synnwyr mewn ysgrifennu atoch y trydydd tro fel hyn . . . 'Ceiliog Pen-y-Pas' oedd hi'r pnawn arnaf . . . hwyrach y caf finnau rhyw dderyn yn y reincarnation nesaf![80]

Y mae deg diwrnod yn pasio cyn y llythyr nesaf, ac yn y cyfamser y mae Parry-Williams wedi ateb o'r diwedd, yn amlwg yn werthfawrogol. Ar ôl diolch iddo, y mae hi'n dweud:

> Ni fwriadwn ysgrifennu eto, ond yn unig fel y mae fy niddordeb yn y 'psychic' yn fy ngyrru. Dywedodd William Hobley rywdro fod ar ddyn ofn chwilio i mewn iddo'i hun. Wel . . . pam ofn?[81]

Y mae'n mynd ymlaen i ddweud fod yr awydd i archwilio'r hunan yn dod o Dduw, ac mai ysbrydoliaeth dduwiol-ordeiniedig yw ysgogiadau'r 'beirdd'; nid oes angen eu hofni. Wedyn y mae'n dyfynnu Morgan Llwyd:

> 'Wele, mae canol wreiddyn y meddwl wedi tarddu allan o dra-gwyddoldeb, allan o hollalluogrwydd Duw; fe all ddwyn ei hun i'r peth a

fynno, ac i'r lle y mynno. Canys nid oes ddeddf i'r hyn fydd o'r un tragwyddol' . . . Cael benthyg 'Y Llenor' heddiw; darllen 'Pen Bwlch' ar ôl ysgrifennu'r uchod. Teimlo mai cyrraedd rhyw 'Pen Bwlch' a wnes innau neithiwr. Ond – dim ofn.[82]

Cyn iddi ysgrifennu eto rywbryd ym Mai, y mae Parry-Williams yntau wedi ymateb i'w hysgogi i ysgrifennu ei phrofiadau. Y mae hithau'n dweud nad oes ganddi'r ddawn i wneud, ond ei bod yn teimlo'n unig iawn yn ei phrofiadau, a'i bod wedi teimlo felly erioed. Y mae'n sôn fod rhai pobl brin wedi bod o help, a bod Pedrog un tro wedi dweud wrthi:

'Does dim eisiau i chi wrando ar ddim un ohonom; gwrandewch chwi ar eich profiadau eich hun.' I often feel less lonely because Pedrog once told me that. I only met him for an hour in my life, but that hour stands out. And now, TH Parry-Williams, a mystic of the mystics – thank God for him too. I feel less lonely too because he is in the world. Good night.[83]

Dyna oedd diwedd yr ohebiaeth â'r 'Ferch o Ruthyn', ar wahân i nodyn byr flwyddyn yn ddiweddarach. Hwyrach fod Tom yn teimlo ei bod yn dod yn rhy agos. Anfonodd hi ei nodyn olaf ar ôl darllen *Synfyfyrion*:

Os gwelwch yn dda, daliwch i synfyfyrio; mae'n reit braf gael ambell i fin nos fel hyn; y gwynt yn cwynfan oddi allan; y tân yn ffrwtian oddi fewn, a finnau yn cael cwmni rywun tebyg i fy hunan – 'pan fwyf yn fyfi fy hun iawn'.[84]

Fel y mae'r 1930au yn tynnu i'w terfyn, y mae'n parhau'n gyson weithgar gyda'i waith academaidd. Ym 1937, y mae'n cyhoeddi diweddariad o *Pedair Cainc y Mabinogi* at wasanaeth myfyrwyr ac, ym 1938, y mae'n casglu detholiad o storïau byrion cyfoes, dan y teitl *Ystorïau Heddiw*, ar ran y Clwb Llyfrau Cymreig, a pharhaodd i gyhoeddi ysgrifau a cherddi mewn amrywiaeth o gylchgronau. Yr oedd hefyd wedi dechrau golchi ei draed ym masddwr bywyd cyhoeddus yn araf bach, gan dderbyn gwahoddiad Sam Jones i berfformio ar y radio – cyfrwng y byddai'n tyfu'n seren arno maes o law – a derbyn llythyr o ganmoliaeth brwd gan John Eilian, a oedd erbyn hyn yn olygydd *Y Cymro* ac yn sefydlydd *Y Ford Gron*, ar ei ddefnydd o 'Gymraeg byw'.[85] Yr oedd wedi derbyn gwahoddiad i fynd yn ôl i Feddgelert i siarad yng Nghapel Peniel ar ben blwydd y Beibl Cymraeg yn 350 oed. Cytunodd i fod yn aelod o Bwyllgor Gwaith *Y Bywgraffiadur Cymreig*, a oedd yn dechrau ar ugain mlynedd o waith, dan nawdd y Cymmrodorion a than olygyddiaeth J. E. Lloyd ac R. T. Jenkins. Erbyn 1939, yr oedd wedi cael ei demtio'n ôl i feirniadu yn yr Eisteddfod Genedlaethol, a gofynnwyd iddo gydfeirniadu cystadleuaeth y Goron yn Ninbych gyda J. Lloyd-Jones a Prosser Rhys. Nid oedd Prosser Rhys yn y diwedd yn abl i feirniadu,ond cytunodd y ddau arall yn barod iawn mai 'Pererin' oedd yr ymgeisydd gorau o bell ffordd;[86] yn wir, y mae J. Lloyd-Jones yn dweud ei fod yn 'fardd gwych a'i gerdd yn gampwaith artistig', a T. H. Parry-Williams: 'Y mae cyffyrddiad meistrolgar ganddo a rheolaeth lwyr ar ei arddull o ran ieithwedd a mydr'. Yn anffodus, barnodd y ddau hefyd nad oedd mewn unrhyw fodd wedi canu ar y testun. 'Terfysgoedd Daear' oedd y testun, ond, meddai J. Lloyd-Jones: 'Apologia ac apotheosis hunanleiddiaid ydyw'; a T. H. Parry-Williams: 'Dihangfa o "Derfysgoedd Daear" yw corff y gainc, a Hunanladdiad yw ei byrdwn'. Ac ar gorn canu annhestunol, ataliwyd y Goron i gerdd yr oedd y ddau'n ei hystyried yn arbennig. Penderfyniad chwyrn, o ystyried fod cyswllt go glòs, 'does bosibl, rhwng terfysgoedd daear a hunanladdiad. Caradog Prichard, wrth gwrs, oedd y bardd.

Erbyn hyn, yr oedd rhyfel arall wedi torri allan, y bechgyn yn dechrau mynd oddi cartref unwaith yn rhagor, a'r byd llenyddol a'i weithgareddau yn gorfod cymryd sedd gefn, hyd yn oed yn ymwybyddiaeth y Cymro Cymraeg.

Un o ohebwyr cyson Parry-Williams yn ystod y cyfnod hwn, ac am flynyddoedd wedyn, oedd Llewelyn Wyn Griffith, y gwas sifil a'r llenor Eingl-Gymreig a oedd hefyd yn aelod blaenllaw o'r Cymmrodorion ac yn olygydd eu *Trafodion* am amser hir. Y mae un o'i lythyrau ef yn taflu goleuni ar gyflwr meddwl Parry-Williams ar ddechrau'r rhyfel. Y mae'r llythyr wedi ei ddyddio yn gynnar ym 1941, ac mae'n amlwg fod Wyn Griffith wedi gofyn i Parry-Williams i ddarlithio i'r Cymmrodorion, a'i fod yntau wedi gwrthod, gan bledio ei bryder ynghylch cwrs y byd, a'i ddigalondid a'i ddiffyg ysbryd o'r herwydd:

Cydymdeimlaf o'm calon â chwi yn eich digalondid – y mae'r byd fel petae wedi troi ar ei ben a ninnau yn y domen. Ond mae rhyw ddyletswydd arnom oll, gyfaill annwyl, ac yn enwedig arnom ni sydd wedi concro un cancar, 1914–1918, i ddangos y ffordd i'r gweddill. Pan godwyd y cwestiwn o gynnal cyfarfod cefn gwlad yn Hiraethog, teimlais mai dyma' r cyfle i gadw un llwybr yn agored i'r byd a ddaw. Meddyliwch am danynt, pobl cefn gwlad, yn cyfarfod i wrando arnoch. Beth ddylech ddweud wrthynt? Ffrwyth llafur maith ar yr hyn a fu? Nage, nage.

Profiad bardd – dyna sydd eisiau yn y seiat. Rhowch dipyn o'ch llawnder fel bardd iddynt, o'ch trueni, neu orfoledd, neu fel y bo. Gwnewch hyn er mwyn y mynydd a'r mawndir a'r walia a'r brwyn a'r nentydd – siaradwch wrthynt a gadewch i mi wrando tu ôl i'r drws. Peidiwch â gwrthod, gyfaill annwyl, ar adeg fel hyn.[87]

Yna, wedi gorffen gwneud ei ddyletswydd berswadiol, y mae'n newid cywair y llythyr: 'mae gennyf hiraeth dychrynllyd am dy wel'd, gyfaill, a chlywed sŵn dy lais. Ond mewn carchar rwy'n byw, a'r 'goriad ar goll, neu yng ngofal y diawl ei hun.' Llwyddodd perswâd Wyn Griffith i newid meddwl Parry-Williams, oherwydd ymddangosodd yr anerchiad yn *Trafodion* y gymdeithas y flwyddyn honno, dan y teitl 'Natur ym Marddoniaeth Cymru'. Bu'n beirniadu eto yn yr Eisteddfod Genedlaethol ym 1941. Cydfeirniadodd yr awdl ym Mae Colwyn, gyda J. Lloyd-Jones eto, ac Edgar Phillips ('Trefîn'). 'Hydref' oedd y testun. Nid oedd yr un o'r tri beirniad yn hapus iawn ynglŷn ag ansawdd y gystadleuaeth, ond teimlai J. Lloyd-Jones fod 'Syml II' wedi cyfansoddi awdl grefyddol ddwys ar ddioddefaint, briodol i'r oes oedd ohoni, a chredai y dylid ei chadeirio. Daeth Trefin gydag ef, os ychydig yn anfoddog, ond unwaith eto, er yn y lleiafrif y tro hwn, mynnodd Parry-Williams nad oedd neb yn deilwng. Cadeiriwyd 'Syml II', sef R. H. Jones o Rostrehwfa, a ddaeth yn adnabyddus wedyn fel Rolant o Fôn, y bardd-gyfreithiwr a newyddiadurwr ffraeth a pharod a fu'n ffigwr amlwg ym mywyd llenyddol Môn am amser maith. Y mae rhywun yn cael yr argraff nad oedd Parry-Williams, fel beirniad eisteddfodol, yn y cyfnod hwn, beth bynnag, ddim yn fodlon cyfaddawdu â'i safonau uchel ef ei hun wrth farnu mewn cystadleuaeth.

Er nad oedd fawr neb eto'n gwybod, yr oedd yr hen lanc pymtheg a deugain oed ar fedr newid cwrs ei fywyd yn llwyr pan wawriodd 1941. Ac mae'r gyfrol a gyhoeddodd yn ddiweddarach y flwyddyn honno – *Lloffion* – fel y mae'r teitl yn awgrymu, yn hel gweddillion ei gynhaeaf ynghyd cyn mentro ar wanwyn newydd mewn tiriogaeth wahanol.

Dylid nodi mai'r Clwb Llyfrau Cymreig a gyhoeddodd *Lloffion*, fel hefyd *Ystorïau Heddiw* a *Hen Benillion* (1940), ffrwyth arall ei ymchwil i'r canu rhydd cynnar. Gellid cysylltu hynny â'r ffaith mai Gwasg Aberystwyth a gyhoeddodd *Cerddi*, *Olion* a *Synfyfyrion*. Arwyddocâd y cyfan yw mai Prosser Rhys, yn fuan wedi iddo ddechrau ar olygyddiaeth *Y Faner* ym 1928, a sefydlodd Wasg Aberystwyth ac mai Prosser Rhys, hefyd, oedd y prif symudydd dros sefydlu Clwb Llyfrau a fyddai'n cynnig amrywiaeth o lyfrau hylaw a rhad ond safonol eu cynnwys i'r darllenydd llengar. Yr oedd Parry-Williams yn deyrngar a chefnogol i'r cyfan a wnâi golygydd *Y Faner* yn y cyfeiriadau hyn, ac nid oes fawr amheuaeth nad ar ysgogiad Prosser Rhys y daeth *Ystorïau Heddiw* a *Hen Benillion* i fodolaeth.

Yn wir, y mae'n werth oedi am ychydig gyda'r ddau lyfr yma, oherwydd y maent yn dangos parodrwydd Parry-Williams erbyn hyn i droi ei law, er prysured ydyw, at weithgarwch sy'n debyg o gyfrannu tuag at lythrenogrwydd llenyddol y Cymry mewn cyfnod pryd y mae eu hunaniaeth ddiwylliadol unwaith eto mewn perygl. Bwriad syml *Ystorïau Heddiw* yw rhoi llwyfan i lenorion cyfoes pryd y mae'r cyfle i gyhoeddi eisoes yn prinhau, ac ar yr un pryd i ddangos i'r Cymry darllengar fod y traddodiad rhyddiaith yn fyw ac yn iach. Yn ei Rag-ymadrodd, y mae Parry-Williams yn cynnig braslun cynhwysfawr a diddan o'r hyn ydyw 'ystori' a'i thwf a'i datblygiad, ond nid yw'n sôn dim am y storïau yn y gyfrol:

> Barned y darllenydd yn ôl ei safonau. Y mae yma ddigon o amrywiaeth, gan 'hen ddwylo' a dechreuwyr.

Ac mae'n gyfrol swmpus, yn cynnwys 33 o storïau, gyda 'hen ddwylo' disgwyliedig fel R. Hughes Williams (Dic Tryfan), R. Dewi Williams, Kate Roberts, Tegla Davies a D. J. Williams yn eu plith, sef hoelion wyth y stori fer Gymraeg. Y mae rhai enwau annisgwyl yma hwyrach, fel Waldo, ac a ydyw'n annheilwng ar ein rhan i nodi y gwelwn yma, ymysg y 'dechreuwyr', un Amy Thomas,[88] gyda stori dan y teitl 'Henrietta'?

Bwriad cyfochrog, ond digon tebyg yn y bôn, oedd y tu ôl i *Hen Benillion*, fel yr eglura Prosser Rhys, mewn llythyr at aelodau'r clwb, a anfonwyd atynt gyda'r gyfrol:

> rhaid bod yn fyr oherwydd prinder papur – prinder sydd yn myned yn fwy o wythnos i wythnos, fel y gwyddoch.
>
> Gwelwch eich bod yn cael y tro hwn lyfr o werth a diddordeb eithriadol – llyfr a apelia at bawb – y dysgedig a'r annysgedig – llyfr a drysorir gennych oll hefyd. Ceir yn 'Hen Benillion' lafur blynyddoedd un o ysgolheigion a beirdd mawr ein cenedl.[89]

A dyna'n wir oedd y llyfr – ymgais i drosglwyddo rhan sylweddol o draddodiad y canu rhydd i'r darllenydd cyffredin mewn modd dealladwy a diddorol. Ond yr oedd gwneud hynny wedi achosi llafur mawr, a hynny, yn ôl Prosser Rhys a'r awdur ei hun, 'ar frys gwyllt'. Yr oedd wedi gorfod, er enghraifft, ddiweddaru orgraff testun a gyhoeddwyd yn yr orgraff wreiddiol yn *Canu Rhydd Cynnar*; ac yr oedd testun *Hen Benillion* yn cynnwys ymron 750 o benillion neu gyfresi o benillion. 'Doedd hi ddim yn syndod, dan yr amgylchiadau, fod Prosser Rhys wedi derbyn llythyr oddi wrth un o lythyrwyr ac adolygwyr mwyaf diflino'r cyfnod, D. Llewelyn Jones, a fu'n weinidog am amser maith yn Llanidloes, yn pigo ar fân frychau yn y llyfr, a'i fod wedi ateb yn ddiplomataidd nad oedd yn teimlo, hwyrach, y dylid ei gyhoeddi yn *Y Faner*, a'i fod wedi ei anfon yn lle hynny at Parry-Williams. Atebodd yntau, mewn llythyr dyddiedig 6 Awst, o Hafod Lwyfog, lle'r oedd, yn ôl ei arfer bellach, yn llechu:

fel y gwyddoch, ni byddaf i byth yn ceisio ateb gofyniadau fel hyn mewn papur. Ni wneuthum erioed, – ac nid wyf am ddechrau yn awr. Hwyrach y dylwn wneud. Un o'm lliaws 'gwendidau' yw peidio, efallai . . . Heblaw am hynny, nid oes gennyf fawr o galon yn awr – ac yn y fan lle'r wyf – i drin y materion hyn ac i geisio f'amddiffyn fy hun.[90]

Y mae'n braf sylwi ei fod wedi cyflwyno *Hen Benillion* 'I Goffa Syr Edward Anwyl'.

Y mae *Lloffion* wedi'i gyflwyno, nid i'r teulu, fel y cyfan o'r cyfrolau blaenorol, ond 'I'm hen ddisgyblion'. A yw hyn hefyd yn arwydd o'r ffaith mai cyfrol rhwng dwy oruchwyliaeth yw hi? Yr oedd Amy Thomas, wedi'r cyfan, yn hen ddisgybl.

Ta waeth am hynny, a beth bynnag am statws y gyfrol, y mae *Lloffion* eto'n gyfrol gyfoethog. Y mae yma nifer o ysgrifau sy'n rhan o'i 'hunangofiant Rhyd-ddu', ac un neu ddwy y cawsom achos i edrych arnynt eisoes. Y mae 'Y Llyfr-Lòg', y ddwy ysgrif ar ei brofiadau yn Oerddwr, 'Oerddwr' a 'Troad y Rhod', 'Y Trên Bach' ac, i raddau llai, 'Hen Chwareli' i gyd yn dod dan y categori hwn. Y mae 'Pen yr Yrfa', fel 'Oerddwr' yn wir, yn un o'i gerddi pros mawr, a'r portread mwyaf cyflawn hwyrach, a mwyaf uniongyrchol yn ei holl waith, o'r allanolyn, yr alltud o gymdeithas dynion, yr *étranger*, sef un wedd arno ef ei hun. Y mae'r gŵr ifanc a ddaliwyd gan blismyn, ceiliog Pen-y-Pas, y ferch ar y cei yn Rio, Dic Aberdaron, teulu'r Ffatri, y gŵr gorffwyll ar fwrdd llong, a llu o gymeriadau eraill llai amlwg, oll yn perthyn i'r hil anrhydeddus hon, ond 'PC' yn 'Pen yr Yrfa' yw'r mwyaf dwys a'r mwyaf urddasol ohonynt i gyd. Ar wahân iddo fod yn *étranger* ac yn erlidiedig o'r herwydd, y mae 'PC' hefyd yn un sy'n agored i brofiadau'r ffin:[91]

Tramp ydoedd, – tua diwedd ei oes, beth bynnag; a diau gennyf mai'n
dramp y'i ganed ef ac mai trampio fu ei hanes trwy gydol ei fywyd . . .
Buasai'n cysgu, ryw noswaith tua diwedd mis Chwefror, mewn man lle y
cawsai gysgod lawer tro cyn hynny. Hen noswaith ddigon rhynllyd
ydoedd hi; ac yn ystod ysbeidiau o fod ar ddihun daethai rhithiau
rhyfedd i'w gythruddo a rhyw iasau anesboniadwy i'w gynhyrfu. Gweld
ei grwydriadau yn un siwrnai hir ddi-dor; canfod ei holl gyd-fforddolion
a phob rhoddwr a gwrthodwr a gyfarfuasai â hwynt erioed, yn un lleng
fyddinog o'i flaen; clywed seiniau camre'i flynyddoedd hyd y ffyrdd a
chrio pob gwynt a fu'n chwythu trosto a thrwyddo, yn un gyseinedd
enbyd.

Y mae'r syniad fod bywyd i gyd yn pasio o flaen llygaid y sawl sydd
ar farw yn ystrydeb, wrth reswm, ond y mae'r manylu bwriadus a
mawredd y mynegi yn codi hwn ymhell o dir ystrydeb. Yna, y mae'n
dweud rhywbeth sy'n dangos fod 'PC' a'r awdur ei hun yn cerdded yr
un llwybr, yn dangos inni, yn wir, mai math o hunanbortread, yn
rhagargoeli'n symbolaidd ei farwolaeth ei hun, yw 'Pen yr Yrfa' i'r
awdur:

Cyn hyn, am gryn amser, ni buasai dim ond y symud a'r aros, y bwyta a'r
cysgu, yr esgyn a'r disgyn, yn benderfyniadau diffiniedig yn ei drefn byw,
heb ddim, yn ddiweddar, ond rhyw fud-feddwl a llesg-ymdeimlo ar dro;
oherwydd yr oedd, fel y tybiai, wedi llwyddo i orchfygu ei ymennydd
trwy wrthod meddwl, a phylu ei ymdeimlad trwy daer ystyfnigo.

Dyma, wrth gwrs, yr oedd Thomas wedi ceisio'i wneud, er methu'n
aml, ers blynyddoedd. Ac eto:

Yn ei grwydriadau cynnar byddai'n hoffi cwmni weithiau, ond buan y
datblygodd yn ar-ei-ben-ei-hunwr; a phan basiai rhai o'i hen gydnabod
crwydrol ef yn awr ac yn y man, unwaith yn y pedwar amser, prin
fyddai'r cyfarch geiriol rhyngddynt.

Yna, y mae'n sôn fel y bu adeg pryd yr arferai 'PC' 'ddadansoddi ei
feddyliau a'i deimladau ei hun' ac ymddiddori mewn pob math o
bethau. Ond erbyn hyn, ychydig iawn oedd yn ei gyffroi 'hyd yn oed
ddringo bwlch na thramwy dyffryn'. Ond ar y diwrnod arbennig hwn, y
mae popeth yn ailfywiocáu; y mae'n sylwi, fel yr arferai wneud, ar
bopeth o'i gwmpas:

Cyn iddo ymgaledu ac ymbylu buasai esgyn i fwlch yn brofiad iddo bob tro; a heddiw yr oedd peth tebyg yn ymdyrfu o'i fewn, ond bod ymchwydd angerddau profiad yr holl fylchau y bu trostynt erioed, fel petaent yn cydgrynhoi ynddo y tro hwn.

Y mae'n cyrraedd pen y bwlch, a theimlo'r eira dan ei droed, a chlywed rhu'r gwynt yn ei glustiau. Ond mae'n well i'r ysgrif siarad drosti ei hun:

Aros ennyd, heb ddim ond nefoedd uwch ei ben. Yn ddisymwth fe droes trymder einioes yn ysgafnder ymddatodiad. Un ochenaid fawr, ac fe deimlodd holl bererindod bywyd yn gronfa loywysgafn yn ymgodi ohono fel mygdarth i'r awyr. Ymollyngodd yntau ar fin y ffordd, – a dyna ben.

Y mae'r ffin rhwng sentimentaliaeth a gwir sentiment yn denau mewn rhywbeth fel hyn, sy'n mentro chwarae'n gwbl ddigywilydd â'n teimladau. A'r hyn sy'n codi'r sentimental i dir sentiment fel arfer yw diriaethedd ei ddelweddau ynghyd â chyhyredd ei fynegiant. Y mae'r ddau'n eglur iawn yma ac, yn wir, diriaethedd yw neges derfynol yr ysgrif. Sylwer, meddai'r awdur, mai mewn man arbennig ar adeg arbennig y mae marwolaeth unrhyw un yn digwydd, ac i hwn fel hyn y digwyddodd:

yno, ar ben y bwlch ar lecyn pendant sylweddol yn yr awyr agored, fe ddaeth un o drigolion daear i derfyn ei daith. Ni all dim mwy dychrynllyd o ddiriaethol ddigwydd i neb ar y ddaear hon.

Hunanbortread. Ac eto, wrth gwrs, nid hunanbortread. 'PC', y 'Pencrwydryn', sydd yma, nid T. H. Parry-Williams, ond yma hefyd y mae un wedd ar y ddynoliaeth, a gwedd yr oedd yntau o hyd ac o hyd yn ymson yn ei chylch.

Ar wahân i'r ysgrifau hyn, y mae fel pe bai'n teimlo'n fwy rhydd i lacio'r ffrwyn ychydig arno'i hun yn y gyfrol hon. Y mae mwy o'r archwilio syniad yn fetaffisegol oherwydd ei ddiddordeb yn y syniad ei hun, fel yn 'Arcus Senilis', 'Y Tu Mewn', ac yn arbennig 'Idoc', yn dychwelyd i'w waith, mwy o'r hiwmor eironig, ochr-geg sydd mor nodweddiadol ohono yn ei funudau ysgafnach, fel mewn dwy ysgrif, 'Gollyngdod' a 'Rhyddhad', lle mae'n caniatáu iddo'i hun dynnu coes y darllenydd a'r awdur fel ei gilydd trwy hanner-gwamalu ynglŷn â chyfyng-gynghorau'r llenor creadigol, a hyd yn oed yr awydd achlysurol i adrodd stori-foeswers yn yr hen ddull, fel yn 'Ymwared'. Dyma'r math o ysgrifau hefyd lle mae'n medru rhoi rhwydd hynt i'w obsesiwn â seiniau, rhythmau a chyfystyron geiriau, lle mae'n bleser darllen er mwyn y cyfoeth iaith, heb fod y profiad, fel y cyfryw, yn gofyn llawn cymaint oddi ar y darllenydd, yn ddeallusol nac yn emosiynol.

Y mae yma hefyd ysgrif arall fwy sylweddol ar y broses greadigol, 'Geiriau', sy'n dadansoddi natur iaith fel un o arfau'r bod dynol, a darlith ar iaith emynau. Un o nodweddion mwyaf diddorol 'Geiriau', os gall un fod mor wamal ag yntau, yw fod yr awdur, unwaith y mae'n dechrau ymdrin ag iaith fel cyfrwng llenyddol, sef pwnc y dylsai fod yn gwybod amdano, yn mynd mor ochelgar a thafod-yn-ei-foch nes defnyddio'r hen fecanweithiau amddiffyn 'fel y dywedir', 'yn ôl y gwybodusion' ac ati, ddim llai nag wyth gwaith cyn dechrau siarad yn agored yn ei lais ei hun!

Y mae mydryddiaeth y gyfrol yr un mor amrywiol â'r ysgrifau ac, at ei gilydd, yr un mor gymharol eironig a metaffisegol ei naws, er bod y ddwy soned gyfochrog, 'Awen' a 'Ffynnon', yn ddatganiadau pwysig am gymhellion yr artist a'r sawl sy'n agored i wefr celfyddyd fel ei gilydd. Y mae'r rhigwm 'Diolchgarwch' yn un arall o'r cerddi sy'n ein gadael â chwestiwn cofiannol na allwn ei ateb yn llawn.

Nid yw'n syndod inni bellach, ond yn rhybudd, hwyrach, i'r sawl sydd, fel van Hamel ers talwm, yn ystyried mai 'philosophical' oedd athrylith Tom, a bod ei ddyfeisiadau yn fwy 'o resymol nag o synhwyrol (more reasonable than sensitive)', hynny yw mai bardd deallusol yn ei hanfod oedd, fod y ddwy soned yn pwysleisio'n gryf mai synwyrusrwydd teimlad yw hanfod pob celfyddyd a phob gwerthfawrogiad o gelfyddyd. Y mae'r soned 'Awen', gan chwilio am yr awen ei hun, yn gorffen:[92]

> Ond odid na chanfyddir nad yw hi
> Yn ddim ond ffynnon fach o ddagrau'n lli.

Y mae'r llall, sy'n pwysleisio mai 'rhin prydferthwch' yn hytrach 'Na thristwch na llawenydd dynol ryw' sy'n ysgogi'r dagrau 'dwyfol' sydd wrth wraidd celfyddyd, yn gorffen, serch hynny:[93]

> Dagrau sy'n creu holl gelfyddydwaith byd,
> A dagrau sy'n dehongli'r creu i gyd.

Ar yr wyneb, rhigwm bach digon syml, er cof, unwaith eto, am ei rieni, yw 'Diolchgarwch'. Ond, o syllu'n graffach, diolch y mae am eu bod wedi mynd, fel y dywedodd mewn soned gynharach:

Adref o nos y byd a'i siomi brwnt
I dwyllwch diedifar y tu hwnt.[94]

Y mae'n cynnig diolch am eu bod, ers blynyddoedd bellach, yn rhydd o boenau'r byd, ac mae hynny'n ddigon naturiol; angerdd difesur y diolch sy'n anodd ei ddeall:[95]

Diolch i'r Angau, diolch, diolch fel deunydd salm,
Am ddiogelwch dau sydd ynghladd bellach er ys talm

Diogelwch rhag beth? Tryblith y rhyfel? Ynteu rhyw beryglon mwy personol a nes atynt? A beth yw is-destun y cwpled hwn?

Mi wn pa beth a'u lladdodd, a'u lladd ymhell cyn eu pryd;
Ond tawaf â son canys un farwolaeth sydd inni i gyd.

Pam yr oedd angen dweud hyn, bymtheng mlynedd ar ôl claddu ei fam ac un mlynedd ar bymtheg ar ôl claddu ei dad? Pwy a ŵyr, unwaith eto, erbyn hyn, ond yr oedd rhywbeth o hyd yn ei gorddi ynglŷn â 'Thŷ'r Ysgol' a'i rieni. Ac yntau ar gychwyn ar gyfnod newydd a gwahanol iawn ar ei fywyd, yr oedd rhaid troi'n ôl, unwaith yn rhagor, at y bedd ym mynwent Beddgelert.

Ond y lle priodol inni orffen y rhan hon o'i fywyd yw, nid wrth ei wylio'n syllu ar fedd ei dad a'i fam, ond wrth wrando arno'n mynegi ei ofnau fod ei synnwyr barddonol yn pylu:

Y mae arnaf ofn, nid oes dim dau,
Fod yr hen gyffroadau'n dechrau prinhau, –
Fod y llymder llygad a chlust a roed
I mi yn llanc, yn ffaelu gan oed,
Ac na ddaw cenhadon eu hymchwil hwy
Adref yn ôl i'r ymennydd mwy.[96]

Wel, fel y soniwyd o'r blaen, dyma wraidd y paradocs wrth fôn ei fywyd. Yr hydeimledd clwyfus, y synwyrusrwydd trwch-papur, y sylw-garwch anhygoel o finiog, gwreiddiol a manwl, a'r rhain i gyd yn cael eu gwasanaethu gan feddwl llym a chymhleth; dyma'r doniau, yn cyd-weithio'n eirias, a'i gwnaeth ar adegau yn fardd na welodd yr iaith Gymraeg ei debyg. Ond yr union bethau hyn a achosodd gymaint o friw a braw iddo, nes iddo ef ei hun wneud pob ymdrech i'w dofi ag un llaw tra'n bwydo arnynt â'r llaw arall. O'r gorau, hwyrach fod profiadau'r ffin a roes fod i fawredd ei waith wedi prinhau, ond yr oedd ambell fflach i ddod eto, a llu o gyfraniadau hollol wahanol a hollol annisgwyl i fywyd Cymru.

5 ⊗ *Eicon y Genedl, 1942–1975*

YM mis Awst 1942, priodwyd Thomas Parry-Williams ac Amy Thomas yn eglwys y plwyf, Tremarchog, sir Benfro, gyda'r Parchedig Madoc Thomas, brawd y briodferch, yn gweinyddu. Wedi'r briodas, aeth y ddau i fyw yn 'Y Wern', Ffordd y Gogledd, Aberystwyth, y pen arall i'r un rhes dawel o dai uwchben tref Aberystwyth ag y bu Thomas yn lojo ynddi yn 'Lyndhurst' ers mwy nag ugain mlynedd. Hyd nes iddo ef ac Amy symud i mewn i'r 'Wern' yn bâr priod, nid oedd Thomas wedi byw ar ei aelwyd ei hun ers iddo adael Rhyd-ddu am y tro cyntaf i fynd i'w dŷ lojin ym Mhorthmadog. Ni allwn ddweud, mae'n sicr, pa beth a barodd i'r hen lanc, a oedd wedi gwarchod ei ryddid gyhyd, briodi'n bymtheg a deugain mlwydd oed. Ar gorn yr hyn a wyddom amdano, hwyrach y gallwn fentro dweud rhai pethau, serch hynny.

Er mai gŵr a hoffai gymdeithas ffrindiau gwrywaidd o gyffelyb fryd, am sgwrs a mygyn a thipyn o hela, oedd Parry-Williams, fel y gwelsom eisoes, eto nid oedd wedi bod yn gwbl amddifad o gwmni merched chwaith, ac nid oedd unrhyw ddiffyg diddordeb wedi bod gan y merched ynddo yntau, yn arbennig yn ystod ei flynyddoedd cynnar fel darlithydd. Ond yr oedd wedi bod yn ŵr sengl am amser maith ac, yn ôl yr ychydig dystiolaeth sydd gennym, yn gefndirol ac o'i gerddi, er ei fod wedi profi tynerwch ac, yn wir, angerdd serch fwy nag unwaith, mewn siom a hyd yn oed mewn dicter y daeth pethau i ben bob tro. Yr oedd bwrw i mewn i'r bywyd priodasol mor hwyr ar y dydd yn sicr yn fentr ar ei ran, yn arbennig gan mor breifat a gochelgar y bu ei ddull o fyw ers amser mawr. Ar y llaw arall, gwyddom hefyd fod un rhan ohono'n chwannog i weithredu yn ôl ei reddf, os nad yn ôl ei fympwy, o bryd i'w gilydd.

Er bod Amy Thomas wedi bod yn aelod o'i ddosbarth ar ddiwedd y 1920au a dechrau'r 1930au, nid oes unrhyw dystiolaeth fod cyswllt o unrhyw fath wedi bod rhyngddynt yr adeg honno nac am flynyddoedd wedyn. Erbyn dechrau'r rhyfel, yr oedd Miss Thomas yn ddarlithydd yn y Gymraeg yng Ngholeg Hyfforddi y Barri, ac yr oedd yr Athro o Aberystwyth yn ymweld â'r coleg hwnnw'n gyson fel arholwr. Y tebyg yw mai trwy gyswllt felly y dechreuodd y berthynas rhwng y ddau ond, sut bynnag am hynny, fe ddatblygodd yn gyflym, a'r tro hwn yn llwyddiannus, hyd y diwrnod pryd y priodwyd y ddau'n dawel yn eglwys ei brawd yn Nhremarchog. Sut ferch oedd yr Amy Thomas a enillodd galon Parry-Williams?

Ar 4 Tachwedd 1956, ymddangosodd portread ohoni yn *Y Faner*, un o'r portreadau dienw yr oedd y newyddiadur yn enwog amdanynt ar y pryd. Credaf y bydd rhai sylwadau yn y portread hwn o fudd inni. Y mae'n dechrau trwy ddirwyn ei hanes o'i magwraeth ym Mhontyberem ymlaen, ac ar unwaith y mae'r awdur yn taro ar elfen bwysig yn ei phersonoliaeth:

> Plentyn ei hardal yw Amy Parry-Williams. Yn ei thoriad bonheddig ceir elfen o falchder ei henfro. Yn ei siarad a'i cherdded, yn ei holl osgo y mae arwyddion annibyniaeth. Ni chaniataodd i lawer o neb ddyfod yn nes ati nag o hyd braich – a honno, fel y mae'n digwydd, beth yn hirach na'r fraich gyffredin.

Â'r portread ymlaen i sôn am ei mam fel athrawes go arbennig yn ysgol Llwynhendy a'i thad, Lewis Thomas, fel yr hynaf o saith o fechgyn a ddysgodd i'w frodyr iau hanfodion y tonic sol-ffa a chynghanedd a chanu gwerin, ac a barhaodd i ddysgu ei blant yn yr un modd. Codwyd Amy a'i brawd Madoc i fod yn gystadleuwyr brwd a llwyddiannus yn eisteddfodau Cwm Gwendraeth; yr oedd Amy yn arbennig o lwyddiannus, ac enillodd wobrau a chwpanau fyrdd. Wedi cael dosbarth cyntaf yn ei gradd, aeth i ddysgu yn Ysgol Ramadeg Caerfyrddin, ac mae'r portreadwr yn uchel ei ch/ganmoliaeth iddi fel athrawes:

> dysgodd Gymraeg i'r merched nid fel pwnc ond fel diwylliant. Ehedai'r gwersi yn sŵn hwiangerddi, dramâu, alawon gwerin a hen chwedlau. Ond nid hir y bu yno cyn camu'n uwch a dyfod yn ddarlithydd yng Ngholeg y Barri.

Y mae'n sôn fel y dysgodd hi ganu penillion gan ei thad a chan fod y grefft honno'n brin yn y de, penderfynu tyfu'n arbenigwraig ar benillion ac ar ganu gwerin. Y mae'n sôn fel yr oedd galw mawr am ei gwasanaeth 'fel datgeinydd a darlithydd', ac fel yr oedd yn cyfansoddi a chynhyrchu dramâu.

Daeth yn boblogaidd dros ben a chadwodd ei phoblogrwydd heb liniaru dim ar ei siarad plaen. Nid ofnodd erioed ddweud ei feddwl yn glir a didderbyn wyneb. Ond er mor bendant yw ei barn ar bethau nid â hi byth i eithafion. Gwraig gymhedrol ei hargyhoeddiadau ydyw – yn enwedig yn ei hymwneud â materion crefydd, cymdeithas a gwleidyddiaeth. Bu ei gyrfa gyhoeddus o gymaint â hynny yn haws ac yn esmwythach, ac ni chafodd 'sŵn y gwynt sy'n chwythu' ddyfod yn rhy agos at gloddiau uchel y 'Tŷ ar y Rhos'.

Ac eto, ac eto:

Ynghanol ei phoblogrwydd, a'i gyrfa gyhoeddus yr un mor ddisglair, ni all y sawl sy'n edrych arni o bell lai na theimlo ei bod yn enaid unig. Mor unig â'r ddraenen sy'n blodeuo: mor unig â'r afon sy'n canu yn y cwm.

Y mae'r portread yn un diddorol, oherwydd y mae'n mynd y tu hwnt i ystrydeb, ac yn creu darlun o ferch bwerus a thalentog ond un sy'n ei chadw ei hunan ar wahân i'r rhelyw.

Y mae fel pe bai Thomas yn gwybod y pethau hyn i gyd wrth ofyn iddi ei briodi, oherwydd nid oes unrhyw amheuaeth na roddodd ei briodas iddo sicrwydd a diogelwch nad oedd wedi ei brofi ers iddo adael Rhyd-ddu am Borthmadog. Y mae'n ddigon posibl fod ei briodas yn cyfamseru â chyfnod pryd yr oedd, beth bynnag, yn dechrau dod i delerau â llawer o'r ellyllon a'i poenai, ond fe fyddai'n agored i'w glwyfo gan saethau'r byd tra byddai, ac mae'n sicr na fyddai wedi llwyddo i gyflawni'r hyn a wnaeth yn gyhoeddus a diwylliadol rhwng 1942 a'i ddyddiau olaf heb gymorth grymus gwraig go arbennig. Y mae sylw gan Menai Williams, un a fu'n fyfyrwraig dano cyn ac ar ôl ei briodas, gan iddi ymuno â'r adran ym 1940 ac yna dychwelyd i orffen ei gradd ar ôl y rhyfel, yn ddadlennol:

Er mor gyfeillgar gwrtais fydda'r Athro yn ei berthynas â ni, ni welid byth mohono, yn ystod y cyfnod yma [sef ei blynyddoedd cyntaf yn y coleg] yn bresennol yn ein mysg fel myfyrwyr ar unrhyw achlysur cymdeithasol, megis cyfarfod o'r Geltaidd. Cyn i mi adael y Coleg, fodd bynnag, daeth tro ar fyd ac wedi iddo briodi, cawsom gwmni Syr Thomas a Lady Parry-Williams ar lawer achlysur hapus.[1]

Y mae'n sôn fel y blodeuodd bywyd Cymraeg y coleg fel y daeth y dychweledigion o'r rhyfel yn ôl gyda'u cyfuniad o frwdfrydedd ac aeddfedrwydd profiad. Y mae'n disgrifio Amy Parry-Williams yn ymddiddori'n ymarferol mewn llawer o'r gweithgareddau ac yn wir yn cynhyrchu dramâu'r myfyrwyr ei hunan, ac yn ysgrifennu dramâu ar eu cyfer 'a'r Athro'n ymddiddori'n ffiniol ac yn rhadlon yn yr holl weithgareddau'. A rhan bwysig o'r 'tro ar fyd' oedd fod myfyrwyr y dosbarth anrhydedd yn cael 'llawer gwahoddiad i'r Wern yn ystod y flwyddyn'.

Cyfrol gyntaf ei fywyd priodasol oedd *O'r Pedwar Gwynt*, casgliad o ysgrifau a gyhoeddwyd unwaith eto gan y Clwb Llyfrau Cymreig ym Mai 1944. Cyflwynir y gyfrol hon, am y tro cyntaf, 'I'm Gwraig', ac ar y flaen-ddalen, ceir y cwpled:

> Ac ni ddaw dim yn ôl o'r pedwar gwynt,
> Dim ond rhyw frithgo' am ryw gyffro gynt.

Ac felly'n wir yr oedd hi, oherwydd y mae'r gyfrol hon eto yn drwm dan ddylanwad Rhyd-ddu, ac yn parhau i lenwi allan y darlun cyfan-sawdd o'r fro a'i berthynas â hi. Cawsom achos eisoes i sôn am nifer o ysgrifau'r gyfrol, fel 'Y Lôn Ucha'' ac 'Y Coed Bach', ond mae eraill, fel 'Llysywod', 'Y Bys Clec', 'Y Gwyndy', 'Syrcas' ac 'Y Tri Llyn', i gyd yn ddarnau pwysig yn y jig-sô terfynol o Ryd-ddu.

Un nodwedd o'r ysgrifau sy'n hawdd colli golwg arni yn rhediad trofaus eu hathroniaeth yw cymaint storws ydynt o hanes cymdeithasol y cyfnod. Gan mor fanwl-ddiriaethol yw pob stori enghreifftiol, er bod pob stori yno i bwrpas symbolaidd neu ddamhegol, y mae'r stori ei hun ymron bob amser yn creu naws cyfnod, sydd erbyn hyn yn hanesyddol, yn fyw o flaen ein llygaid. Yn 'Y Bys Clec',[2] er enghraifft, er mai arwain at y dychryn o weld ei 'doppelganger' gyda bys clec union yr un fath ag yntau, yn ystod ei daith i America, yw bwrdwn yr ysgrif, y mae, wrth ddisgrifio sut y daeth ei fys ef i fod yn 'fys clec', yn rhoi darlun manwl inni o'r peiriant hogi arfau a oedd yn rhan o'r olygfa ar bob fferm yn y cyfnod hwnnw. Y diwrnod olaf iddo yn ysgol ei dad oedd hi, ac yr oedd pawb newydd gael eu rhyddhau am y gwyliau:

> fe'u cafodd amryw o'r bechgyn eu hunain – a minnau'n eu plith – mewn buarth fferm oedd (ac y sydd) yng nghanol y pentref, ac yno yr oedd holl fwstwr paratoi ar gyfer y cynhaeaf gwair, a hogi pladuriau ar faen llifo yn un o'r gorchwylion. Rhaid oedd ymuno â'r heldrin, a'r ddyletswydd a

gymerodd y bachgen un ar ddeg arno'i hun oedd disychedu'r maen â dŵr o bot jam, gan ei ddal â'i fys, a hwnnw o'r tu mewn. Gosod gwefl y pot ar gant y maen, a'r gwaelod yn gorffwys ar y 'car' a'i daliai. Trwy hynny gellid cael ffrwd fach barhaol o ddŵr i leithio ymyl fflat amgylchedd y maen, a'r maen yn troi i gyfeiriad gogwydd y pot, gan grafu ymyl y pot yn fusnesgar iawn. Popeth yn gweithio'n grand. Ond dyna asyn o dröwr yn penderfynu rhoi tro ar yn ôl i'r handlen – yn dipyn o newid, y mae'n debyg – rhwng hogi dwy bladur. Canlyniad hynny oedd gwasgu'r pot yn deilchion rhwng y maen a'r ffram bren a'i cynhaliai, a dwyn fy mys innau gydag ef.

Y mae sawl enghraifft o'r fath yn frith trwy'r ysgrifau, gan gynnwys llawer iawn o ymadroddion sy'n llithro heibio inni, fel y term 'silff y palis' ym mrawddeg gyntaf yr ysgrif, 'Poteli Ffisig':[3] 'Dal i dorsythu ar silff y palis a wnâi'r poteli'. Sawl un a ŵyr erbyn heddiw ble'n union yn y tŷ yr oedd 'silff y palis,' a beth yn union ydoedd? O ran hynny, digon posibl fod angen nodyn eglurhaol ar 'boteli ffisig' hefyd erbyn heddiw, ac y byddem wedi ei gael pe bai'r ysgrif hon wedi gweld golau dydd hanner canrif yn ddiweddarach. Y mae'r gair bach 'grand' yn y dyfyniad o 'Y Bys Clec', ac i raddau llai y gair 'handlen', yn tynnu'n sylw at rywbeth arall y mae'n hawdd inni lithro heibio iddo, sef fod Parry-Williams, yn ei holl feiddgarwch a dyfeisgarwch ieithyddol, yn gwbl fodlon defnyddio geiriau benthyg o'r iaith Saesneg, os oedd y rheini wedi'u gwreiddio'n ddiogel yn yr iaith lafar Gymraeg. Ar ôl oes Parry-Williams y datblygodd puryddiaeth ein cyfnod ni, puryddiaeth a gododd o niwrosis ieithyddol nad oedd yn un o'i bryderon ef. Pe bai 'Stiwdant' *Y Faner* ym 1938 (gw. tt.197–8) wedi gwneud ymchwil i'r math hwnnw o ddefnydd iaith, seiliedig ar *O'r Pedwar Gwynt*, fe fyddai wedi darganfod 'sinig', 'marcio', 'sbort', 'ffŵl', 'pot', 'fflat', 'busnesgar', 'grand', 'handlen', 'ffrâm', 'New York', 'Niagra Falls', 'trên', 'seidin', 'a'i baciau', 'snac', i gyd yn yr ysgrif fach hon.

Disgrifiad arall brawychus o fyw yn ei fanylion yw hwnnw o driniaeth lawfeddygol yn yr ysgrif, 'Appendicitis'[4] (gair Cymraeg da arall!), lle mae'n dilyn yr holl broses yn fanwl-fanwl, gan gynnwys disgrifiad fel hwn, hanner ffordd drwodd:

y mae'r gŵr sydd gyferbyn yn cydio â gefel ar ôl gefel ym mhennau'r pibellau-gwaed toredig i atal llif y gwaed, nes bod ymylon y briw yn orchuddiedig bron gan y gefeiliau sy'n glwstwr o'i gylch. Ambell air yn unig a glywir, yn awr ac yn y man, a sŵn anadlu trwm ochneidiol y claf hefyd. Y mae'r gŵr cyntaf yn awr yn torri'n ddyfnach, y llengig y tro hwn, nes dyfod yr ymysgaroedd gwerog i'r golwg. Yna archwilio'n gyfrwys â'i fysedd, a chael gafael ar yr apendics troseddol llidiog. Gwasgu bôn y tamaid dros-ben lyngyrog hwn wrth y perfeddyn, a'i dorri ymaith yn lân â siswrn.

Ac yn y blaen. Yn yr oes gyn-deledol honno, cyn i bawb ohonom dyfu'n ddigon cyfarwydd â gweld triniaethau gwaedlyd ar y sgrîn, yn ffuglen ac yn ddogfen, y mae'r disgrifiad manwl-gywir hwn yn sicr yn arloesol. Ond, fel popeth arall yn yr ysgrifau, nid yn ei ddychymyg y mae'r man cychwyn, oherwydd yr oedd ei ddiddordeb ysol ym mhopeth bywydegol a swolegol, ac yn arbennig mewn meddygaeth, wedi parhau'n ddiball, ac arferai fynd i'r ysbyty yn Aberystwyth i wylio cyfaill iddo'n 'perfformio' yn y theatr. Yr oedd wedi gwylio'r cyfan a ddisgrifiai'n ofalus tu hwnt fwy nag unwaith. Ond nid disgrifio triniaeth oedd bwrdwn yr ysgrif, wrth reswm, oherwydd y mae'n mynd ymlaen yn ei ddull arferol i ddatblygu themâu hypocondria, clefydau seicosomatig, a gallu dyn i'w wella'i hun. Yn ieithyddol, y mae'n werth sylwi ei fod yn yr ysgrif hon, sy'n delio â maes dieithr a thechnegol ei natur, yn mynd allan o'i ffordd i ddefnyddio geiriau ac ymadroddion cysefin Gymraeg yn ddieithriad; yr oedd yn ymwybodol fod hwn yn faes lle'r oedd angen datblygu'r Gymraeg i fedru ymdrin â'r fath bwnc yn hwylus heb ddibynnu ormod ar fenthyciadau: nid oedd y traddodiad llafar yn ddigon cryf i Gymreigio benthyciadau yn y maes hwn.

O safbwynt athroniaeth, hwyrach mai 'Hafod Lwyfog'[5] yw'r ysgrif fwyaf arwyddocaol yn y gyfrol. Y mae hon yn wahanol i ysgrifau fel 'Drws-y-Coed', 'Y Lôn Ucha'' ac ati, oherwydd, er bod hon hefyd yn benodol ddaearyddol ei natur, y mae'n delio â phrofiad diweddar yn hytrach na phrofiadau plentyndod.

Fel y soniais o'r blaen, cangen o deulu Oerddwr oedd yn ffermio Hafod Lwyfog, a daeth Hafod Lwyfog, yn ddiweddarach ar ei oes, yn lloches ac yn gyfrwng rhyddhad, fel y gwnâi Oerddwr yn gynharach. Man cychwyn yr ysgrif yw'r ffaith ei fod wedi cerfio ei enw ar bren celyn wrth ymyl y tŷ, fel y gwnaeth un tro dan enw Byron yng Nghastell Chillon ger Llyn Genefa. Un o bleserau Hafod Lwyfog, ar wahân i hela a'r cynaeafu a gweithgareddau arferol y fferm, oedd y ffaith fod yno, yn yr hoywal, 'fainc a phob math o arfau at weithio mewn pren neu haearn'. Y mae'n sôn fel, ar un ymweliad, y bu am nosweithiau yn:

ailwampio hen wn a gawswn a'i wneud yn berffaith; ac wedyn yn llunio agoriadau i ffitio'r car. Yr oeddwn wedi colli'r allweddau gwreiddiol; a gweithiais lu o rai newydd o argraff-cof am yr hen, a llwyddais mor annisgwyliadwy nes i mi ddal ati i wneud agoriadau di-ben-draw – a diangen hefyd.

Yr oedd yn amlwg yn fedrus â'i ddwylo – yr oedd dragywydd yn ymhél â pheiriannau ei geir, a'i fotor-beic cyn hynny – ac yn mwynhau gweithio felly. Y tro hwn, wrth feddwl am y modd y mae'n medru ymgolli mor rhwydd mewn gweithgarwch o'r fath, y mae'n cael achos i amau ei holl ddull o fyw:

Byddwn yn dychryn wrth feddwl i mi yn y blynyddoedd cyn hynny dreulio cymaint o'm hamser yn mwydro fy mhen gydag astudiaethau o bob math – o Sanscrit i seineg, ac o 'ffiloleg' i ffiseg; a gwaeth hyd yn oed na hynny, treulio blynyddoedd i fyfyrio ac i lenydda, i gasglu a pharatoi rhyw fath o stwff at ei gyhoeddi'n llyfrau. Dyna ffŵl oeddwn wedi bod. Pan fyddai eisiau tipyn o newid, byddwn yn mynd i ymofyn y gwn, a chroesi'r dolydd a thros bont y Wenallt i'r coed yr ochr draw i'r llyn a'r afon am ysguthan neu, efallai, hwyaden wyllt, gyda lwc. Bendigedig o fyw naturiol, awyragored, iach.

Ac yng nghanol hyn i gyd dyma fi'n mynd ati ryw noswaith i dorri f'enw ar y pren celyn. Y mae'n bosibl mai hen anian y bachgen gynt oedd wedi dyfod i'r wyneb am dro, oblegid ni chleddir honno byth yn llwyr. Efallai mai'r llaw, yn ddiarwybod i mi, oedd yn protestio yn erbyn diarddel y grefft a ddysgasid iddi. Ond tebycach gennyf mai hyn – fy mod, wrth fyw'n 'naturiol' felly ac wrth geisio ymysgwyd oddi wrth bethau 'diwylliedig', wedi fy narganfod fy hun gwirioneddol yn ei ddilysrwydd elfennaidd ac yn ei naturioldeb moel, a chan rym y darganfyddiad fod gennyf hawl bersonol, sylfaenol, sicr i'm noethni anianol cyntefig, yn ysu am gofnodi hynny rywsut, er nad oedd gennyf at y gwaith ddim ond un o arfau 'diwylliant' . . . erys y cofnod yn ernes o ddychweliad enaid dros dro at ei briod anianawd; a thra bo'r gelynnen honno yn ddianaf yn Hafod Lwyfog, mi gaf innau gymorth i gofio hynny ac i ymgysuro wrth feddwl am yr ymwacâd.

Ac mae'n rhaid i ninnau dderbyn ei drydydd eglurhad, a chredu fod rhywbeth ynddo a oedd yn dyheu am y cyswllt syml â'r byd naturiol a nodweddai ei blentyndod, ac am fywyd o fyw a bod allan yn yr amgylchedd hwnnw. Gellid dweud mai ffansi'r funud oedd hyn, a gwyddom ddigon amdano bellach i beidio â derbyn fod unrhyw ddatganiad yn cynrychioli'r cyfan o'r hyn ydoedd. Ond mae digon o le i gredu, y tu allan i'r ysgrif hon, mai yn yr awyr agored, yn ymhél â chonsŷrns beunyddiol y gwladwr, yr oedd Parry-Williams yn ei elfen, ac yn medru profi gwir fwynhad. Y mae'n amlwg nad oedd bywyd yr academig wrth ei fodd, er iddo ymddisgyblu iddo dros flynyddoedd lawer. Ac mae hyn yn codi cwestiwn y clywais yn cael ei godi fwy nag unwaith gan ysgolheigion cyfoes wrth i mi eu holi am Parry-Williams, sef y ffaith nad ydoedd, mewn gwirionedd, mewn oes hir o fod yn Athro coleg, wedi adeiladu fawr ddim ar y sylfaen ryfeddol o ddysg ieithegol a osodwyd iddo yn ystod ei flynyddoedd yn Rhydychen, yr Almaen a Ffrainc. Y mae'n amlwg fod ei ddiddordeb mewn iaith yn fawr, a'i wybodaeth am ddatblygiad iaith yn enfawr ond, yn y man, at feysydd eraill y trodd – y canu rhydd cynnar, sydd, wedi'r cyfan, yn ym-gorfforiad o brofiad y Cymro gwledig, ei wybodaeth am fyd natur, ei ddoethineb naturiol, ei serch a'i alar, a'i ddewrder a'i hiwmor yn wyneb pob caledi. Ai hyn, wedi'r cyfan, a'i gyrrodd i gyfeiriad 'hen benillion' yn hytrach na chyfoeth y canu caeth? Canu'r llys a thraddodiad yr uchelwyr oedd y canu caeth. Yn y meysydd y bu ef yn pori ynddynt yr ymgorfforwyd profiad y werin, i ba rai yr oedd ei ddarlun maith a chyfansawdd o Ryd-ddu yn salm o fawl.

Ond sôn yr oeddem, a dilyn ei ddull yntau, am y rheswm pam nad oedd wedi datblygu ei ymchwil i seiliau iaith cyn belled ag y byddid wedi disgwyl. Y mae rhai'n dadlau fod y baich dysgu a osodwyd arno, yn arbennig yn ystod y 1920au, mor drwm, ac yntau mor gydwybodol wrth ei gario, fel nad oedd ganddo fawr o amser i wneud dim arall. Ni ellir gwadu hynny. Ac eto, daeth y cyfrolau creadigol allan yn eu tro, a daeth rhai llyfrau eraill, er gwaetha'r prysurdeb. Fy nheimlad i erbyn hyn yw nad oedd T. H. Parry-Williams ddim yn ysgolhaig wrth reddf. Y mae'n rhaid bod yn ofalus iawn i egluro'r hyn a olygwn wrth ddweud hyn, oherwydd yr oedd, wrth gwrs, pryd bynnag yr ymgymerai ag unrhyw orchwyl, yn hynod o drylwyr a phenderfynol wrth ei gyflawni. Fel y gwelwn ymhellach ymlaen, wrth fwrw golwg ar ei holl waith ysgolheigaidd gyda'i olynydd, Thomas Jones, fe wnaeth gyfraniad sylweddol iawn i fyd ysgolheictod Cymraeg. Yr oedd ei reddf – y reddf a etifeddodd gan ei fam – yn ei arwain i ddau gyfeiriad, i gyfeiriad y bywyd syml, awyr-agored mewn cyswllt â byd natur, ac i gyfeiriad y profiadau mawr, trosgynnol, cyfriniol a ddeuai i'w ran o bryd i'w gilydd, ac yr oedd yn rheidrwydd arno i'w harchwilio a'u mynegi. O ddilyn trywydd, yr oedd yn ei ddilyn â'i holl egni ac â'i holl fanylder chwedlonol; nid oedd yn hanner gwneud unrhyw beth. Ond nid oedd yn ei elfen yn y byd academaidd; nid oedd yn hoffi cwmni academwyr, nid oedd yn ymddiddori yng ngwleidyddiaeth drofaus y Brifysgol.

Mater o ddyletswydd, dybiwn i, mater o ddilyn y llwybr a osodwyd iddo, oedd ei ddarlithio a'i ymchwilio fel ei gilydd. Fe wnaeth yr hyn a oedd anrhydeddus i'w wneud, a mwy, ond peidied neb â disgwyl iddo fwynhau ei ymwneud â'r peiriant addysg. (Yr oedd ei ddiddordeb mewn geiriau yn rhywbeth gwahanol, oherwydd geiriau oedd cyfrwng mynegiant, a mynegi ei brofiad oedd ei briod waith.) Gallwn ystyried felly fod 'Hafod Lwyfog' yn mynegi mwy na ffansi'r funud.

Byddai modd oedi llawer yn hwy gydag *O'r Pedwar Gwynt* – gyda'r syniad, yn 'Archoffeiriad', y byddai'n dda cael rhyw fath o 'guru' dwyreiniol i fyw mewn ogof yn rhywle yn y mynyddoedd, i fod bob amser lle mae'r awyr yn 'deneuach' er mwyn rhoi cysur sicrwydd i'r rhai hynny oedd yn chwannog i brofi cynyrfiadau'r ffin: gyda'i ofn, ac yn wir ei hanner-casineb, tuag at Lyn Cwellyn am ei fod, yn wahanol i Lyn y Gadair, yn rhy ddwfn ac yn 'rhy gymysgryw ei du mewn'; gyda'i ddarlun hynod, cwbl Wordsworthaidd, o Lyn y Gadair ei hun: gyda'i ymdeimlad â hud-a-lledrith Dyfed tra oedd yn aros yn rheithordy ei frawd yng nghyfraith yn Nhremarchog, ac yn teimlo arswyd hen gerrig cynoesol, a chyda sawl peth arall; ond mae'n rhaid symud ymlaen.

Ar ôl ei briodas, daeth cyswllt Thomas â'r Eisteddfod Genedlaethol yn gynyddol glòs, fel beirniad, fel cyfieithydd geiriau ar gyfer gweithiau cerddorol ac, wrth gwrs, yn y diwedd i gyd, fel yr âi'r blynyddoedd heibio, fel prif eicon yr Eisteddfod a'r genedl. 'Rwy'n credu, fel y byddwn yn trafod yn y man, fod patrwm bwriadus i hyn oll. Ac yntau bellach wedi ennill yr hyder i ddod allan o'i gell yn amlach, yr oedd yr Eisteddfod, 'prifysgol y werin', yn sefydliad mwy dymunol o lawer i ymwneud â hi na'r Brifysgol ei hun. Ar wahân i'w wrhydri cynnar ef ei hun ynddi, hon oedd cyrchfan a man cyfarfod y bobl yr oedd yn eu parchu fwyaf, gwerinwyr ei blentyndod.

Yn ystod yr ugain mlynedd nesaf, yr oedd T. H. Parry-Williams i ddod yn ffigwr cenedlaethol cwbl arbennig yn rhinwedd ei 'berfformiadau' fel beirniad y prif wobrwyon yn yr Eisteddfod Genedlaethol. Ar ddechrau'r cyfnod, daeth y genedl yn gyfarwydd â chyfaredd ei lais wrth ddyfynnu a dyfarnu ar y radio, ac fel yr oedd y cyfnod yn dirwyn i ben, yr oedd y teledu yn dangos awdur y llais hefyd i'r genedl, a llawer nad oedd yn ei adnabod yn synnu hwyrach wrth weld y stwcyn byr yn rhythu trwy'i sbectol ar y dorf o'r tu ôl i feicroffon a oedd o leiaf cyn daled ag yntau. Rhwng 1944 a 1966, pryd y beirniadodd yn y Genedlaethol am y tro olaf, ac yntau'n 79 oed, beirniadodd yr awdl naw o weithiau, y bryddest bedair o weithiau a'r fedal ryddiaith ddwywaith, ynghyd â nifer helaeth o gystadlaethau eraill. At hyn, cyfieithodd lu o ganeuon, a sawl darn corawl mwy sylweddol, ar gyfer corau'r Eisteddfod ac ar gyfer unawdwyr. Yr oedd rhai o'r cyfieithiadau yn weithiau sylweddol iawn, gan gynnwys *Faust* Gounod, a gyfieithodd o'r Ffrangeg ar gyfer Eisteddfod Rhosllannerchrugog ym 1945 ac a achosodd beth ymrafael unwaith eto ynglŷn â hawlfraint. Ym 1945 hefyd, ailafaelodd yn y gynghanedd trwy ysgrifennu cywydd cyfarch i'r Eisteddfod, i'w ganu gan ei wraig oddi ar y Maen Llog. Daeth hyn yn arferiad am rai blynyddoedd ac, fel y gellid disgwyl, yr oedd y cywyddau'n grefftus, yn briodol ac yn ddi-lol. Eisteddfod Bae Colwyn ym 1947 oedd yn rhoi'r cyfle gorau iddo hwyrach, oherwydd yno canodd:

> Mae'r ban fynyddoedd anial
> Yn gefn teg o feini tal
> I'n gwarchod, rhag dod ar daith
> Unrhyw anap i'r heniaith.
> Ni cheir neb i'n dychryn ni
> Tra erys tir Eryri.

Ac ym 1950 yng Nghaerffili, yr oedd rhyw felyster mwyn yn ei gyfarchiad:

> Daw yntau'r bardd i harddu
> Gan wyrth ei gân yr iaith gu,
> Cân newydd ysblennydd lân
> A dyr o'i dafod arian
> A daw'n braf ar yr hafwynt
> Ias y gerdd o'r oesau gynt.

Ond anarbennig, fel y gellid disgwyl, oedd y cywyddau hyn drwodd a thro.

Tra oedd Tom yn tyfu mewn enwogrwydd yng ngŵydd y genedl, yr oedd Bob druan, ym Methesda, yn mynd yn fwy a mwy digalon, gan rannu ei ddiflastod a'i anghenion â'i gefnder. Ym Medi 1943, ysgrifennu yr oedd i ofyn am gyngor Tom ynglŷn â'r gair 'liwt', yr oedd eisiau'i ddefnyddio ar gyfer odl fewnol mewn cerdd ('Y Ffliwtydd', *Cerddi'r Gaeaf*, t.43) a oedd i gynnwys y llinellau:

> Hoffi leisio ar dy ffliwt
> Ac ar dy liwt dy hunan
> Ryw hen, hen wae.[6]

Ond wedi cael y cais hwnnw oddi ar ei feddwl, y mae'n sôn gryn dipyn am y 'giarifan' – yr oedd wedi ei leoli, mae'n debyg, yn rhywle yng nghyffiniau y Rhyl – gan ymesgusodi unwaith eto am nad oedd wedi mynychu fawr ar yr Eisteddfod y flwyddyn honno gyda'r gosodiad ysgubol, 'Yr wyf yn ormod o Biwritan i fynd i le o'r fath'. Y mae'r coleg dan yr ordd fel arfer, ond mae naws y llythyr yn dawelach ac yn fwy goddefol ddigalon nag a arferai fod. Y flwyddyn olynol, y mae'n ysgrifennu i longyfarch Tom ar *O'r Pedwar Gwynt*, ond nid yn ddiamod:

> Mwynheais dy lyfr dwytha'n ddirfawr, fel ei ragflaenwyr. Ond yr oedd ynddo un peth a'm tarfodd, sef dy gyfeiriad – ceryddol braidd – at claustrophobes a claustrophobia. Gobeithio nad myfi oedd yn dy feddwl! Nid atat ti y cyfeiriwn i yn y gân a anfonais i 'Heddiw' ystalwm: bid siwr hynny.[7]

(Yr oedd yn cyfeirio at y gerdd 'Gorthrymderau', lle mae'n sôn am *bore* sy'n ymweld â'ch cartref a thraethu'n faith a dideimlad am y byd a'i bethau:

> Cael rhywun yn eich cadair fawr –
> Gwyddoch na chyfyd am chwe awr –
> Yn rhoi'n eu lle y nef a'r llawr:
> Creadur dicra, cwta, cŵl,
> Heb hiraeth yn ei wyneb pŵl,
> Na chlawstroffobia ar y ffŵl . . .[8])

Yr hyn yr oedd Tom wedi ei wneud yn *O'r Pedwar Gwynt* oedd sôn, yn yr ysgrif 'Y Gwyndy', amdano fo a brawd iddo – Willie, bid sicr – yn mynd i drybini yn ystod ymweliad â'r 'Gwyndy', cartref Henry, gyda'u tad, a chael eu caethiwo trwy ddamwain yn y broses o gadwriad (neu gadw reiat) o gwmpas y buarth, y naill mewn cwt ci cyfyng yn y wal a'r llall yng nghrombil llwyn drain yr oedd yn ceisio cerdded ar hyd ei frig. Meddai Tom am yr achlysur: 'yr hyn sy'n rhyfedd yw na ddatblygodd fy mrawd na minnau i fod yn aberthau i'r clefyd cau-i-mewn sydd mor gyffredin ymysg dynion'. Nid oedd wedi cyfeirio at Bob o gwbl, hyd yn oed yn anuniongyrchol, ond yr oedd y berthynas rhwng y ddau rywbeth yn debyg i ddau roced tân-gwyllt yn wynebu'i gilydd, a'r naill a'r llall yn barod i ffrwydro ar alwad unrhyw hanner sbarc.

Ym 1947, y mae Bob, gan arwyddo'i hun yn 'Bob', a'i gefnder yn 'Tom', yn gwrthod cais i gymryd rhan mewn rhyw brosiect sydd ar y gweill gan

Tom. (Y tebyg yw mai gofyn yr oedd Tom i Bob i fod yn un o'r gwesteion yn y gyfres radio, a'r gyfrol, *Y Bardd yn ei Weithdy*, lle'r oedd Tom yn holi nifer o feirdd ynglŷn â'u dull o gyfansoddi.) Y mae'n hawdd casglu erbyn hyn a ydyw Bob mewn tymer dda neu mewn tymer ddrwg pryd y mae'n ysgrifennu at Tom. Pryd y mae mewn tymer dda, sy'n golygu fel arfer tymer chwareus, y mae'n ei lofnodi ei hun 'Rhobet' ac yn galw ei gefnder 'Tomos'. Pryd nad yw'r dymer cystal, 'Tom' a 'Bob' yw hi. Ym 1948 y mae, dros dro, mewn tymer hwyliog, ac mae'n anfon llythyr 'Annwyl Tomos', lle mae'n sôn am y bardd-bregethwr a'r telynegwr, William Jones:

> Mae o'n debyg ar y naw i mi mewn lliaws o bethau; y mae'n hypo-chondriac (valetudinarian, os yw hwnnw'n glysach gair), yn claustro-phobiac, yn arswydo rhag beirniadaeth anffafriol, ac yn ofni ei gysgod ei hun. Bydd arnaf ofn catchio llygaid JR pan fyddwn ein tri gyda'n gilydd.[9]

Y llythyr olaf rhwng Bob a Tom y mae gennym gofnod ohono yw hwnnw a ysgrifennwyd, yn dyner ac yn ddiamwys, ym 1951 ar ôl clywed am farwolaeth Eurwen, hithau eto wedi mynd yn gymharol gynnar ac yn ddisyfyd, er mawr alar i Thomas. Dim ond Oscar a Wynne ac yntau a oedd bellach ar dir y byw o fysg y cwmni bywiog ac amryddawn a fu unwaith ar aelwyd Tŷ'r Ysgol.

Ond 'rydym yn rhedeg ar y blaen i ni'n hunain unwaith yn rhagor, ac mae'n rhaid inni ddychwelyd at y 1940au a'r blynyddoedd tawel cyntaf wedi'r briodas, blynyddoedd setlo i mewn yn Y Wern a dechrau gwahodd cyfeillion i ymweld â'r aelwyd, rhai o'r blynyddoedd mwyaf dedwydd yn ei fywyd, y mae hynny'n sicr.

Yr hyn a ddigwyddodd wedyn oedd ei barodrwydd newydd a chynyddol i ymuno mewn bywyd cyhoeddus o ganol y 1940au ymlaen. Y flwyddyn gyntaf iddo ddechrau ar ei gyfeiriad newydd – nid yn unig fel beirniad a darlledwr, ond fel pwyllgorddyn a gweinyddwr hefyd – oedd 1947, pryd yr etholwyd ef yn Gadeirydd Pwyllgor Llenyddiaeth a Chyhoeddiadau yr Eisteddfod Genedlaethol ac yn aelod o'i Phwyllgor Gwaith (y Cyngor, fel y'i gelwid yn ddiweddarach.) Yr un flwyddyn, fe'i penodwyd yn Gadeirydd ar Bwyllgor Ymgynghorol Rhanbarthol y BBC yng Nghymru. Yr oedd, wrth gwrs, wedi gwneud llawer o ddarlledu erbyn hyn, o ddechrau'r 1930au ymlaen, ond nid oedd wedi dangos unrhyw ddiddordeb mewn bod yn weinyddwr cyn hyn. Yr un modd gyda'r Eisteddfod; er iddo feirniadu cryn dipyn eisoes – er nad oedd wedi gwneud hynny chwaith mor gyson â'i ddau gefnder – nid oedd wedi bod yn agos at uchel lysoedd yr Eisteddfod o gwbl. (Ni fu erioed, cynt nac wedyn, yn aelod gweithredol o'r Orsedd.)

Y mae llawer wedi mynegi syndod at y gwahaniaeth yn Parry-Williams ar ôl ei briodas, ac yn rhoi'r cyfrifoldeb am y newid yn solet ar ysgwyddau Amy. 'Rwy'n credu fod y gwirionedd, fel y gellid disgwyl, yn fwy cymhleth. Nid oes unrhyw amheuaeth, fel yr awgrymais eisoes, nad oedd y briodas wedi rhoi iddo ymdeimlad o sicrwydd ac o berthyn a oedd wedi bod yngholl ynddo gyhyd, ac mae'n sicr hefyd fod ei wraig, fel yr awgryma'r portread yn *Y Faner*, yn berson o alluoedd arbennig ac o grebwyll anghyffredin. Llwyddodd i fod yn rhagfur rhwng Tom a llawer o saethau'r byd, tra'n ei alluogi yr un pryd, i'w derbyn yn llai clwyfus nag yr arferai wneud. Ond yr un Tom ydoedd o hyd, yr un hunanymholwr, yr un synfyfyriwr a ddiflannai i'w fyd mewnol ei hun, yr un athronydd ofn ac euogrwydd, yr un apostol moderniaeth. Fel y dengys ei gyfrolau olaf, er hwyrach fod min clwyfus yr hydeimledd angerddol cynnar wedi colli peth o'i awch, yr oedd y bardd yn fardd o hyd a miniogrwydd y deall ac ystyfnigrwydd yr ymholi yr un mor bwerus. Pam felly y penderfynodd y Tom a gaeodd ei ddrysau a'i ffenestri mor bendant yn erbyn 'giwed hyll' y byd am gyfnod mor hir newid cwrs ei fywyd mewn modd mor eithafol? A oedd sicrwydd newydd ei fywyd priodasol yn rheswm digonol? Yn bersonol, nid wyf yn credu ei fod.

Gwelsom o'r cychwyn fod y Tom ifanc wedi'i fodelu ei hun, o ran gwisg a gwedd, ac i raddau helaeth o ran ymddygiad, ar ei dad. Ac yr oedd ei dad yn ffigwr cyhoeddus yn ogystal â bod yn athro arbennig, yn ogystal â bod yn 'dipyn o fardd'. Yr oedd Tom wedi tyfu'n athro cwbl ymroddedig, yn hyddysg yn ei ddeunydd, yn drylwyr yn ei baratoi, yn hynod o drefnus ac eglur yn ei gyflwyno. Yr oedd yn fwy na 'thipyn o fardd', ac fe wyddai hynny'n ddigon da, pa mor ddiymhongar bynnag yr ymddangosai mewn perthynas â'i 'ymhél â llenydda'. Ond gŵr yr encilion ydoedd ers blynyddoedd lawer; nid oedd wedi tyfu i fod y math o ffigwr cenedlaethol y byddai ei dad wedi disgwyl iddo fod, ac yr hoffai yntau fod â rhyw ran o'i bersonoliaeth. Gwyddai fod ganddo alluoedd nad oedd wedi eu defnyddio hyd yn hyn, a phenderfynodd, yn ei ddull diwyro ac ystyfnig ei hun, fod yr amser wedi dod i'w defnyddio. 'Rwy'n credu, er bod cefnogaeth a chryfder, ie, ac uchelgais, ei wraig wedi gwneud ei benderfyniad yn bosibl, mai ei benderfyniad ef ei hun ydoedd. Yr oedd Tom, hwyrach am iddo siomi ei dad mewn sawl dull a modd ar hyd y daith, am gwblhau ei addewid cynnar trwy dyfu'n ffigwr cyhoeddus a fyddai'n gwasanaethu ei genedl ar lwyfan ehangach nag Adran y Gymraeg yng Ngholeg Aberystwyth. Ac o benderfynu dilyn trywydd, fel y gwyddom, yr oedd yn ei ddilyn gant y cant. Pan benderfynodd yn ifanc y byddai'n ei brofi ei hun yn fardd, gwnaeth hynny mewn modd eithriadol. Pan benderfynodd gefnu ar y byd a'i bethau, gwnaeth hynny gyda phenderfyniad a dyfalbarhad rhyfeddol. Pan benderfynodd fod yr amser wedi dod o'r diwedd i ddychwelyd i'r byd ac i ymwneud â'i bethau, gwnaeth hynny hefyd yn gwbl ym-roddedig. (Yr unig dro, hwyrach, pryd y pallodd y penderfyniad oedd pan drodd ei gefn ar feddygaeth, nid unwaith ond ddwywaith; ond wedyn, nid er mwyn iddo dyfu'n feddyg y gwariwyd cymaint o arian ac egni yn rhoi iddo'r hyfforddiant gorau posibl mewn ieitheg. Y reddf hedegog, gariadus, anghyfrifol a gafodd gan ei fam a'i gyrrodd i astudio meddygaeth. Uchelgais gwbl wahanol – 'llygad llym fy nhad' – a barodd y byddai, cyn gorffen y daith, yn tyfu'n eicon y genedl.)

Ym 1947, felly, cychwynnodd ar y llwybr a fyddai'n ei arwain i fod yn Llywydd Llys yr Eisteddfod erbyn 1955, ac i lenwi'r swydd honno am ddeuddeng mlynedd, yn Gadeirydd Pwyllgor Ymgynghorol Rhanbarthol y BBC, a fu'n gyfrwng i hwnnw dyfu'n Gyngor Darlledu o 1952 ymlaen, yn Warden Urdd y Graddedigion ac, yn y 1960au, yn Llywydd y Llyfrgell Genedlaethol. Yr oedd hefyd yn llwybr a'i harweiniai i lu o anrhydeddau, gan gynnwys ei urddo'n farchog ym 1958. Yr oedd at hyn i fentro'n aflwyddiannus i fyd masnach, trwy ddod yn un o sefydlwyr a chyfar-wyddwyr cwmni Teledu Cymru (TWWN yn Saesneg), yr unig gwmni teledu annibynnol i geisio gwasanaethu dalgylch cyfan gwbl Gymreig.

Ond cychwynasom trwy sôn am ei swyddogaeth gynyddol fel beirniad yn yr Eisteddfod ac, yn amlach na pheidio, fel cyflwynydd y feirniadaeth. Yr oedd hyn yn gyfle, wrth reswm, iddo i ledaenu ei syniadau am ansawdd llenyddiaeth. A dylid gwahaniaethu yma, hwyrach, rhwng swyddogaeth y beirniad fel un sydd â gorfodaeth arno i ddewis enillydd – neu ddiffyg enillydd – a'r cyfle sy'n disgyn iddo, yn sgîl hynny, i wneud pa ddatganiadau a fynn am natur llenyddiaeth; fel unrhyw farnwr arall hwyrach! Cyn belled ag yr oedd y swyddogaeth gyntaf yn y cwestiwn, fe ddechreuodd, fel y gwelsom, yn farnwr braidd yn llym; tynerodd wrth fynd yn ei flaen, ond yr oedd rhai egwyddorion bob amser yn eglur iawn o flaen ei lygaid. Wrth gytuno i wobrwyo Rolant o Fôn, am ei awdl i'r 'Graig' yn Nolgellau ym 1949, nododd yn groyw rai o ragoriaethau'r awdl:

1. Y mae is-haen o ddeunydd y deall yn y gerdd, ac fe allodd y bardd awenyddu arno heb i hwnnw ymwthio i'r amlwg yn wybod oer ac yn draethu hanner-gwyddonol.

2. Fe amlygir yn yr awdl chwimder ysbryd ac ehofndra dychymyg.
3. Y mae'r bardd yn mydru ac yn mynegi'n sgilgar, ac yn gallu rhoddi gogoniant ac ynni newydd yn y gynghanedd.
4. Fe glywir miwsig digamsyniol yn yr awdl drwyddi.
5. Y mae'r cyfan hyn, gyda'i gilydd, yn cynhyrchu hud a chyfaredd.[10]

Sy'n crynhoi, cystal â dim, ei farn am yr hyn y dylid ei gael mewn gwir farddoniaeth. Wrth gwrs, yr oedd y thema wrth ei fodd, a'r modd yr oedd y bardd wedi delio â'r thema:

'Neges' y gerdd yw bod y graig yn dal, ei bod yn arhosol sefyll, ond bod bywyd dyn yn diflannu . . . her Mater difywyd i Fywyd sydd yma, sefydlogrwydd diymod yn erbyn darfodedigrwydd a simsanrwydd, pŵer Natur yn erbyn eiddilwch Dyn.

Pryd y mae'n gorfod pendroni rhwng dau neu fwy o ymgeiswyr, y mae'n cyfaddef hynny'n ddigon parod, ond mae ambell waith hefyd fel pe bai'n or-gaeth i ofynion cystadleuaeth, oherwydd plediodd dros atal y wobr am fod cerdd yn 'annhestunol' am yr ail dro yn Abertawe ym 1964, pryd y penderfynodd y ddau arall, W. J. Gruffydd ac Eirian Davies, goroni pryddest Rhydwen Williams i'r 'Ffynhonnau'. Wrth gwrs, pan fo beirniad wrthi mor gyson ag yr oedd Parry-Williams yn ystod y cyfnod hwn, y mae ymgeiswyr craff yn dechrau adnabod ei hoffterau a'i gasbethau. Gŵyr y cyfarwydd am y stori – apocryffaidd, siŵr o fod – am ddau'n cael eu pennau at ei gilydd cyn Eisteddfod Llanrwst ym 1951, ac yn penderfynu chwarae ar hoffter y beirniad o'r gair 'hen', ac yn gosod darn cyfan i mewn yn y bryddest at y pwrpas hwn. Ac yn wir fe ddaliwyd y pysgodyn, oherwydd fe'i dyfynnwyd yn y feirniadaeth:

> Hen chwys, hen wellt,
> Hen lygaid barus yn y niwl,
> Hen chwerthin llesg yr hen leisiau,
> Hen wreigan mewn hen gadlas.[11]

Yn ffodus, ni fyddai neb yn amau arbenigrwydd y bryddest, sef 'Adfeilion' T. Glynne Davies.

Yr oedd adegau, bid sicr, pryd y medrai'r cawr hepian, fel pan gytunodd Parry-Williams, ar ôl mynegi cryn amheuaeth yn ei feirniadaeth, i wobrwyo Dilys Cadwaladr am ei phryddest 'Y Llen', a ddyfarnwyd gan Saunders Lewis, yng nghwrs un o'i feirniadaethau dau baragraff, yn ddarn 'o areithio hwyliog'. Yr oedd yr achlysur ym 1963 yn Llandudno yn wahanol, oherwydd yno dangosodd, wrth wrthod awdl gymhleth i 'Genesis', tra bod Thomas Parry yn fodlon ei chadeirio er ei hastrusder, ei bwyslais cyson ar 'eglurder'. Yr oedd yn hapus iawn i dderbyn newydd-deb mewn mydr a delweddaeth, os oedd hwnnw dan reolaeth ond, iddo ef, yr oedd gan y bardd ddyletswydd i gyfathrebu, ac nid oedd ganddo lawer o amynedd â cherdd ry astrus. Distylliad o astrusder i'w graidd syml oedd ei sonedau a'i rigymau ef ei hun, wedi'r cyfan. (Hwyrach y gellir sibrwd yn dawel nad oedd bob amser yn gochel astrusder yn ei ysgrifau, nac yn ceisio gwneud.)

Ta waeth am hynny, os beirniadu a ddaeth ag ef yn bennaf i sylw'r genedl yn gyffredinol, a llawer un, gan gynnwys fy nain, yn gwrando ar feirniadaethau Parry-Williams er mwyn goslef y llais a chyfoeth y cyflwyno er na fyddent fyth yn debyg o ddarllen y cerddi, bardd ydoedd yn ei hanfod, dyna oedd *raison d'être* ei fodolaeth. A thra oedd patrwm ei fywyd yn newid dan ei ddwylo, yr oedd wrthi'n paratoi ei gyfrol gyntaf gyflawn o fydryddiaeth, *Ugain o Gerddi*, ers i *Cerddi* ei hun ymddangos ym 1931. Cyhoeddwyd *Ugain o Gerddi* ym 1949, ac mae'r gyfrol fel pe bai'n mynnu datgan ei fod o hyd yn fardd trwy arddangos ysblander ei alluoedd barddonol yn ddigywilydd o'n blaen. Er hynny, y mae cryn wahaniaeth rhwng naws a natur *Ugain o Gerddi* a naws y fydryddiaeth yn y cyfrolau blaenorol, ac 'rwy'n credu fod y rheswm am y gwahaniaeth yn gorwedd yn y newid yn ei ffordd o fyw, nid yn gymaint ei fywyd priodasol â'r ffaith ei fod bellach, erbyn 1949, ynghanol bywyd cyhoeddus Cymru.

Er mwyn pwyntio'r gwahaniaeth, y mae'n werth cael golwg ar rigwm bach a gyhoeddodd yn *Y Faner* ar 9 Rhagfyr 1942, rhigwm na welodd olau dydd yn unman arall:

Dau Gartref

Bydd awel wynt, fel duw ar ei sbri,
Weithiau'n dod heibio i'm styrbio i,

A'm hannos i gydio mewn deunydd cân
Heb ysbrydoliaeth Beibl na choran.

A byddaf, fy hunan, dan wth y gwynt,
Yn crwydro cilfachau fy henfro gynt,

Yn meithrin o newydd hyd ffyrdd Rhyd-ddu
Yr hen ffrensibaeth â'r hyn a fu,

Gan chwerthin a chrio – ni wn pa un –
Wrth gofio beth oeddwn cyn mynd yn ddyn,

Neu ynteu, pan ddêl yr awel ar dro,
Mi fyddaf yn gwibio fel un o'i go',

Yn sobr o druenus neu'n wyn fy myd,
Yng nghwmni cysawdau'r cosmos i gyd.

Gellir honni nad oes dim byd newydd iawn yma. Y mae wedi dweud hyn o'r blaen. Dyma'r pwynt, mewn gwirionedd, oherwydd dyma ddatganiad clasurol o'r hyn a ddywedodd un adolygydd craffach na'i gilydd amdano, sef fod tri pheth yr ymddiddorai ynddynt: ef ei hun, Rhydddu, a'r cosmos. Gall hyn swnio'n or-glyfar, ond mae'n dweud calon y gwir. Nid oes angen tanlinellu'r ddau ddiddordeb cyntaf, ond mae'r trydydd yr un mor amlwg – ei ddiddordeb ysol yn holl elfennau cosmig a chyffredinol y greadigaeth, bach a mawr. Nid yw hyn yn newid, ond bellach, ym 1949, y mae endid arall, rhwng Rhyd-ddu a'r cosmos, wedi'i wthio'i hun yn anochel i mewn i'w ymwybyddiaeth; a'r endid hwnnw yw Cymru.

Ni allaf lai na chredu mai ymwneud o'r newydd, ac am y tro cyntaf ers chwarter canrif, ag anghyflawnder a rhwystredigaethau bywyd cyhoeddus yng Nghymru a achosodd y mŵd eironig, ymosodol, llawer llai cynnil-fyfyrgar, a welwn yn y rhelyw o gerddi *Ugain o Gerddi*; ac nid yw'n gyd-ddigwyddiad fod pedair ar ddeg o'r ugain yn rhigymau, nid yn sonedau.

Ar wahân i'r rhigwm enwog, 'Hon', y bydd raid i ni ystyried ei harwyddocâd, y mae nifer o gerddi eraill, fel 'Seibiant', 'Cân Gwerin', 'Yn Rhad yr Ymwerthasoch', a'r sonedau 'Cyngor' ac 'Yr Hen Ddyn', yn fwy uniongyrchol gymdeithasol eu neges nag unrhyw beth a gawsom ganddo er y Rhyfel Mawr ac, wrth gwrs, y mae'r rhigwm, 'Bardd', yn deyrnged syml i fardd cyfan gwbl gymdeithasol a chenedlaethol Gymreig ei neges, sef Gwenallt.

Y mae'r cerddi y gellid eu galw'n 'gerddi'r cosmos' hefyd yn fwy datganiadol – a hyd yn oed ddychanol-eironig – na synhwyrus-fyfyrgar, a gellid cyfrif yn eu mysg, 'Dic Aberdaron', 'Y Bilidowcars', 'Byw' a 'Brenin Dychryniadau'. Y mae hyd yn oed y cerddi hunanymholgar, fel 'Oerddwr' ac 'Ymwacâd', yn fwy pendant eu natur nag arfer. Rhag inni fynd dros ben llestri, cystal cyfaddef fod yr hen ias yn bresennol o hyd yn 'Cigfran', a mwynder a hiraeth cerddi Rhyd-ddu yn 'John ac Ann', sydd ymysg y dwysaf a'r tyneraf o'i holl sonedau. Ac, mewn ffordd, oherwydd fod yma fwy o uniongyrchedd ac o feistrolaeth y deall ar y synnwyr a'r emosiwn, y mae'n haws gwerthfawrogi cyhyredd yr iaith wrth droi'r dalennau o gerdd i gerdd. Y mae iaith y rhigymau, lle mae wedi bod yn arbrofi o'r cychwyn â chyfuniad o fywiogrwydd yr iaith lafar a thyndra a chyhyredd rhythmig, bellach wedi cyrraedd y cydbwysedd cryfaf i gyd.

Gan hynny, y mae'n ffodus fod gennym dystiolaeth i'r modd y daeth fersiynau terfynol rhai o rigymau *Ugain o Gerddi* i fodolaeth. Ysgrifennodd 'Hon', er enghraifft, yn y lle cyntaf, ar gyfer rhaglen radio 'Molawd Cymru', i'w darlledu ar Ddydd Gŵyl Ddewi 1949. Y mae'n ddiddorol fod rhai newidiadau rhwng y fersiwn a ddarlledwyd a'r fersiwn printiedig, a'u bod i gyd yn tynhau a chryfhau rhythm a sain. Yn y gwreiddiol, yr oedd y llinellau cyntaf yn darllen:

> Beth yw'r ots gennyf i am Gymru? Damwain a hap
> Oedd fy ngeni ynddi. Nid yw hon ar fap . . .[12]

Yn ddiweddarach y daeth yr ail linell rymus sy'n cynnwys y gair llafar ardderchog 'libart', ac sy'n ymestyn cerddediad y rhythm cyhyd ag y gall fentro i'r llinell fynd:

> Yw fy mod yn ei libart yn byw. Nid yw hon ar fap . . .[13]

Yr oedd y bedwaredd linell yn y fersiwn cyntaf yn llawer mwy llac a llai mentrus na'r fersiwn terfynol. Dyma fersiwn cyntaf yr ail gwpled:

> Yn ddim byd ond cilcyn o ddaear mewn cilfach gefn,
> Y byddai'n gan gwell bod hebddo i gael pethau i drefn.

A'r fersiwn terfynol:

> Ac yn dipyn o boendod i'r rhai sy'n credu mewn trefn.

A hwyrach fod y drydedd enghraifft yn fwy sylfaenol fyth. Ni allai neb honni fod y bumed linell wreiddiol yn arbennig iawn, sef:

> A phwy sydd yn byw yma, tybed,

Ni ellir ei chymharu â rhythmau cyhyrog y fersiwn terfynol:

A phwy sy'n trigo'n y fangre, . . .

Dyma fardd deallol iawn yn gweithio'n ymwybodol i gryfhau a thynhau rhediad yr iaith, mewn ffurf lenyddol a oedd i fod i gyfuno tyndra a chynildeb barddoniaeth â'r argraff o sgwrsio anffurfiol a oedd yn hanfodol i'r ffurf.

Y mae'n fwy arwyddocaol byth, mewn ffordd, ei fod, yn y rhigwm, 'Yr Addewid', sy'n dirmygu'r syniad am 'oed yr addewid', ac yn arbennig felly am fod ei rieni wedi marw ymhell cyn hynny, yn gorffen yn gryf, ymron yn ffyrnig, yn y fersiwn printiedig:

Pa ysgrythurgi, os-gwn-i, a fu'n hel dail
Wrth alw'r peth yn addewid, ac ar ba sail?

Hynny sy'n ddryswch i mi; oherwydd fe roed
Fy rhieni'n y pridd cyn y deg a thrigain oed.[14]

Mewn fersiwn cynharach, y mae fel pe bai'n colli nerf, ac yn ychwanegu cwpled o ymddiheuriad:

Rwy'n dechrau sufilo/diflasu/gwenwyno/crwydro hwyrach,
wrth gofio'n tŷ ni,
Ac yn colli pen-llinyn rŵan/rywfodd. Maddeuwch i mi.[15]

Y mae'r gerdd, wrth reswm, yn llawer cryfach heb y gwrthgilio ar y diwedd, ac mae'r reddf artistig ynddo wedi mynnu ei fod yn dweud ei ddweud.

Y mae'r newidiadau yn y rhigwm 'Ymwacâd', cerdd gref iawn sy'n delio â'r ffaith y bydd ryw ddydd yn gorfod cael gwared â'r cyfan o'r 'trugareddau' y mae wedi eu casglu o'i gwmpas yn ystod ei fywyd, gan ei adael ei hun yn noeth a diymadferth i wynebu'r tywyllwch a fydd yn cau amdano, yn fwy arwyddocaol fyth. Y mae'n gerdd galed a digyfaddawd. Ond nid oedd seiniau a rhythmau'r gerdd ar y cychwyn agos mor llym ac esgyrniog â'r fersiwn terfynol, sy'n cynrychioli'r cyfuniad mwyaf meistrolgar, hwyrach, o'r ffurfiol-urddasol a'r hyblyg-lafar o'i holl rigymau. Y modd gorau i ddangos yn deilwng sut y bu'n hogi'r rhigwm hwn yw trwy ddyfynnu'r rhigwm cyflawn fel y byddai wedi bod yn y fersiynau cynnar, ac yna nodi sut y newidiwyd nifer o'r llinellau:

Mae'n bryd i ni bellach ddechrau taflu i ffwrdd
Ein llu trugareddau, a'u lluchio hwy dros y bwrdd,

Gan ymlanhau o'r holl betheuach a fu
Yn hel o'm cwmpas er dechrau'r daith yn Rhyd-ddu.

Dyna'r gwybod a gesglaist, mae'n amser i hwnnw fynd,
[Y mae llinell 6 yn ansicr.]

Mae'r stwff a fu'n cronni fy nghalon a llif fy ngwaed
Wedi colli ei ffecht, er gwaetha'r gorfoledd a gaed;

A phob greddf a chynneddf sy'n d'ysbryd er cyn co',
Yn mynd ar eu gwaeth – hwynt-hwythau'n disgwyl eu tro.

Bydd dy iasau o ymgysegriad am ryw hyd
Efallai'n dal yn eu gwres, ond yn aros eu pryd.

Pan ddêl yr ymwrthod hwn megis trasiedi
A noethlymuno'r tu mewn i'th fodolaeth di,

Ni bydd dim yn aros ar ôl wedi'r ymwácau
Ond tydi dy hun – ac argyhoeddiad neu ddau.[16]

Y mae'r newidiadau y tro hwn nid yn unig yn grymuso a thynhau'r mynegiant, ond hefyd yn mynnu ei atal rhag tyneru llymder yr hyn a ddywedir. Dyma'r newidiadau a geir yn y fersiwn a gyhoeddir yn *Ugain o Gerddi*:[17]

Llinell 1: 'Fe ddaw'r adeg i tithau rywdro roi hwrdd . . .'
Yma, wrth gwrs, y mae'n newid safiad y gerdd o'r person cyntaf lluosog i'r ail berson unigol, sy'n gweddnewid naws y dweud.
Llinell 4: 'Yn ymgasglu o'th fewn fel ceriach yn hel mewn tŷ.'
Y mae'r 'o'th fewn' yn creu awyrgylch afiach ar ddechrau'r llinell, ac mae'r gair 'ceriach' yn creu delwedd ddiriaethol mater-o-ffaith – aflerwch cartref sy'n llawn bywyd – nad oedd yno o'r blaen o gwbl.
Llinell 5: 'Fe deflir y ddysg sy'n haen ar d'ymennydd fel cen, . . .'
Yr oedd hon yn amlwg yn benbleth, ond mae'n datrys y broblem trwy greu delwedd ferfol gref trwy gyfuniad o 'daflu' a 'cen'.
Llinell 7: 'Bydd y sbonc a fu'n sionci dy galon a llif dy waed . . .'

Mater o rythm yw hyn yn bennaf, ond mae bywiogrwydd ac ysgafnder yr ail fersiwn blanedau i ffwrdd oddi wrth drymder rhyddieithol y fersiwn cyntaf.

Llinell 8: 'Yn colli ei ffrwt, er gwaetha'r gorfoledd a gaed; . . .'

Y lleiaf arwyddocaol hwyrach, ond mae 'ffrwt' bellach yn gweddu'n well i 'sbonc' a 'sionci'.

Y llinell olaf: 'Ond tydi dy hun – a'r nos amdanat yn cau.'

Dyma, wrth gwrs, y mwyaf arwyddocaol o ddigon. Yn lle cyfaddawdu yn yr hen ddull o osod amod bach taclus i gydbwyso pethau ar y diwedd, y mae'n dyfnhau'r dinoethi mewn modd arswydus gyda'r cymal olaf ofnadwy, 'a'r nos amdanat yn cau'.

Y mae hon, yn y fersiwn printiedig, yn gerdd ysgytwol; ond gweithred y deall hunanfeirniadol, yn cywiro a chryfhau'r ysgogiadau gwreiddiol, sydd wedi ei gwneud felly.

Yr un modd gyda'r gerdd 'Yn Rhad yr Ymwerthasoch',[18] sy'n fersiwn caletach a chwerwach o lawer o 'Hon' na 'Hon' ei hun, ac a ysgrifennwyd yn wreiddiol dan y dewis o ddau deitl – 'Cymru' neu 'Homili'; y mae wedi cywiro a hogi nes gwneud y gerdd wreiddiol yn arf dychanol pwerus.

Y mae'n rhaid dod i'r casgliad ei fod wedi dod wyneb yn wyneb â rhagrith bywyd cyhoeddus Cymru yn ei waith gyda'r BBC a chyrff cyhoeddus eraill, a bod y rhagrith hwn wedi ei wylltio, wrth iddo ddod ar ei draws o'r newydd, fel petai am y tro cyntaf. Serch hynny, 'rwy'n credu mai neges 'Hon' yn y diwedd yw fod ei ymlyniad wrth Gymru a'i thraddodiadau yn rhywbeth na all droi cefn arno, er gwaethaf y dauwynebogrwydd ac, yn wir, yr eithafiaeth afreal hefyd sy'n nodweddu bywyd cyhoeddus cenedl gaeth ac anghyflawn. Hoffai ddianc i'w Ryd-ddu, o afael lleisiau croch 'yr eithafwyr oll', o ba garfan bynnag, ond ni all wneud hyn rhagor. Y mae wedi cychwyn ar drywydd arbennig, ac nid yw'n un i droi cefn, unwaith y mae wedi gwneud hynny. 'Rwy'n credu fod y rhai sy'n gweld yn 'Hon' gerdd ddychanol weddol ysgafn ei natur yn gwneud camgymeriad mawr; 'rwy'n ei gweld fel maniffesto personol difrif iawn.

Y gerdd fwyaf ysgafala yn y gyfrol yw 'Awen',[19] sy'n gwamalu ynglŷn â'r ymyriadau a all dorri ar draws ysgogiadau'r awen, a'r gerdd fwyaf oeraidd-fetaffisegol, yn gwbl eironig, yw 'Oerddwr',[20] sy'n delio â'r awyrgylch rhyfeddol a goruwchnaturiol a deimlodd y bardd wrth ymweld ag Oerddwr fel plentyn, ond mewn ffordd ryfedd o fater-o-ffaith, fel pe bai'n teimlo fod angen iddo osod rhyfeddod Oerddwr ar glawr ond fel rhywbeth a berthynai i'r gorffennol – 'rhyw frithgo' am ryw gyffro gynt'.[21] Nid oes unrhyw amheuaeth nad yw *Ugain o Gerddi* yn gampwaith ieithyddol, ac yn batrwm o grefftwaith llenyddol ymroddgar a chynlluniedig. Ond er i'r mwyafrif mawr o'r cerddi gael eu hysgrifennu o fewn deufis rhwng Ionawr ac Ebrill 1949, y mae'n amheus i ba raddau yr oedd 'yr hen ysgogiadau' yn gorwedd y tu ôl i'r creu; cerddi 'gwneud' oeddynt.

Ym 1951, cafodd achos i fyfyrio am natur y bywyd deublyg yr oedd bellach yn ei fyw – y bardd a'r gŵr cyhoeddus – pryd y dyfarnwyd iddo Fedal Anrhydeddus Gymdeithas y Cymmrodorion am ei gyfraniad i'r gymdeithas ac i Gymru. (Yr oedd rhywun wedi cael y syniad ysbrydoledig y dylid cynnig y fedal i Bob Parry ar yr un pryd, ond yr oedd ef, yn wyneb pob math o berswâd, wedi gwrthod yr anrhydedd, gan ddweud nad oedd ef ddim yn deilwng i dderbyn y fath lawryf – beth oedd ef wedi ei wneud i'w haeddu? Pa faint o glwyf oedd y gwrthod hwn wedi ei achosi i'r naill a'r llall ohonynt, tybed? Ynteu a oedd clwyfau o'r fath yn perthyn i'r gorffennol bellach?)

Wrth draddodi'r araith dderbyn yng Nghapel Horeb, Llanrwst, yn ystod Eisteddfod Genedlaethol 1951, yr oedd gan Thomas bethau diddorol i'w dweud am ddeublygrwydd ei fywyd:

> peth hunanol, ar ryw olwg, ac unig ac unigol iawn, yw llenydda'n greadigol. Ei fodloni ei hun y mae'r crëwr yn gyntaf. Ond, i allu gwneud hynny'n effeithiol, rhaid iddo fyw rywsut yn awyrgylch y gymdeithas Gymraeg, eto o'r neilltu ac ar wahân; rhaid ymwybod â dyheadau'r genedl, ymserchu'n ddwys yn ei daear, ac ymwrando â churiad calon yr iaith fyw, yn ei thras, ei theithi a'i thrysorau. Y mae'r gŵr sy'n gwneud hyn yn tueddu i fod yn encilgar, synhwyrgar ac, o bosibl, braidd yn groendenau. Mi fûm i, i raddau, felly am rai blynyddoedd. Wedyn fe all dyn, heb yn wybod iddo'i hun bron, ac yn anfwriadol, gael ei dynnu i lif mwy cyhoeddus – dyfod i gysylltiad mwy gweithredol â sefydliadau a mudiadau o bob math a'i theimlo'n ddyletswydd arno wneud hynny. Rhagorol o beth, yn ddiau, ac yn lles dirfawr i'r dyn ei hun, beth bynnag. Perygl hyn i lenor yw iddo golli peth o'r hen gyffro creu a cholli ymateb â'r hen gynyrfiadau, oherwydd iddo ddysgu bod yn 'gall' a thyfu ychydig yn groendew. Yn ystod y blynyddoedd diwethaf yma, yr wyf wedi ceisio ymhél rhywfaint â'r math yma o weithgareddau. Ond mae hi'n anodd cadw'r cydbwysedd.[22]

Yn wir. Ond bwrw ymlaen a wnâi bellach i gerdded y llwybr anodd a dyrys hwn.

Ac yn y broses o geisio cydgynnal sawl llwybr yn gyfochrog, yr oedd yn parhau, fel erioed, i dderbyn gohebiaeth lifeiriol, ac i ateb popeth yn fyr ac i bwrpas. Derbyniai lythyrau'n gyson ynglŷn â'i ddyletswyddau beirniadol, nid bob amser pryd yr oedd ef ei hun yn uniongyrchol gysylltiedig â'r mater. Ysgrifennodd Tegla ato ym 1943, er enghraifft, yn cwyno ynglŷn â'r amhosibilrwydd o gydfeirniadu'n heddychlon â Kate Roberts. (Cafodd Parry-Williams yr un drafferth ei hun yn Llangefni ym 1957, er i'r tri beirniad gytuno'n unfryd yn y diwedd i wobrwyo *Teisennau Berffro* Tom Parry-Jones).[23] Y mae'n parhau i ddelio'n bersonol ac uniongyrchol â phroblemau bach a mawr ei fyfyrwyr, ac ym 1948 a 1949 daw nifer o lythyrau gofidus a thrafferthus oddi wrth Dewi Emrys ynglŷn â'r ffaith fod ei ferch, Dwynwen, a oedd yn fyfyrwraig yn yr Adran, yn gorfod dod i lawr i'r 'Bwthyn' yn Nhalgarreg dros y penwythnos i edrych ar ôl ei thad, ac y byddai o'r herwydd yn hwyr i'w darlithoedd fore Llun, yn gorfod gadael yn gynnar ddydd Gwener, ac ati.[24] Yr oedd sawl rhiant yn teimlo y gallent ysgrifennu ato i ofyn ffafrau dros eu plant, neu i bledio eu hachos. Mewn llythyr o'r fath, yn poeni am fethiant ei fab yn yr arholiadau, derbyniodd eirda gan Bob Owen, Croesor, mewn ôl-nodiad scribliedig:

Y mae gennych ryw ddawn lithrig, esmwyth o draddodi anerchiad neu feirniadaeth na fedd neb mohoni yng Nghymru, a thraddodir y rheiny o'r cof heb ias o ôl ymdrech na thrafferth – fel bwrlwm ffrwd y mynydd.[25]

Yr oedd ymdrech fawr, fel mater o ffaith, a gofal di-ben-draw, y tu ôl i gyflwyniadau ymddangosiadol ddiymdrech Thomas, ond yr oedd hon, siŵr o fod, yn deyrnged werth ei chael gan gyfathrebwr dihysbydd, 'ffrwd-y-mynydd' go iawn i gyfathrebwr manwl ei baratoad a lwyddodd, trwy gelfyddyd, i guddio llafur caled y paratoi.

Ond os oedd llythyr Bob Owen yn cynnwys geirda annisgwyl, y mae'n sicr fod llythyr oddi wrth Tom Parry, ym 1947, yn cynnwys sarhad annisgwyl, a diau, cwbl anfwriadol. Ar ddiwedd llythyr llawn trefniadau academaidd ynglŷn ag arholi allanol ac ati, daw'r cyfarwyddiadau canlynol, yn codi o'r ffaith fod un Thomas, y mae'n amlwg, wedi addo casglu car y Thomas arall o'r garej yn Aberystwyth a'i yrru i fyny i Fangor, os byddai'n barod mewn pryd:

Rhag ofn y bydd y car yn barod Ddydd Sadwrn, dyma rai cynghorion. Rhowch ei lond o oil cyn cychwyn, yna peint yn Nolgellau, efallai . . .

Doeth fuasai gweld pa faint o wynt sydd yn yr olwynion. Y mae'r olwyn flaen chwith (h.y., wrth edrych o sedd y gyrrwr) yn gollwng, ac yn sicr o fod yn bur feddal erbyn hyn . . . Un cyngor arall: i hwyluso cychwyn yr injan da yw preimio'r carburretor, h.y. pwyso'r nodwydd fach honno i fyny ac i lawr nes y daw'r petrol allan drosti.[26]

Dyfyniadau yn unig o'r 'llawlyfr trin ceir' yr oedd Thomas Parry yn teimlo'r angen i'w drosglwyddo i'w gefnder a welir uchod, ond ni allaf lai na meddwl na chafodd y fath gyfarwyddiadau ysgolheigaidd-fanwl fawr o groeso gan un a oedd yn aml dan fonet ei gar ei hun yn perffeithio rhediad y peiriant! Ond mae'n rhaid dweud fod ei gyfarwyddiadau yn f'atgoffa innau o'r trafferthion yr arferai fy nhad eu cael â cheir y 1940au a'r 1950au, yntau'n ymboeni'n barhaus am oel a dŵr ac olwyn fflat, a'r 'carburretor' yn elyn parhaus.

Ym 1952, daeth un llwybr i'w derfyn naturiol, oherwydd ymddeolodd yn yr haf y flwyddyn honno, ar ôl deuddeng mlynedd ar hugain fel Athro yn Aberystwyth. Y mae'n nodweddiadol o'i gysondeb fel addysgwr fod teyrnged a roddwyd iddo gan un o'i fyfyrwyr olaf, Islwyn Jones, yn hynod debyg i'r rhai a roddwyd iddo gan ei fyfyrwyr cyntaf, gan bwysleisio ei drylwyredd, gofal, cwmpas anferth ei wybodaeth yn y meysydd Celtaidd yn gyffredinol, ei allu i ddarlithio heb nodiadau, a'i gonsýrn dros hynt a helynt unrhyw fyfyriwr unigol a oedd yn sâl neu'n profi anhawster. Ond parhâi i alw pob un yn 'Mr' a 'Miss', fel o'r cychwyn, ac nid oedd dim pall ar ei ddiddordeb mewn geiriau fel geiriau:

Yn aml iawn fe gymerai hynt ar ôl rhyw air arbennig gan grwydro'n hamddenol braf ar draws ac ar hyd a'n cymryd ninnau gydag ef bob cam o'r ffordd. Yr oedd y crwydriadau hyn wrth fodd ein calon a dysgasom fod ein hathro'n ŵr eithriadol iawn.[27]

A dyma'r amser i ninnau glywed ei olynydd, Thomas Jones, yn asesu ei gyfraniad fel ysgolhaig dros y blynyddoedd. Y mae'n sôn, er enghraifft, am ei lyfr, *The English Element in Welsh*, a gyhoeddwyd ym 1923:[28]

Dyma'r astudiaeth lawnaf sydd gennym hyd heddiw o'r geiriau a fenthyciwyd o'r Saesneg i'r Gymraeg.

Cawn syniad o fanylder ysgolheigaidd y gwaith wrth wrando ar Thomas Jones yn disgrifio rhan o gorff y llyfr:

Ar ôl cyfnod Hen Saesneg y benthyciwyd y mwyafrif mawr o'r geiriau a
ddeilliodd o'r Saesneg, ac anodd iawn yw penderfynu yn fanwl gyfnod y
benthyca. Oherwydd hyn ymdrinnir â'r benthyciadau o Saesneg Canol
(*c.*1150–*c.*1400) ac o Saesneg Diweddar, neu Newydd (*c.*1400 ymlaen),
gyda'i gilydd mewn tair pennod hynod o fanwl a threfnus. Yn y tair
pennod hyn . . . dangosir drwy gyfoeth o enghreifftiau, sut y newidiodd y
llafariaid, y deuseiniaid neu'r diptonau, a'r cytseiniaid Saesneg yn y
geiriau a fenthyciwyd . . . Y mae'r gyfrol gyfan yn astudiaeth ardderchog
a bu defnyddio cyson arni er pan gyhoeddwyd hi gyntaf.

Y mae'n mynd ymlaen i sôn am gyfraniadau eraill, yn ddarlithoedd a
chyfraniadau i gylchgronau dysgedig, yn yr un maes, cyn troi at y tair
cyfrol ar y canu rhydd cynnar:

Yn y gyntaf o'r tair, *Carolau Richard White*, cyhoeddir o lawysgrifau
bum carol o waith y merthyr Catholig Richard White (1537?–1584), gŵr
o Lanidloes a ddioddefodd hyd angau dros ei ffydd a marw ar ôl ei
boenydio tua chanol mis Hydref 1584 . . . pledio achos Catholigaeth a
dilorni'r gwrthgilwyr a wneir yn y pum carol . . . Yn *Llawysgrif Richard
Morris o gerddi*, y deunydd crai yw'r casgliad o gerddi (carolau, dyrïau,
etc) a gopïodd Richard Morris o Fôn, pan oedd yn llanc, i'r llawysgrif
Add. 14,992 yng nghasgliad yr Amgueddfa Brydeinig . . . Y mae'r
Rhagymadrodd yn faith a phwysig. Ymdrinnir ynddo nid yn unig â
bywyd a gwaith y copïydd Richard Morris ond hefyd â hanes rhai
mathau o gerddi rhydd . . . Parhad o'r un math o waith a geir yn *Canu
Rhydd Cynnar* . . . ceir yma gasgliad helaeth o'r caneuon rhydd a gadwyd
yn llawysgrifau'r unfed a'r ail ganrif ar bymtheg, caneuon sy'n
cynrychioli amryw deipiau – yn gerddi moesol, duwiol a chrefyddol, yn
gerddi brud a phrognosticasiwn, yn gerddi serch, natur, moliant a
digrifwch. Yn y Rhagymadrodd, sydd dros gan tudalen, bwrir golwg
dros hynny o ganu rhydd a geir yn y llyfrau printiedig . . . Cyffyrddir
hefyd â ffurf, arddull ac ieithwedd gyffredinol y cerddi ac â'r arwyddion
fod i lawer ohonynt draddodiad llafar.

Yna, y mae'n mynd ymlaen i gyfeirio at y modd y datblygodd y gyfrol
Hen Benillion allan o un agwedd ar *Canu Rhydd Cynnar*. Y mae'n
crynhoi:

Gyda'i gilydd y mae'r pedair cyfrol hyn ar y canu cynnar yn gyfraniad tra
sylweddol i astudiaeth o hanes ein llenyddiaeth, yn destunau ac yn
ymdriniaethau. Cyn cyhoeddi'r olaf o'r pedair, sef *Hen Benillion*, yr

oedd Syr Thomas wedi llunio detholiad o delynegion diweddar yn *Elfennau Barddoniaeth* (1935) gan ddangos y math o batrymau adeiladwaith sydd iddynt. Yn y gyfrol hon y mae gwaith yr ysgolhaig ac eiddo'r beirniad llenyddol yn cyfarfod, megis hefyd yn ei ddetholiadau o waith barddonol Islwyn ac Isgarn yn *Islwyn* (1948) a *Caniadau Isgarn* (1949).

Y mae hefyd yn gwneud pwynt o gyfeirio at ei waith yn cwblhau, gyda Rhiannon Morris-Jones, y gwaith a wnaethpwyd gan John Morris-Jones ar olygu llawysgrif Hendregadredd, gan ddweud: 'Y mae'n amlwg i'r neb sydd wedi gweithio ar lawysgrifau fod ceisio sicrhau cywirdeb yn y darlleniadau wedi gofyn gwaith manwl a dyfal uwchben y memrwn.' Y mae'n cyfeirio yn ogystal at ddarlith bwysig a draddododd Parry-Williams gerbron yr Academi Brydeinig – yn addas iawn, Darlith Goffa Syr John Rhŷs – ar y pwnc 'Welsh Poetic Diction'. Meddai amdani:

> Arolwg cynhwysfawr a gwerthfawr iawn yw'r ddarlith hon o ddulliau'r beirdd Cymraeg o ieithweddu ac o fynegi eu syniadau o tua chanol y chweched ganrif hyd at y ganrif hon. Ymdrinnir â chanu'r Cynfeirdd, y Gogynfeirdd a'r Cywyddwyr yn ogystal â'r cerddi rhyddion a ddaeth i'r golwg yn yr unfed ganrif ar bymtheg, canu rhydd cynganeddol Huw Morris a'i gymheiriaid, yr 'hen benillion', a hyd yn oed ddulliau ymadroddi'r Bardd Cocos. O dan yr ymateb i lenyddiaeth a amlygir yn y ddarlith hon y mae sylfaen gadarn o ysgolheictod a gwybodaeth eang.

Y gwir yw fod ganddo'r wybodaeth a'r adnoddau i wneud unrhyw beth a fynnai ym maes ysgolheictod. Gallai'n sicr wneud y gwaith manwl o olygu testun, bara-menyn yr ysgolhaig cydwybodol, yn effeithiol ac yn broffesiynol tu hwnt, gyda'r gofal a roddai i bopeth, a'i ddiddordeb ysol, beth bynnag, mewn manylion, yn arbennig manylion iaith. Ond ei nerth arbennig, dybiwn i, nerth nad yw'n perthyn o raid i ysgolhaig manwl, oedd ei allu i gyfuno a chyfannu meysydd eang ac amrywiol mewn modd a'u gwnâi'n ddealladwy i rai nad oeddynt yn ysgolheigion. Dyna werth ei Ragymadroddion a'i Ôl-ymadroddion, fel y mynnodd eu galw, a sawl darlith gyhoeddus. Y cyfuniad hwn o fanylrwydd ac ehangder, wrth reswm, a'i gwnâi mor arbennig fel athro hefyd.

Yr oedd ei ymddeoliad o'i waith yn y coleg yn rhoi cyfle iddo i ymroi fwy fyth i'w ddiddordebau newydd. Erbyn 1953, yr oedd wedi ychwanegu Trysoryddiaeth y Llyfrgell Genedlaethol, a'r busnes o arwain ymgyrch codi arian ar gyfer y sefydliad hwnnw, at ei ddyletswyddau eraill. Erbyn 1955, yr oedd wedi ei ethol yn Llywydd Llys yr Eisteddfod Genedlaethol, ac ym 1956, fel aelod o'r Cyngor Darlledu, yr oedd yn rhan o ddirprwyaeth at Dr Charles Hill, y Postfeistr Cyffredinol, i drafod dyfodol teledu yng Nghymru. Yr oedd wedi cael amser, trwy'r cyfan, i gynnal rhaglen ryfeddol o addasu geiriau ar gyfer cyfres o weithiau cerddorol sylweddol iawn o flwyddyn i flwyddyn – *Elias* Mendelssohn ym 1950, *Samson* Handel ym 1951, *Carmen* Bizet ym 1952, *Cân dynged* Brahms ym 1954, a *Prometheus*, cyfieithiad o eiriau Goethe i gerddoriaeth Schubert, ym 1955 a *Meseia* Handel ym 1956, ynghyd â sawl cân a chorawd yn ystod yr un cyfnod, gan gynnwys nid llai na phum cân o'r Almaeneg ar gyfer Côr Meibion Treorci ym 1955 yn unig.[29] Yr oedd yn gwbl addas, a dweud y lleiaf, ei fod wedi darllen papur yn y Babell Lên yn Eisteddfod Pwllheli ym 1955 ar osod geiriau i gerddoriaeth! Yr oedd hefyd wedi bod yn paratoi, ar gyfer Gwasg Prifysgol Cymru, gyfrol deyrnged i Syr John Rhŷs, ac fe'i cyhoeddwyd hithau ym 1954.

Ymysg yr holl brysurdeb, ac yntau wedi bod yn clafychu, gorff a meddwl, ers cryn amser, bu farw Bob, ei gefnder, ar ddechrau 1956. Y mae'n amlwg bod ei farwolaeth yn ergyd fawr i Thomas er, fel y dywed yn ei ysgrif goffa iddo:

> yn wir yr oeddem wedi ei 'golli' ers rhai blynyddoedd. Pan welais ef olaf beth amser yn ôl, yr oedd yno, ond heb fod gyda ni.[30]

Y mae ei deyrnged iddo, 'Colli Robert Williams Parry', ymysg y tyneraf o'i holl ysgrifau. Cawsom gyfle o'r blaen i sylwi arni, ond fe dalai inni ddyfynnu'r paragraff olaf, er mwyn ein hatgoffa'n hunain eto mai Bob ei gefnder, yn anad neb, i T. H. Parry-Williams, oedd patrwm y gwir fardd, *il miglior fabbro*, 'y crëwr gorau', fel y dywedodd Eliot am Ezra Pound wrth gyflwyno 'The Waste Land' iddo. Yr oedd wedi cyfeirio ato sawl gwaith yn ei ysgrifau, heb ei enwi, 'fel y dywed y bardd', neu 'chwedl bardd o Gymro', ond dyma fe bellach yn ffarwelio â'r bod dynol a olygai fwyaf iddo bellach:

> Fe welodd rhai ohonoch hwn, efallai, yn troedio'n wisgi a phwrpasol, a sbectol ar ei drwyn, wedi ymwisgo'n drwsiadus fel pin mewn papur, a phob blewyn yn ei le, ac fe'i clywsoch, o bosibl, yn cyfnewid cyfarch bach digon cyffredin â rhyw fforddolyn arall. Pwy a fuasai'n meddwl ei fod, ar ambell eiliad goruwchnaturiol, yn un o weledyddion prin y canrifoedd?

Ac nid oes dim amheuaeth nad ysgogodd marwolaeth ei gefnder gyfnod arall o 'bensynnu' yn Thomas ei hun, oherwydd, pan ymddangosodd y gyfrol, *Myfyrdodau*, ym 1957, gwelwyd fod deg o'r 17 ysgrif a gynhwysid yn y gyfrol wedi eu hysgrifennu naill ai ym 1956 neu ym 1957, a bod y saith arall yn cwmpasu cyfnod o naw mlynedd, rhwng 1946 a 1955.

Yn wahanol iawn i *Ugain o Gerddi*, y mae naws atgofus, hyd yn oed hiraethus ar brydiau, yn gorwedd yn drwm ar *Myfyrdodau*. Ailystyried ac ailymweld â lleoedd a phrofiadau y mae wedi eu harchwilio o'r blaen y mae mewn nifer o'r ysgrifau, ac mae'r mŵd, at ei gilydd, yn dawel a goddefgar. Nid yw llygaid y dychymyg fymryn llai sylwgar, serch hynny, na chwilfrydedd y meddwl fymryn llai ysgogol, ac mae'r troeon sydyn, hanner-gwamal, yn y sgwrs yn digwydd yr un mor ogleisiol.

Yn yr ysgrif gyntaf, 'Borshiloff',[31] er enghraifft, lle mae'n mynd yn ôl i'r Almaen, ac yn cofio ei gymydog o Bwlgaria a oedd, mae'n amlwg, yr un mor ochelgar ag yntau, y mae'n taro ar syniad sydd wedyn yn cael ei ailadrodd mewn ysgrif arall, 'Athro Methedig', ymhellach ymlaen yn y gyfrol:

> y mae cefn dyn, a chefnau llawer o fodau eraill, yn arddangos nod-weddion sy'n awgrymiadol ac arwyddocaol . . . Wrth ei gefn y gwelir gyntaf arwyddion fod dyn yn dechrau 'llibin-ellwng' (chwedl pobl Sir Gaerfyrddin).

Wedyn, y mae'n manylu, ac yn rhoi'r sbienddrych ar un rhan o olwg tu-cefn y corff: 'Y gwegil sy'n adrodd y storïau mwyaf cyffrous, os gellir eu dehongli'n iawn.' Yna, y mae ei gof llenyddol yn peri iddo neidio i gywydd Dafydd ap Gwilym, 'Merched Llanbadarn', lle mae'r bardd yn troi ei wyneb i edrych ar y 'fun goeth' ac felly'n troi ei 'wegil at Dduw gwiwgoeth'. Y mae'n llamu'n ôl wedyn at Borshiloff, ac yn cofio hwnnw'n gadael yr ystafell fwyta am ei ystafell ei hun gyda gwên arwynebol boléit ar ei wyneb:

> A'r adeg honno byddwn yn cael cip eiliad ar ei gefn – a'i wegil. Nid yr un oedd stori'r gwegil a stori'r wyneb. Buasai moesolwr craff yn mentro dweud fod yn ei gefn, a'i wegil yn arbennig, awgrymiadau o flino a syrffedu ar 'eilunod gwael y llawr', o edifeirwch ac ymostyngiad.

Ac wedyn, fel sy'n digwydd ambell waith, mae fflach o hunanddadlennu yn torri ar draws, fel pe bai'n ddamweiniol:

Ni wyddwn i fy hun yn iawn beth i'w wneud o'i gefn a'i wegil, os nad oedd ynddynt, ymysg pethau eraill, arwyddion fod eu perchennog fel petai'n ceisio cefnu ar rywbeth – a mynd yn ôl.

Yn olaf, fe ddaw'r *caveat* disgwyliedig: 'Fy nychymyg i, ond odid.'

Wrth adolygu *Myfyrdodau* yn *Y Faner* ym 1958, y mae Alun Llywelyn-Williams yn ymwrthod yn llym, ac yn gywir, â syniad a oedd ar gerdded erbyn hynny fod ysgrifau Parry-Williams yn rhyw fath o 'delynegion pros'.[32] Yr oedd yn gysyniad rhwydd, seiliedig ar ddarllen arwynebol tu hwnt. Y mae'r ysgrifau, os gellir meiddio dychmygu'r fath beth, yn debycach i 'awdlau pros', wedi'u pensaernïo'n ofalus, yn cynnwys nifer o adrannau cyd-gysylltiol, a chychwyn, canol a diwedd. Ond, fel sawl awdl dda, yma a thraw yn yr ysgrifau, y mae telynegion pros i'w cael, a dywedwn i fod diwedd ysgrif 'Borshiloff' yn un ohonynt:

fe ddeuai ambell dro ar draws y nos o'i ystafell ef trwy'r pared ataf i nodau lleddf y gainc fach hiraethus honno o'i wlad ei hun, oddi ar linynnau ei fandolin. Yr wyf yn bur sicr ei fod yntau yr adeg honno yn deisyfu cael 'adennydd colomen', fel y byddwn innau: y naill ohonom am ehedeg yn ôl tua'r dwyrain a'r llall yn ôl tua'r gorllewin, at ei briod bobl a'i bethau. Er ein bod am y pared â'n gilydd, mewn mwy nag un ystyr, ni byddai mur na phared rhyngom y pryd hynny. Ac i'r un fan yr oeddem ein dau am fynd, wedi'r cwbl. I'r un fan yr â pawb wrth fynd yn ôl.

Ac mae'r ysgrif 'Teulu'r Ffatri',[33] yn llawn telynegion. Yn wir, y mae'n awdl delynegol drwyddi. Y mae'r ysgrif hon yn sicr yn ailymweld â hen diriogaeth y meddwl. Yr ydym wedi clywed eisoes am Dafydd a Rhobet y Ffatri, ond dim ond wrth fynd heibio y clywsom am Jane, y chwaer. Yn yr ysgrif hon, y mae rhyw wawl ramantaidd, arallfydol, yn ymgasglu o gwmpas y teulu i gyd. Dangosir llonyddwch Dafydd, a'i berthynas ryfeddol â'r grisial y mae'n ei werthu ar lethrau'r Wyddfa, fel gwrth-gyferbyniad llwyr â phrysurdeb ac amlochredd allblyg Rhobet, ond Jane yw'r dywysoges annhebygol sy'n aros gartref, ac sy'n creu awyrgylch hud-a-lledrith o'i chwmpas. Dyma'r ryfeddaf o'i delynegion, lle mae'n creu awyrgylch Camelot 'Lady of Shallot' Tennyson o gwmpas Jane a dyfroedd afon Gwyrfai, a oedd yn gyrru peirianwaith y ffatri:

Darlun o un yn disgwyl, disgwyl sydd gennyf o Jane yn fy meddwl. Wrth i mi ymsynio uwchben y darlun hwn, mi fyddaf yn gweld yr hen ffatri flêr yn gweddnewid ac yn ymgodi'n bedwar mur a phedwar tŵr aruchel, a Jane yn ymrithio'n feinwen y castell canoloesol hwn. Fe fydd yr ynys fach yn gwisgo gwedd fwy urddasol, bydd coed yr ardd yn ymgodi'n dalach i'r nefoedd, a'r afon – afon fach ddu, gartrefol Gwyrfai – yn ymffurfio'n afon lydan, lefn, a'i gro'n glaerwyn a helyg ar ei glannau, yn llifo ymlaen i gyfeiriad rhyw ddinas gaerog yn y pellter draw.

(Tybed pa fath o ysgrif a fyddem wedi ei gael pe bai Thomas wedi byw i weld cwmni ffilm Americanaidd yn adeiladu Camelot o'r newydd nid nepell i ffwrdd ger Trawsfynydd?)

Y mae 'Ffidlan' yn ailymweld â'i hoffter o ffidlan â cheir a gynnau, ac yn cynnwys y brawddegau dadlennol:[34]

> Hwyrach mai 'mynd i berfedd pethau' yw'r ymadrodd gorau am un agwedd ar y peth yma [sef ffidlan] neu, mewn agwedd arall arno, 'cael fy nwylo' ar rywbeth i deimlo ac anwesu mater marw dan fy mysedd . . . Mi fyddaf fi'n cael peth hyfrydwch hefyd wrth faeddu fy nwylo; ac fe fydd teimlo a gweld pob rhyw oeliach ac ystaeniau ar hyd-ddynt ambell dro, yn rhoi rhywfaint o bleser i mi.

Cawsom achos i sylwi ar 'Congrinero' o'r blaen, ac mae 'Cymro ar Wasgar' yn gŵyn ddigon diddrwg-didda am brysurdeb yr wythnos i rywun sy'n ymhél yn swyddogol â'r Eisteddfod.

Y mae 'Ann' yn ysgrif fwy arwyddocaol.[35] Ann Griffiths yw'r gwrthrych, ac yn yr ysgrif y mae'n tynnu torch, i raddau, â'r rhai hynny sy'n mynnu rhyfeddu at y cyfuniad o serch rhywiol ac ysbrydolrwydd trosgynnol sydd i'w ganfod yn ei delweddaeth, gan ddweud fod yr un cyfuniad i'w gael yn gyffredin, ac i'w clywed ar goedd, gan sawl 'John a Jane' yn ystod Diwygiadau 1904 a 1905; ac nid oedd neb yn sylwi'n arbennig ar y peth gan ei fod yn digwydd ym mhobman. (Y mae'n sylwi ar yr un ffenomen yn y rhigwm '1904', a ysgrifennodd i'r *Genhinen* ar gais Meuryn, y golygydd.) Ac yna y mae'n troi ei sylw at yr un llythyr sydd gennym o waith Ann yn ei llaw ei hun, a hynny at gyfeilles, yn hytrach nag at ei thad-gyffeswr, John Hughes, Pontrobert; gan hynny, meddai: 'diau ei bod yn mynegi ei meddwl a'i phrofiad yn rhyddach ac yn llai dan ryw fath o orfod mewnol bod fel-a'r-fel'. Y mae'n pwysleisio ei diffuantrwydd, ac yna y mae'n cynnig inni un o'r cipolygon pwysig hynny ar ei gyflwr ef ei hun sydd wedi llechu o'r cychwyn yng nghilfachau rhai ysgrifau nad ydynt, ar yr olwg gyntaf, yn hunanymchwiliadol:

Fe boenid Ann druan, medd hi ei hun, gan ofn 'tristâu'r Ysbryd Glan'. Mi wn innau am ofn tebyg, pwy bynnag a fu'n ddigon ffôl a chreulon i blannu syniad mor ddychrynllyd yn enaid bachgen. 'Y pechod yn erbyn yr Ysbryd Glan' – hwnnw oedd yr archbechod. Ni wyddai neb, ni wyddai'r tadau beth ydoedd yn iawn; a sut y gallai hogyn diniwed deg neu ddeuddeg oed wybod?

Y mae'n ymdrin wedyn ag ofnau eraill Ann, ac yn gofyn cwestiwn y mae eraill ohonom yn sicr wedi ei ofyn yn ein hamser: 'Beth a ddigwyddodd, tybed, ymhellach ymlaen i'r daliadau a'r cyffroadau hyn?' Ac yna y mae'n ymdrin yn hynod ddwys a chydymdeimladol â hanes ei phriodas a'i marwolaeth, wedi geni plentyn. Yr oedd dechrau meddwl am Ann a'i phrofiadau yn amlwg wedi ysgogi hen deimladau ynddo, ac y mae rhan olaf yr ysgrif, dan yr wyneb, yn bersonol iawn:

Mi euthum i'r Llyfrgell Genedlaethol ddoe ddiwethaf i weld y llythyr, a syllu arno'n gyffrous. Yr oeddwn yn edrych ar lythyr preifat dynes ifanc angerddol grefyddol, un landeg lwys (yn ôl pob hanes), a'i phrofiadau mwyaf anghyhoedd a chysegredig yno wedi eu taenu'n agored o'm blaen – o'm blaen i, yr hanner pagan penstiff o'r ugeinfed ganrif. Yr oedd arnaf gywilydd calon; ac mi glywais iasau o annifyrrwch yn fy ngherdded.

Soniodd yn gynharach yn yr ysgrif fod ei hysgrifen yn gadarn; y mae'n dweud hyn eto, ond mae'n nodi ar yr un pryd fod enghraifft arall gennym o'i llawysgrifen nad yw'n gadarn o gwbl:

sylwer ar ei llofnod yng nghofnod ei phriodas, yn Ann Thomas am y tro olaf. Sigledig – ansicr – cynhyrfus. Ann! Ann!
    A dyna'r pennill bach ar gefn y llythyr – yr unig un o'i phenillion sydd yn ei hysgrifen hi ei hun:

> Er mai cwbwl groes i natur
> Yw fy llwybyr yn y byd . . .

Trist ac anochel o gyfaddefiad. Ond y mae'r cyfan oll yma, yn syml – sylwedd yr Efengyl; yr oedd hi wedi cael gafael arno, 'llwybyr cwbwl groes i natur'. Beth arall ydyw, petaem ni'n peidio â hel dail? A dyma'r ddynes ifanc hon, o ganol pellterau a mwynderau sir Drefaldwyn, yn mentro arno. Druan ohoni, ac eto gwyn ei byd.

Yn 'Ar Encil',[36] y mae'n gwneud rhywbeth y mae'n syndod na wnaeth ynghynt, sef mynd ar daith i'r Gororau, ffin nad oedd wedi'i harchwilio, a ffeindio yn y fan honno hanes am rai o bobl y ffin, yn arbennig felly Joseph Leycester Lyne, 'Y Tad Ignatius', a geisiodd adfer mynachaeth Anglicanaidd yng Nghapel-y-ffin, ac Eric Gill a David Jones, a ddaeth yno ar ei ôl i sefydlu eu bywydau ffiniol hwythau am gyfnod: 'Ffin – goror – lle am drwbwl bob amser. Annelwigrwydd, anwadalwch, annibendod.' Tua diwedd 'Ar Encil', y mae'n dweud peth fel hyn:

> Amdanaf fy hun, 'r wy'n hoffi coelio fod cyfnod wedi bod yn fy hanes pan fuaswn i, ar daith fel hon, yn meddu digon o ysbrydolrwydd am eiliad i ganfod y berth honno'n llosgi yng Nghapel-y-ffin, megis y gwnaeth y Tad Ignatius . . . Ond y mae'r golau a'r gwirionedd wedi mynd, a minnau bellach yn hyn o beth, y mae'n beryg, yn un o'r 'gymanfa anffyddloniaid' yr oedd y Proffwyd Jeremeia a'i lach arnynt gynt.

Ac mae blas felly ar nifer o ysgrifau 1956 a 1957 yn *Myfyrdodau*, fel pe bai marwolaeth Bob wedi ei ddwyn yn ôl yn anochel i'r gorffennol. Y mae 'Athro Methedig' a 'Gynau Duon' yn ymhél â gwahanol agweddau ar ei fywyd colegol, y mae 'Nimrod' yn arddangos ei hoffter at ynnau a hwyl hela, 'JC 3636' yn ein cyflwyno i ryfeddodau y trydydd o'i geir, y Lanchester sydd, fel yntau, bellach yn heneiddio, 'Ar Fôr ac Ar Dir' a 'Cholli Gwynt' yn ein tywys yn ôl i Dde America a'r Caribî, a 'Dau Lyffant' i Ryd-ddu. Y mae 'Ogo-Pogo' yn werth sylwi am foment arni, oherwydd y mae'n enghraifft, a'r enghraifft orau hwyrach, o'r grŵp bach o ysgrifau sy'n chwedlau, ar lun chwedlau Esop. Aderyn chwedlonol o'i greadigaeth ei hun yw Ogo-Pogo, fel yr Idoc a ymddangosodd mewn ysgrif gynharach. Ac arbenigrwydd yr Ogo-Pogo, druan, o'i gymharu ag adar callach, mwy bwriadus, yw'r ffaith nad oes ganddo ddim syniad o ble y daeth nac i ba gyfeiriad y mae'n mynd; serch hynny, y mae rhywbeth yn ei yrru o bryd i'w gilydd; y mae'n codi pac ac yn mynd – i rywle:[37]

> aderyn yn byw-a-bod yn y trofannau, ac weithiau, dan orfod rhyw gynneddf gynoesol yn ei gyfansoddiad, yn codi ei aden o'i gartref cynfydol ac yn anelu, dros anialdir neu fforest neu gefnfor, am ryw nod pell bell. Cyn gallu cyrraedd hwnnw, y mae'n troi'n ei ôl yn sydyn, dan orfod rhyw gynneddf gyntefig arall yn ei sistem seico-somatig, ac yn

ehedeg yn ffwdanus am y man cychwyn. Ei âm a'i fwriad wrth wneud hynny yw darganfod, os gall, o ba le yn iawn y cychwynnodd, ac i ba le'r oedd am fynd i ddechrau, a phaham . . . Ond nid yw'r adeɪyn byth yn llwyddo. Eto, pan fo nwyd yn cydio ynddo, fe fydd yn dal i gychwyn o hyd, ac i ddychwelyd, fel gwennol gwehydd neu bendil cloc, heb byth ffeindio'i amcan yn y naill ben na'r llall i'w siwrnai.

Ond, wrth gwrs, nid creadigaeth ffansi yn unig – er bod ein Thomas erioed yn mwynhau crwydro i fyd y ffansi – yw'r Ogo-Pogo; y ddynoliaeth golledig, wyrdroëdig, drist ydyw:

nid oes gan ddyn, er ei glyfred a'i wybodused, wir amcan i b'le y mae'n mynd, nac o b'le y daeth, o ran hynny, er ei fod wedi dyfalu a phalfalu llawer erioed. Fe fu'n credu o dro i dro ar ei daith ei fod yn gwybod i b'le'r oedd yn mynd – i ryw ogoniant gwynfydedig o'i wneuthuriad ei hun neu i ryw wynfa lle y mae cynnydd yn teyrnasu. Erbyn hyn nid yw ei gyrchfan mor amlwg iddo na'i gyfeiriad mor ddiwyro. Yn wir, fe ymddengys ei fod ar fedr troi'n ei ôl dros y gorwel am fod ei ddylni a'i ddiawlineb wedi ei ddrysu'n lân.

Yn 'Ogo-Pogo', os nad yn unman arall yn *Myfyrdodau*, cawn gipolwg ar y llid sydd mor gynhyrfus yn *Ugain o Gerddi*. Ond yn Rhyd-ddu y mae'r gyfrol yn gorffen, gyda'r rhigwm ysgubol 'Bro', sy'n datgan ei gred gwbl lythrennol fod dyn yn gadael ei farc ar y lleoedd y mae wedi bod yn trigo ynddynt; ac yn y marciau hynny'n unig y gorwedd ei anfarwoldeb:[38]

> Nid creu balchderau mo hyn gan un-o'i-go, –
> Mae darnau ohonof ar wasgar hyd y fro.

Er iddo ddechrau troi tuag yn ôl, fel yn 'Ogo-Pogo', yn ei fywyd mewnol, yr oedd ei fywyd allanol yn gyrru yn ei flaen gyda phrysurdeb cynyddol. Cyn diwedd 1958, yr oedd yn Llywydd y Llyfrgell Genedlaethol yn ogystal â'r Eisteddfod, ac yn y flwyddyn honno, marciwyd ei le yn yr olyniaeth a redai o John Rhŷs ac Edward Anwyl trwy John Morris-Jones at Ifor Williams pan gafodd ei urddo'n farch-og; yr oedd Tom wedi tyfu'n Syr Thomas, ac fel 'Syr Thomas a Ledi Amy' y byddai'r genedl bellach yn cyfarch y ddau. Ac er iddo gael ei anrhydeddu ymhellach ym 1960 trwy dderbyn gradd LL D er anrhydedd gan Brifysgol Cymru (pa beth a ddywedai Bob?), yr oedd un o'i swyddogaethau cyhoeddus am ddwyn trafferthion iddo ym 1959 a 1960.

Yr oedd y Frenhines wedi cael ei gwahodd i'r Eisteddfod a oedd i'w chynnal yng Nghaerdydd ym 1960, ac arweiniodd Iorwerth Peate a G. J. Williams brotest yn erbyn penderfyniad Pwyllgor Gwaith Caerdydd i'w gwahodd, gan ymddiswyddo, ynghyd ag A. O. H. Jarman, Aneirin Lewis ac eraill, o'r Pwyllgor Gwaith. Yr oedd Cyngor yr Eisteddfod yn rhanedig ar y mater, ac ysgrifennodd Ernest Roberts, ysgrifennydd cyffredinol yr Eisteddfod, sawl llythyr pryderus at Parry-Williams ynglŷn â'r mater, yn ystod 1959.[39] Un o'r rhesymau dros wrthwynebu'r gwahoddiad oedd y byddai'n peryglu'r rheol Gymraeg, gan y byddai'n rhaid annerch y Frenhines yn Saesneg. Derbyniodd y llywydd sawl llythyr arall, o blaid ac yn erbyn, ynglŷn â'r mater, gan gynnwys un diddorol a chefnogol oddi wrth Trebor Lloyd Evans:

> Gair i ddymuno pob gras a doethineb i chwi i ddelio â'r sefyllfa anodd sydd wedi codi yng Nghaerdydd. Fel un o garedigion yr Eisteddfod Gymraeg dymunaf ddatgan fy marn fod 'yr wyth' (sef y rhai a ymddiswyddodd) wedi dehongli cyfansoddiad yr Eisteddfod yn gwbl eithafol. Gellid bod wedi gwneud eithriad o'r Frenhines – yr eithriad sy'n profi rheol. Dymuniadau gorau i chwi i lywio'r llong drwy'r ddrycin.[40]

Ac yn wir, fe wnaeth. Teg dweud fod Parry-Williams yn amddiffynnwr cadarn iawn o'r rheol Gymraeg yn yr Eisteddfod ar hyd yr amser, a gwahaniaethodd rhwng y gwahoddiad fel y cyfryw a'r goblygiadau ieithyddol. Yn y diwedd, daeth y Frenhines i Eisteddfod Caerdydd ar 5 Awst 1960, a thraddododd Syr Thomas Parry-Williams anerchiad croeso yn gyfan gwbl yn y Gymraeg.

Tua'r un adeg, yr oedd wedi ymuno â chonsortiwm i ffurfio cwmni a fyddai'n ceisio darparu gwasanaeth teledu i Gymru'n unig ar y rhwydwaith annibynnol. Hyd yn hyn, yr oedd Cymru wedi derbyn rhaglenni teledu Cymraeg ar y rhwydwaith annibynnol naill ai fel atodiad i raglenni Granada yn y gogledd, neu i raglenni TWW yn y de. Arwyddodd y cwmni newydd, Teledu Cymru, neu TWWN (*Television Wales West and North*), gytundeb i wasanaethu Cymru ym Mehefin 1961. Cadeirydd y cwmni oedd B. Haydn Williams, cadeirydd Cyngor yr Eisteddfod a chyfarwyddwr addysg pwerus sir y Fflint, ac yr oedd enwau dylanwadol iawn, ar wahân i Parry-Williams, ymysg y cyfarwyddwyr, gan gynnwys Gwynfor Evans, Llewelyn Heycock, Cennydd Traherne, T. I. Ellis a Thomas Parry. Yr oedd yn brosiect clodwiw, gyda delfrydau uchel. Yn anffodus, hyd nes y daeth S4C i fodolaeth ym 1982 gyda chefnogaeth arian cyhoeddus sylweddol iawn, nid oedd y Gymru

Gymraeg yn ddalgylch masnachol ac ariannol dilys ynddo'i hun i unrhyw gwmni teledu. Er bod y cwmni arall a weithredai yng Nghymru, TWW, dan arweiniad Huw T. Edwards, y pwyllgorwr a'r arweinydd undebau llafur, wedi cynnig cymorth a chydweithrediad, oes fer fu i Deledu Cymru, ac ar 21 Mai 1963, cyhoeddodd tudalen flaen y *Western Mail* fod Teledu Cymru yn cau i lawr. Yn fuan wedi hynny, cymerodd TWW asedau a dyledion y cwmni drosodd, ac er i'r cwmni roi chwistrelliad ychwanegol o Gymreigrwydd i mewn i'r ddarpariaeth deledu dros dro, y mae'n debyg mai'r peth pwysicaf a wnaeth oedd cryfhau breichiau Huw T. Edwards ac eraill i atgyfnerthu darpariaeth Gymraeg TWW, a symud, gan bwyll, tuag at sefydlu sianel gwbl Gymraeg yn y man.

Y tebyg yw fod Huw T. Edwards wedi tyfu'n un o gyfeillion difyrraf Parry-Williams yn ystod y blynyddoedd hyn, ac un rheswm iddo dyfu'n ffefryn, oedd iddo fagu arferiad o anfon sigars i Thomas ar adegau penodol megis pen blwydd a Nadolig, weithiau gyda phennill neu englyn yn gyfarchiad – yr oedd Huw T. Edwards, wrth gwrs, yn fardd ei hun ac yn gynganeddwr medrus. Sut bynnag, atebai Thomas bob amser ar lun englyn neu hir-a-thoddaid, megis ym 1959, pan ddechreuodd yr arferiad, a 'Huw T' ar y pryd yn gadeirydd ar Gyngor Cymru:

> Ar f'enaid! Oes Nirvana – (Dirioned
> Yw arweinydd Gwalia)
> Am unwaith fe ddaeth manna – ar fy nant
> A gwir fwyniant o sigar Havana.[41]

Erbyn 1961, yr oedd y sigars yn dal i ddod:

> Mae hi'n braf yn f'ystafell – dwy ladi
> Oludog sy'n cymell
> Heddychol awr ddiddichell –
> Dwy sigar nad oes eu gwell.[42]

Ond sigarets Twrcaidd, mae'n debyg, a gafodd ym 1964:

> Rhoes y Balkan Sobranie – imi nwyf
> A mwynhad, myn brain i.
> Yn eu mwg bu bron i mi
> Hercian ar daith i Dwrci.[43]

Yr oedd yn parhau i gyfieithu gweithiau cerddorol trwy gydol y 1960au, ac nid oedd eto wedi gorffen cyhoeddi ei waith creadigol, oherwydd ymddangosodd y gyfrol olaf, *Pensynnu*, ym 1966, wedi'i chyflwyno, fel y cyfan o'r cyfrolau diweddar, 'I'm Gwraig'; ac eto, fel erioed, yr oedd y rhan fwyaf o'r ysgrifau eisoes wedi eu cyhoeddi blith draphlith yma ac acw cyn casglu'r gyfrol at ei gilydd, yn *Y Genhinen*, *Y Drysorfa*, *Y Gwyddonydd*, *Taliesin* a *Barn*. Nid oes yma ddim mydryddiaeth ('Bro' oedd y gerdd olaf iddo ei chyhoeddi yn unman) ond, er ei fod bellach ymron yn 80 oed, y mae llawer o ddeunydd diddorol ac ysgogol yn yr ysgrifau.

Yr oedd y prysurdeb, hwyrach, yn dechrau lleihau rywfaint fel yr âi'r 1960au yn eu blaenau, er iddo ymgymryd â llywyddiaeth y Cymmrodorion yn ychwanegol at bopeth arall ym 1961, a chymryd ei swydd o ddifrif gyda chymdeithas y bu ynglŷn â hi ers llawer blwyddyn. Yr oedd hefyd wedi cymryd at y teledu, ac yn profi ei fod lawn gystal perfformiwr ar y cyfrwng newydd ag a fu cyn hynny ar y radio. Ar raglenni fel y gyfres hanes-a-llên-gwerin boblogaidd, *Lloffa*, daeth yn adnabyddus i'r genedl, gan wisgo mwgwd arall eto.

A chyn inni adael ei swyddogaeth fel llywydd Llys yr Eisteddfod – ymddeolodd o'r swydd honno ym 1967, pryd yr oedd yn 80 oed – cystal inni wrando ar Cynan, yr arch-eisteddfodwr, yn ei ddisgrifio'n gwisgo'r mwgwd hwnnw:

> Pe baech-chi'n digwydd bod yn sanctum Cyngor yr Eisteddfod ryw awr cyn seremoni fawr Croesawu'r Cymry Alltud, odid na ddaliech-chi sylw ar un swyddog sy'n bur dawedog ynghanol ein cyffro a'n dwndwr i gyd, tawedog am ei fod wedi ymneilltuo i un pen o'r ystafell ac yno ymgladdu yn ei gopi o'r rhaglen ac o'i araith. A phe baech-chi'n ddyn dieithr hollol, fe fyddai'n hawdd i chi feddwl mai swyddog newydd, nerfus, yw hwn ac na fu ganddo erioed o'r blaen ran mewn seremoni o lwyfan yr Eisteddfod Genedlaethol . . . Nerfusrwydd? Nid wyf yn credu mai dyma'r esboniad, heblaw i'r graddau y mae rhyw ias o nerfusrwydd yn rhoi min ar berfformiad pob artist llwyfan sensitif. Yr esboniad yw cydwybodolrwydd . . . Ni chredaf ei fod yn seremonïwr wrth reddf, ond fe feistrolodd y gamp gan fod hynny yn un o ofynion y swydd . . . A'r hyn a ymddengys mor rhwydd a chyfareddol o flaen y gynulleidfa fawr, mewn araith a beirniadaeth a seremoni, ffrwyth ydyw i'r paratoad mwyaf cydwybodol.[44]

Gellid disgwyl i'w gyfrol olaf barhau mŵd *Myfyrdodau*. Nid felly. Ac nid yw'n syndod o gwbl fod *Pensynnu* yn rhoi tro yng nghynffon ei *oeuvre* llenyddol, o ystyried yr hyn yr ydym bellach wedi ei ddysgu am hynt troellog y gŵr hwn. Y mae'r dwsin o ysgrifau yn cynnwys amrywiaeth cryf, ac mae naws y gyfrol, drwod a thro, yn llai atgofus na *Myfyrdodau*, ac yn fwy ymchwilgar a deallusol. Y maent yn arddangos diddordeb manwl mewn ffiseg niwclear ac mewn cosmoleg, ac, am y tro cyntaf yn ei holl waith, y mae yma gyfeiriadau at lenorion fel Proust a James Joyce, gan ddangos inni ei fod yn hollol gyfarwydd ag ymchwil fawr hunangofiannol Proust a'r chwyldroad ieithyddol a grëwyd gan Joyce yn *Ulysses* ac yn arbennig yn y gyfrol fwy arbrofol fyth, *Finnegans Wake*, er mai gwamal yw ei agwedd at honno.

Y mae'r ymson ynghylch gwyddoniaeth ffisegol ddiweddar, a'i bwyslais ar y ffaith fod popeth yn y cosmos materol yn gyfnewidiol, yn ansicr ac, i raddau, yn ddibatrwm, yn ei arwain yn ôl i'w astudiaeth barhaus yntau o brofiadau'r ffin, o annelwigrwydd ac amwysedd profiad dynol. Y mae fel pe bai'r amrywiol athroniaethau y bu ef yn eu harchwilio a'u cwestiynu trwy'i oes yn dechrau dod at ei gilydd tua'r diwedd.

Y mae'n nodweddiadol fod yr ysgrif gyntaf yn *Pensynnu*, 'Aur Drws-y-Coed',[45] yn delio ag arwyddocâd annisgwyl manylyn, a'i bwysig-rwydd mewn gwyddoniaeth fodern. Y mae'n sylwi fod darn o fetel, yn dilyn gêm beryglus o ffrwydro cetris trwy daflu cerrig atynt yn ystod ei blentyndod, wedi cuddio yng nghnawd ei law dros lawer blwyddyn ac, yn y diwedd, wedi'i weithio'i hun allan yn smotyn bach du:

> dydd y pethau bychain, a'r rheini'n anweledig, ydyw-hi, gydag un gangen o wyddoniaeth o leiaf. Ym mhob atom a oedd yn y dernyn pres yr oedd dros ddeg a phedwar ugain o fathau o ronynnau, a rhai ohonynt yn bwysig dros ben, er nad yw rhychwant bywyd ambell un ond rhith o gysgod.

Yn 'Pendraphendod', y mae'n adrodd amdano'i hun yn cerdded ar hyd un o strydoedd cefn Caerdydd tuag at stiwdio deledu y mae llawer ohonom ni, bid sicr, yn ei chofio, pryd y mae ei duedd barod i bensynnu yn cael ei hysgogi gan ferch fach ddu yn gofyn iddo 'Where yo' goin', bud?' Y mae'r cwestiwn yn ei arwain, nid am y tro cyntaf, i gyfeiriad Einstein a'i theori o berthnasedd a'r ansicrwydd a oedd bellach, o'r herwydd, wrth wraidd y cosmos:[46]

> Y pendraphendod ymddangosiadol hwn sydd bellach yn syfrdanu ac yn ansefydlogi'r meddwl rhesymol, wrth i ddynion archwilio'r pethau a ystyrir

yn endidau sylfaenol – gofod ac amser, mater ac egni, sydd wedi ymrannu'n ddau bâr o efeilliaid, yn ddau continuum, fel petai, 'gofod-amser' a 'mater-egni', a'r rheini, am a wn i, wedi mynd yn un endid erbyn hyn, a'r endid clwm hwnnw'n tueddu i ddiflannu o fodolaeth neu ymdoddi'n ddiddim.

Nid ffansi bardd yn unig, wedi'r cyfan, yw'r 'llithro i'r llonyddwch mawr yn ôl'. Bellach y mae'n medru dweud:

> Y mae'n eglur mai effaith y darganfyddiadau, neu o leiaf y damcaniaethau a'r dyfaliadau gwyddonol diweddaraf hyn yw tynnu byd Natur a byd yr Ysbryd yn nes at ei gilydd nes eu gwneud yn un bron.

Yn 'Samarkand',[47] y mae'n dychwelyd at ffiseg y cosmos, ac yn arddangos, yn ôl a ddeallaf gan ffisegwyr cyfoes, ddealltwriaeth gadarn o'r ddysgeidiaeth gymhleth ynghylch mater a 'gwrth-fater'. Ac yna'n sydyn, ac yn null hedegog rhai o'i ysgrifau cynharach, ond yn fwy digywilydd esoterig, hwyrach, nag mewn unrhyw ysgrif flaenorol, y mae'n cymharu'r hyn a ddywed ffisegwyr modern am natur y cosmos â'r hyn a ddywedodd y Bwda wrth ei fynachod gwreiddiol ganrifoedd lawer yn ôl. Â Parry-Williams yn ei flaen:

> Wedi cael dull o 'ddosbarthu''r gronynnau 'elfennol' . . . yn fathemategol deidi, dyma ddychmygu'n gywrain oruwchnaturiol bron fod tri gronyn sylfaenol yn 'sail' i'r cyfan, gydag 'anti' bach yn bartner i bob un. Gan fod y tri gronyn dychmygedig hyn yn rhai cyfrin ac annirnadwy bron, a heb ddod i fodolaeth gydnabyddedig eto, fe aethpwyd i fyd baldorddeg ddyrys i chwilio am label iddynt . . . Fel y gwyddys yn burion, 'three quarks' oedd y label a roddwyd gan Gell-Mann ar y triawd.

Un o ffisegwyr arloesol mwyaf nodedig ei ddydd oedd Gell-Mann, ac mae'n rhaid dweud fod y 'Fel y gwyddys yn burion' yn enghraifft o Parry-Williams ar ei fwyaf direidus. Pwy sy'n 'gwybod yn burion'? Â ymlaen i gysylltu hyn oll yn herfeiddiol ag arbrawf llenyddol Joyce: 'Ac mae'r geiriau'n digwydd yn llinell gyntaf "cerdd" a honno'n odledig, sy'n digwydd yn "Finnegans Wake" . . . James Joyce, y llyfr "annarllenadwy" hwnnw.' Ac wedyn y mae'n mynd ymlaen i ddangos tarddiad llawer o eiriau a storïau Joyce yn y chwedlau Celtaidd:

> y mae enwau Trystan druan ac Esyllt dirion yn ymddangos ymhellach ymlaen: heb hynny fe fyddai'r cyfeiriadau'n bur annirnadwy, o bosibl.

'Tristy's the spry young spark', medd y gerdd; ac wedyn mewn rhyddiaith (odledig), 'All the birds of the sea they trolled out rightbold when they smacked the big kuss of Trustan and Usolde.' Felly, dyma ninnau dros ein pennau ynghanol chwedloneg Geltig, wedi dod o ganol simetrig fathemategol ddyrys y ffisegwyr.

Dyma hwyrach yr ysgrifau mwyaf deallusol uchelgeisiol yn ei holl gyfanwaith o ysgrifau. Wrth loffa yng nghyfnodolion y cyfnod, gwelwn nad yw wedi rhoi'r gorau i bensynnu'n gyhoeddus hyd yn oed gyda *Pensynnu*. Yn rhifyn Mawrth 1968 o'r *Gwyddonydd*, fe'i gwelwn yn adolygu llyfr yn dwyn y teitl *Mr Tompkins in Paperback* gan yr Athro G. Gamow o California. Sôn y mae'r llyfr, mae'n debyg, am waith C. G. H. Tompkins fel cyfrannwr a phoblogeiddiwr theorïau ffisegol – yn yr un dull â Stephen Hawkin yn ein dyddiau ni. Y mae'n rhoi cyfle rhagorol i Parry-Williams yntau:

trafodaethau (sydd yma) a ffansïau a darlithiau a rhigymau a cherddoriaeth a chyfryngau tebyg i esbonio pynciau gwyddonol. Y mae yma sôn am Ddamcaniaethau Perthnasedd Einstein; am y bydysawd yn chwyddo neu ynteu'n cyfyngu a chrebachu; am holl ymhlygiadau'r cwantwm; am gampau gogleisiol a syfrdanol 'y gronynnau sylfaenol neu elfennol' (os nad yw'r termau wedi newid eto erbyn hyn); am y nucleus gyda'i fyddin farddonol anweledig o wahanol ronynnau sy'n cylchdroi o'i gwmpas ac yn troelli hefyd (cofier bod rhai ohonynt yn sbinio i'r chwith a rhai i'r dde, yn ôl yr herwydd); am ymasiad ac ymholltiad; am yr hen gyfaill entropi (dyna fachgen yw hwnnw, ac un anodd iawn cael gafael bendant arno, ond sy'n llywodraethu'n gynhyrfus yng nghrombil thermodynameg) . . .

Yng nghwrs yr adolygiad, y mae'n dyfynnu o lyfr Ruth Moore ar y diwinydd Nihs Bohr a hefyd o weithiau Pierre Teilhard de Chardin, awdur gweithiau astrus a chwyldroadol ar ofod-amser a'r berthynas rhwng y materol a'r ysbrydol, rhwng yr amgylchedd creedig a Duw'r creawdwr. Ac ambell waith, fel wrth sôn am 'plasma', y mae'n barod i fanylu:

Rwy'n gobeithio fy mod i'n gywir wrth sôn amdano'n nwy ïoneiddiedig tenau tenau. Y mae'r haul, meddir, yn arllwys hwn o'i gwmpas, ac felly y mae rhyw atmosffer o'r nwy (hydrogenaidd gan mwyaf) hwn yn llenwi'n gofod solar ni, hyd at fagnetosffer y ddaear . . . Fe fyddai sylweddoli hyn

yn galondid mawr i mi, sef bod yna 'rywbeth' go bendant o atmosffer yr
haul yn y gofod hwn, a bod y 'gwynt heulog' hwn, pa le bynnag y ceir ef,
yn hawlio'r teitl mawreddog, 'the Fourth State of Matter', er bod modd,
meddir, i feysydd electrig a magnetic fodoli yn y gofod heb fod mater yn
bodoli yno o gwbl.

Ac eto, hyd yn oed yn *Pensynnu* a'r tu hwnt, daw'n ôl yn y diwedd at
ddau o'i brif obsesiynau, geiriau a'i fro enedigol, ac mae'n gorffen ei
gyfrol olaf o ysgrifau, fel ei grŵp olaf o gerddi, gydag ysgrif dan y teitl,
'Bro'. Cydbwysedd, wedi'r cyfan, yw popeth; y mae'n rhaid dod adre'n
ôl.

Y mae'r ysgrif olaf yn sôn amdano ef a chriw teledu yn cerdded ei fro
yn gwneud rhaglen hunangofiannol amdano, ac, fel bob amser yn y
cyfrwng hwn, yn chwilio am leoliadau addas 'ar wasgar ar hyd y fro'. Y
mae ffermwyr sy'n 'bobol ddŵad' anghyfarwydd i Thomas, yn gwneud
pethau'n anodd iddo ef a'i griw, ac yn ei atgoffa fod y byd wedi newid.
Ac eto, yr hyn sy'n bwysig yw'r fro sy'n aros yn y cof:[48]

> Nyni oedd biau'r cyfan: ein bro ni oedd hi. Nid oedd eisiau caniatâd i
> grwydro i unman . . . Pwy bynnag oedd deiliaid neu berchenogion y tir,
> pwy bynnag oedd ag awdurdod ar ddŵr a physgod mewn llyn ac afon,
> nyni oedd biau'r cyfan. Nyni oedd y brofeddianwyr. Yr oedd gennym ni'r
> hawl i fynd i'r fan a fynnem. Dyna'n cred ddiysgog ni yn ein
> diniweidrwydd brodorol.

O dipyn i beth, rhoddodd y gorau i'w ddyletswyddau, ac i'w
swyddogaeth fel eicon y genedl. Parhaodd i groesawu ei gyfeillion
agosaf i'r Wern, a pharhaodd Amy i'w warchod a'i amddiffyn yn wyneb
ymosodiadau'r byd. Llwyddodd Huw T. Edwards i daro'r hoelen ar ei
phen wrth ddiolch am ei gopi o *Pensynnu*:

> dal i bensynnu at allu Amy i'ch cadw yn hogyn o ran pryd a gwedd, a'r
> llais fel sŵn hyfryd rhyw aber adwaenwn ar Dal-y-fan. Y mae'r aber wedi
> hen sychu ers amser, ond mae tinc y llais yn dal i fy meddwi yn chwil
> rhacs.[49]

Fe fyddai hwn, hwyrach, yn fan addas i ffarwelio â Tom Herbert Parry-
Williams, y bachgen o Ryd-ddu a enillodd y lle cyntaf yn y sir yn yr
arholiad 'Scholarship' ym mlwyddyn olaf yr hen ganrif ond, yn
anffodus, nid oedd y 'giwed hyll' wedi gorffen ag ef eto.

Ym 1968, fe gafodd wahoddiad i ysgrifennu libreto ar gyfer gwaith cerddorol newydd gan Alun Hoddinott i'w berfformio yn seremoni arwisgo tywysog Cymru yng Nghastell Caernarfon. Ac yna, yng nghynffon y gwahoddiad hwn, daeth cais iddo baratoi a chyflwyno 'anerchiad teyrngar' i dywysog Cymru ar ran pobl Cymru, i'w ddarllen yn ystod seremoni'r Arwisgo. Y mae'n amlwg nad oedd yn hapus i fod yn rhan o'r achlysur o gwbl, a gwrthododd yn y diwedd ar dir afiechyd, a thraddododd Ben Bowen Thomas yr anerchiad i'r tywysog.

Ei weithred lenyddol olaf oedd casglu detholiad o'i gerddi i'w cyhoeddi mewn un gyfrol gan Wasg Gomer ym 1972 ac, fel y gellid disgwyl, yr oedd ambell wrthodedigyn llwyd na chafodd ei gynnwys yn y gorlan derfynol. Y mae rhai o'r pleidleisiau nacaol yn ddigon dealladwy ar dir ansawdd a sylwedd, ond mae ôl penderfyniad o fath gwahanol, dybiwn i, mewn tri achos: y mae 'Cynharwch' wedi diflannu o gerddi *Olion*; y mae'r cyfan o'r cerddi mwyaf ffyrnig-gymdeithasol wedi diflannu o gynnwys *Ugain o Gerddi*; ac mae'r rhigwm trist, 'Awen', a osodwyd ar flaen *Ugain o Gerddi* ac sy'n dechrau

> Cyn i'r hwrdd fynd heibio, mi fentraf ar gân neu ddwy
> Eto, rhag ofn na ddaw blas ar ganu mwy . . .

hefyd wedi mynd. Ni allwn lai na chredu fod y rhain wedi eu hesgymuno o'r canon am resymau mwy personol na'u hansawdd fel cerddi. Beth bynnag am hynny, yr oedd cyfle bellach i lengarwyr i weld, o fewn cloriau un gyfrol, gyfoeth ac amrywiaeth ei gynnyrch mydryddol fel yr oedd ef am iddynt ei weld. Yn yr un flwyddyn, yr oedd wedi cyfieithu, ar y cyd â'i wraig, y gantata, *Sain Nicholas* gan Benjamin Britten ar gyfer Eisteddfod Genedlaethol Sir Benfro, y darn olaf o'i waith i weld golau dydd. Pan gasglodd J. E. Caerwyn Williams yr ysgrifau ynghyd mewn un gyfrol ym 1984, yr oedd y gwaith yn gyfan.

Bu farw'n dawel yn ei gartref ar 3 Mawrth 1975. Tawel a syml iawn oedd yr angladd – gwasanaeth yn y Wern i grŵp bach o gyfeillion, ac yna yn Amlosgfa Bangor i grŵp llawer mwy, cyn cludo'r llwch i Feddgelert a'i gladdu yn y bedd a fu'n ei dynnu tuag ato ers ymron deugain mlynedd, ac ymhle y dechreusom ni'r stori hon.

Ofer ceisio cyfannu mewn paragraff fywyd a gwaith gŵr mor ochelgar, ac eto mor drylwyr yn ei archwiliad ohono'i hun – mewn ffordd, fel yr awgrymais ar y cychwyn, nid oes modd ei gyfannu. Byddai ef ei hun yn dadlau nad oes modd cyfannu bywyd unrhyw un – y mae darnau ar wasgar yn rhywle i bawb. Teg dweud fod ei waith llenyddol

yn cynrychioli'r ymgais lwyraf yn yr iaith Gymraeg, ac un o'r ym-
gyrchoedd lwyraf mewn unrhyw iaith, mae'n sicr, i archwilio natur dyn
fel yr ymddangosai ym mhrofiadau'r awdur ei hun. Nid oedd ef yn
ddyn cyffredin, ond yr oedd yr anghysondebau, y fflachiadau o wel-
edigaeth gyfriniol, y clwyfau mewnol tost a chuddiedig, yr ofnau a'r
amheuon, yr eironi stoicaidd a'r dewrder ystyfnig, y munudau o
dynerwch, y dyfalbarhau disgybledig, y gweithredu mympwyol ar
achlysur, yr euogrwydd, yr ymdeimlad – a'r profiad – o golled enbyd,
siomedigaethau ac uchelfannau serch – pa mor ochelgar bynnag y'u
mynegodd – ansicrwydd mawr ac ymwybod digyfaddawd a pharhaus â
darfodedigrwydd pethau, i gyd, wedi'r cyfan, yn ddrych o ddynoliaeth
drwyddo draw. Wrth graffu ar waith Tom Parry-Williams, y bachgen o
Ryd-ddu, 'rydym yn gwylio gŵr o hymdeimledd brawychus o fain gyda
meddwl anarferol lym a chwilfrydedd diflino yn profi'r pethau hyn, a
mwy, fel petaent ar sgrîn fawr o'n blaenau. Gofynnodd sawl cwestiwn
trwy gydol oes hir, a pharhau i ofyn yr oedd hyd y diwedd.

Nodiadau

Pennod Un

1. LlGC, THPW, M 417.
2. *Olion* (Gwasg Aberystwyth, 1935; ail arg. 1959), tt.29–33.
3. Alun Llywelyn-Williams, 'Bardd y Rhigymau a'r Sonedau', *Cyfrol Deyrnged Syr Thomas Parry-Williams*, gol. Idris Foster (Llys yr Eisteddfod, 1967), tt.26–41.
4. Dafydd Glyn Jones, 'Agweddau ar waith T. H. Parry-Williams a Samuel Beckett', *Ysgrifau Beirniadol II*, gol. J. E. Caerwyn Williams (Gwasg Gee, 1966), tt.217–303.
5. Meredydd Evans, *Dirgel Fyd* (Eisteddfod Genedlaethol Bro Madog, 1987).
6. John Rowlands, 'Poésie Célébrale?', *Y Traethodydd*, 130 (Hydref 1975), tt.321–9.
7. Bedwyr Lewis Jones, 'Mae un sy'n Parry-Williams', *Taliesin*, 74 (1991), tt.18–32.
8. R. Geraint Gruffydd '"Dwy Gerdd" Syr Thomas Parry-Williams', *Ysgrifau Beirniadol VII*, gol. J. E. Caerwyn Williams (Gwasg Gee, 1973), tt.160–6.
9. R. M. Jones, *I'r Arch* (Llyfrau'r Dryw, 1959), tt.85–97.
10. *O'r Pedwar Gwynt* (Gwasg Aberystwyth, 1944), tt. 69–83.
11. *Lloffion* (Clwb Llyfrau Cymreig, 1942; ail arg. 1947), tt.71–7.
12. LlGC, THPW, CH 468.
13. Ibid., A 196.
14. Ibid.
15. *Y Winllan*, 102 (Mehefin 1949), t.100.
16. *Lloffion*, tt.9–12.
17. *Synfyfyrion* (Gwasg Aberystwyth, 1937), tt.31–5.
18. *Pensynnu* (Gwasg Gomer, 1966), tt.33–9.
19. J. E. Caerwyn Williams, 'Syr Thomas Parry-Williams yn ateb cwestiynau'r golygydd', *Ysgrifau Beirniadol VII*, t.150.
20. Cynhwysir rhai lluniau tua chanol y gyfrol hon ond gwelir llawer o

luniau perthnasol eraill yn *Bro a Bywyd I: T. H. Parry-Williams*, gol. T. Ifor Rees (Cyngor Celfyddydau Cymru, 1981).

21. LlGC, THPW, A 172.
22. Ibid., A 4.
23. Ibid., A 31.
24. Ibid.
25. Ibid., A 44.
26. Ibid., A 46.
27. Ibid., A 52.
28. Ibid.
29. *Myfyrdodau* (Gwasg Aberystwyth, 1957; ail arg. 1966), tt.65–8.
30. Ibid.
31. Ibid.
32. Bedwyr Lewis Jones, *R. Williams Parry* yn y gyfres 'Writers of Wales', (Gwasg Prifysgol Cymru, 1972), t.19.
33. *O'r Pedwar Gwynt*, tt.30–3.
34. Ibid., tt.61–2.
35. Ibid., tt.34–5.
36. Ibid., tt.30–3.
37. LlGC, THPW, CH 724.
38. Ibid.
39. *Lloffion*, tt.31–5.
40. *Synfyfyrion*, tt.57–62.

Pennod Dau

1. *Y Winllan*, 102 (Mehefin 1949), t.101.
2. Atgof personol gan yr Athro Geraint Gruffydd.
3. J. E. Caerwyn Williams, 'Syr Thomas Parry-Williams yn ateb cwestiynau'r golygydd' *Ysgrifau Beirniadol VII*, gol. J. E. Caerwyn Williams (Gwasg Gee, 1973), t.145.
4. Ibid.
5. *Lloffion* (Clwb Llyfrau Cymreig, 1942; ail arg. 1947), t.87.
6. J. E. Caerwyn Williams, 'Syr Thomas Parry-Williams yn ateb cwestiynau'r golygydd', t.145.
7. Ibid., t.146.
8. *Ysgrifau* (Foyle's Welsh Depôt, 1928; 3ydd arg., Gwasg Gomer, 1976), tt.63–6.
9. Ibid., t.65.
10. Ibid., t.63.
11. Ibid., tt.63–4.
12. Ibid., t.63.
13. Ibid., t.65.
14. *Y Winllan*, 102 (Mehefin 1949), t.101.

15. Ibid.

16. J. E. Caerwyn Williams, 'Syr Thomas Parry-Williams yn ateb cwestiynau'r golygydd', t.150.

17. LlGC, THPW, M 430.

18. Ibid.

19. J. E. Caerwyn Williams, 'Syr Thomas Parry-Williams yn ateb cwestiynau'r golygydd', t.151.

20. *The Dragon*, 29 (4 Mawrth 1907), tt.181–2.

21. Ibid.

22. Dyfnallt Morgan, *Rhyw Hanner Ieuenctid* (Tŷ John Penry, 1971), t.22.

23. 'Yr Iberiad', *Yr Haf a Cherddi Eraill* (Gwasg Gee, 1924: arg. newydd 1984), t.44.

24. Bedwyr Lewis Jones (golygwyd a chwblhawyd gan Gwyn Thomas), *R. Williams Parry* (Gwasg Prifysgol Cymru, 1997), tt.19–20.

25. T. Gwynn Jones, *Cymeriadau* (Hughes a'i Fab, 1933). Ceir ymdriniaeth lawn ar Anwyl yn Brynley F. Roberts, 'Syr Edward Anwyl', *Trafodion Anrhydeddus Gymdeithas y Cymmrodorion* (1968, Rhan 2, 1969), 211–64.

26. Ceir y stori'n gyflawn yn Bedwyr Lewis Jones, 'Mae un sy'n Parry-Williams', *Taliesin*, 74 (1991). Ceir cyfeiriadau ati hefyd yn Bedwyr Lewis Jones, *R. Williams Parry* (1997).

27. LlGC, THPW, B 1–6.

28. Ibid., B 2.

29. Ibid., CH 6.

30. Ibid., CH 8.

31. Yn arbennig felly yn yr ysgrif 'El ac Er', *Pensynnu* (Gwasg Gomer, 1966), tt.33–40.

32. LlGC, THPW, CH 9.

33. Ibid., CH 11.

34. Ibid., CH 12.

35. Ibid., CH 13.

36. Ibid., CH 14.

37. Goronwy Edwards, 'Atgofion, Rhydychen 1909–11', *Cyfrol Deyrnged Syr Thomas Parry-Williams*, gol. Idris Foster (Llys yr Eisteddfod, 1967), tt.105–6.

38. 'Nimrod', *Myfyrdodau* (Gwasg Aberystwyth, 1957; ail arg. 1966), t.90.

39. Goronwy Edwards, 'Atgofion, Rhydychen 1909–11', *Cyfrol Deyrnged*, t.107.

40. Thomas Parry, 'Y Bardd Newydd Newydd', *Y Traethodydd*, 94 (Gorffennaf 1939), tt.169–78.

41. Ibid.

42. Ibid.

43. Ibid.

44. Ibid.

45. E. Tegla Davies, 'Atgofion am Ifor Williams', *Y Traethodydd*, 121 (1966), tt.52–60.

46. J. E. Caerwyn Williams, 'T. H. Parry-Williams: Oxoniensis', *Y Traethodydd*, 130 (Hydref 1975), tt.330–9; ceir cyfeiriadau hefyd yn Dyfnallt Morgan, *Rhyw Hanner Ieuenctid*, tt.94–100.

47. 'Yr Awen Gudd', *Y Brython* (23 Chwefror 1911).

48. Ibid.

49. 'A Farno a Fernir', *Y Brython* (23 Mawrth 1911).

50. Ibid.

51. Ibid.

52. Ibid.

53. Argraffwyd y gyfrol hon yn Swyddfa'r Herald, Caernarfon, ym 1910.

54. 'Yr Awen Gudd'.

55. Ibid.

56. LlGC, THPW, M 430.

57. Ibid.

58. Ibid.

59. Daw'r cwpled o'r gerdd 'Thoughts of a Briton on the subjugation of Switzerland': 'Two voices are there: one is of the sea,/ One of the mountains, – each a mighty voice.'

60. *Cofnodion a Chyfansoddiadau Eisteddfod Genedlaethol Wrecsam* (1912).

61. Gwilym Tilsley, 'Cerddi'r Eisteddfod', *Cyfrol Deyrnged*, t.15.

62. *Cofnodion a Chyfansoddiadau Eisteddfod Genedlaethol Wrecsam* (1912).

63. Ibid.

64. Ibid.

65. Ibid.

66. Ibid.

67. LlGC, THPW, M 430.

68. Ibid.

69. Ibid.

70. E. L. Ellis, *The University College of Wales, Aberystwyth, 1872–1972* (Gwasg Prifysgol Cymru, 1972).

71. *The Dragon*, 28 (Mai 1916), tt.225–6.

72. Ibid.

73. *The Dragon*, 39 (Mehefin 1917), t.179.

74. 'Y Trydydd', *Y Wawr*, 4/2 (1917), tt.41–5.

75. 'Yr Hen Ysfa', *Y Wawr*, 3/3 (1916), tt.88–92.

76. 'Ar Gyfeiliorn', *Y Wawr*, 4/3 (1917), tt.110–17.

77. Rwy'n ddiolchgar i'r Dr Brynley Roberts am iddo dynnu sylw arwyddocaol mai cân hiraeth am gartref yw Salm 137.

78. 'Eiconoclastes', *Y Wawr*, 2/3 (1915), tt.81–4.

79. 'Ymddiheuriad', ar flaenddalen *Cerddi* (Gwasg Aberystwyth, 1931; ail arg., Gwasg Gomer, 1948); yn yr argraffiad cyntaf ceir 'A fu

cydrhyngom . . .' yn y drydedd linell, yn lle 'A ffynnai rhyngom . . .' sydd yn yr ail argraffiad.

80. Geoffrey Brereton, *A Short History of French Literature* (Pelican, 1954).

81. Ibid.

82. Dyfnallt Morgan, *Rhyw Hanner Ieuenctid*, t.60.

83. D. Tecwyn Evans ac E. Tegla Davies (gol.), *Llestri'r Trysor: y Beibl yng ngoleuni beirniadaeth ddiweddar* (ail arg., Evan Thomas, 1914).

84. 'The Hound of Heaven', *Selected Poems of Francis Thompson* (Jonathan Cape, 8fed arg., 1945), tt.49–54.

85. Soned ddi-deitl gan Keats sy'n agor gyda'r cwpled hwn; yn *John Keats, the Complete Poems*, gol. John Barnard (Penguin, 1973; ail arg., 1976), t.221.

86. *Cofnodion a Chyfansoddiadau Eisteddfod Genedlaethol Bangor* (1915).

87. *Y Ddinas* (cyhoeddwyd yn breifat, Llandysul, 1962).

88. *Cofnodion a Chyfansoddiadau Eisteddfod Genedlaethol Bangor* (1915).

89. T. S. Eliot, *Poems 1909–1935* (Faber & Faber, 1936), t.63.

90. *Cofnodion a Chyfansoddiadau Eisteddfod Genedlaethol Bangor* (1915).

91. *Myfyrdodau*, tt.41–5.

92. Ibid.

93. Ibid.

94. Ibid.

95. Cassie Davies, 'Atgofion, Aberystwyth 1914–19', *Cyfrol Deyrnged*, t.108.

96. Ibid.

97. LlGC, THPW, B 11.

98. Ibid., M 414.

99. Ibid.

100. Ibid.

101. LlGC, THPW, CH 743.

102. Ibid.

103. David Jenkins, *Thomas Gwynn Jones* (Gwasg Gee, 1973), t.267.

104. Ibid.

105. David Jenkins, *Thomas Gwynn Jones*, t.269.

106. LlGC, THPW, B 17.

107. Ibid., B 32.

108. Ibid., CH 304.

109. Ibid.

110. LlGC, THPW, CH 347.

111. Ibid., B 2.

112. *O'r Pedwar Gwynt* (Clwb Llyfrau Cymreig, 1944), tt.58–60.

113. Ibid.

114. Iorwerth Peate, 'Atgofion Myfyrwyr 2', Y *Traethodydd*, 130 (Hydref 1975), tt.263–6.
115. Ibid.
116. *O'r Pedwar Gwynt*, tt.58–60.
117. David Jenkins, *Thomas Gwynn Jones*, t.270.
118. Ibid., t.271.

Pennod Tri

1. LlGC, THPW, CH 154.
2. Ibid.
3. LlGC, THPW, CH 473.
4. Yr oedd wedi parhau, mae'n amlwg, i ymddiddori yn Prosser Rhys, oherwydd yn ei gopi ef o *Cerddi Prosser Rhys*, sydd ar gael ynghyd â rhan helaethaf gweddill ei lyfrgell ar silffoedd un o orielau'r Llyfrgell Genedlaethol, y mae toriadau frith o'r wasg mewn perthynas â helynt pryddest 'Atgof', a chopi cyflawn o Y *Faner* am 14 Chwefror 1945, rhifyn coffa Prosser Rhys.
5. *Lloffion* (Clwb Llyfrau Cymreig, 1942; ail arg. 1947), tt.9–12.
6. Tysul Jones, 'Atgofion – Aberystwyth, 1920–3', *Cyfrol Deyrnged Syr Thomas Parry-Williams*, gol. Idris Foster (Llys yr Eisteddfod, 1967), tt.113–16.
7. Ibid.
8. E. D. Jones, 'Atgofion – Aberystwyth, 1923–6', *Cyfrol Deyrnged*, tt.117–22.
9. Ibid.
10. Ibid.
11. Ibid.
12. LlGC, THPW, M 420.
13. Ceir y sonedau hyn ar dudalennau 39, 40, 41, 42, 43, 44 a 45 yn *Cerddi* (Gwasg Aberystwyth, 1931; ail arg., Gwasg Gomer, 1948).
14. *Cerddi*, t.46.
15. Saunders Lewis, Y *Faner*, 5 Mehefin 1928.
16. *Cerddi*, t.45.
17. Ceir y tair cerdd hyn ar dudalennau 15–17, 18–20 a 21–4 yn *Cerddi*.
18. R. Gerallt Jones, *T. H. Parry-Williams* (Gwasg Prifysgol Cymru, 1978), yn y gyfres 'Writers of Wales'.
19. Ceir y tair soned hyn ar dudalennau 47, 48 a 49 yn *Cerddi*.
20. Ceir y pum ysgrif hyn yn *Ysgrifau* (Foyle's Welsh Depôt, 1928; 3ydd arg., Gwasg Gomer, 1976), tt.7–27.
21. Y mae'n werth sylwi fod i Hafod Lwyfog hanes hir ac anrhydeddus. Y mae'r tŷ presennol, sydd mewn cyflwr digon diolwg bellach, yn dyddio o 1638, ac mae cofeb i'r Ifan Llwyd a'i hatgyweiriodd y pryd hwnnw yn eglwys Beddgelert, ond yr oedd plasty bychan ar y safle ymhell cyn hynny,

mae'n debyg. Y mae'r tŷ'n cael lle blaenllaw yn y gyfrol, *The Old Cottages of Snowdonia*, gan Harold Hughes a Herbert North, a gyhoeddwyd ym Mangor gan Jarvis a Foster ym 1908. Y mae'r awduron yn dweud amdano: 'This house is the largest and most important example of local work we shall come across.'

22. 'Burnt Norton', yn *Collected Poems 1909–1962* (Faber & Faber, 1963), t.189, lle mae T. S. Eliot yn gosod allan un o brif themâu y 'Quartets' i gyd, ac yn dweud: 'Time present and time past/ Are both perhaps present in time future/ And time future contained in time past.'

23. Robert M. Pirsig, *Zen and the Art of Motorcycle Maintenance: An Inquiry into Values* (Bodley Head, 1974).

24. Daw'r ddau ddyfyniad hyn o 'London' ac 'On anothers sorrow', yn *William Blake: the complete poems* (Penguin, 1971), tt.128 a 116.

25. J. E. Caerwyn Williams, 'Syr Thomas Parry-Williams yn ateb cwestiynau'r golygydd', *Ysgrifau Beirniadol VII*, gol. J. E. Caerwyn Williams (Gwasg Gee, 1973), tt.145–59.

26. *O'r Pedwar Gwynt* (Clwb Llyfrau Cymreig, 1944), tt.19–22.

27. LlGC, THPW, C 2.

28. Ibid.

29. Ibid.

30. Ibid.

31. Ibid.

32. *Cerddi*, t.25.

33. LlGC, THPW, C 2.

34. Ibid.

35. *Cerddi*, t.26.

36. LlGC, THPW, C 2.

37. Ibid.

38. *Cerddi*, t.27.

39. LlGC, THPW, C 2.

40. *Cerddi*, t.28.

41. 'San Lorenzo', *Cerddi*, t.29.

42. 'The Love Song of J. Alfred Prufrock', T. S. Eliot, yn *Collected Poems 1909–1962*, tt.13–17.

43. LlGC, THPW, C 2.

44. Ibid.

45. Ibid.

46. *Ysgrifau*, tt.28–31.

47. LlGC, THPW, C 2.

48. Ibid.

49. Ibid.

50. *Cerddi*, t.32.

51. Ibid., t.31.

52. LlGC, THPW, C 2.

53. Ibid.

54.'Ode to a Nightingale', yn *John Keats: the complete poems*, gol. John Barnard (Penguin, 1976), t.348.
55. 'The Solitary Reaper', yn *Wordsworth: poetical works*, gol. Ernest de Selincourt, arg. newydd, gol. Thomas Hutchinson (Gwasg Prifysgol Rhydychen, 1969), t.230.
56. *Cerddi*, t.33.
57. 'Y Diwedd', ibid., t.34.
58. *Cerddi*, t.28.
59. Ibid., t.27.
60. *Ysgrifau*, tt.19–23.
61. LlGC, THPW, CH 724.
62. *Myfyrdodau* (Gwasg Aberystwyth, 1957; ail arg. 1966), t.116.
63. *Ysgrifau*, tt.32–4.
64. Ibid., tt.28–31.
65. Ibid., tt.35–41.
66. Ibid., tt.55–9.
67. David Jenkins, 'Atgofion Myfyriwr', *Y Traethodydd*, 130 (Hydref 1975), t.272.
68. Ibid., t.267.
69. *Ysgrifau*, tt.42–5.
70. Ibid., tt.46–50.
71. Ibid., tt.51–4.
72. Ibid., tt.60–2.
73. Ibid., tt.72–4.
74. Ibid., tt.75–8.
75. LlGC, THPW, CH 368.

Pennod Pedwar

1. LlGC, THPW, CH 459.
2. Ibid.
3. Ibid.
4. Gwyndaf, 'Atgofion – Aberystwyth, 1932–5', *Cyfrol Deyrnged Syr Thomas Parry-Williams*, gol. Idris Foster (Llys yr Eisteddfod, 1967), t.123.
5. Ibid.
6. Ibid., t.124.
7. Ibid., t.125.
8. *Cerddi* (Gwasg Aberystwyth, 1931; ail arg., Llandysul, Gwasg Gomer, 1948), t.40.
9. Ibid., t.50.
10. Ibid., t.51.
11. Ibid., t.58.
12. Ibid., tt.56, 53 a 52.
13. 'Anwadalwch', *Cerddi*, t.54.

14. *Cerddi*, t.55.
15. Ibid., t.57.
16. Ibid., t.14.
17. Saunders Lewis, adolygiad ar *Cerddi*, yn *Y Faner* (Gorffennaf, 1931).
18. J. E. Caerwyn Williams, 'Syr Thomas Parry-Williams yn ateb cwestiynau'r golygydd' *Ysgrifau Beirniadol VII*, gol. J. E. Caerwyn Williams (Gwasg Gee, 1973), t.154.
19. 'Ymddiheuriad', *Cerddi*, t.9.
20. 'Atgno', *Cerddi*, t.59.
21. Y mae golwg ar ei lyfrgell, sydd yn Llyfrgell Genedlaethol Cymru, yn tueddu i gadarnhau'r argraffiadau hyn ynglŷn â'i ddarllen. Nid yw gweithiau'r modernwyr mawr yno. Un nodwedd arwyddocaol, hwyrach, yw fod ei lyfrgell yn arddangos cryn ddiddordeb yn y beirdd Saesneg *fin de siècle*. Y mae nifer o lyfrau Oscar Wilde yno, a thoriadau frith amdano o'r wasg, gan gynnwys nifer o ysgrifau ar ei achos llys. Y mae gweithiau rhai o feirdd llai adnabyddus y cyfnod, fel Lionel Johnson ac Ernest Dowson, yno hefyd. Ond ar wahân iddynt hwy, ysgrifwyr a beirdd y canon traddodiadol sydd yn ei lyfrgell gan mwyaf.
22. T. S. Eliot, 'Shakespeare and the Stoicism of Seneca', yn *Selected Essays* (Faber & Faber, 1932), t.137.
23. T. S. Eliot, 'The Metaphysical Poets', yn *Selected Essays*, t.287.
24. T. S. Eliot, 'Tradition and the Individual Talent', yn *Selected Essays*, t.21.
25. T. S. Eliot, 'The Metaphysical Poets', yn *Selected Essays*, t.289.
26. LlGC, THPW, CH 27.
27. Ibid., CH 17.
28. Ibid., CH 426.
29. Ibid.
30. LlGC, THPW, CH 743.
31. Ibid.
32. *Olion* (Gwasg Aberystwyth, 1935; ail arg. 1959), tt.35–41.
33. Ibid., tt.29–34.
34. Ibid., tt.11–14.
35. Cerdd ddi-deitl gan Percy Bysshe Shelley, yn dechrau â'r llinell: 'One word is too often profaned', yn *Shelley: poetical works*, gol. G. M. Matthews, arg. newydd, gol. Thomas Hutchinson (Gwasg Prifysgol Rhydychen, 1970), t.645.
36. *Olion*, tt.15–21.
37. Ibid., tt.23–8.
38. Ibid., t.51.
39. Ibid., t.63.
40. Ibid., t.53.
41. Ibid., t.65.
42. Ibid., t.70.
43. Ibid., t.54.

44. Ibid., t.57.
45. Ibid., t.59.
46. Ibid., t.60.
47. Ibid., t.66.
48. Ibid., t.62.
49. LlGC, THPW, CH 751.
50. Ibid.
51. LlGC, THPW, CH 681.
52. Ibid., C 10.
53. *Synfyfyrion* (Gwasg Aberystwyth, 1937), t.75.
54. *Olion*, t.58.
55. *Synfyfyrion*, t.69.
56. LlGC, THPW, CH 77.
57. Ibid., CH 223.
58. Ibid., CH 357–64.
59. Ibid., CH 194.
60. Ibid., CH 412.
61. 'Cyffes y Bardd', *Cerddi'r Gaeaf* (Gwasg Gee, 1952), tt.16–17.
62. Y mae'r hanes yn gyflawn yn Bedwyr Lewis Jones (golygwyd a chwblhawyd gan Gwyn Thomas), R. *Williams Parry* (Gwasg Prifysgol Cymru, 1997), tt.127–40, gan gynnwys sylw siomedig Bob Parry ynglŷn â'r ffaith fod 'Tom' wedi gwrthod arwyddo deiseb staff y Brifysgol yn protestio yn erbyn diswyddiad Saunders Lewis wedi iddo gael ei ddedfrydu i garchar: 'Methaf â deall Tom'. Yr oedd Parry-Williams, fel mater o ffaith, wedi arwyddo llythyr cynharach a anfonwyd at y prif weinidog yn protestio'n erbyn sefydlu'r Ysgol Fomio yn y lle cyntaf.
63. Telyneg ddi-deitl gan William Wordsworth, yn dechrau gyda'r llinell: 'A slumber did my spirit seal', yn *Wordsworth: poetical works*, gol. Ernest de Selincourt, arg. newydd, gol. Thomas Hutchinson (Gwasg Prifysgol Rhydychen, 1969), t.149.
64. *Synfyfyrion*, tt.57–62.
65. Ibid., tt.47–9.
66. Ibid., tt.37–41.
67. Ibid., t.71.
68. Ibid., t.83.
69. Ibid., t.84.
70. Ibid., t.87.
71. Ibid., tt.43–6.
72. Ibid., tt.11–18.
73. Ysgrifennwyd *Lyrical Ballads* ar y cyd gan Wordsworth a Samuel Taylor Coleridge, a'u cyhoeddi ym 1796. Ystyrir y Rhagair i'r gyfrol yn fath o faniffesto i'r mudiad rhamantaidd yn Lloegr.
74. LlGC, THPW, I 135.
75. Ibid., CH 413.
76. Ibid., CH 414.

77. Ibid., CH 415.
78. Ibid., CH 357–64.
79. Ibid.
80. Ibid.
81. Ibid.
82. Ibid.
83. Ibid.
84. Ibid.
85. LlGC, THPW, CH 413.
86. *Cofnodion a Chyfansoddiadau Eisteddfod Genedlaethol Dinbych* (1939).
87. LlGC, THPW, CH 146.
88. Teg nodi, wrth reswm, fod 'Amy Thomas' wedi'i sefydlu'i hun yn ddiweddarach fel awdur storïau byrion.
89. Llythyr y deuthum ar ei draws mewn copi ail-law o *Hen Benillion*, wedi'i ddyddio 18 Mehefin 1940.
90. Llythyrau mewn llawysgrif oddi wrth Prosser Rhys, T. H. Parry-Williams a D. Llywelyn Jones ynghyd â llythyrau eraill ynglŷn â'r Clwb Llyfrau Cymreig sydd yn fy meddiant.
91. 'Pen yr Yrfa', *Lloffion* (Clwb Llyfrau Cymreig, 1942; ail arg. 1947), tt.59–62.
92. 'Awen', ibid., t.86.
93. 'Ffynnon', ibid., t.87.
94. 'Ymwelydd', *Cerddi*, t.55.
95. 'Diolchgarwch', *Lloffion*, t.90.
96. 'Ofni', *Lloffion*, t.92.

Pennod Pump

1. Menai Williams, 'Atgofion Myfyriwr VI', *Y Traethodydd*, 130 (Hydref 1975), t.289–92.
2. *O'r Pedwar Gwynt* (Clwb Llyfrau Cymreig, 1944), tt.23–5.
3. Ibid., tt.16–18.
4. Ibid., tt.48–51.
5. Ibid., tt.45–7.
6. LlGC, THPW, CH 143.
7. LlGC, THPW, CH 418.
8. *Cerddi'r Gaeaf* (Gwasg Gee, 1952), t.53.
9. LlGC, THPW, CH 420.
10. *Cyfansoddiadau a Beirniadaethau Eisteddfod Genedlaethol Dolgellau* (1949), tt.73–4.
11. *Cyfansoddiadau a Beirniadaethau Eisteddfod Genedlaethol Llanrwst* (1951), t.73.
12. LlGC, THPW, D 70.

13. 'Hon', *Ugain o Gerddi* (Gwasg Aberystwyth, 1949), t.12.
14. 'Yr Addewid', ibid., t.20.
15. LlGC, THPW, D 81.
16. Ibid., D 82.
17. 'Ymwacâd', *Ugain o Gerddi*, t.14.
18. Ibid., t.32.
19. Ibid., t.11.
20. Ibid., t.18.
21. 'Atgno', *Cerddi* (Gwasg Aberystwyth, 1931; ail arg., Gwasg Gomer, 1948), t.59.
22. LlGC, THPW, LL 1–26.
23. Ibid., CH 60–76.
24. Ibid., CH 202.
25. Ibid., CH 379.
26. Ibid., CH 426.
27. Islwyn Jones, 'Atgofion – Aberystwyth, 1949–52', *Cyfrol Deyrnged Syr Thomas Parry-Williams*, gol. Idris Foster (Llys yr Eisteddfod, 1967), t.127.
28. Thomas Jones, 'Yr Ysgolhaig', *Cyfrol Deyrnged*, tt.85–95.
29. Gwelir rhestr gyflawn o'r geiriau a osododd Parry-Williams i gerddoriaeth yn llyfryddiaethau Dr David Jenkins, i'w gweld yn *Cyfrol Deyrnged*, tt.139–55 ac yn Y *Traethodydd*, 130 (Hydref 1975), tt.273–5.
30. 'Colli Robert Williams Parry', *Myfyrdodau* (Gwasg Aberystwyth, 1957; ail arg. 1966), tt.65–8.
31. 'Borshiloff', *Myfyrdodau*, tt.11–16.
32. Alun Llywelyn-Williams, adolygiad ar *Myfyrdodau*, yn Y *Faner* (3 Ebrill 1958).
33. *Myfyrdodau*, tt.17–33.
34. Ibid., tt.34–40.
35. Ibid., tt.50–6.
36. Ibid., tt.57–64.
37. Ibid., tt.102–5.
38. Ibid., t.120.
39. LlGC, THPW, LL 51–2.
40. Ibid., LL 53.
41. Ibid., CH 92.
42. Ibid.
43. Ibid.
44. Cynan, 'Llywydd Llys yr Eisteddfod Genedlaethol', *Cyfrol Deyrnged*, t.133.
45. *Pensynnu* (Gwasg Gomer, 1966), tt.9–12.
46. Ibid., tt.41–7.
47. Ibid., tt.69–74.
48. Ibid., tt.87–90.
49. LlGC, THPW, CH 92.

Mynegai

DICTIONARY OF
SCIENCE
FOR EVERYONE

BLOOMSBURY

DICTIONARY OF

SCIENCE

FOR EVERYONE

HERMAN **SCHNEIDER** & LEO **SCHNEIDER**

Jacket picture photographed by Ruth Bayer with kind permission of the laboratory of Molecular Biology (Department of Crystallography), Birkbeck College, London.

First published in Great Britain, 1989 by Bloomsbury Publishing Limited, 2 Soho Square, London W1V 5DE.

10 9 8 7 6 5 4 3 2 1

British Library Cataloguing in Publication Data

Bloomsbury dictionary of science for everyone
  1. Science — Encyclopedias
  I. Schneider, Leo II. Schneider, Herman
  503'.21

ISBN 0 7475 0340 0

Designed by Panic Station
Printed in Great Britain by Butler and Tanner, Frome, Somerset

Preface

This book is intended for two types of readers:

1. Scientists
2. Non-scientists

Type 1 is exemplified by a renowned geologist friend who frankly admits that all he knows about DNA is that it has to do with heredity and life, that Watson and Crick got the Nobel Prize for it — and that the details are beyond him unless he invests more time and trouble than he can spare.

Type 2 is exemplified by an exasperated neighbour who phoned recently (of which more in a moment). In general, non-scientists find that even when they don't exactly seek out science, science seeks them out, in a variety of media and messages:

- The TV weatherman points regretfully to an *occluded front* on the map. What's a front? How is it occluded? Why does he regret it? What will it do to your plans for a day at the beach?
- A newspaper columnist surmises that the power of OPEC may be broken by the power from *tokamak.* OPEC — that's clear, but tokamak? Will it give you more miles per gallon, or what?
- The youthful-looking lady in the full-page, full-colour magazine ad coyly confesses she's a grandmother; she owes her baby-skin complexion to the scientific catalytic hormone formula in Preparation Q Scientific? *Catalytic? Hormone?* Will it give *you* a baby complexion? Do you want a baby complexion?
- The obituary section reports the career of a *microbiologist* internationally known for research in *ribonucleic acid, deoxyribonucleic acid,* and *genetic mutations.* The genetic item arouses a sense of fuzzy familiarity, enough to make you wish you understood the other words.

You can't escape science — nor probably do you want to. You just wish its language would come into focus a bit more sharply. There's that fuzzy area around *nuclear.* Is it a threat? Is it related to the nucleus of a cancer cell? A cheap pocket calculator is described as containing over 20,000 electronic *transistors.* But isn't a transistor a gadget that emits screechy music and incomprehensible news reports? Is electronic the same as electric?

Of course, there's the traditional way out of this puzzlement. Look it up in the dictionary, encyclopedia, or similar reference book. That, in fact, was the motivating force behind this book; it originated in a spirit of wholesome, creative exasperation.

The aforesaid neighbour phoned, reporting on the search for a definition of *entropy*. The word had appeared in a news article about sunspots, lightly explained. Seeking a bit more depth, he found the following definitions:

In his standard dictionary:

> **en.tro.py** (ĕn'trə-pē) *n.* 1. A measure of the capacity of a system to undergo spontaneous change, thermodynamically specified by the relationship $dS = dQ/T$, where dS is an infinitesimal change in the measure for a system absorbing an infinitesimal quantity of heat dQ at absolute temperature T. 2. A measure of the randomness, disorder, or chaos in a system specified in statistical mechanics by the relationship $S = k\ln P + c$, where S is the value of the measure for a system in a given state, P is the probability of occurrence of that state, and k is a fixed and c an arbitrary constant. [German *Entropie:* Greek *en-*, in + *tropē*, a turning, change (see trop-^{2} in Appendix*).]

In a science dictionary:

> **entropy,** n. [Phys.]. In a THERMODYNAMIC system the measure of the amount of heat ENERGY in it which it is not possible to make use of by changing it into MECHANICAL WORK, given as the RATIO of the amount of heat present to the TEMPERATURE.

In a one-volume encyclopedia:

> **ENTROPY**, en'trə-pē, is a measure of disorder or randomness in a physical system or, in information theory, a measure related to the information content of a message. The term 'entropy' was coined by the German physicist Rudolf Clausius in 1865 to denote a thermodynamic function, which he had originally introduced in 1854, that tends to increase with time in all spontaneous natural processes. This property of entropy led Clausius to his famous paraphrase of the first and second laws of thermodynamics: 'The energy of the universe is constant. The entropy of the universe tends toward a maximum'.

In a 20-volume 'home encyclopedia':

> **Entropy** The *entropy* of a system is a measure of its disorder, and in any change affecting a closed system the entropy can only *increase,* as in the above example. This is another way of stating the Second Law (due originally to Clausius, who first introduced the idea of entropy in 1865), and it is interesting because it defines the direction of TIME. Most of the laws of physics would be equally valid if time ran backwards: for instance, a film of a swinging pendulum would be indistinguishable from the same film run backwards, but if a process involving an entropy change occurs (such as the stopping of the pendulum by air resistance or friction) it is immediately obvious which way the film should be run.

In a book of science essays for the general reader:

> In Ludwig Bolzmann's formulation the relationship between entropy S and order is given by the expression $S = k \log W$, where k is the universal Bolzmann constant and W the probability of the prevailing configuration of the system. Where the probability of a given configuration is unity, there is no possibility of alternative configurations. Under the circumstances, the entropy of the system is of course zero (remembering that $\log 1 = 0$). Such is the case of a perfectly pure crystal at 0°K (absolute zero), where heat motion is at a standstill.

In a dictionary of technical terms:

> **en'tropy** *(Phys.).* A thermodynamic conception that, if a substance undergoing a reversible change takes in a quantity of heat dQ at temperature T, its *entropy* is increased by $\dfrac{dQ}{TQ}$

Now the purpose of this preface is not to beat horses, whether dead or alive, but to point out some cogent facts:

- The definitions of *entropy* are most comprehensible to the person least needful of them: the reader with a good science background.
- All the definitions are entirely correct, as any physicist would agree. Yet the emphasis and treatment are so varied as to give the effect of relating to different words — a kind of six-blind-men-and-an-elephant approach.
- All were written with the laudable goal of being impersonal and objective — 'scientific' — thus omitting mention of the profound significance of entropy, the most wide-reaching physical event in the universe.

So that's how this book was nudged into being. We selected more than 1000 common words of science, according to the following criteria:

- *Statistical importance.* Over a period of time, we tracked the frequency of occurrence of terms in a number of widely read magazines and newspapers, and in TV and radio broadcasts.
- *Portmanteau value.* Some words were chosen because they are good containers; they enabled us to develop a whole sequence of related terms with maximum efficiency and minimum grief. For example, the phrase *elementary particles,* while relatively low on the frequency list served as a fine basket for carrying protons, electrons, mesons, bosons, gluons, quarks, and numerous other tiny items currently hot in science. However, if all you want is a bit about quarks, *sans* historical development from Democritus on, just look among the Q's.
- *Whim (see* ALPHANUMERIC).

- *Door-opening value.* Some science concepts are easy to understand in their basic form, yet they open doors to much more complex and sophisticated applications of the same principle. Thus the concept of *resonance* can be understood by swinging four sugar cubes from a thread. What we observe helps us to understand how a microwave oven cooks a potful of soup without heating the pot, how the turning of a knob selects a single radio programme out of the hundreds clamouring for admission, and how an astronomer determines that a certain star contains a specific percentage of iron in its atmosphere.

Now for a final word or two about this alphabetical list of word definitions, this dictionary. *It's a bargain!* Unlike most dictionaries, this one will not suffer from rapid obsolescence. Consider what has happened in recent years to the meanings of some non-science words: *soap, gay, snow, hash, coke.* Or look at the long-term turnaround in a word such as *rival,* which in the 14th century meant the fellow who shares the river (Latin, *rivalis*) with you. Then the river part dropped out, leaving only the sharing, as in *Hamlet:*

> If you do meet Horatio and Marcellus,
> The rivals of my watch, bid them make haste.

Then the sharing idea turnèd around to competing, as with two suitors, rivals for a lady's hand, who shared only a desire for the lady. Think of all those words in that expensive *Oxford English Dictionary,* changing meaning under your very eyes, nibbling away at your investment.

But never in science! (Well, hardly ever.) In science, a rose is a rose is a rose — or to put it more scientifically, a flower of the family Rosaceae is a flower of the family Rosaceae is a flower of the family Rosaceae. And a quark is a quark is a quark — anywhere, anytime, under any political system. So this little book should retain its value, on and on and on, a continuing bargain.

At least until the next edition.

Note

'billion' is used throughout to denote 'a million millions' and 'trillion' 'a million million millions'.

ABLATION   *See* SPACE TRAVEL

ABSOLUTE MAGNITUDE   *See* MAGNITUDE

ABSOLUTE ZERO

The coldest possible temperature. It has never been achieved, although physicists have come within a few millionths of a degree. That ultimate bottom temperature is $-273.15°C$ ($-459.7\,°F$).

Temperature is a measure of the agitation of the molecules of matter: much agitation = higher temperature; less agitation = lower temperature; virtually no agitation = lowest temperature.

In 1848 Lord Kelvin, a Scottish physicist, proposed a temperature scale that avoided negative numbers, such as '40 below zero', or '−40 degrees'. On Kelvin's scale the lowest possible temperature was labelled the zero point, hence 'absolute zero'. One unit, or degree, on this scale, is called a *kelvin,* and it is equal to one degree on the Celsius scale. Thus the freezing point of water, 0° Celsius (abbreviated to C), is 273 kelvins (abbreviated to K). The boiling point of water, 100°C, is 373 K.

AC   *See* DC AND AC; RADIO

ACETYLCHOLINE   *See* ALZHEIMER'S DISEASE

ACIDOSIS   *See* DIABETES

ACID RAIN

A perfect proof that 'no man is an island, entire of itself' — no man, and no product of the human race, no engine, no fuel-burning power plant, no factory whose waste products are emitted into the atmosphere.

A power plant burning high-sulphur coal, belches tons of sulphur dioxide and other gases daily from its chimneys into the wind, blowing far and wide. The sulphur dioxide gas combines with water vapour in a series of chemical reactions that result in the production of sulphuric acid. This strong acid may end up in rainwater falling on a field hundreds or thousands of miles away where it upsets the chemical balance of the soil or, flowing farther, may turn a lake into a watery desert, empty of plant or animal life.

Similarly, a steady stream of traffic clogs the air with pollutants — chiefly carbon monoxide, lead, and oxides of nitrogen. The nitrogen oxides combine with water vapour in the atmosphere to form nitric acid, which falls as the not-so-blessed rain. Countries such as the United States, Japan, and Sweden now equip their cars with unleaded petrol and catalytic converters (see CATALYSIS AND CATALYSTS) in an effort to clean up this aspect of air pollution.

In the late 1980s an EEC directive approved by Britain required countries to reduce emissions of sulphur dioxide from electric generating plants by the year 2003. The US Congress was considering tightening controls over emissions from power stations and other industrial sources.

Even before people came on the scene, pollutants were present in the atmosphere, emitted by volcanoes, geysers, marshes, and soil bacteria, but in nowhere near the quantities that today produce acid rain.

ACOUSTICS

There's more to this than meets the ear, for acoustics (Greek *akouein,* to hear) includes not only the reception of sounds but also their production, transmission, and uses. *Musical acoustics* is concerned mainly with the design and production of musical instruments — and all hail Antonius Stradivarius (1644–1737) of Cremona, Italy. *Engineering acoustics* deals with the more technical aspects of sound production: sound systems and their components — microphones, headphones, amplifiers, loudspeakers. *Architectural acoustics* is the nightmare field dealing with the design of enclosed spaces, particularly auditoriums and concert halls, for the achievement of optimum sound transmission and reception — nightmare because its principles are not entirely clear, and a mistake is no easy matter to rectify. *Environmental acoustics* deals with the problems of noise control and noise pollution, an increasingly important subject in this era of growing traffic din and higher-powered electronically produced sound. *Noise insulation engineering* is a subdivision of this.

ACQUIRED IMMUNE DEFICIENCY SYNDROME   See AIDS

ACTIVE SONAR   See SONAR

ACUPUNCTURE

Originally an ancient Chinese practice for relieving pain and treating some kinds of disease. In the early 1970s acupuncture gained supporters in the Western world as a method of inducing anaesthesia without the use of chemicals. A patient under acupuncture anaesthesia remains conscious during surgery, apparently without significant pain.

In acupuncture (Latin *acus,* needle + English *puncture*) thin needles are inserted just under the skin at some of the hundreds of designated acupuncture points. These are places where networks of nerves are accessible, as in the toes, palms of the hands, earlobes, and face. The points are specific for the condition; for example, a trained acupuncturist treating facial pain places the needles at certain points on the hands and feet as well as the face. The needles are usually twirled by hand, but sometimes a low-voltage electric current is passed through them (clearly not a part of the ancient method). In one high-technology needleless variation, a LASER beam penetrates the skin to the depth usually reached by the needles.

One concern about acupuncture is that although the method is not itself harmful, it may, by relieving a patient's pain, divert attention from some serious disorder. The reasons for the pain-deadening effects of acupuncture are not known.

ACYCLOVIR   *See* HERPESVIRUS DISEASES

ADENINE   *See* DNA AND RNA

ADRENAL GLAND   *See* HORMONE

ADRENALINE   *See* ANGINA PECTORIS; HORMONE

ADRENOCORTICAL HORMONES   *See* STEROIDS

ADSORPTION RATE   *See* ANALYSIS

ADVENTITIA (OF ARTERIES)   *See* ARTERIOSCLEROSIS

AERODYNAMICS

The science dealing with the flow of air and other gases and the motion of objects through them. The most frequent application of aerodynamic principles is in the design of aeroplanes: self-propelled, fixed-wing, heavier-than-air flying vehicles. This definition includes just about every flying machine you're likely to see while your captain awaits his turn on the runway. Aerodynamics also concerns nonaeroplane flying vehicles, such as helicopters (rotating wings), gliders (not self-propelled), and balloons (lighter than air).

The exterior of an aeroplane is designed to slide through the air with the greatest of ease. This is accomplished by avoiding assaults on the surrounding atmosphere. A smooth, rounded, tapered shape insinuates the aeroplane's way with a minimum of disturbance, whereas angular, abrupt shapes would break up the air into ragged little turbulent eddies, producing friction, called *drag,* that slows up flight and wastes power. A diagram of a plane shows the streamlined shape of the body — the *fuselage* (Old French *fusel,* spindle), and of the engine covers, the *cowlings* (Old English *cule,* hood). Notice, however, that the wheels and undercarriage — the *landing gear* — are not streamlined. Streamlining is unnecessary because the landing gear is tucked out of the way of the airstream soon after lift-off.

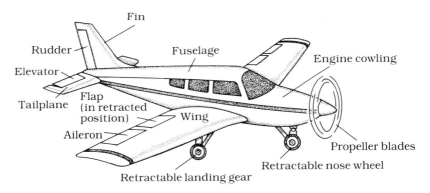

The wing is made of an ALLOY (a mixture of metals) that is stronger and more durable than aluminum and only slightly heavier.

Notice that the wing's upper surface is curved. This contributes to its AEROFOIL shape, which produces lifting power, or *lift,* when moved through the air (or when air moves against it). How this is accomplished is the subject of the following nonmathematical, too-brief points 1–4, which may be skipped and nevertheless permit on-time departure:

1. Air is a gas. Its molecules are in constant wild agitation in all directions, colliding with each other and with nearby surfaces. This motion produces air pressure.
2. Air pressure pushes down against the peaceful-looking upper wing surface. Underneath the wing, an equal air pressure is pushing upwards. The two pressures, downward and upward,

cancel out. Therefore there is no lift in the wing of a stationary aeroplane.

3. If we could reduce the downward pressure on top, the wing would begin to have lift. Reduce the pressure enough and we could overcome the pull of gravity and fly! But how to reduce the downward pressure?

4. We cleverly produce something called the BERNOULLI EFFECT. The 'we' is not editorial, for it is about to include you. Cut a 12.5- by 20-centimetre (5- by 8-inch) piece of newspaper. Hold it by two corners of one narrow side. Notice how the sheet droops in a curve, like the front portion, called the leading edge, of the wing. Now blow horizontally across the front. Watch the paper lift up vertically. A horizontal force such as your breath, exerted against a properly shaped surface, can produce a vertical effect — lift. You moved air against a stationary sheet of paper. You can get the same effect by moving the paper against stationary air, which is a closer parallel to aeroplane flight.

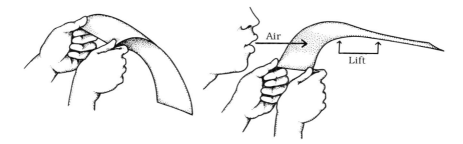

Look at the rear portion, called the trailing edge, of the wing to find two sets of movable surfaces — one set on the right wing, another on the left wing. The inboard pair are the *flaps*. These surfaces are auxiliary wings, to add to the total area of the lifting surface. The added wing area gives added lift, needed during the comparatively slow speed of takeoff. As soon as good flying speed is reached, the flaps are retracted into the hollow space in the main wing. The flaps reemerge to give added lift and braking force during the landing approach.

The outboard pair of movable surfaces are *ailerons* (French, little wings). These move in opposed fashion: When the left aileron moves up, the right one moves down, and vice versa. The effect is to *bank,* or tilt, the aeroplane during turns to prevent skidding, just as a bicycle rider leans when turning.

At the rear ot the plane is the tail assembly, or *empennage* (French, feathers on an arrow). The empennage consists of two sets of surfaces, one set fixed and one set movable. The fixed set acts like the feathers of an arrow, to give stability — straight flight. It consists of the *fin* and the *tailplane,* each acting in its own axis. The movable surfaces are the *rudder,* which, like the rudder on a ship, steers right and left, and the *elevator,* which tilts the aeroplane upward or downward.

TAIL ASSEMBLY

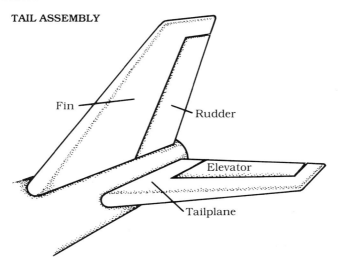

Fin

Rudder

Elevator

Tailplane

Finally, if we're to take off, we need some sort of propulsive mechanism, which fortunately is there, in the form of one or more engines, driving one or more fans. Yes, fans. Put an electric fan on a little wheeled platform like a skateboard. Turn it on and watch. The fan propels a stream of air in one direction and propels itself and its platform in the other. If you're flying on a propeller-type plane, the

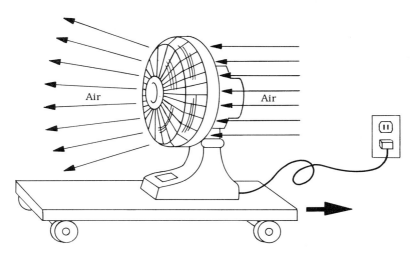

Air

Air

fans (one or more) are quite evident, with their big blades. Driven by engines, they push air backward and simultaneously force the aeroplane forwards. (Newton's third law of motion: a force exerted in one direction produces an equal force in the opposite direction.)

But where are the fans (propellers) on a jet plane? They're inside, hidden by the cowlings. There are several in each engine. The fans are lined up one behind the other, all mounted on the same shaft. The front fan receives outside air and forces it back to the second fan, which adds pressure to it, then to fans three and four, and so on. When the stream of air finally exits from the last fan, it is under tremendous pressure, which is boosted still further by burning the air with the engine fuel. Under tremendous pressure, the burning gases are forced past turbine blades, causing them to turn the shaft. Finally the air is blasted out to the rear in an ultrapowerful stream, or jet. Action and reaction: the jet of hot exhaust gas and compressed air exerts its force backward and simultaneously pushes the engines (and the attached plane) forwards.

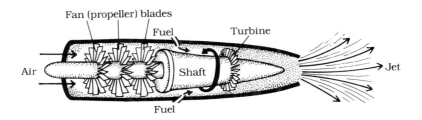

AEROFOIL

Narrowly defined, a body, such as an aeroplane wing, shaped so that its movement through air produces a lifting force; more broadly, any body shaped so that its movement through a FLUID (usually air or water) produces a desired motion or effect. Some examples of aerofoils are propellers, rudders, wing flaps, windmill vanes, and sails on a sailing boat.

See also AERODYNAMICS.

AEROPLANE   *See* AERODYNAMICS

AGC   *See* AUTOMATIC GAIN CONTROL

AGENT ORANGE   *See* DIOXINS

AI   *See* ARTIFICIAL INTELLIGENCE

AIDS

Acronym of Acquired Immune Deficiency Syndrome, a virus-caused disorder of the IMMUNE SYSTEM. The virus destroys the body's ability to fight disease-causing agents, leaving the victim susceptible to opportunistic diseases, diseases that rarely affect people with normally functioning immune systems. Examples of such diseases are *Pneumocystis* pneumonia, the leading cause of death among AIDS victims; an unusual type of tuberculosis; and Kaposi's sarcoma, ordinarily a rarely seen type of cancer. The virus may also invade and damage the brain. So far as is known, AIDS is always fatal. The AIDS virus also causes *AIDS-related complex* (ARC), a condition with less severe symptoms that often precedes full-blown AIDS.

AIDS was first identified in the United States in 1981. By mid 1988:

- 111,000 cases of full-scale AIDS had been reported to the World Health Organization of the United Nations, by 140 countries, of which more than 52,000 were from the United States. More than half of the victims had died. Estimates put the number of cases in African countries up to ten times higher than those reported.
- Hopes for early development of a vaccine had faded for a number of reasons. First, the virus changes its genetic nature (mutates) with extraordinary rapidity. Also, although the immune system produces antibodies against AIDS, as it does against other diseases, the antibodies do not protect the victim. It was expected that the next few years would see the start in Britain of trials on humans of possible components of a vaccine.
- Researchers used *azidothymidine* (AZT), a synthetic drug, to decrease the intensity of the disease and prolong life. However, they stressed that AZT is not a cure, and that it can have severe side effects. They were also testing AZT in people infected with the virus but not yet showing signs of illness. Like many other recently developed synthetic drugs, AZT is extremely expensive.
- After a slow start, trials on humans of more than 40 other drugs were under way. Some of these were designed to attack the AIDS virus, and others were intended to stimulate and strengthen the immune system. Clinical trials of a drug called *ditiocarb* showed promising results in delaying the onset of AIDS in people infected with the virus. Unlike AZT, ditiocarb appears to have only minor side effects.
- No AIDS victim was known to have regained his or her immunity naturally.
- At first, about 70% of the cases reported were young American

homosexual and bisexual men. Intravenous drug users sharing contaminated needles and haemophiliacs who received blood transfusions were also high-risk groups. But the picture changed rapidly. The rate among homosexuals fell sharply as many of them modified their sexual behaviour, while the rate among drug users rose. Screening of blood donors was introduced. In Europe and the United States the rate of infection in the general population was very low, but was rising slowly. In Africa the rate among heterosexuals was spreading rapidly.

- The virus had been identified in laboratories in the United States and in France. It has been known by several names, but the name most widely used is *human immunodeficiency virus* (HIV).
- Tests for AIDS were in use, albeit with serious limitations. The tests detect antibodies developed in response to the virus rather than the virus itself. Most individuals testing positive (HIV+) have no symptoms and may not develop AIDS for years, if at all, yet can infect others. A test may sometimes give a false positive result even when no antibodies are present. Conversely, a recently infected individual who has not had time to develop antibodies would test negative. Nevertheless, the tests are valuable, especially in screening blood intended for transfusions.

The evidence indicates that AIDS is transmitted only in semen, blood, and vaginal secretions during sexual contact, through sharing of contaminated needles among intravenous drug users, by the transfusion of contaminated blood, or by an infected mother to her baby before or during birth. Nevertheless, the very long incubation period — 5, 10, or even more years may pass after infection, before symptoms appear — the difficulty of compiling accurate statistics, and the limitations of the tests have combined to produce widespread (though entirely unrealistic) fears of infection through casual contact.

The scientific and medical problems of AIDS are paralleled by equally difficult social, political, and economic questions. For example:

- Mandatory testing for AIDS is advocated by many well-intentioned people. But who should be tested? Applicants for jobs, insurance, or marriage licences? Homosexuals? Prisoners? Prostitutes? Drug addicts? Everybody?
- In view of the relatively large numbers of false positive and false negative results, how should the test results be used? Should identities of those testing positive be revealed, possibly subjecting them to discrimination in finding housing, employment, or insurance?

- Should doctors be required to report positive results, to protect a patient's sex contacts?
- What can or should be done about people with AIDS who knowingly infect others?
- How should we deal with the problem of dentists, doctors, and other health personnel who refuse to treat AIDS patients?
- Education about 'safe sex' conflicts with the strongly held religious and moral views of many people. Can those views be accommodated in the face of an epidemic?
- Many experts advocate distribution of clean needles at no cost to drug users, to prevent infection through shared needles. Would, or do, legally elected and appointed government authorities doing this seem to sanction drug use, an illegal act? By late 1988 local health authorities in England and Wales were being encouraged and given extra finance by the government to set up schemes to provide sterile syringes.
- The cost of AIDS research, education, and treatment is enormous and increasing — by 1991 the British Medical Research Council expects to be spending over £14 million per year on research, and New York City expects to be spending $1 thousand million per year on treatment of AIDS patients. Who should pay?

The list of questions could go on and on, and unfortunately there are no easy answers to any of them.

AILERONS

Movable control surfaces on an aeroplane or glider wing, used to bank (tilt) the aircraft when making a turn.
   See also AERODYNAMICS.

AIR MASS ANALYSIS

The study of the earth's atmosphere by sections (air masses) having distinct characteristics of temperature, pressure, and humidity. While such study may at first evoke a 'So what?' response, it actually represents a turning point in the understanding and forecasting of weather, known as the science of *meteorology*. Formerly, meteorology was based on surface phenomena, a kind of sophisticated 'red sky at morning, sailor take warning' approach. With the development of the air mass theory — by several meteorologists, with major credit to Norwegian physicist Vilhelm Bjerknes (1862–1951) and his son Jakob (1897–1975) — the science was placed on a three-dimensional global basis.

According to the air mass theory, there are about 20 'breeding grounds' of atmospheric conditions throughout the world. These are areas where large masses of air (800 kilometres/500 miles or more in diameter and 3.2 kilometres/2 miles or more high) remain stationary for weeks at a time, acquiring the characteristics — temperature, moisture, and density — of that area, and then move on, propelled by prevailing winds, the earth's rotation (*see* CORIOLIS EFFECT), buildups of pressure and temperature, and other natural forces.

One of these breeding grounds lies over the Caribbean tropical seas; its offspring emerge moist and warm — and in autumn, in their most squalling form, as hurricanes. Another source of air masses, the subarctic Canadian Plains, gestates cold, dry air masses. And there are many others, in various parts of the earth, in various seasons, giving rise to air masses of these classifications: (1) *tropical maritime* (e.g., the Caribbean); (2) *polar continental* (e.g., the subarctic Canadian Plains); (3) *tropical continental* (e.g., over the Sahara), hot and dry; and (4) *polar maritime* (e.g., over the Arctic Ocean), cold and somewhat moist. There are lesser subdivisions as well; all play roles of varying significance in the earth's major climate patterns and events.

As air masses leave their breeding grounds, they bring their meteorological conditions to the earth surface over which they travel, interacting with it, blending with local air, and gradually losing their characteristics. The weather they bring, as simple air masses, tends to be steady and uniform for several days at least; it does comparatively little to distract the forecasters from their crossword puzzles. What captures their interest most is a confrontation between two air masses, along a battle line called, naturally, a *front*.

There are four basic types of fronts: cold, warm, stationary, and occluded. The labelling is based on which air mass is claiming victory.

Cold front An advancing cold air mass forcing a warm air mass to retreat. Cold air, being denser and heavier, presses in under the warm mass in a wedge. (The wedge is much flatter than the one shown here.) Along the front, cold air causes moisture in the warm mass to condense and form clouds and perhaps rain or snow. The advance of the wedge shows up as higher and higher clouds, until finally cool, clear settled weather prevails, usually until it is succeeded by a warm front.

Warm front The forerunner of a warm air mass pressing forward against a retreating cold mass. Warm air being lighter, the front is a backward-facing wedge, squeezing its way over the cold mass. If the warm mass is moist, it is chilled along the front, forming clouds and rain. Clues to a warm front are lower and lower clouds, often

COLD FRONT

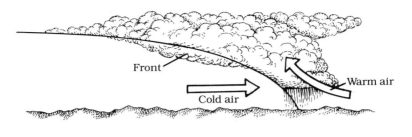

WARM FRONT

OCCLUDED FRONT

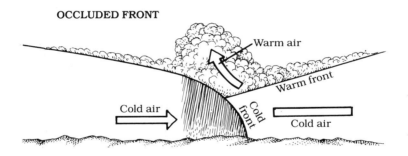

persisting until a general mean drizzle prevails. When relief arrives, it is usually brought by a new cold air mass, heralded by cold-frontal conditions. Either way, the passage of a front always brings a weather change. However, sometimes there may not be enough pressure difference between the huff of the cold mass and the puff of the warm mass to produce a satisfactory advance or retreat, in which case we have a stationary front.

Stationary front A self-explanatory, self-annihilating situation, terminating in a mingling, or homogenization, of former enemies. However, a different result may occur, a kind of *ménage à trois* called an occluded front.

Occluded front A warm mass, pushed backwards by a cold mass, and encountering another cold mass that refuses to budge. Having nowhere to go but up, the warm mass does that, supported on the strong shoulders of the two cold masses, closed off from life below (Latin *occludere,* to close off). Such a front is a stagnant bore, especially over air-polluted cities, until relief arrives.

Air masses and fronts carry identification badges — clouds of specific shapes, degrees of whiteness, altitude, and duration. A study of cloud clues is beyond the province of this book but is available in many popular-level books on meteorology.
See also WATER CYCLE.

AIRPORT METAL DETECTORS
See MAGNETIC RESONANCE IMAGING

AIR SACS   See EMPHYSEMA AND BRONCHITIS

AIRSHIP   See BALLOON

ALANINE   See PROTEINS AND LIFE

ALGEBRA   See BOOLEAN ALGEBRA

ALGOL   See ALGORITHM; COMPUTER LANGUAGE

ALGORITHM

A procedure involving a series of steps, often of a yes-or-no form, used in mathematics, logic, and computer programming. The term is derived from al-Khuwārizmi, the surname of the 9th-century Arab mathematician who developed the formal rules of algebra. Here are two arithmetic examples, using the algorithm for division:

$$\frac{132}{3\overline{)402}} \qquad \frac{93}{3\overline{)279}}$$

Question: Does 3 go into the first digit at least once? *If yes,* write the number of times, and apply the remainder, if any, to the next digit to the right. *If no,* try the first two digits, write down the result, and apply the remainder to the next digit to the right, and so on.

Yes-and-no questions, followed by command sequences, make up the algorithms in all arithmetic processes.

A meteorologist working out the day's weather forecast uses dozens of different algorithms for calculating air temperature, dew point, humidity, and so on, but his labours are much lightened by loading his computer with ALGOL, the *al*gorithmic-oriented *l*anguage. ALGOL contains thousands of scientific and technical algorithms, available at a typed command.

ALLERGY *See* IMMUNE SYSTEM

ALLOY

A mixture of two or more metals, to obtain or increase some desirable quality. Copper and zinc, for example, are alloyed to make brass, which is easier to machine and more resistant to corrosion. Some alloys are made by adding a nonmetallic substance to a metal. For example, iron, a brittle metal, is hardened by the addition of a very small percentage of carbon, forming steel. Another alloy, Duralumin, is widely used in aircraft because it is stronger, more durable, and only slightly heavier than aluminum. It is mainly aluminum, with small amounts of copper, magnesium, and manganese.

ALPHA CELL *See* DIABETES

ALPHANUMERIC

Containing both alphabetical and numerical information. Your telephone bill is alphanumeric. A love letter is usually not.

ALPHA PARTICLE

The nucleus of the helium atom, consisting of two protons and two neutrons. Several substances undergoing radioactive decay emit these particles.
    See also ELEMENTARY PARTICLES; RADIOACTIVITY.

ALPHA WAVES *See* ELECTROENCEPHALOGRAPH

ALTERNATING CURRENT *See* DC AND AC; RADIO

ALTERNATING CURRENT, GENERATION OF
See GENERATORS AND MOTORS, ELECTRIC

ALTERNATOR

Any electrical generator that produces an alternating current, or AC. Let us look at one special kind of alternator, the type used in motor cars.
    Formerly, a car battery was used only to provide electric power for lights, the ignition system, starting, and similar basic jobs. The

battery had to be recharged. This could be done only with direct current (DC), so a DC generator, driven by the car's engine, was used.

Today, the basic jobs, plus electric windows, brighter headlights, cassette players, rear-window defrosters, fans, and other power-hungry conveniences, demand much more electricity. A DC gener-ator's output is not adequate during stop-and-go and idling speeds. An AC generator could do the job, if only it produced the right kind of current. Enter the alternator. It generates AC, which is changed to DC by a rectifier, a device that allows current to flow in one direction only.

See also DC AND AC; GENERATORS AND MOTORS, ELECTRIC; SEMICONDUCTOR.

ALVEOLI   See EMPHYSEMA AND BRONCHITIS

ALZHEIMER'S DISEASE

A brain disorder occurring mainly among elderly people; it has also been called, or associated with, senile psychosis, senile dementia, and senility.

One prominent symptom of the disease is progressive loss of memory (this, however, can also be a normal part of aging). The patient suffers from impaired judgment, confusion, and irrational ideas.

The cause of the disease is unknown. One proposed explanation which has received a lot of attention holds that Alzheimer's is an autoimmune disorder, in which the body's IMMUNE SYSTEM causes the damage.

Certain kinds of cells in the brain of a person with Alzheimer's disease atrophy (waste away) and die. These cells are known to produce a neurotransmitter called *acetylcholine.* Neurotransmitters are substances that are involved in generating and transmitting nerve impulses. Without them, nerve pathways cease to function.

Until recently the course of Alzheimer's disease was thought to be inevitably downhill; now certain drugs seem to promise some help. For example, it appears that *naloxone,* used in treating overdoses of narcotics, may be of use in treating loss of memory. Another drug, *tetrahydroaminoacridine,* shows great promise; it acts to slow down the rate at which acetylcholine is broken down. Clinical trials of the drug in America were suspended after it appeared to cause liver damage in some patients, but resumed in 1988 using lower dosages.

AM   *See* RADIO

AMINO ACIDS   *See* PROTEINS AND LIFE

AMNIOCENTESIS

A technique for removing some of the fluid that surrounds a fetus in its mother's uterus (womb). At first it was used as a way of relieving pressure caused by an excess of fluid, but today it has become a valuable tool in *genetic screening* — the diagnosing of many kinds of disorders in a fetus, long before birth. It also makes it possible to learn the sex of the fetus.

An *embryo* (it is promoted to the rank of *fetus* after the second month) begins as a fertilized egg cell. The cell attaches itself to the inner wall of the uterus, a hollow muscular organ in the mother. Around the embryo grows a thin, membranous sac — the *amnion.* The embryo lives in the amniotic cavity that is formed, bathed in amniotic fluid.

In performing amniocentesis (Greek *amnion + kentein,* to prick), a hollow needle is carefully inserted into the amniotic cavity and some fluid is withdrawn. The fluid holds some of the cells that an embryo normally sheds as it develops. The cells are separated from the fluid and grown by TISSUE CULTURE to provide a mass of cells sufficient for analysis. Microscopic examination of a cell's chromosomes can reveal the sex of the fetus and the presence of some types of disorders, notably DOWN'S SYNDROME. Chemical analysis of the cell culture and amniotic fluid can spot the presence of certain GENETIC DISEASES.

Amniocentesis is a specialized variation of a technique called *paracentesis,* which is used to remove unwanted fluid from body cavities where it may accumulate — for example, in the abdominal cavity or in the pericardial cavity around the heart.

Chorionic villus sampling (CVS) is a newer way to obtain fetal cells. It provides larger samples, can be done earlier in pregnancy, and requires no needle. The sample is taken directly through the uterus, where the chorionic villi — tiny fingerlike projections arising from the outer layer of the fetus — provide a bridge for the exchange of materials between fetus and mother.

See also DNA AND RNA.

AMNION   *See* AMNIOCENTESIS

AMPERE   *See* ELECTRICAL UNITS

AMPLIFIER

A device for increasing the strength (voltage) of electrical signals. In radio receivers and television sets, the signals are very feeble electric currents (a few millionths of a volt), produced by radio waves sweeping across an aerial. Amplifiers, powered by batteries or house current, boost these signals to a sufficiently high voltage to operate a loudspeaker, from 0.5 volt (a small portable radio) to 30 volts (a rock concert speaker), or to form a picture on a television tube, which requires 20,000 volts or more. Amplification was once done by vacuum tubes, but these have been replaced by TRANSFORMERS and transistors.

See also SEMICONDUCTORS

AMPLITUDE MODULATION *See* RADIO

AMYOTROPHIC LATERAL SCLEROSIS
See NEUROMUSCULAR DISORDERS

ANABOLIC STEROIDS *See* STEROID

ANALOGUE *See* DIGITAL AND ANALOGUE

ANALYSIS

The identification of a complex substance or form of energy. This is usually done by separating it into its various components.

The world consists mostly of mixtures. This paper is a mixture of fibres, binders, and bleaches. The light falling on it is a mixture of coloured beams that collectively approximate the sensation of whiteness. The air you breathe is a mixture of thousands of different gases, vapours, and solid particles. In fact, in this mixed-up world, the concept of nonmixedness, of 'purity', is almost an abstraction. Yet there are occasions, especially for scientists, when a substance or form of energy must be spread out, separated into its components in order to identify them, to extract a desirable ingredient, or to reject an undesired one. Towards these purposes, scientists have developed numerous separation and identification techniques that are collectively categorized as analysis (Latin, to loosen or undo). Here are examples of some common types:

Filtration An analytic technique that makes use of differences in particle size. Filter paper separates coffee grounds from liquid coffee, red blood corpuscles from blood fluid (plasma), and many other such mixtures of solids and liquids. Unglazed porcelain is another filtration medium used in the same way.

Centrifugation A technique that makes use of differences in density (heaviness). In its most primitive form it enables Klondike

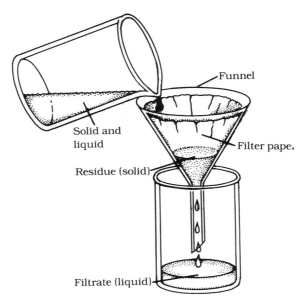

Solid and liquid

Funnel

Filter paper

Residue (solid)

Filtrate (liquid)

Joe to scoop up a handful of streambed sand, drop it into a panful of water, swirl it vigorously, and hold his breath, eagerly waiting for grains of gold to settle to the bottom first, gold being about seven times as dense as sand. The same principle is the basis of many laboratory devices, the most common being the *centrifuge,* in which the mixture to be analysed is placed in a small container and spun at great speed, as much as 4000 revolutions per second. The spin produces a force, called centrifugal force, thousands of times greater than gravity. This exaggerates the differences in density and therefore separates particles that are even minutely different. Mixtures of liquids, such as cream and milk, can also be separated by centrifugation.

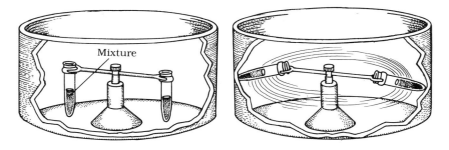

Mixture

Chromatography   A technique that takes advantage of a difference called the *adsorption rate,* which might be loosely defined as degree of stickiness, the tendency of one substance to cling to another. Here's a simple demonstration of the principle. First, two colours of ink are mixed, and a drop of the mixture is placed on a strip of uncoated paper more than 25 millimetres (about ½ inch) from one end. Then the strip of paper is set upright in 25 millimetres (½ inch) of water. As the water soaks up into the dry paper, it passes through the ink mixture. The different ingredients of the mixture have different clinging tendencies for the paper — different adsorption rates — so they become selectively removed or unmixed as they are dissolved by the rising water. The result is a series of coloured bands, one for each of the ingredients of the mixture. Because this process was first used for analysing mixtures of different-coloured ingredients, it was named chromatography (Greek *chroma,* colour), but it is also used for analysing mixtures of same-coloured ingredients.

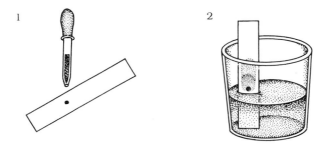

1   2

Electrophoresis   A related process (Greek *phoresis,* being carried) in which differential adsorption is also involved. While the water is being absorbed vertically an electric current flows sideways across the paper. Because the various ingredients respond differently to electricity, they are separated more rapidly and more precisely than by water alone.

Distillation   A technique based on differences in boiling point that is used in separating mixtures of liquids. A mixture is heated just barely enough to reach the boiling point of the easiest-to-boil (most volatile) liquid. As it boils away, its vapour is caught and cooled, to condense into a pure liquid all by itself. Then the remaining mixture is heated to the next highest boiling point, the process is repeated, and so on. The distillation apparatus is called a still. The largest use of distillation is not, as you might suppose, in making whisky, which is large enough, but in refining petroleum (Greek *petra,* rock + Latin *oleum,* oil), separating it into petrol, paraffin, lubricating oils, heating fuels, diesel oil, and many other substances. What material remains is black, sticky, and useful for paving — asphalt.

Chemical analysis   Testing to identify substances. Klondike Joe's hopes may have been raised in vain by the deceptive yellow glitter of

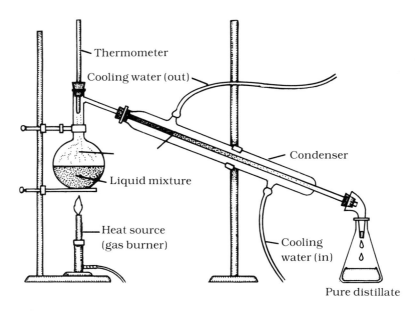

Thermometer

Cooling water (out)

Condenser

Liquid mixture

Heat source
(gas burner)

Cooling
water (in)

Pure distillate

fool's gold — iron sulphide — only to be dashed at the assay office by the application of a chemical reagent, hydrochloric acid. Pure gold is unaffected, but fool's gold seethes and bubbles in a chemical reaction that converts it into a liquid, iron chloride solution. There are thousands of chemical tests for analysis of elements, compounds, and mixtures.

Chemical analyses are of two types: *qualitative* and *quantitative.* Qualitative analysis (Latin *qualis,* of what kind) tells of the presence or absence of a substance, as in the fool's gold test. Quantitative (Latin *quantis,* how great) analysis tells us how much of each ingredient is present. Probably the most ubiquitous and unglamorous example of chemical analysis is printed on the side of a cereal box.

The analytic techniques described thus far — filtration, centrifugation, chromatography, electrophoresis, distillation, and chemical analysis (there are many more) — all have to do with the analysis of substances. Forms of energy, too, can be analysed: separated into their components and examined individually. Let's begin with an energy analysis that you have probably performed once or twice today:

Frequency analysis The space around you swarms with hundreds of RADIO programmes coming from broadcasting stations, police transmitters, radio hams, walkie-talkies, and other disturbers of the ethereal peace, all clamouring for admission into your receiver. These programmes come riding in on radio waves that differ in

TYPICAL NUTRITIONAL COMPOSITION PER 100 GRAMMES	
Energy	302 kcal 1,285 kJ
Protein	11.4g
Fat	4.2g
Dietary Fibre	13.6g
Available Carbohydrate	66.9g
Vitamin C	35.0mg
Niacin	16.0mg
Vitamin B_6	1.8mg
Riboflavin (B_2)	1.4mg
Thiamin (B_1)	1.0mg
Folic Acid	250 µg
Vitamin D	2.6 µg
Vitamin B_{12}	1.7 µg
Iron	38.0mg

frequency (the number of waves per second). Each station has its own assigned frequency. The tuning knob, dial, and circuitry of your receiver have the job of selecting from that jumble only those waves whose frequency you have chosen. Turn the knob a few degrees and you pick up the next frequency, and the next, and so on. In effect, a radio tuner is an analyser of radio wave frequencies.

In Arecibo, Puerto Rico, there is a highly sensitive radio telescope (i.e., a specialized radio receiver) connected to a dish-shaped antenna 7.284 hectares (18 acres) in area. It analyses the millions of different radio signals being received constantly from the solar system and outer space. These signals are not music or drama programmes, not even soap commercials (although such would be received with mixed astonishment, delight, and dismay), but a cacophony of peeps, squawks, rumbles, and sputters, emitted by the ingredients of the busy universe — glowing particles in the sun's corona, carbon dioxide on the polar caps of Mars, vaporized iron in one of the stars of Ursa Major; all these and millions more emit their radio frequency signatures, which are picked up and analysed in Arecibo and elsewhere on earth by radio analysers that are more expensive and sensitive, but not too different in principle, from the little box that wakes you with the morning news.

Nuclear magnetic resonance (NMR) From the enormous Arecibo receiver, to your little bedside radio, we go now to one of the tiniest radio receivers in the universe: the nucleus of a single atom. The nucleus of each kind of atom has its own 'natural' frequency; it is tuned in, so to speak, to one station only. Send in the particular frequency of hydrogen, and hydrogen nuclei respond by resonating (see RESONANCE). We can read on a meter, or see on an oscilloscope, that it has been accepted. Send in a different frequency (of oxygen, for example), and hydrogen nuclei will not accept it. Because every kind of atomic nucleus responds (resonates) to its own unique frequency, these frequencies are signatures of the atomic elements in a mixture. With the added use of a strong magnetic field, substances can be analysed for their composition, a process called nuclear magnetic resonance.

Here, for example, are the signatures on an oscilloscope screen of the hydrogen atoms in ethanol, the foundation of every alcoholic drink. Ethanol, also known as ethyl alcohol, or just alcohol, is composed of carbon, hydrogen, and oxygen atoms attached in this way: $CH_3 - CH_2 - OH$.

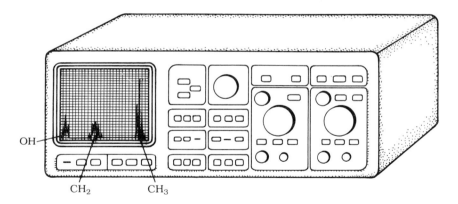

NMR has the great advantage of being nondestructive, so it can be used on living things without harming them. Using this method of analysis, a scientist can even follow the progress of a tiny amount of a particular substance as it passes through a series of chemical changes within a living organism (see MAGNETIC RESONANCE IMAGING).

Spectroscopy This method of analysis could be referred to as the dissection of rainbows. Hold a glass prism, or any transparent, sharp-cornered object (a 20-carat diamond will do nicely), in sunlight and observe the rainbow it casts on the nearest surface. Try it in the beam of a car's headlight (the light source is a glowing

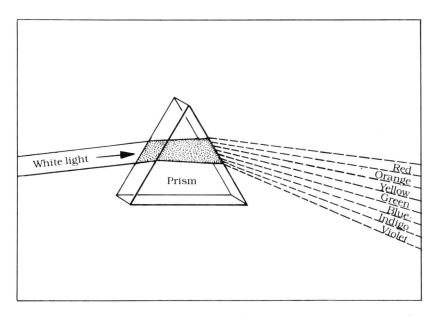

White light → Prism

Red
Orange
Yellow
Green
Blue
Indigo
Violet

tungsten filament) and you get a different rainbow — different by the presence or absence of various colours and in the proportion of each. Every light source produces its own particular rainbow, or *spectrum* (Latin, image), depending on which glowing substances are emitting light. Seen through a *spectroscope,* the broad, soft-edged rainbow

SPECTROSCOPE

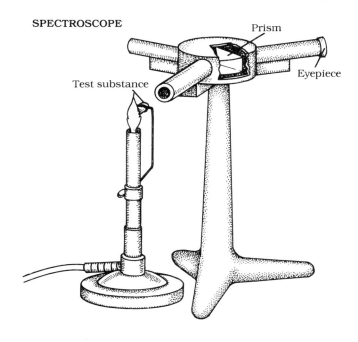

Prism

Eyepiece

Test substance

bands of coloured light become dissected and focused into narrow, sharp lines of precise colour and location.

Every substance has its own spectrum, its own 'signature' that can be identified through a spectroscope or graphed on a spectrographic screen. For example, the yellow light from burning driftwood is due to the element sodium (sea salt is mostly sodium chloride). Seen through a spectroscope, the yellow light divides into two bright yellow lines, close together, and two dim lines, green at the left and red at the right. No other substance has exactly that spectrum. In fact, when in 1868 the British astronomer Joseph Lockyer was studying the sun's gaseous envelope (corona), finding many familiar spectra of earthly elements, he also found, near the bright yellow pair of sodium lines, another bright single yellow line, never before reported. In honour of the sun (Greek *helios*), he named the newly discovered element helium. Not until 1895 did the British chemist William Ramsay discover that helium also exists in the earth, associated with uranium, and in the earth's atmosphere.

SPECTRUM OF SODIUM

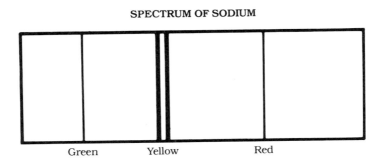

Green   Yellow   Red

ANALYTICAL CHEMISTRY   See CHEMISTRY

ANAPHYLAXIS   See IMMUNE SYSTEM

ANATOMY   See BIOLOGY

ANDROGENS   See STEROIDS

ANDROMEDA GALAXY

A spiral GALAXY nearly twice the diameter of our Milky Way galaxy, which it resembles. At a distance of over 2 million light-years, it is the second closest neighbour of the Milky Way.

ANEURYSM

A permanent widening of an artery whose walls have been weakened by infection, injury, birth defect, ARTERIOSCLEROSIS, or HYPERTEN-SION. The term comes from Greek *aneurynein,* 'to dilate'. Aneurysm of the aorta is a serious condition; the aorta is the principal artery, the conduit through which blood is pumped by the heart and then distributed to lesser arteries throughout the body. A ballooning aortic aneurysm may rupture, with a life-threatening loss of blood into the body cavities. Surgical replacement of the weakened part of the aorta with a tube of polyester gives very good results.

An aneurysm in an artery of the brain is potentially life-threatening. Surgeons can lessen the danger of bursting by the use of special kinds of clips to clamp an affected artery. Another method is to wrap plastic material, or tissue taken from another part of the body, around the artery.

Physical examination may reveal some kinds of aneurysm; more often, the diagnosis is made by X-ray, sonogram (*see* ULTRASONICS), or CAT scan (*see* COMPUTERIZED AXIAL TOMOGRAPHY).

ANGINA PECTORIS

A condition named from Latin words meaning 'strangling in the chest' in which the heart suffers a shortage of oxygen. Usually this happens because the heart, even as it pumps oxygen-laden blood to all parts of the body, receives insufficient amounts of blood from its own suppliers, the *coronary arteries.* (A case of the shoemaker's child going barefoot, if you don't push the analogy too hard; *see* HEART ATTACK).

The angina patient has bursts of chest pain and a feeling of suffocation. Anginal pain is most often brought on by exertion and can be quickly relieved by rest. Nitraate medications that relax the heart muscle and dilate the blood vessels can produce dramatic relief in minutes. The best known of these drugs is *nitroglycerin.* A newer group of drugs, called *beta blockers,* act against adrenaline, a naturally secreted HORMONE that stimulates the heart. The result is a slower heartbeat, reducing the heart's need for oxygen.

Beta blockers are valuable in treating other conditions of the circulatory system, such as severe disturbances of the heart rhythm (*arrhythmias*) and HYPERTENSION.

ANGSTROM

A unit of length, symbol A or Å, named after Anders Jonas Ångström, a Swedish physicist (1814–1874), who was noted for his study of light, especially spectrum ANALYSIS. He discovered hydrogen in the sun's atmosphere.

An angstrom is one hundred-millionth of a centimetre. (Typing paper is about 1 million angstroms thick.) Angstrom units are most frequently used in measuring light waves. Waves of visible light, from deep red to violet, range from about 4000 to 7000 Å per wave.

ANNULAR ECLIPSE   See ECLIPSE

ANOREXIA NERVOSA AND BULIMIA

Psychiatric disorders connected with eating. *Anorexia* is from the Greek *an,* 'without' + *orexia,* 'appetite'; *bulimia* is from Greek *boulimia,* 'great hunger'. Seemingly opposites, the two conditions have more similarities than differences and may even be observed in the same person.

Quite often victims are young, female, and from middle-class families whose members are closely involved with one another. Both anorexics and bulimics suffer from low self-esteem, are obsessed with food and diets, and are intensely afraid of becoming fat. The anorexic's pursuit of slimness goes pathologically far beyond ordinary dieting, to the point of malnutrition and even death. Psychiatrists generally agree that this bizarre behaviour is based on the anorexic's need to establish a sense of selfhood and control over her or his own life.

Similarly, the bulimic suffers from an irresistible craving for food. She or he may eat a week's supply of food in a few hours; most of it is lost by natural or self-induced vomiting or by the use of laxatives. Nevertheless, enough food is absorbed so that no weight is lost.

These conditions require psychiatric help, as well as medical attention for the dangerous physical problems they cause.

ANTIBIOTICS

Chemicals produced by living *microbes* (moulds and bacteria) and named from Greek words meaning 'against life'. Antibiotics are widely used in treating certain diseases. Nobody knows how many millions of lives have been saved by enlisting these chemicals in the fight against disease-causing (*pathogenic*) microbes. The idea isn't new. Thousands of years ago the Egyptians and Chinese and the Indians of Central America used poultices of mouldy, rotting materials to treat skin ailments and infected wounds. Knowing nothing of microbes, the ancients understandably hailed the results as magic; yet even now, antibiotics are sometimes called 'miracle drugs' because they cure so many diseases regarded as incurable only half a century ago. Plague, tuberculosis, syphilis, cholera, typhoid – these and other scourges yield to antibiotics.

The era of modern antibiotics dates from the late 1920s, when Dr Alexander Fleming, a Scottish bacteriologist, observed that a certain mould produced a gold-coloured liquid that inhibited the growth of a pathogenic bacterium *Staphylococcus aureus*. 'Staph' is a cause of boils, food poisoning, blood poisoning, and bone and kidney infections. The mould was later identified as *Penicillium notatum,* a relative of the moulds that inhabit stale bread and blue cheeses, and the liquid was named *penicillin*. Fleming's success against the staph bacterium was confined to test tubes in the laboratory, but he suggested that penicillin might be used against infections in the body. Later, after methods for producing enough penicillin were developed (although extremely small amounts are needed), physicians found that it was astonishingly effective in treating pneumonia and scarlet fever, yet it worked poorly or not at all with some other infections. In time, new antibiotics were found that filled in the gaps left by penicillin. Nevertheless, scientists pursued the goal of broad-spectrum antibics – single medicines that would be effective, in shotgun fashion, against a wide range of pathogens

Today, there are many broad-spectrum antibiotics, such as the cephalosporins and tetracyclines, but scientists continue to hunt for new ones, for a good reason. Like other living things, bacteria change or mutate: a new generation may show some trait not possessed by previous generations. Thus a strain of pathogenic bacteria may appear that is able to live in the presence of a particular antibiotic. While normally susceptible bacteria succumb, the mutant group, free of competition, flourishes, to the distress of the infected patient. This problem can be dealt with by switching to some other antibiotic or by prescribing a combination of antibiotics. For the long-range solution, scientists must work to develop a new kind of antibiotic that can inhibit the new strain of bacteria. Further down the road, however, still another anti-antibiotic mutation may occur, and the need for still a newer antibiotic, and so on.

Of the more than 1000 antibiotics that have been produced, about 100 have proved to be both effective and nontoxic for human use.

Laboratory observations offer clues to the way antibiotics may work in the body. Some kinds of antibiotics actually dissolve bacteria, but most operate with a less violent chemistry. Some interfere with the ability of bacteria to absorb or use nutrients; others prevent the building of cell membranes and walls.

Antibiotics are of enormous value in controlling the epidemics that once killed millions of domestic animals, but their use in the farmyard extends beyond disease. The growth of livestock is greatly speeded up by routine administration of antibiotics. However, there is considerable disagreement about the wisdom of this practice. Some experts fear that antibiotics, by killing off susceptible bacteria in livestock, may encourage an increase in resistant varieties harmful to humans. In some parts of the world (not in Britain), meat and fish are treated with antibiotics to prevent spoilage.

Nowadays, antibiotics are produced in three ways:

1. Selected microbes are provided with the food and living conditions calculated to bring out their best efforts.
2. *Synthetic antibiotics* are made entirely by chemical manipulation in the laboratory.
3. *Semisynthetic antibiotics* are the product of a remarkable partnership in which microbes make antibiotics that are then altered chemically in the laboratory to endow them with various desirable qualities.

ANTIBODIES See IMMUNE SYSTEM

ANTIGENS See IMMUNE SYSTEM

ANTIHAEMOPHILIC FACTOR See HAEMOPHILIA

ANTIHISTAMINES See HISTAMINE

ANTI-INFLAMMATORY AGENTS See STEROIDS

ANTIMATTER

Matter made of *antiparticles,* which are similar to the particles of our familiar world — the molecules and atoms and their constituents of which we and church steeples are made — but with certain important differences. An atom of ordinary hydrogen, for example, consists of a heavy, positively charged (+) proton, orbited by a lightweight, negatively charged (−) electron. An atom of antihydrogen would consist of a heavy, *negatively* charged proton, called an *antiproton,* orbited by a lightweight antielectron that is *positively* charged and is therefore called a *positron.* Such an atom of antimatter would weigh the same and apparently behave the same if it were all by itself. If a church steeple were assembled all by itself out of antimatter, you couldn't tell the difference. Until . . .

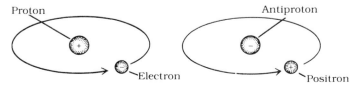

This is a favourite science fiction ploy. A male explorer from our world encounters, via TV, a female from an antimatter world, not knowing her origins. Love dawns between them, and they agree to meet somewhere in extragalactic space. They approach, embrace, and poof! they disappear in a blinding flash of light, heat, infra-red rays, cosmic rays — the works. His matter and her antimatter have cancelled one another and turned into radiant energy, their love never to be consummated.

Actually, antimatter does exist, and these annihilations do occur, though not so romantically. Antiprotons, positrons, antiquarks — a host of antiparticles — are produced in nature during the complex process of changing solar material into sunlight and radiating that sunlight. Antimatter is produced artificially during the operation of a PARTICLE ACCELERATOR (an 'atom smasher'). The antiparticles exist for a billionth of a second, or thereabouts, until they encounter a particle of ordinary matter and the two disppear in a glorious flash.

Proof that antimatter isn't just grist (antigrist?) for the science fiction mills is a technique called *positron emission tomography* (PET for short), a highly sophisticated cousin of the CAT scan. In place of the X-rays employed in CAT, PET uses the radiation that results from the meeting of positrons and ordinary electrons (the glorious flash mentioned earlier). PET, like CAT, furnishes sharp images of organs within the body, but it goes beyond that. It enables scientists to analyse the chemical processes within living inner organs, especially the brain, without harming them. It thus becomes a powerful tool in locating and diagnosing brain tumours and helps scientists in researching the brain structures and processes underlying such mental diseases as epilepsy, depression, and Parkinson's disease.

See also ELEMENTARY PARTICLES.

ANTIPARTICLE *See* ANTIMATTER

ANTIPROTON *See* ANTIMATTER

ANTIQUARK *See* ELEMENTARY PARTICLES

AORTA *See* CIRCULATORY SYSTEM

APPARENT MAGNITUDE *See* MAGNITUDE

AQUIFER *See* GROUNDWATER

ARC (AIDS-RELATED COMPLEX) *See* AIDS

ARCHITECTURAL ACOUSTICS *See* ACOUSTICS

ARRHYTHMIA *See* ANGINA PECTORIS

ARTERIOLE *See* CIRCULATORY SYSTEM

ARTERIOSCLEROSIS

A disease of the arteries. An artery is made rather like a well-made garden hose. Both are thick-walled pipes, composed of several layers that surround a central hole, or *lumen.* A liquid under pressure flows through the lumen, water in one case, blood in the other. In the case of the arteries, the pressure comes from the pumping action of the heart. An extremely thin, smooth layer of cells, called the *intima,* lines the lumen, allowing the blood to flow with a minimum of resistance. The intima is surrounded by a muscular, elastic layer, the *media,* which in turn is surrounded by the *adventitia,* a layer of muscle and connective tissue. With each surge of blood from the heart, the artery dilates, then constricts, helping to smooth out the flow.

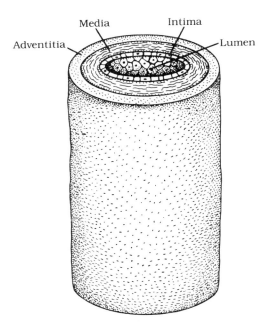

In arteriosclerosis (Latin for 'artery' + 'hardening'), the layers thicken and lose some of their elasticity, hampering the flow of blood. These changes arise from aging and from the deposition of various substances in the layers. Most important is the accumulation of *atheromas,* plaques of calcium and cholesterol. The condition is called *atherosclerosis.* Sclerotic changes are potentially dangerous because narrowed or obstructed arteries in the heart or brain may be unable to supply enough blood to those vital organs, contributing to HEART ATTACK or STROKE.

Scientists recognize that certain conditions, or *risk factors,* increase the likelihood of developing atherosclerosis. Among these factors are HYPERTENSION, a sedentary life style, cigarette SMOKING, a high concentration of CHOLESTEROL and similar substances in the blood, DIABETES, and obesity.

ARTERY   *See* CIRCULATORY SYSTEM; ARTERIOSCLEROSIS

ARTHRITIS

A disease of the joints, a leading cause of disability and crippling, though rarely life-threatening. There are many forms of arthritis (Greek *arthron,* joint + *-itis,* inflammation), but the two most common, by far, are osteoarthritis and rheumatoid arthritis.

Osteoarthritis A wear-and-tear condition of the joints, also called *degenerative joint disease.* It is found to some extent in most people over the age of 50. In normal joints, smooth motion is made possible by a lubricant, *synovial fluid,* produced in pockets of cartilage tissue at the ends of the bones. In an arthritic joint the cartilage disintegrates; in the absence of the fluid, motion is limited and can become very painful. Weight-bearing joints such as the knees, the hips, and the spine are the most vulnerable, especially in obese people or people who have done a lot of hard physical labour.

Rheumatoid arthritis   An arthritic condition that affects up to 4% of the population, at some time, both young and old. The cause is unknown, although it may involve faulty operation of the body's immune system. The lungs, nervous system, and other parts of the body may be affected, although the joints are usually the major problem.

Swelling, redness, and pain in the affected joints are typical symptoms of arthritis. For a long time, aspirin, usually in large doses, was the only drug used to treat the pain. Now, newer drugs, used in lower dosages, are often more effective and better tolerated by many patients. Cortisone, ibuprofen, and indomethacin are among these. Rest and heat are important, and a programme of properly designed exercises can help to strengthen the joints and retain relatively good motion. Surgery is effective, and in many cases diseased joints are successfully replaced by artificial implants. No cure is known; this fact, and intense pain, sometimes drive victims to quack practitioners who offer so-called miracle cures.

ARTIFICIAL INTELLIGENCE

Sufficient creative reasoning power in a machine to perform mental tasks previously regarded as capacities only of human consciousness. This is a concept dear to many science fiction writers, the bane of theologians, and the subject of serious current research by psychologists and avant-garde computer programmers, who refer to it as simply AI.

A machine with true artificial intelligence has not yet been developed. An electronic chess player is not artificially intelligent because its programming consists merely of mathematical ALGORITHMS that test out various possible moves and evaluate their consequences, a million per second. Superior memory capacity and processing speed may someday enable this machine to defeat the human world's chess champion, but it is still not intelligent; it is simply performing routines and subroutines, standard and repetitive, based on clearly defined yes-no choices created by a human programmer.

If a machine could make choices as a result of thoughtful consideration, testing and weighing possibilities that originate within it, according to new ideas not previously conceived by its programmer, then and only then, could it be called 'intelligent'.

See also BOOLEAN ALGEBRA.

ARTIFICIAL SWEETENERS   *See* SWEETENING AGENTS

ASCII

Acronym for *American Standard Code for Information Interchange*. ASCII is a common code of letters, numbers, and symbols used in computers. It is a distant relative of the Morse code, which is assembled out of dots and dashes. ASCII is assembled out of binary digits: zeros and ones taken seven at a time. Capital *A* is coded as 1000001, and lowercase *a* is 1100001. The 1 at the extreme right indicates the first letter of the alphabet. The 1 at the extreme left is a code that indicates 'What follows is a letter, not a number'. The 1 next to it indicates 'This is a lowercase letter, not a capital'.

See also BINARY NUMBER SYSTEM; BIT.

ASPARTAME   *See* SWEETENING AGENTS

ASTEROID   *See* SOLAR SYSTEM

ASTEROID BELT   *See* SOLAR SYSTEM

ASTROLOGY

A practice (its practitioners call it a science) based on the belief that the movements and relative positions of the sun, moon, and planets influence human affairs. Some astrologers also believe they can foretell the future from these celestial bodies. They maintain that given the date and time of a person's birth, they can know that person's character and personality traits and foretell his or her illnesses and length of life and the best times to marry, go into business, and make or avoid major decisions.

Ancient astrologers made valuable contributions towards the evolution of modern-day astronomy. Today, however, many astronomers would debate whether astrology fulfils the criteria of a science — for example, it lacks experiments with controls that can be duplicated by people other than the claimants.

ASTRONOMICAL UNIT   *See* SOLAR SYSTEM

ASTROPHYSICS

The study of the origin, composition, and interactions of heavenly bodies, involving all forms of matter and energy in the universe.
See also PHYSICS.

ATHEROMA   *See* ARTERIOSCLEROSIS

ATHEROSCLEROSIS   *See* ARTERIOSCLEROSIS

ATOM

A unit of matter, consisting of a nucleus of positively charged *protons* and uncharged (neutral) *neutrons,* orbited by negatively charged *electrons.* A complete atom has the same number of electrons as protons, balancing the charge. A hydrogen atom, with one proton, has the lightest weight and is the only atom with no neutrons. Atoms were once regarded as indivisible.
See also ELEMENTARY PARTICLES.

ATOMIC ENERGY   *See* NUCLEAR ENERGY

ATOMIC NUCLEUS, DISCOVERY OF
See ELEMENTARY PARTICLES

ATOMIC NUCLEUS, FISSION AND FUSION OF   *See* NUCLEAR ENERGY

ATOM SMASHER   *See* PARTICLE ACCELERATOR

ATRIA OF THE HEART   *See* CARDIAC PACEMAKER

AU   *See* SOLAR SYSTEM

AUDIO FREQUENCY   *See* RADIO

AURORA

A display of glowing light in the night sky, mainly in regions near the earth's magnetic north and south poles. The *aurora borealis* (northern lights) is most spectacular in Canada, Alaska and northern Scandinavia, while the *aurora australis* (southern lights) is at its best in Antarctica. The moving, shimmering glow may resemble clouds, arches, or draperies of red, yellow, and green.

Auroras are probably produced when streams of charged particles (mainly electrons and protons) from the sun collide with molecules of nitrogen and oxygen in the atmosphere, around 100 kilometres (60 or more miles) above the earth. The charged particles are trapped by the earth's magnetic field and guided towards its strongest areas, the north and south magnetic poles.

The orange glow of a neon sign is produced in much the same way, by the collision of molecules of neon gas with electrons supplied by an electric current.

See also SOLAR WIND.

AUTOIMMUNITY   *See* IMMUNE SYSTEM

AUTOMATIC GAIN CONTROL (AGC)

An electrical circuit in a radio or television receiver that automatically controls the level of sound coming from the loudspeaker. Also called automatic volume control (AVC), it is needed because the strength of the signals from different stations varies. The signals weaken with distance and when partially blocked by mountains and high buildings. Atmospheric changes, especially at sunrise and sunset, also alter the signals. Further, the broadcasting equipment at different stations varies in power. For some or all of these reasons, there would be a big difference in sound level from one station to another if AGC did not automatically regulate the different signal levels to produce the same, or nearly the same, sound levels.

Even after you choose a station and adjust the sound to your liking, it could change with changing atmospheric conditions. AGC keeps the sound at the chosen level. Another use of the AGC type of circuit is to hold the brightness and quality of TV pictures at an even level.

See also LOUDNESS CONTROL.

AUTOMATIC VOLUME CONTROL (AVC)
See AUTOMATIC GAIN CONTROL

AUTONOMIC FUNCTIONS *See* BIOFEEDBACK

AVC *See* AUTOMATIC GAIN CONTROL

AZIDOTHYMIDINE *See* AIDS

AZT *See* AIDS

BACKGROUND RADIATION

Radiation (radio and infrared waves) indicating that the temperature of 'empty' space is not ABSOLUTE ZERO, as could be expected, but almost 3°C (5.4°F) above that. Like the warm air near a fire that has gone out, this background radiation is regarded as evidence of energy probably remaining from the time of the beginning of the universe.

See also COSMOLOGY.

BACTERIAL VIRUSES *See* VIRUSES

BACTERIOPHAGE *See* VIRUSES

BALL LIGHTNING *See* THUNDER AND LIGHTNING

BALLOON

An aircraft that is lighter than air and is instantly recognizable by its large gas bag. The peculiar-seeming state of being 'lighter than air' means only that the total weight of the bag, the light gas that fills it (helium, for example), the passengers and equipment, and the basket they occupy is less than the weight of the air pushed aside (displaced) by them.

The balloonist gains altitude by dropping ballast (usually loose sand or water, to avoid damage to the earthbound populace). Releasing controlled amounts of gas from the bag permits a descent. Balloons have no means of propulsion and so are at the mercy of the winds. However, *airships* (or *dirigibles*), which are cigar-shaped balloons with engine-driven propellers and steering rudders, are capable of fully directed flight.

BAR CODE *See* UPC

BAROMETER *See* BAROMETRIC PRESSURE

BAROMETRIC PRESSURE

One of the most common terms in weather reporting, but least understandable by commonsense reasoning. Common sense indi-

cates that a moist handkerchief is heavier than a dry one. Yet moist air is lighter than dry air. Cautiously, now . . .

Scoop up a bucketful of dry desert air and one of moist air from over the frothy waves of the ocean. Count the number of molecules in each bucket (this can be, and has been, done, but not by simple means). The same number of molecules is in each, but the proportions are different. Dry desert air is perhaps 99.5% air and 0.5% water. Ocean air is around 95% air and 5% water. And here's the pivotal fact: water vapour molecules are lighter than air molecules and exert less pressure on a barometer, an instrument designed to measure atmospheric pressure. Ipso facto, the approach of wet weather (fog, drizzle, rain, snow) is announced by a falling of the barometer.

The dials of most barometers are inscribed with weather terms: Fair, Change, Rain, and on older instruments, Moist, Dry, Stormy. Some are adorned with Greek gods seated on clouds, puffing against sailing boats. These are mostly meaningless, a memento from the weather lore days ('Red sky at night, sailors' delight'). Weatherwise, what mainly matters is the direction of the indicator's movement. Rising shows a change towards heavier, drier air; falling, a change towards lighter, moister air.

BARYON *See* ELEMENTARY PARTICLES

BASE AND BASE PAIR (IN DNA) *See* DNA AND RNA

BASIC *See* COMPUTER LANGUAGES

BASIC RESEARCH *See* SCIENTIFIC TERMS

BATTERY (CELL)

A source of direct current, usually produced by chemical changes. Strictly speaking, a battery is a group of cells connected together, but the term has come to be loosely applied to single cells as well as groups.

There are many kinds of batteries (cells), differing in size, shape, and components. All consist of two parts, called *electrodes,* made of two different substances; the electrodes are immersed in a liquid or paste (*electrolyte*), which reacts chemically with them. The two electrodes differ most importantly in how firmly they hold on to their electrons.

In an ordinary torch battery, shaped like a little can, one of the

TORCH BATTERY

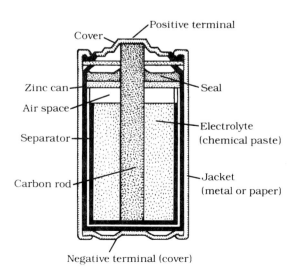

electrodes is the can itself, made of zinc. The other electrode is a carbon rod, in the centre. Zinc atoms have a looser hold on their electrons than carbon atoms do. When the zinc reacts with the electrolyte (a paste of ammonium chloride), its loosely held electrons are liberated, free to flow out, do their appointed work, and flow back into the carbon of the battery. When no more electrons are available, the battery is dead.

Some kinds of batteries can be recharged by connecting them to a source of direct current.

Car storage batteries are of this type, with the direct current coming from a generator driven by the car's engine (*see* ALTERNATOR). Some small batteries are also rechargeable. The most common are called *nicad batteries,* standing for nickel and cadmium, their electrode components.

You may have unwittingly experienced a natural battery in your mouth. Gold (fillings) and silver (fork) are the electrodes, and the slightly acid saliva is the electrolyte. The result is a tiny electric current, producing a sour taste and a slight shock.

Solar batteries are almost the ultimate in desirability: they never die and only temporarily fade away because there are no chemical changes. Light causes one of the electrodes to release its electrons, which flow out into the circuit (a radio, calculator, etc.) and then back to the other electrode, ready to be driven by light again and again. The stronger the light, the stronger the electric current. In ultrasunny Israel, several small solar cars are running around. They are energized by car-top solar batteries, whose current flows into electric motors that drive the wheels silently, with no stops for petrol — as long as the sun shines.

B-CELL *See* IMMUNE SYSTEM

BENIGN TUMOUR *See* CANCER

BERNOULLI EFFECT

A reduction of pressure in a fluid (i.e., a gas such as air, or a liquid) that is in motion. The faster the fluid moves, the more the pressure drops. Named after its discoverer, Swiss mathematician Daniel Bernoulli (1700–1782), the Bernoulli effect is measured and explained by the Bernoulli principle, which is full of equations of pressure, velocity, and conservation of energy and which can be found in appropriate reference books.

See also AERODYNAMICS.

BETA BLOCKER *See* ANGINA PECTORIS

BETA CELL   *See* DIABETES

BETA PARTICLE

An ELECTRON. Beta particles are emitted, among other forms of energy, by substances undergoing radioactive decay (*see* RADIOACTIVITY). Fast streams of beta particles are *beta rays* or *cathode rays*.

BETA RAYS   *See* BETA PARTICLES

BeV   *See* ELECTRON VOLT

BIG BANG

A theory of cosmology, based on the idea that some 15,000 million years ago all the matter and energy in the universe was concentrated in a single minute, hot, infinitely dense object. The explosion of this 'cosmic egg' blasted matter and energy in all directions in an expansion that continues today. The matter and energy of the cosmic egg are the matter and energy that make up today's stars and planets and all the other celestial objects of today's universe.

BILE ACIDS   *See* STEROIDS

BINARY DIGIT   *See* BIT

BINARY NUMBER SYSTEM

A numbering system used in computers, based on multiplying by two. Before examining the system, let's review the decimal number system, which is based on multiplying by ten (Latin *decem,* ten). In the number 77, the right-hand 7 means seven ones. The left-hand 7 means ten times as many, or 70 ones. Similarly, in the number 777, the left-hand 7 is worth ten times as many as the middle 7. Each move to the left multiplies the value of a number by ten. The number 307 means seven ones, no tens, and three hundreds. The decimal system uses ten numerals — 0, 1, 2, 3, 4, 5, 6, 7, 8, 9 — which can be used to construct any number, such as 369, 3.69, 3/69, or 0.00369. The idea of the decimal system, based on ten, probably originated in early humans counting on ten fingers (digits).

What if people had evolved with only two fingers? They would probably have developed a *binary* number system (*bi,* two). Fortunately for us and for Chopin, we did not so evolve. But the binary system did evolve, and it is ideally suited to computer operation (as we shall see in a moment). The binary system requires only two digits, 0 and 1. The value of a digit, as in the decimal system, depends on which column it's in. However, moving to the left multiplies the value of a digit by 2, not by 10. A few examples.

0001 one
0010 two
0011 three (two plus one)
0100 four

And so on, doubling to 8, 16, 32, and so forth as we continue to move left, column by column. Here's the number 13 in binary:

At first, the binary system may seem bulky and difficult to read — because it is. No doubt 11001000 seems a long-winded way to write *two hundred,* compared with 200. But there's one advantage that makes binary supremely suitable for computers: There are only two units, 0 and 1. Binary numbers can therefore be put in, stored, and transmitted by two positions of an electric switch: off (open) = 0 and on (closed) = 1.

Even the cheapest calculator contains several thousand switches

in a little chip this size ⌷, and a computer contains millions. Each switch can register a 0 or a 1. When you punch the number 5 on the keyboard, you cause a row of switches to set like this:

When you use such a calculator, you don't have to punch binary numbers into it, because there's a system of switches inside that converts decimal numbers into binary. The machine does the calculations in binary and converts the result into decimal to show on the face of the instrument.

See also INTERFACE.

BINARY STAR

When is a star not a star? When it's two or more stars. Stars look like single bright objects, but most of them are pairs. The partners revolve around each other, held in orbit by gravitation. The period (the time taken for one complete orbit) varies: less than a day to more than 100,000 years. Knowing the period, astronomers can calculate the mass (weight) of the partners. Pairs of stars are called *binary stars, binaries,* or *double stars.* There are also *multiple stars,* with trios, quartets, and larger groupings in orbit.

Binaries that can be seen with the naked eye (very few of these) or through a telescope are called *visual binaries.* Most binaries, however, are beyond the reach of even the most powerful telescopes but can be observed by joining a telescope to a spectroscope. Thus they are called *spectroscopic binaries.* As the partners in such a pair revolve around their common centre, the spectroscope differentiates between the approaching motion of one star and the receding motion of the other (*see* DOPPLER EFFECT).

The orbits of some binaries are so aligned that, from our viewpoint, star A eclipses (partly or wholly obscures the light of) star B. Later in the orbit, B eclipses A. This is an *eclipsing binary.* By comparing the varying amounts of light reaching the earth during a complete orbit of the pair, an astronomer can determine the brightness of each star and the orbit's inclination (angle) with respect to the earth.

BINDING ENERGY, NUCLEAR   *See* NUCLEAR ENERGY

BIOCHEMISTRY   *See* CHEMISTRY; MOLECULAR BIOLOGY

BIODEGRADABILITY

An organism lives, dies, and decays. In a relatively short time the large, complex molecules that make up its tissues are broken down (degraded) to form water, carbon dioxide, ammonia, and other substances whose molecules are small and simple. The agents of decay, mainly bacteria and moulds, are themselves alive, hence the term *bio*degradability — the capability of being broken down by the action of living things. The wastes of organisms — their urine and faeces, for example — are also biodegradable, as are materials made from organisms — paper from trees, cloth from cotton, leather from animal hides, and the like.

The decay process produces the small, simple molecules from which the tissues of new organisms are built. The new organisms in turn die and decay in a natural recycling process.

Some artificial materials are degradable — slowly — by nonliving agents. Steel, for example, rusts by combining with oxygen in the air. But some synthetic materials, especially plastics, are virtually degradation-proof. The growing use of plastics in bottles and for sizable parts of cars, for example, is causing an increasingly serious problem — how to dispose of used plastic. At present, the recycling technology is available but unprofitable.

BIOFEEDBACK

A technique whereby people learn to control *autonomic* (ordinarily non-controllable) functions of the body, with the help of electronic equipment. The technique is based on the idea that a person made aware of what is happening with an autonomic function — the blood pressure, for example — can develop control over it.

An individual, say one with high blood pressure, is connected to a device that monitors the blood pressure continuously; the device shows changes in the pressure by changing the brightness of a light or the pitch of a tone. The subject concentrates on changing the light or the tone by trying to lower the blood pressure. Even a very small change is immediately apparent. Encouraged by small successes, the subject tries for bigger ones. In time he may establish enough control to do without the machine.

Experimenters have succeeded in controlling sweating, warming their hands or feet, controlling the rate and regularity of the heartbeat, and other autonomic functions. Proponents of feedback therapy believe that someday it will be used widely as a basic medical technique.

BIOLOGY

The science that deals with living things (Greek *bios*, life). Formerly broadly divided into two areas, zoology (Greek *zoon*, animal), the study of animals, and botany (Greek *botanes*, plant), the study of plants, biology is now divided and subdivided into hundreds of special fields involving the structure, function, and classification of the forms of life from the simplest, the viruses (Latin *virus*, poison), to the most complex, *Homo sapiens.* Some of the more important divisions are:

Anatomy   (Greek *anatome*, dissection) The study of body structure of plants and animals. The study of structural similarities and differences between related forms of life is called comparative anatomy.

Cytology   (Greek *kutos*, hollow vessel) The study of cells. A very broad field, considering that over 99% of all living forms are made of cells. However, cytology deals more specifically with the individual cell as the unit of study. Thus: how does a cell in the root of a marine plant accept water but reject salt?

Ecology   (Greek *oikos*, house) The scientific study of the relationship between organisms and their environment.

Embryology (Greek *embroun,* something that grows in the body) The science that deals with the formation, early growth, and development of living organisms.

Evolution (Latin *evolutio,* opening, unrolling) The branch of biological science dealing with the theory that existing forms of life developed by a process of continuous change from previously existing forms. The mechanisms of these changes are embodied in genetics.

Genetics (Greek *genesis,* origin, creation) The study of heredity, especially the study of the biological mechanisms by which characteristics vary and are transmitted.

Histology (Greek *histos,* web) The microscopic study of tissues, the sheets of cells that together make up skin, muscle, bark, fat, petals, and so on.

Palaeontology (Greek *palai,* long ago being) The study of fossils and ancient forms of life. Further divisible into palaeobotany, palaeozoology, palaeoanthropology (the scientific study of the origin and of the physical, social, and cultural development of ancient man), and so on.

Physiology (Greek *phuein,* to make grow) The study of the essential life processes, such as digestion, circulation, photosynthesis, metabolism, and so on.

Taxonomy (Greek *taxis,* arrangement, order) The study of the system by which living things are classified in established categories such as phylum, order, family, genus, and species.
See also MOLECULAR BIOLOGY.

BIOMASS

A general term for organic material, both living and nonliving.
See also ENERGY RESOURCES.

BIOPHYSICS *See* PHYSICS

BIOTECHNOLOGY

The industrial use of microorganisms and living plant and animal cells to produce substances or effects beneficial to people. Biotechnology encompasses the manufacture of antibiotics, vitamins, vaccines, plastics, and feedstuffs; TOXIC-WASTE DISPOSAL using bacteria; pollution control; the production of new fuels; and much more. Future development will rely heavily on GENETIC ENGINEERING.

BIT

Contraction of *binary digit.* The smallest unit of information in the binary system of notation, a bit can be either 1 or 0, referring to the two positions of a switch; closed or open. Thus the binary number 1001 (number 9 in the decimal system) is indicated by four switches, two of which are in the closed position (the ones) and two in the open position (the zeros).

Computers need this two-digit kind of simplicity because they work by switches that can be in only one of two conditions, on or off. However, by using groups of bits, called *bytes,* arranged according to various systems, they can convert letters, numbers, and symbols (such as @, $, [S#], &) into binary form. For each character on a binary computer keyboard, there is one and only one byte that represents it. For example, in the ASCII code the byte size is 7 bits. The first bit (at the left) is a yes or no statement about whether the whole byte is a letter of the alphabet (yes is 1, no is 0). Here is the byte for capital A: 1000001. The byte for number 1 is 0110001. The left 0 is clear, and so is the right 1; the other bits have to do with other aspects of the ASCII code, whose explanation is too space-consuming for this book.

See also BINARY NUMBER SYSTEM.

BLACK BOX

A device, or an idea of a device, whose actual details are unknown but whose function within a larger system is known. 'When I turn the ignition key, something makes the engine start' is a black-box statement because it acknowledges the existence of an intervening 'something' without describing the functions of a car battery, solenoid switch, Bendix drive, and starter motor. On the other hand, the statement 'When I turn the ignition key, I make the engine start' is *not* a black-box statement.

Scientists and engineers designing a highly complex project, such as a communications satellite, usually isolate and postpone the portions of the design that are most likely to be solved as black boxes in order to concentrate on the pitfall aspects that could endanger the entire project.

BLACK DWARF STAR *See* STELLAR EVOLUTION

BLACK HOLE *See* STELLAR EVOLUTION

BLOOD PRESSURE

The pressure exerted by the blood against the walls of the blood vessels. A blood pressure reading is an important part of every physical examination, since it gives the doctor insight into the condition of the heart, blood vessels, and other organs of the body.

Two pressures are actually recorded, usually at the artery in the upper arm:

- Systolic (Greek *sustellein,* to draw together) is the pressure recorded when the heart contracts, squeezing the blood.
- Diastolic (Greek *diastellein,* to be dilated) is the pressure recorded when the heart stops squeezing and relaxes.

Blood pressure is measured with a pressure gauge called a *sphygmomanometer.* The most common form of this instrument employs a column of mercury, the height of which is graduated in millimetres. Thus 120/80 indicates a systolic pressure of 120 mm of mercury (mm/Hg) and a diastolic pressure of 80 mm.

BLUE SHIFT   *See* DOPPLER EFFECT

BOILING-WATER REACTOR   *See* NUCLEAR REACTOR

BOLIDE   *See* SOLAR SYSTEM

BOOLEAN ALGEBRA

George Boole (1815–1864), professor of logic and mathematics at Queens College, Cork, would be surprised to arise and discover that a multimillion-pound worldwide industry is based on his thinking, especially as expressed in one of his books, *An Investigation of the Laws of Thought,* published in 1854. Boole asserted that most logical thinking, cleared of fluff and verbiage, can be conceived as a series of choices. Boole's interesting notion became the basis of electronic computers of all kinds. The programming for little pocket calculators, home computers, arcade games, and even the computers for interplanetary space vehicles is based on Boole's principles of logical thought, now called Boolean algebra. This algebra, in turn, is based on the three little words AND, OR, and NOT, and their combinations, NOT-AND (NAND) and NOT-OR (NOR).

But how does human-generated logic get into a computer, much less accomplish anything worthwhile there? The ideas represented by AND, OR, NOT, and their combinations can be imitated by electric circuits controlled by on-and-off switches. First, let's look at

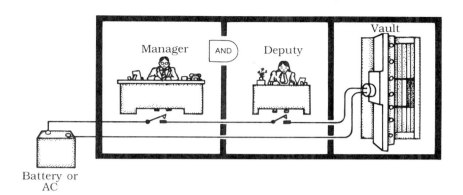

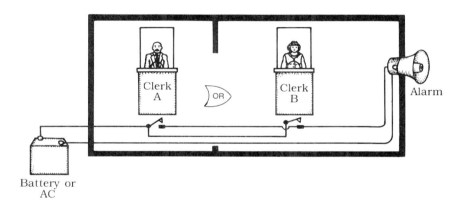

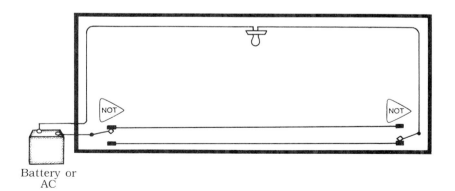

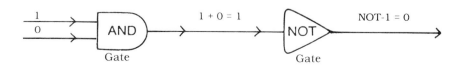

a noncomputer example of an AND circuit, the electrically controlled lock of a bank vault door. To open the vault, a switch must be turned on by the bank manager AND another by the deputy manager, each at a secret place in his or her office. In a computer, a CHIP the size of your fingernail may contain up to 200,000 electronic switches called *gates* that perform the AND function.

Back to the bank. It has a holdup alarm system, which can be switched on by bank clerk A OR bank clerk B. A tiny computer chip may have 200,000 OR gates in addition to the AND gates.

Once again to the bank, whose files are kept in a long, narrow room with a door at each end. The overhead light can be turned on or off by a switch near each door. This is an example of a NOT gate, because either switch, when operated, makes the light do whatever it is *not* doing. Our computer chip has a mere 20,000 or so NOT gates.

Only two more gates to go. Attach a NOT gate past an AND gate, and the two become a NOT-AND (NAND) gate. Whatever the first gate does, the second gate, when operated, reverses the action. Similarly, a NOT gate connected past an OR gate makes a NOT-OR (NOR) gate.

You could figure out how the switches at the bank work by taking them apart. But what happens on a chip, where there are no moving parts? Just looking, even through a microscope, tells you very little, because the chip works on a very different principle.

Well, what do the switches do that we can't observe? One example is in a calculator, which can't do subtraction directly. But a way of getting around this disability is built into the machine. This involves, among other steps, changing zeros to ones and ones to zeros and then adding. In the BINARY NUMBER SYSTEM, all numbers can be made out of zeros and ones, and the calculator does this.

When you press the minus key, you connect NOT gates into the circuits, making the ones NOT-ones, or zeros, while the zeros become NOT-zeros, or ones. Then the machine adds and performs the final step of converting the binary answer back to decimal.

A more complicated example is the game of draughts, where a player, human or electronic, makes choices that are really Boolean in nature. The grandest strategic decisions in the game of draughts, or even chess, are made up of little yes-or-no steps that can be imitated by the on or off position of switches.

BOSONS

Certain subatomic particles that transmit forces. Among these are photons (which transmit electromagnetic forces) and gravitons (which transmit gravity).

See also ELEMENTARY PARTICLES.

BRAIN HAEMORRHAGE *See* STROKE

BRAIN WAVES *See* ELECTROENCEPHALOGRAPH

BRAND-NAME DRUGS *See* GENETIC DRUGS

BRASS *See* ALLOY

BREEDER REACTOR *See* NUCLEAR REACTOR

BRONCHI *See* EMPHYSEMA AND BRONCHITIS

BRONCHITIS *See* EMPHYSEMA AND BRONCHITIS

BUBBLE CHAMBER *See* PARTICLE ACCELERATOR

BULIMIA *See* ANOREXIA NERVOSA AND BULIMIA

BURKITT'S LYMPHOMA *See* HERPESVIRUS DISEASES

BYTE *See* BIT

CALCULATOR

The common hand-held or desktop device that performs arithmetic operations in a fixed, step-by-step order, with each step requiring a specific instruction by an operator. By contrast, a computer can be given a whole series of instructions, called a program, to perform in sequence.

See also BOOLEAN ALGEBRA; COMPUTER.

CALCULUS

Mathematics on the wing: its most subtle, imaginative, and powerful discipline. By contrast, the more familiar branches — arithmetic, algebra, and geometry — might be regarded as mathematics with its feet on the ground. What was the average speed on our journey? (arithmetic). If we hire two workers in addition to the three already at work, how much sooner will the job be done? (algebra). How many square metres of shingles are needed to cover the house, with its gables, dormers, and angles? (geometry). All these examples deal with fixed, stable quantities: distance and time, workdays and workers, square feet and polygonal dormers; all are definite and dependable, good citizens.

Now consider this seemingly simple variation. A sack of sand is suspended, with a small hole at the bottom from which sand trickles at a constant rate (e.g., 1 cubic centimetre per second). The sand forms a small, cone-shaped hill that grows in height, diameter, volume, and weight. What will these measurements be, *and at what rate will they be changing,* after three seconds? five seconds? A single constant input (1 cubic centimetre per second) has produced several outputs; is each output changing at the same rate? Furthermore, the input is *not* constant, because as the sack gradually becomes emptier and its load lighter, the sand trickle gradually becomes slower. So with a varying input, will the *rate of change* of each output vary in its rate of variation?

Precisely this kind of numbing question must be solved by the designers and engineers of a great variety of machines, instruments, and structures. Take a spectacular example: designing a spaceship. To achieve sufficient speed (escape velocity) to overcome the effects of the earth's gravity requires juggling the following variables (and more):

- The more powerful the engines, the faster the spaceship climbs.
- But more powerful engines are heavier and consume more fuel, at a faster rate.
- Consuming more fuel means carrying a heavier total weight at takeoff.
- And let's not forget that a heavier total weight requires more power to get it off the ground.

Somewhere in that quartet of variables (and others unmentioned), among literally billions of possibilities, there is hidden the ideal choice: the right fuel capacity, engine power, and fuel flow to launch the spaceship most efficiently, with maximum reserve power. Can the answer be found by precalculus means? Yes, in perhaps 200 worker-years of algebra. By using calculus? A few days. Using calculus programmed into a computer? A few minutes.

The essence of calculus is in its concept of change. The mathematician and philosopher Bertrand Russell (1872–1970) put it this way: 'People used to think that when a thing changes, it must be in a state of change, and that when a thing moves, it is in a state of motion. This is now known to be a mistake'.

Then what is not a mistake? Films are not a mistake. TV is not a mistake. In these visual depictions and perceptions, motion is a series of still pictures in rapid sequence: 24 per second in films, 25 per second on TV. So motion might be regarded for convenience as an infinite number of still pictures per second. Calculus consists of dividing all changes (increase in diameter of sand pile, decrease in weight of fuel, gain of altitude in rocket, etc.) into an infinite series of stills without actually doing all that infinite work and then pushing those stills around. There are two kinds of pushing:

1. *Differential calculus.* Differential calculus involves finding the rate at which something is happening (or is changing in its rate of happening) in reference to a related happening. How much taller (per second) is the sand pile growing when the sand is spilling out at half its initial rate? (Substitute a few space-launch terms if you're tired of sand piles.)
2. *Integral calculus.* Integral calculus involves knowing the rate at which something is happening and finding the various combinations of happenings that could possibly be producing it. The rocket engine's horsepower, on the test stand, is gaining at the rate of 10% per minute. What various rates of fuel consumption in relation to oxygen consumption can be producing that particular rise in power?

No, your little home calculator will not do calculus for you. But an elementary high school text is worth a try, just to get a rough idea of the potency of calculus. And you will probably enjoy reading about the two independent, almost simultaneous inventions of calculus, by Isaac Newton and Gottfried Wilhelm von Leibniz.

CANCER

A group of more than 100 diseases, second only to heart disease as a cause of death in both the United Kingdom and the United States. In the UK, cancer accounts for approximately 25% of all deaths compared with the worldwide figure of 8%. The incidence of both cancer and heart disease has increased sharply in the western world this century, mainly because the virtual conquest of infectious diseases has enabled many more people to reach middle and old age, when susceptibility to cancer and heart disease is greatest.

Normally, the body cells — skin, muscle, bone, and so on — grow and divide in an orderly way, at a controlled rate, producing more cells exactly like themselves. This is how we replace old tissues and grow. Sometimes disorganized, uncontrolled division occurs, and a tumour forms (Latin *tumere,* to swell) (also called a *neoplasm,* from the Greek *neo,* new + *plasma,* form). Tumours that grow slowly without spreading, such as warts and moles, are called *benign* (Latin *benignus,* well-born). They are not cancerous, but in some cases the pressure exerted by a benign growth (a tumour of the brain, for example) may be dangerous.

In *malignant* (cancerous) tumours, some of the cells may spread to neighbouring organs (infiltration); they can also enter the bloodstream and be carried to other parts of the body, starting new tumours there. This colonization process is called *metastasis* (Greek *methistanai,* to change).

The many forms of cancer are classified into four groups:

1. *Carcinomas,* from the Greek *karkinos,* 'crab', after the fancied clawlike spread of the disease; similarly, cancer is Latin for 'crab'. Carcinomas involve the skin and the skinlike membranes (epithelium) of the internal organs.
2. *Sarcomas* (Greek *sarkoma,* fleshy growth). They involve the bones, muscles, cartilage, and fat.
3. *Leukaemias* involve the white blood cells, or *leucocytes* (Greek *leukos,* 'clear, white' + *kytos,* hollow vessel, cell).
4. *Lymphomas* involve the *lymphatic system,* the network of vessels and tissues that recaptures lymph (Latin, water), the colourless blood fluid that seeps out of the tissues.

There are many *carcinogens,* agents with a potential for producing cancer, including tobacco smoking, smoke from industry, X-rays, certain dyes, asbestos, nuclear radiation, and the ultraviolet rays in sunlight. Their link to cancer was long known, yet there was a mystery: Could such a wide variety of agents be the cause? Scientists theorized a two-step process: (1) Carcinogens cause changes (mutations) in the genes within a cell, and (2) the changed genes cause the cancer.

Genes (*see* DNA AND RNA) are the hereditary material that determines the characteristics of every living thing. When a cell divides in two, each 'daughter' cell receives an exact copy of the genes, organized into *chromosomes* — rod-shaped bodies of DNA molecules.

CANCER IMMUNOLOGY   See CANCER

CAPACITOR, VARIABLE   See RADIO

CAPILLARY   See CIRCULATORY SYSTEM

CARBON DATING   See UNCERTAINTY PRINCIPLE

CARBON 14   See UNCERTAINTY PRINCIPLE

CARCINOGEN   See CANCER

CARCINOMA   See CANCER

CARDIAC PACEMAKER

A bundle of nervous and muscle tissue in the upper wall of the heart that regulates the heartbeat rate. The *sinoatrial node,* as it is technically known, generates electrical impulses at a regular rate — about 70 times per minute in adults, rising to 150 or more during exertion. Each impulse spreads across the *atria* — the two upper chambers of the heart — causing a contraction that forces the blood within them into the *ventricles,* the pair of muscular chambers that make up the bottom part of the heart. A second bundle of tissue between the chambers passes the impulse along, causing the ventricles to contract and forcing the blood into arteries that lead it away from the heart.

Several kinds of heart disease may affect the pacemaker, resulting in a heartbeat that is too fast, too slow, or irregular. The remedy for these disabling or life-threatening conditions is often the widely used *artificial pacemaker,* a device that is implanted under the skin and connected to electrodes permanently implanted in the heart muscle.

Powered by long-lasting batteries, the device generates electrical impulses similar to those produced by the natural pacemaker.
See also CIRCULATORY SYSTEM.

CARDIAC SURGERY   *See* OPEN-HEART SURGERY

CARRIER WAVES   *See* RADIO

CASTING (METAL OR PLASTIC)
See MANUFACTURING PROCESSES

CATALYSIS AND CATALYSTS

Behold a chemist, directing the actions of billions of molecules in a flask. They combine, separate, change partners — reacting exactly as ordered. If a reaction doesn't go fast enough, or at all, forceful methods of persuasion are available: intense heat, high pressure, strong acids. There is also a gentler method, catalysis.

A catalyst is a substance with special characteristics:

- Very little of it is needed.
- It is intimately involved in the reaction but is not itself changed; therefore, it isn't used up.
- It is specific — that is, it catalyses only one reaction or a group of closely related reactions.

An example of catalysis is the operation of the *catalytic converter* fitted in the exhaust systems of cars that run on unleaded petrol. One of the catalysts is a mixture of platinum and palladium, two of the most precious of the precious metals. Fortunately, a tiny amount is all that's needed, and it isn't used up. It speeds up the reaction that combines unburnt fuel (hydrocarbons) and poisonous carbon monoxide from the exhaust with oxygen from the air to form water and carbon dioxide. At the same time, a platinum and rhodium catalyst helps to remove oxygen atoms from the air-polluting nitrogen oxides in exhaust fumes (*see* ACID RAIN), forming harmless nitrogen and oxygen.

Other examples of catalysis:

- Powdered nickel catalyses the reaction in which liquid vegetable oils are changed to solid fat.
- 'Cat-cracking' (*cat* is short for *catalytic*) is one of the principal steps in oil refining. The heavier ingredients in petroleum, such as tar and asphalt, are split up into lighter molecules, to form petrol,

paraffin, flavours (yes!), dyes, aromatic substances, and numerous other chemical triumphs.
- The thousands of chemical reactions that take place in living things are promoted by catalysts called *enzymes.*

CATALYTIC CONVERTER
See CATALYSIS AND CATALYSTS

CATARACT

A condition affecting the lens of the eye, mainly in older people. Worldwide, there are approximately 17 million cases. In the United States, cataract is the leading cause of blindness after diabetes. Like a camera lens that focuses light rays to form an image on film, the eye lens forms an image on the retina at the back of the eyeball. The lens is normally transparent, but in the cataract condition it becomes cloudy; like a mist-covered window, it diffuses the image. The degree of cloudiness may be so slight as to escape the patient's notice or heavy enough to produce blindness.

The cause of cataract is unknown, and medicines are ineffective against it. However, cataract operations are a triumph of modern surgery, with a success rate of more than 90%. The painless operation involves removal of the clouded lens and substitution of a functional equivalent. At one time, this involved thick-lensed spectacles that offered only limited vision. Later, contact lenses produced much better results but were often impossible for older people to use. Today, *lens implants* are used in many of the operations, especially those on older patients. The natural lens is replaced by a tiny plastic lens. For most patients this restores vision that is very close to normal, although spectacles are usually necessary for reading.

'CAT-CRACKING'   *See* CATALYSIS AND CATALYSTS

CATHODE RAY TUBE (CRT)

The most familiar example is a television picture tube, and the simplest kind is the black and white. The inside face of the tube is coated with a *phosphor,* a substance that glows when struck by electrons. At the rear of the tube (the neck) is an electron gun that shoots a beam of electrons towards the front. Electromagnetic coils or electrically charged metal plates direct this stream from side to side and top to bottom, forming a glow-picture of the 'message' being received by the cathode ray tube. Colour tubes are similar except that the face is coated with thousands of groups of dots of light-emitting phosphor. Each group, called a *pixel* (picture element), consists of three dots, one for each of the three primary colours — red, green, and blue.

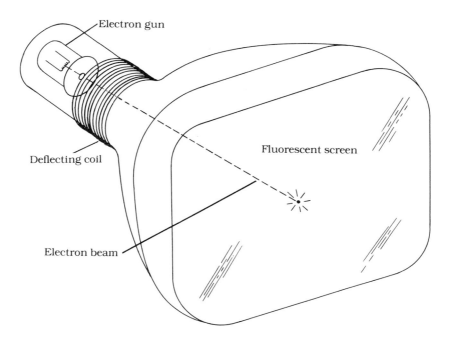

CAT SCAN   *See* COMPUTERIZED AXIAL TOMOGRAPHY

CD   *See* SOUND RECORDING

CELESTIAL COORDINATES

Think of the problem you may face some enchanted evening if you happen upon a UFO and wish to report its precise location. Celestial coordinates are the answer. Imagine, as the ancients once did, that the earth is surrounded by a huge crystal globe, a *celestial sphere,* on which the stars have been fixed in place. There is, of course, no such sphere, but the idea, in combination with a set of imaginary lines, is useful for specifying the location of a star, a planet, or even a UFO.

To locate an object in the sky, you must have some way of knowing how far 'up' it is and how far to the right or left of some given starting point. To do this, we apply the method used on the spherical earth: a system of coordinates — parallels of latitude and meridians of longitude.

The earth's parallels of *latitude* begin at the equator. North of that is the 1st parallel north, and so on up to the 90th parallel north at the North Pole. A similar set of parallels lies to the south of the equator.

The meridians of *longitude,* 360 of them, radiate from the North Pole, cross the equator, and meet again at the South Pole. The meridian that passes through Greenwich is the *prime meridian.* The meridian to its west is 1 degree west longitude, followed by 2 degrees west longitude, and so on, until, halfway around the earth, we reach 180 degrees west longitude. A similar set of meridians stretches eastward from Greenwich, ending in 180 degrees east longitude (which is the same meridian as 180 degrees west longitude).

Now imagine the earth's coordinates projected outwards onto the celestial sphere. There they form a system of coordinates that can be used for locating stars, planets, galaxies, and UFOs. The nomenclature is a bit different. Latitude is called *declination,* and longitude enjoys the name of *right ascension.*

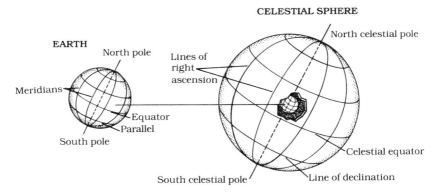

CELESTIAL SPHERE

CELESTIAL SPHERE See CELESTIAL COORDINATES

CELL CULTURE See TISSUE CULTURE

CELL (ELECTRIC) See BATTERY (CELL)

CENTRAL PROCESSING UNIT (CPU)

Could be called the brain of a COMPUTER, if computers had brains. The CPU carries out the computer's arithmetic, logic, and control operations, as this simple example indicates:

Record the following exam grades for each student on this list. Then average the exam grade into the student's previous average. If the averages are the same, or within five points, print the student's name on List A. If the new average is more than five points above the previous average, print the student's name on List B. If more than five points below, print on List C.

Arithmetic operations were performed to obtain the averages. Logic operations were required to compare the new averages with the previous ones. (Are these numbers the same? If not, which is larger?) Control operations caused a PRINTER — a kind of electric typewriter — to print the three lists.

CENTRIFUGAL CASTING
See MANUFACTURING PROCESSES

CENTRIFUGATION   See ANALYSIS

CEPHALOSPORINS   See ANTIBIOTICS

CEREBRAL APOPLEXY   See STROKE

CEREBRAL PALSY

A disorder in which brain damage affects muscular control and coordination. There may be mental retardation, and speech and hearing may be affected. Impairment may range from slight to total disability and dependence. The cerebral palsy patient may suffer from sudden muscular contractions, spontaneous disorganized movements, trembling, or loss of balance.

Brain damage may occur before, during, or after birth, as the result of infection or injury. There is no cure for the disorder. However, physiotherapy, occupational and speech therapy, braces and other orthopaedic appliances, and counselling help many patients to lead productive lives.

CEREBROVASCULAR ACCIDENT   See STROKE

CERN   See PARTICLE ACCELERATOR

CFC   See OZONE LAYER

CHAIN REACTION   See NUCLEAR ENERGY

CHEMICAL ENERGY   See ENERGY

CHEMICAL ENGINEERING   See CHEMISTRY

CHEMICAL TESTS *See* ANALYSIS

CHEMISTRY

The term *chemistry* can be traced backwards in time and space. Through Middle English, French, Greek, and Arabic branches, we reach roots it shares with the term *alchemy,* which is the name for an ancient art of unknown origin that sought to transmute base metals like lead into gold and silver. Alchemy was a forerunner of the modern science of chemistry, which deals with the composition, structure, properties, and reactions of matter, especially at the atomic and molecular levels.

Like all basic sciences, chemistry has become divided into numerous areas; former sharp boundaries have become broad zones.

Analytical chemistry   The science and techniques by which the chemist determines the answers to the questions 'What ingredients are in this substance?' and 'How much of each ingredient is there?' (*see* ANALYSIS).

Biochemistry   The study of the chemical processes that go on in living things — in short, the chemistry of life.

Electrochemistry   The science of the inter-relationships of electric currents and chemical changes, including such processes and devices as electrical batteries (cells), metal refining and manufacture, the production of hydrogen, chlorine, and other chemicals, and metal plating.

Geochemistry   The study of the chemical composition of the earth's crust, waters, and atmosphere. Among the practical aspects of this science are the location of mineral ores, natural gas, and petroleum.

Polymer chemistry   The science of giant, chainlike molecules, *polymers,* made by the repeated linking of great numbers of simple molecules called *monomers.* Rubber and cellulose are natural polymers. Artificial rubber, plastics, and nylon are artificial, or synthetic, polymers.

Industrial chemistry   The business aspect of chemistry, the application of chemical science to the production of fuels, products, and by-products. Closely related to *chemical engineering.*

Physical chemistry   A bridging area of science encompassing the way that the physical properties (weight, volume, hardness, etc.) of a substance depend on its chemical composition and what physical changes accompany a chemical change.

Organic chemistry   Formerly defined as the chemistry of living matter, now the chemistry of carbon compounds.

Inorganic chemistry   Broadly speaking, the chemistry of all substances not containing carbon.

Here are some more terms describing specialized fields of interest in chemistry: *pharmaceutical chemistry* — medicinal drugs; *structural chemistry* — atomic and molecular arrangements and linkages; *thermochemistry* — energy transfers, especially of heat, during chemical reactions.

See also ELEMENTARY PARTICLES; PROTEINS AND LIFE.

CHEMOTHERAPY   *See* CANCER

CHICKEN POX   *See* HERPESVIRUS DISEASES

CHIP

A base (substrate), usually of silicon, on which a group of electronic circuits are constructed. Most chips measure less than 1 square centimetre (0.155 square inch) in area and contain hundreds of thousands of parts. Most of the parts are tiny switches (transistors) that process or store information. The parts are not assembled on the substrate but are formed out of it. The whole assemblage, called an *integrated circuit,* is roughly like a photographic image formed out of a photographic emulsion. The original of the image is a large diagram that is reduced by a reducing lens — the opposite of an enlarging lens. The exposed reduced image is then processed by etching, plating, and photographic processes.

See also COMPUTER; SEMICONDUCTOR.

CHLOROFLUOROCARBONS   *See* OZONE LAYER

CHOLESTEROL

A fatty substance produced by the body, mainly in the liver and intestine, and also ingested in foods of animal origin, such as butter, eggs, and fatty meats. Cholesterol belongs to a large group of compounds called the STEROIDS. Its functions of cholesterol are not fully understood, but some facts are known: it is present throughout the body, it is especially abundant in the nervous system, and it is the raw material of certain hormones, bile salts, and the membranes of the body cells.

It is clearly a necessary substance, yet its name provokes unease. That's because cholesterol may become too much of a good thing if an excessive amount circulates in the bloodstream. Sometimes, for reasons unknown, deposits, called plaques, of cholesterol form on the inner lining of arteries (see ARTERIOSCLEROSIS), hindering the blood flow and possibly causing blood clots. *Triglycerides,* a group of fatlike substances, and the form in which fat is stored in the body, may also be involved. In arteries of the heart, brain, or kidneys, the end result may be a heart attack, stroke, or kidney failure.

To lower the level of cholesterol in the blood, most doctors look first to the patient's diet, advising a lower intake of foods rich in cholesterol and saturated fats and an increase in consumption of fish and fibre. Weight loss, regular exercise, and stopping cigarette smoking are recommended. Drugs may be prescribed.

The molecules of a fat or oil consist of chains of carbon atoms, to which pairs of hydrogen atoms are attached. A fat is *saturated* if its chains are fully loaded with hydrogen, as in this partial structural formula:

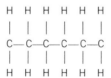

Butter is such a fat.

Unsaturated fats are considered less likely to raise the cholesterol level of the blood. There are degrees of unsaturation. If the chain lacks *one* pair of hydrogen atoms, the fat is said to be *mono*unsaturated. If *more* than one pair is missing, the fat is *poly*unsaturated.

Peanut oil, sunflower oil, and most other vegetable oils contain relatively high amounts of unsaturated molecules. However, they are often saturated by the addition of hydrogen. This *hydrogenation* process is used to improve the flavour or odour of the oil or to convert it to a solid, such as margarine.

Doctors are interested in the relative amounts of high-density lipoprotein (HDL) cholesterol and low-density lipoprotein (LDL) in the blood. HDL is sometimes called the 'good cholesterol' because it is believed to facilitate the removal from the body of the potentially harmful LDL. Regular exercise and polyunsaturated fats appear to increase the HDL level.

Drugs can help in lowering the level of cholesterol. In 1987, an especially promising drug, *lovastatin,* received approval by the Food and Drug Administration in the United States. It is an enzyme inhibitor, interfering with the production of LDL cholesterol by the liver.

See also PROTEINS AND LIFE.

CHOLINESTERASE INHIBITORS
See NEUROMUSCULAR DISORDERS

CHORIONIC VILLUS SAMPLING   *See* AMNIOCENTESIS

CHROMATOGRAPHY   *See* ANALYSIS

CHROMOSOMES   *See* DNA AND RNA

CHROMOSPHERE   *See* SOLAR SYSTEM

CIRCUIT BREAKER

A device that does the job of a FUSE without self-destructing. Current flows through a switch and an electromagnet (A). The strength of the electromagnet depends on the strength of the current flowing through. Too much current causes the electromagnet to become too strong, so strong that it pulls the switch to an off position, breaking the circuit (B). After the overload has been corrected, the switch is closed manually and the current restored. Some circuit breakers operate by the heating of a metal strip. A current overload causes the strip to heat up and bend, thus tripping the switch to the 'off' position.

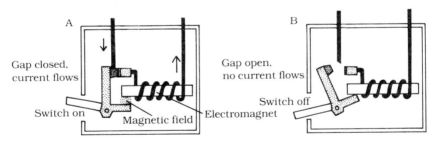

A   Gap closed, current flows   Switch on   Magnetic field   Electromagnet

B   Gap open, no current flows   Switch off

CIRCULATORY SYSTEM

The system of 'pumps' and 'pipes' that distributes the blood throughout the body. The pump is the *heart,* which is actually a pair of pumps. The right side of the heart pumps blood directly to the lungs; the left side pumps blood to the rest of the body through various pathways:

Arteries   The large pipes that carry the blood away from the heart. They extend to all parts of the body, where they branch to form networks of smaller pipes, or *arterioles;* these in turn branch to form capillaries.

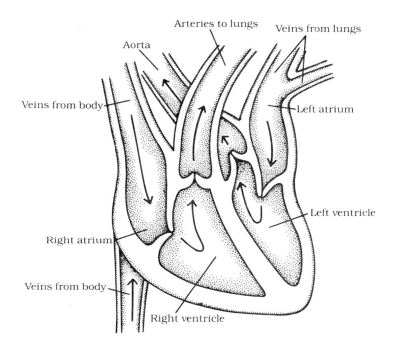

Arteries to lungs

Veins from lungs

Aorta

Veins from body

Left atrium

Left ventricle

Right atrium

Veins from body

Right ventricle

Capillaries Microscopically thin blood vessels intimately entwined with the body cells. Here, dissolved food, oxygen, hormones, and hundreds of other substances pass out of the blood into the body cells; wastes and many other substances pass out of the body cells into the blood. The capillaries merge to form *venules,* which join to form veins.

Veins Larger blood vessels that return the blood to the right side of the heart. The heart pumps this blood to the lungs for aeration, then back to the left side of the heart, where it is pumped out on another trip around the body.

In the heart, each contraction of the left side forces a quantity of blood (about 5 tablespoons) into the *aorta,* the largest artery. Like all arteries, it is elastic and muscular. It stretches, then contracts, pushing the blood along and setting off a wave of stretching and contracting in the arteries. In places where an artery can be pressed against a bone — at the wrists, ankles, or temples, for example — the motion is felt as the *pulse.*

The pulse indicates the rate, regularity, and strength of the heartbeat. Together with the other *vital signs* — body temperature, respiratory rate, and BLOOD PRESSURE — it offers the medically trained person numerous clues to the body's state of health.

CIT SCAN *See* COMPUTERIZED AXIAL TOMOGRAPHY

CLADDING *See* FIBRE OPTICS

CLONES *See* IMMUNE SYSTEM

CLOUD CHAMBER *See* PARTICLE ACCELERATOR

COBOL *See* COMPUTER LANGUAGES

CODON *See* DNA AND RNA

COHERENT LIGHT *See* LASER

COLD FRONT *See* AIR MASS ANALYSIS

COLLIDING-BEAM ACCELERATOR
See PARTICLE ACCELERATOR

COMA OF A COMET *See* SOLAR SYSTEM

COMET *See* SOLAR SYSTEM

COMFORT INDEX *See* TEMPERATURE-HUMIDITY INDEX

COMMUNICATIONS SATELLITE *See* SPACE TRAVEL

COMMUTATOR *See* GENERATORS AND MOTORS, ELECTRIC

COMPACT DISC *See* SOUND RECORDING

COMPOUND MICROSCOPE *See* MICROSCOPE

COMPUTER

Device used for computation, as for example your fingers, if you like to count on your fingers. More precisely, the contemporary definition (and doubtless the one you are looking for) refers to an electronic device that (1) receives *input,* (2) *stores* and *processes* that input according to a set of instructions (a *program*), and (3) delivers the results of that processing in the form of an *output.*

A shop assistant lays a bunch of bananas on a computer-equipped weighing scale. The weight of the bananas acts as input 1, which is temporarily stored awaiting input 2, the price per pound of bananas, which is punched in by the assistant. The computer processes the two inputs according to a built-in program: 'Multiply inputs 1 and 2'. The result is an output, in the form of lighted numbers — pounds and pence — on the dial of the scale.

The captain of a 440-passenger plane, after take-off from Heathrow, punches a set of data (input) into the keyboard of a computer-equipped automatic pilot, indicating the desired speed, altitude, and flight path for a flight to Rome. The data are stored in the computer's memory, awaiting a second set of inputs, which are continually received throughout the flight from the air speed meter, the altimeter, the compass, and other instruments. Processing these several inputs, the computer delivers a continual series of outputs — instructions to the engine controls and to the rudder and elevator — producing a smooth, hands-off flight all the way to Rome, right through the landing, if necessary.

Input, storage (memory), processing, and output — these are the basic steps in the banana transaction and in the flight to Rome. The same basic steps apply in personal microcomputers; in commercial (*mainframe*) computers the size of a car; in laptop and desktop computers; in pocket calculators, which are a kind of simple computer; and in fact in all computer operations. Obviously these differ in complexity, but the machinery involved, the *hardware* units, are surprisingly similar, and many of them are even interchangeable. Here are descriptions of some typical operating segments.

Most computers are equipped with typewriterlike keyboards (keypads). Electric switches under the keys convert letters, numbers, and symbols (punctuation marks, dollar sign, etc.) into binary digits or BITS — zeros and ones — in the ASCII code. A place where two systems make contact is called an INTERFACE. In this case the two systems are the ALPHANUMERIC system and the BINARY NUMBER system.

Input Inside the weighing scale, input about the weight of the bananas is converted at an interface into binary form. On the aeroplane, continuous messages about air speed, altitude, and compass heading are converted by TRANSDUCERS into electric currents that reach interfaces in the computer and are then converted into binary. Another common input is the UPC (universal product code), also called the bar code, seen on packages. Here the interface is on a laser-beam scanner. It converts the message of thick and thin lines into binary information for the computer. Similarly, a MAGNETIC INK CHARACTER SORTER 'reads' the numbers, printed with magnetic ink, on cheques and other documents. Many post offices have optical readers that read post codes (especially if they're written neatly). In banks with machine-operated cash dispensers, two inputs are needed for identification: a magnetically inscribed code number and a private number that the customer must punch into the keyboard.

Another type of input is punched cards or tapes. A sales assistant snips off a punched card attached to the coat you've just purchased and puts it into a device that 'feels' the punched-out holes, with either metal fingers or light beams. The coded information (manufacturer, price, size, etc.) is converted to binary language, stored in the computer's memory, and sent to the cash register.

There are many more types of inputs, including instructions from another computer, which may be halfway around the world or out in space. For two computers to communicate with each other, a *modem* is required.

The methods of input vary a lot, but the result is always the same: The machine (hardware) receives information that it will store, process, and finally make public.

Memory A computer may perform thousands or millions of calculations in solving a problem. It must remember each piece of information it is given and keep track of all the processing it does en route to its final result. Also, each number, letter, symbol, and space put into a computer is turned into a group of eight bits (for example, the letter Z is translated as 01011010). Each bit must be stored somewhere and must be ready to be retrieved at a moment's notice (see RETRIEVAL). Almost constantly, then, a computer is storing something in memory and retrieving (accessing) something from memory.

Computer memory is astonishingly brilliant: it can store information swiftly and compactly; a 1000-page book can be stored on a rapidly spinning 8-inch (203-millimetre) disk in five seconds. It is also astonishingly stupid, without the faintest idea of what it is memorizing. It can store ones and zeros — nothing more — in the form of magnetized strips (which signify 1) or oppositely magnetized strips (which signify 0). Some types of storage use unmagnetized strips for zeros. Storage may also be in groups of electric switches in closed position (signifying 1) or open position (signifying 0). Such groups are called *flip-flop circuits* — flip and flop, 1 and 0.

A computer's memory is actually two memories: one permanent, one temporary.

ROM (read-only memory) ROM is permanent. Neither you nor the computer has any control over the information in ROM. Here the manufacturer has placed special data that can be used but not erased or changed. For example, when pressed, the pi key on a calculator releases a permanently stored number, 3.1415927, into the working circuits.

RAM (random-access memory) RAM handles all input, each electronic switch storing one bit. The more RAM a computer has, the more information it can store. However, RAM presents a special problem: it works only as long as an electric current flows through it. Without a current (the switch turned to 'off', the plug pulled out, a dead battery), all the stored information is wiped out.

Mass storage

There is a way to get the best of both worlds – the power of RAM and the permanence of ROM. Suppose you're writing a novel. You wrote part of a chapter today, to be continued ... tomorrow? next week? Meanwhile, must you leave the computer turned on? What if somebody accidentally pulls the plug out? The solution is mass storage.

Information can be stored permanently on magnetic tape (much the way music is recorded on a cassette), on a FLOPPY DISK, a thin flexible disk coated with magnetic particles, or on a hard disk. These media store bits (zeros and ones) as magnetic strips running in either one direction (signifying 0) or the other (signifying 1). Mass storage devices called tape drives or DISK DRIVES can then retrieve ('read') the data, change it, and again store ('write') it onto tape or disk. Disk storage is much faster than tape, since the information is stored and retrieved randomly – that is, in any order – rather than having to be searched through from beginning to end. Much more information can be stored on tapes or disks than can be stored at any one time in the computer itself.

Memories, ah, memories ... Now we know what is stored (zeros and ones) and where it is stored (in magnetized strips or in switches), but what for? We don't just sit around and recollect them; we process them, in the CENTRAL PROCESSING UNIT (CPU).

When the input has been converted to zeros and ones, the computer's CPU takes over. The CPU consists of hundreds of computer chips, some handling the calculations or processing, others serving as the computer's memory. (In personal computers, a single chip, the *microprocessor,* takes care of the processing, and separate chips hold the memory.)

A piece of a CPU chip less than 6.5 millimetres (¼ inch) square can be made up of more than 100,000 tiny electronic switches lined up in rows and columns. Each switch is a storage unit, storing a single bit (a zero or a one). When a bit is a one, the computer turns a switch *on,* and a tiny electric current flows. When a bit is not a one (i.e., zero), the switch remains *off,* and no current flows. When information is processed, an electric current flows through various circuits, according to which switches are open or closed.

For example, a computer chess game contains a set of rules in switch form (a pawn can move this way, a knight can move this way *and* that, etc.). These rules are modified by the human player's input, based on intelligence, hunches, whims, experience, desperation, and so on, while the opposing player (the computer itself) modifies the rules by a set of grim logical steps called BOOLEAN ALGEBRA. Those steps are the ground rules of all computer processing, not just chess playing.

Output Now, after this once-over-lightly discourse on input, memory, and processing, we come to the output: the goal, the light at the end of the tunnel. The price of bananas, on a scale equipped with an LCD or LED display, is an output in its simplest form. Output can also appear on a CATHODE RAY TUBE — a TV or similar type of screen — or as a printout on paper (hard copy) produced by a PRINTER. For the sight-impaired, the printout can be rendered in braille.

A much more complicated output is the automatic pilot's electrical instructions to the engine throttles, rudder, elevator, and other flight controls. An example of in-between complexity is what happens in a word processor. Input: tap-tap by the genius at the keyboard. Processing: CPU jiggles the words into line length, checking spelling, hyphenating end words according to built-in memory, disgorging the output on a cathode ray tube, and then, if it meets the writer's approval, typing it on a printer.

See also RAM AND ROM.

COMPUTER GRAPHICS

Charts, graphs, diagrams, and pictorial images of all kinds displayed on a computer screen. These images can be generated in several ways — for example, from a memory bank: 'At the upper left corner, make a dot. On the second line, make a dot at the first space from the left. On the third line, make a dot at the second space from the left.', and so on. Such a set of instructions (called *point plotting*) would generate a slanting line. Any line or area can be point-plotted by inserting the proper directions (commands) into the computer memory.

Another method is to feed in mathematical data, such as '$C = \pi D$; solve for $D = 3$'. The result: a graphic display of a 3-centimetre circle.

Special graphics for various subjects can be stored in a computer and retrieved at the touch of a button. For example, chemical apparatus — test tubes, funnels, flasks, tubing, and the like — can be stored, retrieved, displayed, and printed this way. Architects, engineers, mathematicians, and other professionals have their special graphics available.

Graphics can be done by hand, too. A *light pen* touched to the face of a cathode ray tube (you know it better as a TV screen) draws or erases lines on the screen.

COMPUTERIZED AXIAL TOMOGRAPHY (CAT OR CT)

A method of obtaining a three-dimensional view of the interior of an object by building up a series of sectional views (Greek *tomo,* cut, section). This method is an elaboration of X-ray techniques, so let's take a brief look at them first.

Like light waves, X-rays are electromagnetic radiations, but they are much shorter than light waves and invisible to the human eye. X-rays can penetrate many objects, passing easily through soft substances such as fat and skin, less easily through denser tissue such as muscle, and hardly at all through bone and metal. That's how you can distinguish, in this illustration of an X-ray photo of someone's hand and wrist, the finger bones, the skin and muscle around them, and the metal ring. X-ray photography is enormously useful, but it is limited in two important ways:

1. To impress a useful image onto a photographic film, X-rays have to be fairly strong and are therefore possibly dangerous.

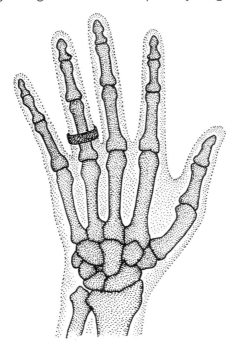

2. X-ray photography produces a two-dimensional image: an egg-shaped tumour might cast its true oval image from one angle but might show a circular image from another angle. (How many ways can you slice a hard-boiled egg?) Why not, then, make many images from many angles? There is a limit to the number of strong X-ray exposures that living tissue can safely tolerate.

We come, then, to the vastly superior (and much costlier) system called *computerized axial tomography* (CAT or CT). The system is sensitive to very small differences in density, so a doctor can, for example, examine a living brain or determine the exact size, shape, and location of a tumour or a blood clot. Another advantage of CAT is that there is no photographic image and therefore no need for strong X-ray beams. The image is constructed serially and sectionally by a computer. To see what that means, we can do a very simple analogical experiment using an electric torch and a light meter.

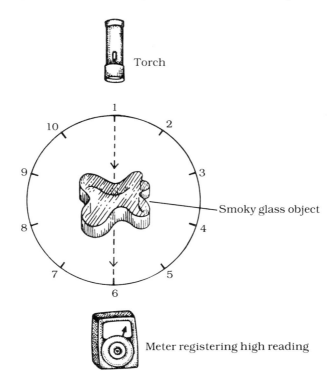

Torch

Smoky glass object

Meter registering high reading

Here's the torch placed at the rim of a dial at point 1. At the centre of the dial is a piece of smoky glass. The light meter is at point 6. The torch's beam is weakened somewhat as it shines through the glass and strikes the meter. We get a certain reading and record it. Then

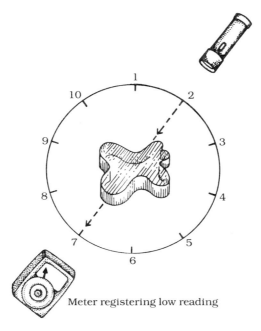

Meter registering low reading

we move the meter to point 7 and the torch to point 2. This time the beam must pass through a greater amount of glass, so the beam is even weaker, giving a lower reading on the meter. Point by point, we move around the circle, getting a series of readings. These are fed into a computer, which assembles the numbers into a diagram of the glass. This diagram is displayed on a cathode ray tube (CRT), which resembles a TV picture tube.

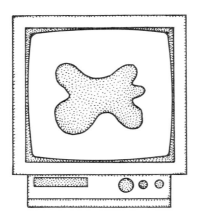

The picture on the CRT is of just one slice (one *tomo*) through the glass. Suppose you were trying to construct the diagram of a long glass rod, round in some places and square in others. You could measure the thickness of the rod with the torch and meter, move the rod a short distance along its axis, and repeat the measurements, over and over. You would be doing a primitive kind of axial tomography.

Now for the real thing — the CAT scan. In place of a simple rod, we have a complicated human being. In place of a torch, we have a source of weak X-rays. In place of a light meter, there is a detector (a photomultiplier tube) that receives the X-rays and amplifies the reading. The readings are taken not only at pairs of points (1 and 6, 2 and 7, etc.) but by continual scanning around a whole circle.

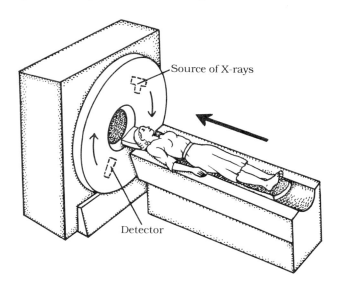

Source of X-rays

Detector

A movable stretcherlike table, which a technician operates by remote control, moves the patient slowly into the machine that houses the X-ray source and the detector. One scan is done, and the patient is moved forward a fraction of an inch. The scanning process is repeated, over and over, until the entire brain, liver, or other part of the body has been scanned and the readings fed to a computer.

Depending on the size of the organ(s) to be studied, and the detail desired — that is, how closely spaced the slices are to be — a CAT scan can take from a second or two to more than an hour.

The computer can be made to display the image of section after section of the body part on a cathode ray tube; as many sections as needed can be photographed for a permanent record. This drawing was copied from an image made at the level of the kidneys.

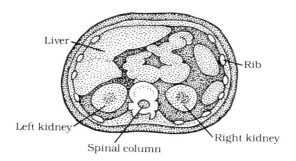

An offshoot of CAT is CIT, *computerized industrial tomography*. This is a system for inspecting machine parts, metal castings, and so on, for internal flaws. Metals resist the passage of X-rays more strongly than body tissues do, so a more powerful beam is required. Especially large or dense objects are examined with even more powerful GAMMA RAYS emitted by radioactive isotopes of caesium or cobalt. With either kind of ray, the human operators of the CIT machine must be carefully shielded from stray radiation.

COMPUTERIZED INDUSTRIAL TOMOGRAPHY
See COMPUTERIZED AXIAL TOMOGRAPHY

COMPUTER LANGUAGES

Computers are astonishingly fast and accurate; they can perform millions of precise calculations in a few seconds. But they suffer from one handicap: They have no idea what they're doing. They must be told what to do — a few steps at a time on a little pocket calculator, hundreds of sequential steps on a home computer, many times that on the big machines in offices and factories.

We give instructions to computers (that is, we *program*) through various languages devised for their suitability for different uses and crafts, trades, and professions. The languages consist primarily of short commands — PRINT, GO TO, DO, STOP — typed onto the computer's keyboard, also called a keypad. Each computer language has its own rules (syntax) and vocabulary that make one language more useful to an engineer, another to an accountant, and so on.

One of the simplest and most useful languages for a novice to learn is BASIC (*B*eginner's *A*ll-purpose *S*ymbolic *I*nstruction *C*ode), since it is built into almost all personal computers and can handle a wide variety of applications. Some other computer languages are COBOL (*C*ommon *B*usiness-oriented *L*anguage), for business uses, such as general accounting; FORTRAN (*For*mula *Tran*slation) and ALGOL (*Algo*rithmic *L*anguage), used to help scientists with numerical problems; and PASCAL (named after the French mathematician and philosopher Blaise Pascal, 1623–1662), a newer general-purpose language often taught in the classroom because it is said to promote logical thinking. Surprisingly, computers can't 'understand' any computer languages. These languages exist for humans, as a convenient way of giving orders to the machine (hardware). As an analogy, consider a lift's push-button keypad (UP, DOWN, CLOSE, OPEN, 1, 2, 3, etc.). Those buttons 'speak' a language comprehensible to humans; computer people call it a *high-level language*. But a lift mechanic can work the machinery directly by turning this lever, closing that switch, and so on. His actions are directly involved with the machinery (*machine language, a low-level language*).

See also ASCII.

COMSAT *See* SPACE TRAVEL

CONDENSED-MATTER PHYSICS *See* PHYSICS

CONSTELLATION

A pattern of stars as seen from the earth. The stars, like everything else you see in the sky, are in motion. It's easy to observe that a relatively nearby object — the planet Venus, for example — changes its position from week to week against the background of stars. But stars are so distant (thousands to millions of times farther away than planets) that their motion relative to one another is imperceptible. When you pick out a pattern of stars in the night sky, the Plough, say, you are seeing almost the same pattern that people saw a few thousand years ago. They named the patterns after fancied resemblances to gods, heroes, or animals (think of Hercules, Orion, Leo the Lion, among many others), and myths were invented to explain how they came to be in the sky.

STARS OF THE PLOUGH AS SEEN FROM THE EARTH

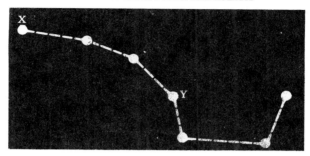

The particular patterns we see exist only from our viewpoint on the earth. For example, the stars of the Plough look like seven points of light on a screen. But no two-dimensional screen could accommodate the Plough, because each of its stars is at a different distance from us. Star X, for example, is more than three times as far away as star Y. Move a light-year or two to one side of the earth, and the seven stars form some other pattern.

**THE SAME STARS, FROM A VIEWPOINT
A FEW LIGHT-YEARS FROM THE EARTH**

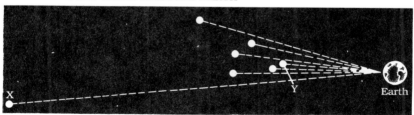

For convenience in locating stars, galaxies, and other celestial objects, modern astronomers have divided the sky into 88 areas; these are still called constellations, and many of them retain the classical names and parts of the old configurations. How else could you read about the latest astrophysical discovery in a constellation that is really a princess who was changed into a bear? All right — the princess was Callisto, and the bear (and constellation) is Ursa Major, the Great Bear.

CONTINENTAL AIR MASSES, POLAR AND TROPICAL *See* AIR MASS ANALYSIS

CONTINENTAL DRIFT *See* PLATE TECTONICS

CONTROL, SCIENTIFIC *See* SCIENTIFIC TERMS

CONTROL RODS *See* NUCLEAR REACTOR

COOLEY'S ANAEMIA

A hereditary blood disorder, also known as *thalassaemia.*
See also GENETIC DISEASES.

COPOLYMER 1 (COP 1) *See* NEUROMUSCULAR DISORDERS

CORIOLIS EFFECT

Also called the *Coriolis force,* it was first described by the French
physicist Gaspard de Coriolis (1792–1843). A free-flowing subst-
ance (e.g., wind, water current), moving in a northerly or southerly
direction, will be deflected towards the right if north of the equator,
to the left if south of the equator. This is a matter of considerable
importance to meteorologists, navigators, aeroplane pilots, laun-
chers of space vehicles, artillerymen, and a certain pair of
cockroaches.

Cockroach A, intelligent, evil, and armed, stands at the centre of a
disc that is rotating counterclockwise, from west to east (as the earth
does when viewed from above the North Pole). Cockroach A aims at
his enemy, cockroach B, and fires. His tiny bullet flies in a straight
line, but during flight its target, B, is carried by the disc's rotation to
a new position, B_1. So on this disc, rotating counterclockwise, a shot
from the centre, aimed towards the rim, seems to veer off to the
shooter's right (and misses its target).

Act 2 of the cockroach vendetta: B, unscathed, aims at A and

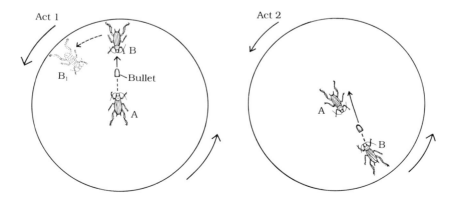

fires. But while he was aiming and firing, he and his gun were being carried sideways towards the right in relation to A. The bullet too was already moving sideways to the right as it emerged from the gun. So it passed to the right of Cockroach A.

Act 3: Both evildoers start dashing hither and yon, aiming and firing at each other. The bullets, when properly aimed (as seen in the gunsight) fly to the right of their target.

Act 4: The cockroaches have now dashed around to the underside of the disc (cockroaches, as you well know, can walk on the underside of a surface, and Australians don't even regard themselves as being under anything — because they're not). Same rotation of the disc (or globe, from our expanded scope), west to east, but here this is a clockwise motion, and bullets fly to the left of their targets. See for yourself: look at the diagrams through the other side of the page.

South of the equator to the left, north to the right — the Coriolis effect operates on all freely moving objects: the Gulf Stream and other currents, rockets after launching, great winds and little zephyrs, even (to a tiny extent) footballs. Its effect is greatest on north-south motion and least (in fact, zero) on east-west.

CORONA *See* SOLAR SYSTEM

CORONAGRAPH *See* SOLAR SYSTEM

CORONARY ARTERIES *See* HEART ATTACK

CORONARY ARTERY OCCLUSION
See HEART ATTACK

CORONARY BYPASS SURGERY *See* OPEN-HEART SURGERY

CORTISONE *See* STEROIDS

COSMIC RAYS

Atomic particles composed mainly of hydrogen nuclei. They are believed to originate in the sun and in explosions of old stars. Primary cosmic rays streak through space at nearly the speed of light, giving them tremendous energy. Nearing the earth, they collide with molecules of the atmosphere, shattering these and producing the far less energetic secondary cosmic rays, which can reach the earth's surface; fortunately for us, very few of the primary rays do so (*see* RELATIVITY.)

Even the secondary rays have enough energy to penetrate the

nuclei of plant and animal cells and can cause mutations (hereditary changes) in them by altering their genes.

COSMOLOGY

In the beginning there was (tick one):

- The void
- A huge turtle on whose back the earth rested
- A group of crystal spheres-within-spheres surrounding the earth, in which were imbedded the sun, moon, and stars
- The big bang
- Another theory
- No choice

Your choice, or lack of choice, depends on which aspect of cosmology — the study of the origin, composition, and dynamics of the universe — you favour. All the choices listed are current in folklore or religion or science or personal hunch. The overwhelming choice of scientists is the big bang, which on the face of it seems utterly preposterous. According to the big bang theory, the universe began about 12 to 15 thousand million years ago as a tiny sphere the size of, what, a basketball? (a tennis ball? a pinhead? smaller?) containing *all* the matter and energy that then became the universe. This tiny, unimaginably dense, impossibly heavy object exploded and expanded. Before we proceed with the details of such an unbelievable occurrence, let's see on what evidence scientists base their belief.

Tomes have been filled with data of observations and calculations supporting the big bang theory. There are two major streams of supporting data, which can be grossly classed and nicknamed the 'raisin cake' and the 'fire in the cave'. More elegantly, they are dubbed the expanding universe and background radiation.

The expanding universe Imagine an uncooked raisin cake, made of uncooked cake mixture (naturally), with raisins scattered evenly throughout — inside and on the surface. The cake is put into a hot oven and begins to bake. It puffs up, expanding in all directions. The distance between any raisin and all the other raisins increases. A raisin gifted with vision would see all the other raisins receding from it. Gifted with intelligence as well, such a raisin would conclude that the cake is expanding.

In 1929 the American astronomer Edwin Hubble (1889–1953) presented evidence that the universe is expanding (*see* DOPPLER EFFECT). The thousands of millions of galaxies, each containing thousands of millions of stars, are all receding from one another at tremendous speeds. The universe is expanding.

From what beginning? Run the film projector backwards and we come to some sort of starting point, a time when all the objects of the universe come together, condense into — according to most cosmologists — the tiny massive sphere that underwent the big bang.

Background radiation Imagine entering a cave and finding a heap of warm ashes. You also notice that the air is warm. You conclude that there has been a fire, the cause of it all.

The 'warm ashes' of the universe are radioactive substances whose rate of 'cooling down' (radioactive decay) points to a starting time. The 'warm air' is the presumed empty space of the universe, which was formerly thought to have a temperature of ABSOLUTE ZERO, the temperature of nothing. But two American physicists, Robert Wilson and Arno Penzias, in 1965 announced their findings: space does have a temperature, 2.7°C above absolute zero (i.e., a temperature of 2.7 K or −270.5°C). 'Empty' space, it turns out, is swarming with energetic, heat-inducing photons that were liberated shortly (about 700,000 years) after the big bang. That event fits neatly into the timetable of the total big bang history, from the first billionth of a second to the present day — and into the future.

What about the future? No gypsy fortune-teller ever offered such bizarre possibilities: 'Some say the world will end in fire. Some say in ice'.

At the moment of the big bang, the temperature of the tiny universe was over 100,000 million degrees Celsius. Immediately, with explosion and expansion, there was a drop in temperature, thousands of millions of degrees in a fraction of a second. With cooling came a drop in the pressure that originally blew the primordial thing apart. But the momentum is still with us; the pieces of the universe are still flying apart. However, another force was operating during the big bang, and it is still in action; GRAVITATION, pulling every particle of matter in the universe to every other particle, is working against momentum. Which will win? (Talk about cliff-hangers — you will only have to wait several thousand million years.) If momentum prevails, the universe will continue to expand and cool, its available energy diffused into an icy death (see ENTROPY). Such a fate is blandly defined as the 'open universe' and is regarded by most cosmologists as the likely end.

A less gloomy prognosis assumes that there is sufficient matter in the universe for gravitation to prevail, in which case pulling together will overcome flying apart, so that the momentum will be slowed, brought to a stop, and reversed. The film projector will run backwards, back to the original primordial sphere, incredibly hot, unimaginably compressed and heavy.

And then? If the tug-of-war figures are right, another big bang, another cycle of expansion, another era of formation into atoms and molecules, and then dust clouds and stars and GALAXIES — another phase of the OSCILLATING UNIVERSE.

COWLING

The streamlined cover of an aeroplane engine.
See also AERODYNAMICS.

COWPOX   *See* IMMUNE SYSTEM

CPU   *See* CENTRAL PROCESSING UNIT

CRAB NEBULA   *See* STELLAR EVOLUTION

CREATIONISM   *See* EVOLUTION

CREATION SCIENCE   *See* EVOLUTION

CRITICAL MASS   *See* NUCLEAR REACTOR

CROSSOVER NETWORK   *See* LOUDSPEAKER

CROSS TALK

The unwanted transfer of information from one communication system or channel to another. A common example is the nuisance of a second conversation faintly heard on a telephone. This may be due to mixed-up connections or to a phenomenon called *inductance,* in which a strong electric current induces a weak current in a nearby wire. By extension, the term refers to any such interference, as for example in a computer-to-computer dialogue.

CRT   *See* CATHODE RAY TUBE

CRUST OF THE EARTH   *See* ROCK CLASSIFICATION

CRYSTALLOGRAPHY   *See* PHYSICS

CT SCAN   *See* COMPUTERIZED AXIAL TOMOGRAPHY

CVS   *See* AMNIOCENTESIS

CYCLAMATES   *See* SWEETENING AGENTS

CYCLE (IN ELECTRIC CURRENT)
See DC AND AC; RADIO

CYCLOSPORINE   *See* IMMUNE SYSTEM

CYCLOTRON   *See* PARTICLE ACCELERATOR

CYSTIC FIBROSIS

A hereditary disease in which major glands malfunction, with eventual involvement of the lungs.
   See also GENETIC DISEASES.

CYTOLOGY   *See* BIOLOGY

CYTOSINE   *See* DNA AND RNA

D

DAISY WHEEL PRINTER   *See* PRINTER

DC AND AC

Abbreviations of *d*irect *c*urrent and *a*lternating *c*urrent. The big batteries in cars and the little ones in electric torches are essentially tanks of electrons. Batteries deliver electrons in a steady stream — direct current — until exhausted or recharged with more electrons.

Alternating current is a stream of electrons that alternates — changes direction — at a regular rate. The rate in Britain is 50 hertz (abbreviated to Hz), meaning 50 back-and-forths, or *cycles*, per second. Alternating current is produced by AC generators (*see* GENERATORS AND MOTORS, ELECTRIC).

Alternating current has certain advantages over direct current, the principal one being that it can be sent through a TRANSFORMER, which quietly and efficiently changes the voltage to whatever is currently (pun) desired. For example, a doorbell runs on about 6 volts; a TV picture tube needs 20,000 volts or more (notice the 'DO NOT OPEN' warning on the back of your TV). Yet both can operate off the 240-volt house current, thanks to transformers.

DECAY   *See* BIODEGRADABILITY

DECIBEL

One tenth of a bel, a unit of power named in honour of Alexander Graham Bell (1847–1922), inventor of the telephone. Decibels (db or dB) are commonly used as measurements of sound power or loudness. Doubling the loudness or power of a sound adds 3 db to its rating. Thus a sound of 21 db is twice as loud as a sound of 18 db. Some common decibel ratings:

Whisper	15– 30 db
Clock ticking	20– 40 db
Conversation	30– 60 db
Discotheque	105– 115 db
Nearby thunder	120– 130 db
Explosion	120– 140 db

DECIMAL SYSTEM   *See* BINARY NUMBER SYSTEM

DECLINATION *See* CELESTIAL COORDINATES

DEDUCTION *See* SCIENTIFIC TERMS

DEGENERATIVE JOINT DISEASE *See* ARTHRITIS

DEGRADABLE *See* BIODEGRADABILITY

DEOXYRIBONUCLEIC ACID *See* DNA AND RNA

DEOXYRIBOSE *See* DNA AND RNA

DESERTIFICATION

The process of becoming a desert (Latin *deserere*, to abandon). A desert is a region in which the vegetation is so scanty as to be incapable of supporting any considerable human population. Deserts are bad enough news in a world whose human population is growing dramatically; much worse is the fact that the deserts themselves are growing.

Experts at the United Nations estimate that 10% of the earth's people have already been affected to some extent by desertification. In North and Central Africa, the most severely affected regions, famine has killed hundreds of thousands of people in recent years.

A long-standing cause of desertification has been prolonged drought, although today the main cause is probably large-scale human activity. To feed the rapidly growing number of people, infertile land is overused to the point where little or nothing will grow on it — a desert in the making. Overgrazing by increased numbers of cattle and indiscriminate cutting of trees for timber and firewood lead to soil erosion and more desertification.

Some experts believe that the process may be evolving into a cycle: Areas without vegetation reflect more sunlight, beginning a chain of events that ends with an increase in the amount of dry air at ground level. The dry air promotes the growth of the desert, which in turn reflects more light, and so on, ominously.

DEUTERIUM *See* NUCLEAR ENERGY

DIABETES

A group of disorders in which the body uses carbohydrates (sugars and starches) and fats in an abnormal way. Diabetes is a complex, incurable disease with various suspected causes: heredity, infections, pancreatic disease, obesity, drugs, pregnancy, and combinations of these and others. It is estimated that up to one million people in the United Kingdom have diabetes.

Before we consider the disease, let's look at the normal pattern, much simplified.

The cells of the body use energy constantly. The source of the energy is *glucose*, a basic simple sugar obtained from food. The glucose circulates in the blood and reaches all the cells.

The *islets of Langerhans*, clumps of special cells in the pancreas, react to changes in the level of glucose in the blood. If the level rises, as when digested food enters the blood, one group of these, the *beta cells*, secrete *insulin*. This HORMONE helps the body cells in absorbing glucose. It also helps to convert glucose to *glycogen*, a starchlike substance that is stored mainly in the liver.

A second set of islet cells, the *alpha cells*, work in the opposite way. If the glucose level drops, they secrete *glucagon*, which promotes the conversion of the stored glycogen to glucose, bringing the level up. (These *glu-* and *gly-* words are based on the Greek root for 'sweet'.)

In effect, then, insulin and glucagon operate as a checks-and-balances team to keep the glucose level exactly right. The balance is upset in diabetics because too little insulin, or none, is secreted or because the body cells are unable to use it. As a result, an excess of glucose circulates in the blood. Some of the excess is filtered out by the kidneys and appears in the urine.

Two main kinds of diabetes exist: *juvenile onset* and *maturity onset*. The juvenile type (also called insulin dependent) usually appears before the age of 20 and is characterized by a severe shortage or complete lack of insulin. Unable to derive sufficient energy from glucose, the body begins to draw on stored fat. The chemical breakdown of the fats results in an excess of substances called *ketones*, leading to a dangerous condition called *diabetic acidosis*. If injections of insulin are not provided promptly, the victim goes into *diabetic coma*, followed by death. A special problem with insulin injection is the danger of overdosing enough to cause *insulin shock*. Prompt treatment with sugar is needed to restore the balance.

Maturity-onset diabetes (also called non-insulin dependent) is a much less serious disorder. It appears mainly after the age of 40 and accounts for about 80% of diabetic cases. Insulin is secreted but is not taken in by the body cells. Low-carbohydrate diet, exercise, and weight control are sufficient to control the disease in most patients, and drugs are available to enhance the response of the body cells to insulin.

In severe diabetes the person loses weight, weakens, and may suffer damage to blood vessels and nerves. Long-term complications of the disease include kidney problems, heart disease, stroke, and blindness.

DIALYSIS OF BLOOD   *See* KIDNEY DIALYSIS

DIASTOLIC PRESSURE   *See* BLOOD PRESSURE

DIE PRESSES   *See* MANUFACTURING PROCESSES

DIES   *See* MANUFACTURING PROCESSES

DIFFERENTIAL CALCULUS   *See* CALCULUS

DIGITAL AND ANALOGUE

Two methods of indicating a quantity or measuring a value. Digital (Latin *digitus*, finger) refers to counting or measuring by distinct units. When you count on your fingers, any finger is a distinct unit, equal to each of the other nine fingers. A digital watch, similarly, counts in distinct units — seconds — adding them up into minutes and hours and displaying these units as actual numbers, for example, 12:43.16.

Some other digital instruments include a car odometer, which counts miles and tenths of a mile, and a digital-type electronic thermometer, which displays temperature in degrees and tenths of a degree.

Analogue can be roughly defined as 'bearing a relationship to'. You say, 'I'll look at the time', but if you are using the older type of watch face, what you see is not the time but an *analogue* of the time — the continuously varying angle between the hour hand and an imaginary vertical line and a second continuously varying angle between the minute hand and the vertical line. You long ago learned to measure

these angles so accurately that you don't have to look at the numbers; in fact, some analogue watches don't even have numbers.

Some other analogue instruments are liquid-containing thermometers, in which the length of the column of liquid varies with the temperature; speedometers, on which the angle of the pointer varies with the speed; and bathroom scales, on which the angle of the pointer varies with the user's weight.

DIGITAL RECORDING   See SOUND RECORDING

DIODE   See LCD AND LED

DIOXINS

A group of chemical compounds, one of which, called 2, 3, 7, 8-TCDD (*tetrachlorodibenzo dioxin*), ranks among the most toxic substances known. It is found in small amounts as a contaminant in weed killers (herbicides) and is extremely long-lasting. Animal experiments have shown that extremely small doses cause liver and kidney damage, birth defects, and damage to the immune system. Dioxins are also thought to be carcinogenic.

During the Vietnam War the United States sprayed a herbicide called *Agent Orange* over millions of acres in Vietnam to defoliate areas in which enemy troops might take cover. Thousands of soldiers on both sides who were exposed to the dioxin developed extensive skin rashes. Many studies have been done to determine whether other health effects can be traced to the exposure. So far, the results are not conclusive.

DIRECT CURRENT   See DC AND AC

DIRECT CURRENT, GENERATION OF
See GENERATORS AND MOTORS, ELECTRIC

DIRIGIBLE   See BALLOON

DISCOMFORT INDEX   See TEMPERATURE-HUMIDITY INDEX

DISK, COMPUTER   See FLOPPY DISK

DISK DRIVE

A device used for driving disks that store computer data. It resembles your record turntable in two functions: (1) it spins a disk, from which it (2) picks up (or 'reads') data and feeds that data into a

COMPUTER. It can also feed (or 'write') data onto a FLOPPY DISK to be stored for later use. Like the magnetic head in a tape recorder, which allows you to record and play back music, the read/write head in a disk drive places data (in the form of BITS) magnetically on a floppy disk as it spins.

Computer disk drives cost more than most record turntables because more is required of them. On a record turntable, it's enough to set the stylus at the beginning of the record, or wherever you please. The stylus and pickup will keep going from that point, guided by the spiral groove that contains the musical or spoken data. A computer disk has no grooves, and it doesn't store sequential data that you want to play from beginning to end. Instead, the information is placed on the disk randomly, with one section of the disk serving as a kind of table of contents, telling the disk drive where to find specific data. The disk doesn't have to be played back from beginning to end to find the right data.

DISKETTE   See FLOPPY DISK

DISSEMINATED SCLEROSIS
See NEUROMUSCULAR DISORDERS

DISTILLATION   See ANALYSIS

DITIOCARB   See AIDS

DNA AND RNA

Abbreviations of *deoxyribonucleic acid* and *ribonucleic acid*. These two classes of compounds are *nucleic acids*. They are the agents for the design and assembly of proteins, which are giant, complex molecules, the basic material of all life.

First, a brief overview of the crucial services performed by various proteins:

- They are the structural materials — the girders, concrete, and timber — of all living cells.
- They participate in thousands of chemical and physical reactions that spell life. Some of these reactions are in turn facilitated by other proteins called ENZYMES and are controlled by still other proteins called HORMONES.
- They protect us, in the form of disease-fighting antibodies produced by the IMMUNE SYSTEM.

Even though there are thousands of proteins, they are all assembled in the same manner, by means of the master blueprints and instruction manuals called DNA and RNA. Some proteins are incorporated into skin cells, others into muscle cells, nerve cells, bone cells, and so on. Yet inside each cell, tucked away in the nucleus, is an exact copy of the owner's original moment-of-conception DNA. (We'll deal with RNA later.) DNA resembles a spiral staircase — the well-known double helix, seen here in a short section of a model (A). The structure is easier to understand in this simplified illustration (B), where the untwisted DNA resembles a ladder. Each side of the ladder is a long chain of molecules, *phosphates*, alternating with a type of sugar called *deoxyribose* (C). Attached to each sugar molecule is another molecule, like part of a ladder rung, called a *base*. A single group — base, sugar, phosphate — is called a *nucleotide* (D). A very small package of life, such as a virus, has over 5000 nucleotides. A single human cell, engaging in a far more complicated lifestyle, contains, as you might expect, a far greater number of nucleotides — over 5000 million! Nevertheless, whether it's in you, in a virus, or in a geranium, each nucleotide consists of a base-sugar-phosphate trio.

There are four kinds of bases: *guanine, cytosine, adenine*, and *thymine* (abbreviated G, C, A, and T). The bases (partial rungs) join the sides of the ladder together, making full rungs. A full rung consists of two bases and is therefore called a *base pair*. There are different sizes of bases, and they have different chemical natures. This limits the kinds of possible pairs to only two, T with A, C with G. Yet the almost countless proteins that form the tissues of life — bone, nerve, blood, skin, cartilage, petal, pollen, fish scale, hair — all are assembled at the direction of strands of DNA, consisting of monotonously repeating phosphate and sugar molecules joined across by pairs (only two kinds!) of bases. How can such enormous variety arise out of such simplicity? (And how can you possibly stop reading now? Read on.)

A human embryo begins with fertilization, the union of a sperm cell and an egg cell. (This is, of course, true of many other forms of life, but let's stick to our own for now.) Each sperm cell and each egg cell brings a dowry — its DNA — coiled up and divided among 23 rod-shaped bodies called *chromosomes*. The contents of the 23 pairs (from sperm and egg) are the embryo's *genes* (estimated number between 50,000 and 100,000) — its entire biological heritage. The embryo develops by dividing into two smaller cells; these grow, divide into four cells, then eight, sixteen, and so on. Each of these 'daughter' cells must have a full complement of DNA, identical to the DNA in the original one-celled embryo (we'll see why shortly). This need is satisfied by a process called *replication*.

Replication (doubling) The nucleus of a cell holds the DNA,

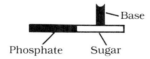

Sugar — Phosphate

ONE NUCLEOTIDE

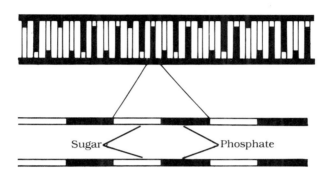

Base

Phosphate   Sugar

Guanine (G)   Cytosine (C)   Adenine (A)   Thymine (T)

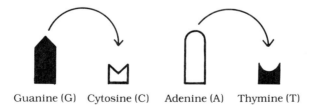

C   A

G   T

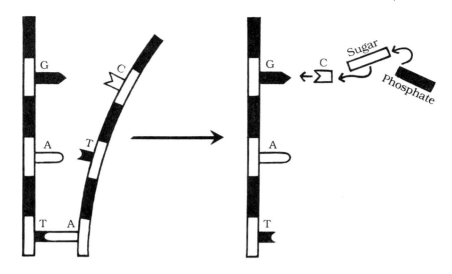

along with raw materials for making more DNA and enzymes to speed the replicating (doubling) process. At the start of replication the chemical bond between each pair of bases loosens, allowing the left and right sides of the chain to separate in ziplike fashion. The newly uncovered end of each base can then bond to another molecule that fits it.

The G on the left half of the chain bonds to an available C, for example; the newly bonded C bonds to a sugar molecule, which in turn bonds to a phosphate molecule, and so on, up and down the left side of the chain; meanwhile, similar events are taking place on the right side. When it's all over, the original DNA chain has become two identical chains.

When the cell divides, each daughter cell gets one of the chains. And when a daughter cell divides, the replication process will provide copies of DNA for the subsequent divisions.

Transcription (copying the blueprint)   The 'protein factory' is the *cytoplasm*, the living material that makes up most of the cell. But the DNA — the master blueprint — is separate, in the nucleus, where it remains a reference work to be consulted throughout the life of the cell. To carry protein-assembling instructions out into the 'factory', the DNA makes partial copies of itself, called *messenger RNA*.

Why is it called *RNA*? This molecule contains *ribose*, a sugar with one more atom of oxygen than the *deoxyribose* of *DNA*. There are some other differences as well: RNA is usually a single strand, unlike the double-stranded helix of DNA, and RNA contains *uracil* (U) in place of the closely related thymine (T) as one of its bases.

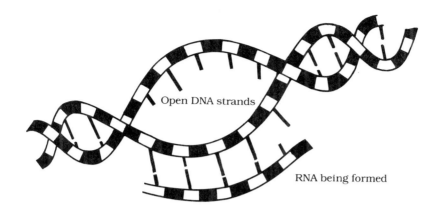

Open DNA strands

RNA being formed

Why does the DNA make only partial copies? Every cell nucleus holds the entire DNA blueprint, but any given kind of cell needs only a small part of the blueprint. For example, muscle cells must make enzymes for extracting large amounts of energy, but they have no need of instructions for making enzymes that build bone, skin, or other kinds of tissue. How then do your cells avoid such needless duplication? Behold: as transcription begins, the strands of DNA open, but only in the sections where genes are to be copied. Other genes nearby (called *operators, regulators*, and *promoters*) act as on/off switches to limit the length of the copy to what is needed.

Raw materials in the nucleus bond to the newly uncovered bases on one strand of DNA. Thus is built a strand of messenger RNA, which then moves out of the nucleus into the cell cytoplasm, carrying the instructions for protein synthesis.

We now get back to the problem of how a mere four bases can determine the nature of the thousands of different giant, enormously complex protein molecules. Maybe the bases are a code for amino acids? Proteins are chains — very long ones, usually — of amino acids. There are 20 amino acids, and they bond to each other, head to tail, head to tail, in almost limitless numbers and sequences.

Now, are four bases enough to act as a code for 20 amino acids? No, but groups of bases are. A group of three bases forms a *triplet code* (ACC, GGG, CGU, etc.) with 64 possible combinations (you can check it out for yourself), more than enough for 20 amino acids. Thus the triplet ACC is the *codon* for a particular amino acid, histidine. UGU codes another amino acid, valine, and so on. That's how a strand of nucleic acid 1000 nucleotides in length can direct the synthesis of an average-sized protein composed of hundreds of units of amino acids.

In the complicated manoeuvres of genes, over and over, an occasional mistake caused by chemicals or radiation may occur. This results in a *mutation*, a change in a characteristic that may be passed to subsequent generations.

Assembling proteins Protein synthesis in the cytoplasm of a cell is carried out on large numbers of *ribosomes*, the granular dotlike objects in the drawing on the next page (copied from a photograph made through an electron microscope). The large dark object in the centre is freshly made protein. Here are the steps in the synthesis, much abbreviated and simplified:

1. An arriving messenger RNA molecule drapes itself around a ribosome, with its codons in position for 'reading' by molecules of *transfer RNA*, which are also produced in the nucleus. A segment of transfer RNA is very short, and it is specific for one amino acid. For example, it will pick up a free molecule of histidine, but no other amino acid, from the cytoplasm.

    The specificity, or 'choosiness' of transfer RNA molecules is itself based on a genetic code, which scientists had deciphered by 1988. That step offered the possibility that useful new proteins could be synthesized through GENETIC ENGINEERING.

2. At the proper codon on the messenger RNA, the transfer RNA releases its amino-acid burden. Similarly, other amino acids are deposited by their specific transfer RNA carriers, to be fitted into the ever-lengthening chain of protein. Each amino acid is joined to its neighbours by a *peptide bond*, a type of link unique to proteins.

3. A completed protein peels away from the messenger RNA, which is thus left free to repeat the process a limited number of times.

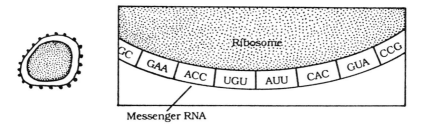

Messenger RNA

Look at one of your fingertips. Find a single ridge of one fingerprint. In a piece of that ridge about the size of the full stop at the end of this sentence, there are more than 2000 cells. Each single cell was constructed in a series of steps described by this entire article on DNA and RNA. Can you think of a science fiction story as fantastic?

See also PROTEINS AND LIFE.

DNA FINGERPRINTING

A technique, also called *genetic fingerprinting*, for identifying the component of DNA (the material of the genes) that is unique to a particular individual. Just as one person's fingerprints are different from everyone else's and can be used for identification, so a small section of the DNA of an organism (which is present in every cell of the body) uniquely distinguishes that particular organism from all others.

Most of an organism's genes go to making that organism what it is — person, cat, daisy, or what-have-you. Therefore, not surprisingly, the differences in genetic makeup between two individuals of the same type are very small. However they do exist. These varying bits of genetic material take the form of sequences of DNA, called *mini-satellites*, which are repeated several times. The number of repetitions of a mini-satellite per region of a gene can vary enormously between unrelated individuals. Chemical analysis of an organism's DNA from a sample of blood, tissue, semen, etc., using the techniques of chromatography and electrophoresis (*see* ANALYSIS), produces a two-dimensional pattern of spots. This corresponds to the genetic profile of that organism, complete with the repeating sequence which can be picked out.

Although comparatively new, DNA fingerprinting is becoming an established forensic technique and has been used successfully as evidence in court cases of rape in Britain. It is also being used to investigate family relationships in animal populations, and to measure the extent of inbreeding by looking at the degree of variability in DNA profiles. Comparing the DNA patterns of parents and offspring may in future be useful in preventing trade in endangered species or in proving paternity suits.

DNA LIGASE *See* GENETIC ENGINEERING

DOLBY NOISE-REDUCTION SYSTEM

Electrical circuitry that eliminates the annoying hiss that otherwise accompanies tape-recorded music or speech. The hiss is most evident during silent intervals or soft passages, with the volume control turned up high. It is an inevitable product of the tape-recording process itself.

A blank (unrecorded) tape has a coating of magnetic particles compactly but randomly impressed on the tape's surface. During the recording process, sound waves are converted to magnetic vibrations. The vibrations force the particles to line up in rows, one row for each vibration. The lining-up process involves a lot of jostling and bumping among the particles, and this is what produces tape hiss.

The Dolby noise-reduction system (named after its developer, Ray Milton Dolby, born 1933 — an American engineer) is ingenious and simple. During recording, a special circuit responds to the soft passages (A) by amplifying them (B). This happens *before* the sound signals reach the tape. The jostling of the magnetic particles produces the usual tape hiss, but now the strength of the desirable sound compared to the hiss is much greater (the signal-to-noise ratio is higher). Finally, when the tape is played (C), a deamplifying circuit reduces the amplified soft passages to their former volume and at the same time reduces the tape hiss in the same proportion. The result is a hiss inaudible, or almost inaudible, to human ears. The same thing happens when the sound track on a cinema film is subjected to Dolby treatment.

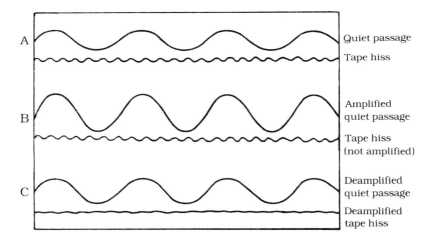

DOPAMINE   *See* PARKINSON'S DISEASE

DOPING (IN TRANSISTORS)   *See* SEMICONDUCTORS

DOPPLER EFFECT

Responsible for seemingly unrelated phenomena, such as the terrifying rise in pitch heard as a lorry hurtles towards you with horn blaring and the *red shift* in the light from a receding star. It is also the operating principle for various speed-measuring devices. We doff our hats to Christian Johann Doppler (1803–1853) for his explanation of the effect.

Regular repeating actions such as sound waves, light waves, or radio waves have a certain frequency, or number of waves per second. There is a change in the perceived frequency if the source of the waves (the lorry, for example) moves in relation to the receiver (you). As you and the lorry approach one another (either or both may be moving), there is an increase in frequency, which you perceive as a rise in pitch. When you recede from one another (again, either or both may be moving), there is a decrease in frequency, which you hear as a drop in pitch. When there is no relative motion (both standing still or both moving at the same speed in the same direction), there is no change in frequency.

What explains all this? Imagine yourself at one end of a swimming pool. At the other end is a machine that pats the water at a regular rate, say once per second, producing waves at a frequency of 60 per minute. Standing where you are, without motion relative to the source of the waves, you receive the same frequency, 60 waves per minute. Suppose you now start to swim towards the source; you receive more than 60 waves per minute, because you're picking up some extra waves by advancing towards the source. The frequency (the number of waves slapping against you) rises. Turn and swim away from the source, and the frequency drops below 60.

If you found a cooperative lorry driver to drive towards you, horn blowing constantly, at 30 miles per hour, then 40, 50, and 60, you'd find that the faster he drove, the greater would be the change in pitch. You could even, in this way, make a rough estimate of the truck's speed. As a matter of fact, there are devices that use the Doppler effect as the basis of speed-measuring systems. Let's look at a couple.

Police radar speed checks A police car equipped for catching speeding vehicles is parked alongside a road. It sends out radio waves that strike vehicles on the road and are bounced back to a receiver in the car. The receiver compares the frequency of the outgoing and reflected waves, converts the information to miles per hour, and displays the speed on a dial.

Suppose the waves hit a parked vehicle. The outgoing and reflected waves have the same frequency, because there is no relative motion between the police car and the other vehicle. If a vehicle is moving at moderate speed, there is a moderate difference in the frequencies of the waves. But a fast-moving vehicle produces a big difference. The speeder is flagged down, thanks to Herr Doppler's effect. Similar radar devices in airport control towers use the Doppler effect to determine the speed of aircraft in the area.

Astronomical speed checks Like sound waves or radio waves, light waves can be used to measure speed. An instrument called a *spectrometer* spreads light into a rainbowlike spectrum of thousands of parallel lines. The spectrum ranges from violet, with the greatest wave frequency, through blue, green, yellow, and orange to red, which has the lowest frequency.

Recall that the increase in frequency of the sound waves was detected as a rise in pitch when the lorry approached. The wave frequency of light from some luminous object – a star, for example – similarly increases if the star moves towards us. Coupled to a telescope, a spectrometer detects this movement as a shift of the spectral lines towards the blue side (the *blue shift*). A receding star would cause a shift towards the red side. The amount of the shift is a measure of the speed with which the star is approaching or receding from the earth.

Much of today's understanding of the universe is based on spectrometry. The theory of the expanding universe was confirmed by the discovery of the red shift of starlight from other galaxies, an indication that the distance between them and our galaxy is increasing.

See also COSMOLOGY.

DOT-MATRIX PRINTER *See* PRINTER

DOUBLE-BLIND TEST *See* SCIENTIFIC TERMS

DOUBLE STARS *See* BINARY STAR

DOWN'S SYNDROME

A serious disorder, formerly also known as *mongolism*, that is congenital (present at birth), and occurs mainly in children born to older women. Its characteristics include upwards slanting eyes, a small head, various other physical abnormalities, mental retardation, and shortened life expectancy. The syndrome is caused by the presence of an extra chromosome in the body cells (the normal number is 46). Chromosomes are repositories of the material of heredity, deoxyribonucleic acid.

Down's syndrome can be diagnosed early in pregnancy under the microscope, by a count of the chromosomes in the fetal cells, obtained by a method called AMNIOCENTESIS.

See also DNA AND RNA

DRAG *See* AERODYNAMICS

DRUGS, BRAND-NAME AND GENERIC
See GENERIC DRUGS

DURALUMIN

A light, strong aluminium ALLOY, widely used in aircraft.

DYKE (GEOLOGICAL)   *See* ROCK CLASSIFICATION

E

EARTHQUAKE   *See* PLATE TECTONICS

EBV   *See* HERPESVIRUS DISEASES

ECG   *See* ELECTROCARDIOGRAPH

ECHOCARDIOGRAPH   *See* ULTRASONICS

ECHOLOCATION   *See* SONAR

ECLIPSE

The passage of one astronomical body into the shadow of another. For example, the earth sometimes passes into the long, cone-shaped shadow the moon casts into space. The sun's light may be blocked out or occulted, causing a *solar eclipse*. Several conditions determine what kind of solar eclipse, if any, will be seen.

The moon comes between the earth and the sun every month (new moon), but for an eclipse to occur the sun, moon, and earth must be in a straight line. When an eclipse does occur, the moon's shadow sweeps across part of the earth; to people under the central part of the shadow (*umbra*), it appears that a small curved bite has been taken out of the sun's edge. The bite grows and grows until the entire sun is gone. Only the soft glow of the corona, the outermost part of the sun's atmosphere, is visible. This is a *total eclipse*. Totality lasts a few minutes at most. To people in the outer part of the shadow (the *penumbra*), the bitten-out edge appears, grows, shrinks, and disappears without reaching totality — a *partial eclipse*.

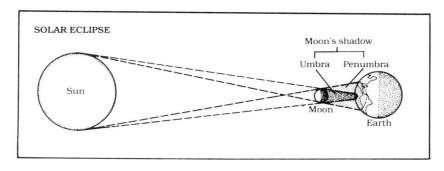

SOLAR ECLIPSE — Moon's shadow — Umbra — Penumbra — Sun — Moon — Earth

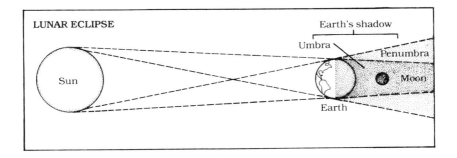

Because the moon's distance from the earth changes, its umbra sometimes falls short of the earth, leaving a ring of sunlight. This is an *annular eclipse* (Latin *annulus*, ring).

In a *lunar eclipse*, the earth comes between the sun and the moon, and the earth's shadow falls on the moon. The earth's shadow is wide and the moon is comparatively small, so a lunar eclipse can last for hours. The moon grows much dimmer and takes on a coppery hue, but it never actually disappears.

See also OCCULATION.

ECLIPSING BINARY STARS See BINARY STAR

E. COLI See GENETIC ENGINEERING

ECOLOGY See BIOLOGY

ECT See ELECTROCONVULSIVE THERAPY

EDISON PHONOGRAPH See SOUND RECORDING

EEG See ELECTROENCEPHALOGRAPH

ELECTRICAL ENERGY See ENERGY

ELECTRICAL UNITS

Many of us spend more on electricity than on any other not-for-free source of energy, such as petrol. Yet most of us know relatively little about what we're buying. Herewith are offered some brief explanations of the various electrical units to be seen on toasters, TVs, and other technological triumphs.

First of all, here's a watery analogue of electricity, to dismay purists. A water pump sends water under pressure through a pipe to turn a waterwheel, which spins a saw. With most of its pressure spent, the water then flows back to the pump, where its pressure is boosted. Back it goes to the waterwheel, to do its work again, over and over.

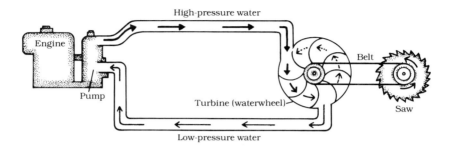

The pump is analogous to the electric generator (*see* GENERATORS AND MOTORS, ELECTRIC) in a power plant. The water is analogous to electricity in a wire. The waterwheel represents a user of electric current, such as an electric motor, a lamp, or a toaster. The pipes are water conductors: they represent electrical *conductors* — electric wires — and it's obvious that we need two of them, so that the stream of water (the stream of electrons is called an *electric current*) can be used over and over again (*see* ENERGY for more on electrical energy).

Now let us review some electrical units, named in honour of scientists important in electrical research.

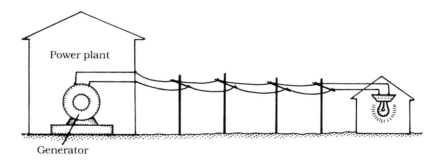

Volt (Alessandro Volta, Italian, 1745–1827) A unit of electrical force. Clearly, the stronger the force, the more power it can deliver to the user. (A stronger stream of water pushes harder against the blades of the waterwheel. But just as clearly, the stronger the force, the stronger the shock it can deliver. In Britain, electric current is delivered to houses at 240 volts. In the United States it's about 115 volts for user-accessible gadgets such as lamp sockets and about 230 volts for less-prone-to-fiddling devices such as electric cookers.

Ampere (André Marie Ampère, French, 1775–1836) A unit of quantity of electric current, analogous to the flow of water (e.g., litres per second). A small black-and-white TV takes about 0.5 ampere, or roughly 3 trillion (3×10^{18}) electrons, per second.

Watt (James Watt, Scottish, 1736–1819) A combination unit, to express what you're really buying, electric power. An electron receiving high voltage conveys more power than one with low voltage. Many electrons per second convey more power than few electrons per second. So we take account of both force and quantity — voltage and amperage — by multiplying the two. The resulting units are called watts. Thus a 240 volt kettle that draws 10 amperes is consuming 2400 watts. For the big stuff, such as electric cookers, we use a more convenient unit, the kilowatt, or 1000 watts.

Kilowatt-hour An electric oven doing its job on a Christmas turkey and assorted trimmings may be drawing a power of 9 to 10 kilowatts — but for how long? The more time, the more electricity used. The electricity board charges you for *power* in relation to the length of *time* you used it: kilowatts times hours, or kilowatt-hours (kwh). That figure, times the cost per kilowatt-hour, is what you pay.

Ohm (Georg Simon Ohm, German, 1787–1854) A unit of electrical *resistance*, analogous to the resistance in a water pipe. A narrow pipe offers more resistance to the flow of water than a wide pipe. This is also true of thin and thick wires. The filament wire in a 10-watt bulb has a high resistance because it's thin and is made of a high-resistance metal, tungsten. It allows few amperes to pass through and thus produces a feeble glow compared to the thicker tungsten filament of a 100-watt bulb, which allows ten times as many amperes to flow, producing a much brighter light.

Two more terms: *electric* and *electronic*. These are similar (both have to do with electrons) but not quite interchangeable. All devices that use electricity are electrical: light bulbs, doorbells, TV, neon signs, computers, toasters. However, some of these use electrons in special ways, not just as a stream flowing through a wire. For example, in a TV picture tube (CATHODE RAY TUBE) electrons form the picture. In a neon sign electrons cause a gas to glow. In a radio's SEMICONDUCTORS electrons operate tiny switches. These special devices and ways of using electrons are called electronic.

ELECTRIC BATTERY (CELL) *See* BATTERY (CELL)

ELECTRIC CURRENT *See* ENERGY

ELECTRIC GENERATORS AND MOTORS
See GENERATORS AND MOTORS, ELECTRIC

ELECTROCARDIOGRAPH

A device that measures and records electrical activity in the heart. The muscular tissue (*myocardium*) which encloses the four chambers of the heart, contracts and relaxes about 70 times per minute. This pumping action circulates blood throughout the body. Like any working muscle, the myocardium produces minute electrical currents, on the order of a few ten-thousandths of a volt.

A heartbeat begins with the contraction of the upper two chambers, the *atria*, of the heart. The contraction spreads, wavelike, to the lower two chambers, the *ventricles*. They contract, forcing the blood out of the heart into large blood vessels. The myocardium relaxes for less than half a second, and a new cycle of contraction begins. Each of these events produces a pattern of electrical currents. First, as the atria contract, a current flows downwards across them and disappears. Then, as the ventricles contract, a current flows from them towards the atria and disappears.

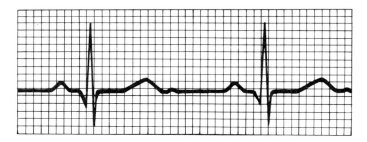

The currents pass through the body and reach the skin. Leads (wires) from the electrocardiograph end in electrodes, which are attached to the skin. The mechanism senses the currents and converts the flows, stops, and reversals of current to patterns of lines printed on graph paper, the *electrocardiogram* (ECG). To the trained eye, the ECG points up timing faults, contraction abnormalities, other heart problems, or, most often, no problems at all.

See also CIRCULATORY SYSTEM.

ELECTROCHEMISTRY   *See* CHEMISTRY

ELECTROCONVULSIVE THERAPY (ECT)

A method for treating severe mental disease, especially depression, by inducing convulsive seizures in a patient. The most common method is to administer a brief (up to half a second) electric shock to the anaesthetized patient; in some cases, drugs are used to produce the convulsions. Usually several treatments are given over a period of time.

ECT is a controversial technique. It is often dramatically fast and effective, yet there is concern about its long-term effects on the brain's functioning and especially on memory. It is not known why these convulsions should produce beneficial results.

ELECTRODE   *See* BATTERY (CELL)

ELECTRODIALYSIS   *See* KIDNEY DIALYSIS

ELECTROENCEPHALOGRAPH

This spelling quiz special comes from Greek and Latin words for 'electrical writing of the brain', and it refers to the machine that records the brain's electrical activity — an activity that never stops, awake or asleep. The electroencephalograph senses the minute electrical currents (on the order of one hundred-thousandth of a volt) through electrodes placed around the patient's head. The currents are amplified and recorded as sets of waves traced on a moving strip of paper, the *electroencephalogram* (EEG). The expert can detect several kinds of rhythmic patterns in these *brain waves*. For example, the most prominent, called *alpha waves*, occur between 8 and 13 times per second. Abnormal patterns of waves assist the specialist in diagnosing epilepsy, tumours, and other brain disorders.

ALPHA WAVES

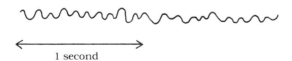

1 second

Other kinds of diagnostic equipment are also based on electrical activity in body organs. The best known is the ELECTROCARDIOGRAPH and the ELECTROMYOGRAPH (Greek *myo*, muscle), used in exploring certain kinds of muscle and nerve disorders.

ELECTROLYTE   *See* BATTERY (CELL)

ELECTROMAGNETIC FIELD   *See* FIELD THEORY

ELECTROMAGNETIC INDUCTION
See TRANSFORMER

ELECTROMAGNETIC RADIATION
See RADIANT ENERGY

ELECTROMAGNETIC SPECTRUM

Light, X-rays, radio waves, and several other kinds of energy are transmitted in the form of electromagnetic waves of various lengths. The entire range of these radiations is called the electromagnetic spectrum.

See also RADIANT ENERGY.

ELECTROMAGNETS

Devices that produce magnetism by means of a current of electricity. Not surprisingly, such devices are called *electromagnets*. You use them throughout your day in the motors that power your electric clock, food processor, office lift, air conditioner, and other appliances. In most motors the electromagnets receive an on-off, on-off (alternating) current 50 times per second (50-hertz AC). Each on-off cycle produces a small jolt of magnetism that causes a part called a *rotor* to rotate.

Electromagnets are called *temporary magnets*. The magnetism they produce is temporary because it depends on the flow of electricity. Turn off the current, and the magnetism is gone. This temporary quality is useful, for example, in the operation of your telephone. The earpiece of the phone contains an electromagnet that receives electric current from a distant telephone. The current flows in little bursts, caused by the vibrations of a distant speaker's vocal cords. The electromagnet in the earpiece causes a metal disc to vibrate in step with the speaker's voice, and that's what you hear as speech.

The most spectacular use of electromagnets is in the propelling mechanism of a PARTICLE ACCELERATOR. For a closer look at electromagnetism, *see* GRAND UNIFIED THEORY.

Another kind of magnet, the *permanent magnet*, requires no current. Your introduction to this kind may have come via a toy horse-shoe magnet or a magnetic compass. Permanent magnets in the doors of some cupboards and refrigerators keep the doors closed without the need for latches.

ELECTROMYOGRAPH   *See* ELECTROENCEPHALOGRAPH

ELECTRON

The negatively charged part of an atom surrounding the positively charged nucleus. The number of electrons per atom determines the chemical characteristics and some other aspects of a particular element. Electrons can be forced to move from atom to atom through a conductor, such as a copper wire, producing an electric current.

See also ELEMENTARY PARTICLES.

ELECTRON MICROSCOPE *See* MICROSCOPE

ELECTRON VOLT

A measure of electrical energy. It is the energy gained by one electron when propelled by a force of 1 volt — a tiny amount indeed. Many thousands of electron volts are contained in the spark that tickles the fingertip when one shuffles across a carpet and touches a doorknob. In a TV set, each electron that contributes to forming an image in the picture tube (and there are thousands of billions per second) carries a charge of 20,000 electron volts.

The term *electron volt* is used most often in describing the power of a PARTICLE ACCELERATOR (once called an atom smasher). The energyyy in these enormous machines is measured in larger units: MeV (million electron volts) and BeV (billion electron volts). You will also come across GeV, the G of which stands for *giga-*, pronounced 'jig-a' or 'gig-a' (from the Greek *gigas*, giant), which is replacing BeV. This is because a British billion means one million million (1,000,000,000,000) whereas an American billion is one thousand million (1,000,000,000). One million million (one billion) electron volts, is the output of the Fermilab atom smasher, the Tevatron, at Batavia, Illinois, which went into action in July 1983.

ELECTROPHORESIS *See* ANALYSIS

ELECTROSTATIC FIELD *See* FIELD THEORY

ELECTROWEAK FORCE

A composite force based on the electromagnetic and weak nuclear forces.

See also GRAND UNIFIED THEORY.

ELEMENTARY PARTICLE PHYSICS *See* PHYSICS

ELEMENTARY PARTICLES

If you chopped a piece of copper into tiny particles, you would have ... tiny particles of copper. And if you chopped those, and the resulting pieces, again and again? Common sense and experience say copper, all the way down. Some kind of anti-common sense led the Greek philosopher Democritus (460?–370? asbc) to argue otherwise; he believed that copper and all other materials are made of tiny, unalterable, absolutely indivisible particles that he called *atoms* (Greek *a*, not + *tomos*, to cut). Democritus conjectured atoms of copper, of iron, of air, of water, and so on, but could offer no physical proof of his hypothesis. It faded from view until revived by the English scientist John Dalton (1766–1844), whose precise chemical experiments and measurements led him to the theory that there are indeed ultimate minimum particles – atoms. These later proved to be further divisible. The New Zealand physicist Ernest Rutherford (1871–1937) demonstrated that atoms consist of two basic structures:

1. A central part, the *nucleus*
2. A set of *electrons* (previously discovered) orbiting the nucleus

Electrons, to this day, have resisted further division; they seem to be truly elementary particles. The nucleus, however, has turned out to be a Pandora's box of subparticles. In 1911 Rutherford reported that the nucleus is composed of electrically charged particles, *protons* (Greek *protos*, first). In 1932 his former student, James Chadwick (1891–1974), identified some noncharged (neutral) particles in the nucleus and named them *neutrons*. Electrons, protons, neutrons – for a number of years this trinity seemed to describe the ultimate simple structure of the universe.

Ah, deceptive simplicity! The coming of the particle accelerator, which split the nuclei of various atoms, brought forth, as expected, some protons and neutrons, but there also materialized many kinds of unexpected particles, with a wide, wild variety of dimensions, masses, life expectancies, and behaviour styles. Over the years since 1932 more than 200 kinds, plus the original trinity, have emerged from the particle accelerators, clamouring for names and identities. They have been classified in many ways.

Classifying by mass This early system of grouping has turned out to be only partially relevant. Nevertheless, the following weighty terms have hung on, even though their original meanings have changed somewhat.

Leptons (Greek *leptos*, fine, small, light) A familiar example is the electron. Less familiar examples are the *muon*, three kinds of *neutrino*, and their antiparticles (*see* ANTIMATTER).

Mesons (Greek *mesos*, middle) There are no familiar examples, but here are three unfamiliar ones: *pion, kaon*, and *psi* particles, and their antiparticles.

Baryons (Greek *barus*, weight) Two familiar examples are the neutron and the proton. These two, because they are regular components of the nucleus, are called *nucleons*. Less familiar baryons are *lambda* and *sigma* particles (called *hyperons*) and their antiparticles.

Classifying by charge Electrical charge shows up in electrons in the form of electric sparks, electric current, and lightning flashes. Other elementary particles also possess charge, either like an electron's, which is a negative charge (−), or like a proton's, a positive charge (+). Some particles (such as neutrons) show neutral (zero) charge.

Classifying by spin The subatomic world of elementary particles is a fantastically busy place: everything is spinning (rotating) and/or circling (revolving) and/or vibrating, all at incredible rates, in millions and thousands of millions per second. These rates are quite specific (*see* QUANTUM THEORY).

Classifying by job description There are four kinds of particles whose principal job is to transmit force from place to place (*see* GRAND UNIFIED THEORY). All of them are called *gauge bosons*. (*Boson* is in honour of Satyendranath Bose, Indian mathematician, 1894−1974).

Gravitons Not yet discovered, believed to transmit the force of gravity between you and the earth. Without them you would sail off into space every time you took a step. (*See* GRAVITATION for the rest of the job description.)

Photons Transmit the electromagnetic forces, including radio waves, visible light, and X-rays (*see* RADIANT ENERGY).

Intermediate vector bosons Transmit the *weak nuclear force* inside atomic nuclei. These bosons are also called W+, W−, and Z° particles, for less than earth-shaking reasons. The +, −, and ° refer to electrical charge.

Gluons Transmit the *strong nuclear force* between the particles of which protons and neutrons are made.

And there — aha! — we have let the cat out of the bag. The question that was implied somewhere earlier was, are neutrons and protons indivisible, ultimate particles that cannot be divided into still lesser particles? And the answer is no, they are not fundamental. In 1964 Murray Gell-Mann described neutrons and protons as being made of *quarks*. (He had been intrigued, on reading James Joyce's *Finnegans Wake*, by the phrase, 'Three quarks for Muster Mark'.) There are six 'flavours' of quarks. (By now you may be sufficiently sensitized to physicists' whimsy to understand that *flavour* here has nothing to do with chocolate.) These flavours, to tease you further, have been labelled *up, down, strange, charm, top*, and *bottom*.

Quarks, thus far in history, are believed to be truly fundamental. Experiments and calculations have shown that a proton is assembled from two up quarks and a down, while a neutron consists of two downs and an up. The other particles are likewise built of quarks. Each flavour of quark, furthermore, come in three 'colours', red, green, and blue (having nothing to do with visual colour, of course). Six flavours of quark, then, each in three colours, come to 18 different quarks.

Is that it? Are these 18 the ultimate basic particles of matter? No, because there are also 18 different . . . *antiquarks*! All particles, it is believed, have antiparticles, which are, so to speak, opposite numbers in antimatter. For example, mesons consist of a quark and an antiquark.

Basically, then, our physical world seems to be constructed of quarks (six flavours, each in three colours, and their antiquarks), making up protons, neutrons, and other nuclear particles. These bundles of quarks, when surrounded by orbiting electrons, form atoms and molecules. The quarks are laced in place by gluons.

So the picture doesn't seem too complicated (we hope). Furthermore, as a reward for having ploughed through this far, we offer the following good news:

'Our physical world', mentioned earlier, refers not only to you, church steeples, and similar relatively durable objects but also to the momentary particles that appear and disappear in a billionth of a second, during the processes of radioactivity, nuclear fission and fusion, atom-smashing, and similar fleeting occurrences. If we exclude all the evanescent (but scientifically significant) particles, we are left with a much shorter list, to wit:

- *Two* kinds of quarks: up and down, in three colours, and their antiquarks
- *Two* kinds of leptons: neutrinos, electrons, and their antiparticles

What a relief!

ELEVATOR

In aerodynamics, a movable control surface at the tail of an aeroplane or glider, used to tilt the tail of the aircraft upwards or downwards.

See also AERODYNAMICS.

ELLIPTICAL GALAXY *See* GALAXY

EMBOLUS *See* STROKE

EMBRYO *See* AMNIOCENTESIS

EMBRYOLOGY *See* BIOLOGY

$E = mc^2$ *See* RELATIVITY

EMPENNAGE

The assembly of control surfaces at the tail of a glider or aeroplane.
See also AERODYNAMICS.

EMPHYSEMA AND BRONCHITIS

We begin with a short anatomical digression: air passes into and out of the lungs through a pair of wide tubes, or *bronchi* (Greek *bronchos*, throat). Each bronchus branches repeatedly (in fact, the whole system is sometimes called the bronchial tree), forming smaller and thinner tubes; the smallest are the *bronchioles*, and each of these ends in a cluster of tiny balloonlike air sacs, or *alveoli* (Latin *alveus*, hollow, cavity). The wall of an alveolus is only a single cell thick, and it is in contact with a net of equally thin blood capillaries. Together the alveoli and their associated capillaries provide a surface of more than 56 square metres (about 600 square

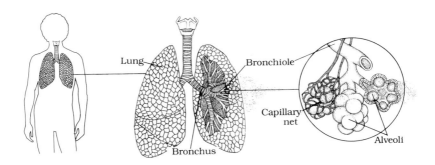

feet) in which oxygen from fresh air enters the blood and waste carbon dioxide leaves it.

Bronchitis is an inflammation of the bronchial system; it may be acute (of fast onset and short duration), as with a cold, or chronic (long-lasting). Chronic bronchitis, a serious disease, is becoming more prevalent and is often associated with emphysema.

In emphysema the normally elastic walls of the alveoli become flabby and stretched (Greek *emphysan*, to inflate). They break down progressively, reducing the area available for the exchange of gases. The victim feels short of breath and tires easily because the body cells are short of oxygen while suffering an excess of carbon dioxide.

Although the cause of bronchitis and emphysema is not known, outside chemical factors — air pollution and occupational exposure — are clearly involved in a large number of cases. Cigarette smoking, especially, is a major factor: emphysema is found 11 times as often in smokers as in nonsmokers.

ENDOCRINE GLAND   *See* HORMONE

ENDORPHINS AND ENKEPHALINS

A group of natural morphine-like substances produced by the brain. Two forms of enkephalin have been found and several endorphins. They all have pain-relieving properties and are thought to be involved in the regulation of pain sensation.

They were discovered in the 1970s after it was realized that opiate drugs, like morphine and heroin, act on certain circuits in the brain. It was found that these same circuits are naturally affected by the body's own 'opiates'. The enkephalins were subsequently found throughout the nervous system where it is thought they act as *neurotransmitters* (substances that pass on nerve impulses between nerve cells). Endorphins, which seem to be concentrated in the pituitary gland, may have a hormonal role.

It has been suggested that acupuncture may work by causing the release of enkephalins or endorphins which suppress pain. Also, that vigorous exercise induces their release, allowing 'pain barriers' to be overcome and leading to a feeling of mild euphoria and relaxation. Endorphins and enkephalins are almost certainly associated with 'pleasure centres' in the brain.

ENERGY

Can be defined briefly as the capacity for doing work. A wound-up windup toy is more charged with energy than when it has run its little course, awaiting the next infusion of energy at your hand. A boulder poised at the edge of a cliff has the capacity for doing a great deal of work, albeit of a destructive nature.

In each case, we are observing energy in transition from one state to another: from the potential state (Latin *potens*, having power) to the kinetic state (Greek *kinetos*, moving). Think of it as money in the bank turning into money being spent.

Mechanical energy A hammer in action is a huge mass of molecules — steel head and wooden handle — all engaged in a single concerted motion. Molecules in motion possess mechanical energy (Greek *mekhanikos*, machine, contrivance). When the hammer head strikes a nail, the mechanical energy is passed along to the nail, which moves. A rubber band, too, is a large mass of molecules. Stretch a rubber band and release it. The vibrating twanging band delivers a special form of mechanical energy, called *sound*, to the air. In fluids (liquids and gases) the molecules aren't bound together like the molecules of a steel hammer head or a rubber band, but they, too, have mechanical energy when they move together. A stream of water strikes the blades of a waterwheel. A stream of air strikes the blades of a windmill. The mechanical energy in the moving streams is passed along to the blades, and they move.

Heat energy We've seen that masses of molecules in concerted motion exhibit mechanical energy. Now let's look at the separate motions of individual molecules. Place your palm against your forehead. Palm and forehead probably feel equally warm, or nearly so. Then rub your hands briskly together for half a minute. Again, place a hand against your forehead and observe that this time the hand feels warmer. The molecules of your hand, your forehead, and of everything else in the universe are in motion all the time. They jiggle back and forth, up and down, colliding and rebounding constantly. This endless random motion is called heat. When you rubbed your hands together, you increased the rate of vibration. Faster vibration results in more heat.

Chemical energy Masses of molecules moving together exhibit mechanical energy. Separate molecules moving randomly create heat energy. Molecules are made of atoms, and the energy related to molecules and atoms joining, rearranging, and separating is *chemical energy*. An iron nail rusting away is a good example of chemical energy. The factory-fresh grey nail gradually takes on a reddish colour. A chemical change is taking place, in which atoms of iron in the nail combine with atoms of oxygen from the air to form molecules of iron oxide, or rust. This chemical change is accompanied by a discharge of heat energy.

Every chemical change is also an energy change — energy is either given off or taken in. From our viewpoint as living things, the most important chemical changes are oxidation and photosynthesis.

Oxidation   In oxidation, oxygen is combined with another substance and heat energy is given off. The metabolism of foods by living things is an oxidation process. So is the burning of coal, oil, and other fuels and the rusting of metals.

Photosynthesis   Photosynthesis (from the Greek for 'light' and 'put together') takes place in all green plants. These plants use the energy of sunlight to combine water and carbon dioxide from the air, forming sugar and similar energy foods such as starch. As a leftover, oxygen is released into the air.

So far we've dealt with whole molecules and atoms. The parts of the atom called electrons bring us to still another form of energy.

Electrical energy   A copper wire consists of copper atoms. Each copper atom has 29 electrons whirling around a central portion, the *nucleus*, which contains 29 *protons*. A single proton can hold one electron in place. Thus 29 protons can hold on to 29 electrons; we say the atom is electrically balanced.

Suppose we force an extra electron, number 30, into a copper atom at the end of the wire. The extra electron disturbs the balance of the nearest atom, which reacts by forcing one of its own electrons into the next nearest atom, and so on, down the length of the wire. Actually, you pay the electricity board for doing exactly this — forcing electrons through wires. The electric generator sets up a stream of electrons from atom to atom. The stream is an *electric current*. When you switch on a 100-watt bulb, about 300 trillion (300×10^{18}) electrons flow through the wire in the bulb every second (*see* ELECTRICAL UNITS).

We have looked at energy forms, down the scale of size, from

- whole packages of molecules moving together (mechanical energy) to
- individual molecules in random motion (heat energy) to
- molecules and their parts — atoms — joining and separating (chemical energy) to
- parts of atoms — electrons — moving in a current (electrical energy).

Smaller and smaller particles, but believable. With instruments of increasingly higher power, we can keep track of these increasingly tiny phenomena.

To go further, we have to give up our belief in common sense. We enter a field populated with ghostly particles that have no dimension and no mass, that exist only when travelling at the speed of light, that disappear when they stop, and that can exist anywhere from billionths of a second to billions of years. These particles are the basis of radiant energy.

Radiant energy   The ghostly particles are called *photons*. They result from events within the atom. Every atom has a nucleus and one or more electrons. Each electron moves around the nucleus, but it may occupy any one of several specific orbits, depending on its energy level. (Imagine Mercury, the planet closest to the sun, appearing suddenly in the orbit of Venus, or even farther out.)

An electron with the least energy (called *ground state*) occupies the orbit closest to the nucleus. An electron with greater energy is in *excited state* 1, then 2, and so on in farther-out orbits. When an electron loses energy, it drops from an orbit to a lower orbit and simultaneously emits one photon. The electron doesn't get smaller because photons have no dimension. The ghostly particles streak away at the speed of light because — and here the secret is out — they *are* light! A photon is a packet of light. It is commonly represented like this: ⟿ the arrow-head indicates its direction of travel, and the waves indicate that a photon includes little trains of waves. A glowworm in action emits about 100 million photons per second; a small electric torch, about 100 thousand million.

Light is just a small section of the broad group called radiant energy (Latin *radiare*, to emit beams). All the members are alike in that they transmit energy by emitting wave-carrying photons. The difference is in their frequency (number of waves per second).

This drawing shows the frequency of some of the common forms of radiant energy. Notice the infrared frequency. These are the 'heat

ELECTROMAGNETIC SPECTRUM

Frequency (hertz, or cycles per second)			
10^{20}	Gamma rays		Violet
			Indigo
10^{18}	X-rays		Blue
10^{16}	Ultraviolet rays		Green
10^{14}		Visible spectrum	Yellow
10^{13}	Infrared rays		Orange
10^{10}	Radar waves		Red
10^{8}	TV waves		
10^{6}	Radio waves		

rays' whose photons make you feel warm in sunlight or near a hot stove. Notice also that the range, or *spectrum*, of visible light frequencies is only a very small part of the whole spectrum of radiant energy.

As noted, photons are emitted when an electron drops from an excited state to a less excited state. But what put it up to the excited state in the first place? Energy. A light bulb, for example, converts electrical energy to heat energy, which raises the energy level of electrons in the tungsten filament of the bulb. The electrons jump to higher orbits, immediately fall back, and emit photons, again and again, as long as the current continues, about 10 quadrillion (10^{24}) per second out of a 100-watt bulb. All start their ghostly existences at full speed, disappearing when they strike their targets: the ground, a plant, or the retina of your eye.

Another source of energy for creating photons is the most important of all: NUCLEAR ENERGY, the source of sunlight and starlight.

Photons have been described as 'accompanied by waves'. Waves in what? Not water, not air, for in fact, light waves travel most efficiently in a perfect vacuum — the emptiness of space.

ENERGY RESOURCES

According to a songwriter of the 1920s, 'The Best Things in Life Are Free' — referring to, among other things, love. To this, a physicist might add 'and energy'. A few minutes worth of the sunlight that shines on the earth contains enough energy to supply our heat, power, and transportation needs for an entire year. One teaspoon of tap water contains enough nuclear fuel to send a car across a continent. The energy is free — but the technology to extract it efficiently is yet to come. In the meantime, let's take a brief look at energy resources: nonrenewable, renewable, and unlimited.

Nonrenewable Coal, petroleum, and natural gas are *fossil fuels,* the remains of ancient plants and animals, distilled and concentrated by heat and pressure over millions of years. These nonrenewable resources fill the principal energy requirements for the world's industry and transportation, but they are also the principal renewable source of the world's political squabbles and military actions—such as the periodic upheavals of the great powers over access to the Middle East's oil reserves. Furthermore, the oil in these reserves may be depleted in perhaps half a century. We need to look to resourcs that are renewable and to others that are (comparatively) unlimited.

Renewable   These are replaced as we use them and are to be had for the taking, except for the cost of constructing and maintaining the 'taking' machinery (a quite large exception). First place goes, of course, to sunlight, used directly or indirectly.

Solar energy   *Photovoltaic systems convert* light directly into electric current. The light meter in a camera is a tiny, unassuming example. Spectacular examples are the panels (usually paddle-shaped) of solar cells affixed to some artificial satellites. They provide electric current for the electronic equipment on board. Both of these work on the photoelectric effect: The atoms of certain

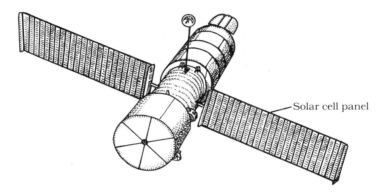

Solar cell panel

metals, such as selenium, possess electrons that are easily knocked out of place by light energy. In a photovoltaic system, a wafer of the electron-emitting metal is in contact with another metal that collects the electrons and passes them along into wires in a steady stream, while other electrons from the wires flow in to replaced them — a current of electrons, or electric current.

Solar heating This is another direct use of sunlight. In most solar-heating installations, the sunlight heats water flowing through blackened pipes (black is an efficient converter of light into heat). The heated water then flows into domestic hot-water systems, hot-water radiators, or swimming pools. And the consumer never receives a bill for the sunlight. Solar heating is becoming wide-spread, especially in places with plentiful year-round sunlight and comparatively advanced standards of living. In Israel, for example, about 60% of homes are equipped with solar heaters for hot water and heating.

Solar furnaces   These use sunlight to heat water into steam that drives electric generators. One of these furnaces, in the Mojave Desert in California, is designed to provide enough power for 5000 homes. The sunlight is collected by more than 1800 heliostats (movable mirrors), each with an area roughly equal to that of the floor of a two-car garage. Computers control the heliostats to track the sun through the sky, reflecting its light onto a steam boiler.

Hydroelectric systems Electric generators driven by water turbines represent an indirect use of solar energy. The flowing, falling water that spins the turbine blades begins as rainfall from clouds. The clouds are formed from water vapour lifted by sunlight warming the earth. Totally renewable, and without the pollution produced by burning fossil fuels, hydroelectric energy is one of the ideal energy resources. Unfortunately, the number of places where such a system can be set up is limited. Very few sites in England and Wales are suitable, although there are over 50 plants in the more mountainous and wetter regions of northern Scotland.

Wind-electric systems Indirectly driven by solar energy, wind turbines (cousins of the picturesque windmill) drive electric generators. Winds are horizontal air currents caused by unequal heating of the earth's surface, and the source of the heat is, of course, the sun. Wind power shares the virtues of hydroelectric power: absence of pollution and total renewability, *if* strong, steady winds are available. That very large 'if' has kept wind-electric systems from becoming widespread and commercially important, although their use is growing.

Biomass There is a great deal of biomass (a general term for living matter and its organic by-products) in a jungle, less in a desert, almost none in Antarctica. It is a renewable source of energy — a familiar example is firewood; a not-so-familiar one, at least in the Western Hemisphere, is the dried dung of cows, camels, and yaks. Dung is clean-burning, nearly odourless, and constantly renewable (to the owners of cows, camels, and yaks). Collected rubbish is another potential source of energy.

Methane Marsh gas, or methane, represents a more technically advanced exploitation of biomass. In nature this gas is produced through the action of bacteria on dead plant matter in marshes. Commercially, methane is produced by a similar bacterial process in enclosed steel containers, using farm manure as the principal raw material. Methane is odourless and its combustion products (carbon dioxide and water) are also odourless and nonpolluting.

Geothermal heat The earth's internal heat is a source of energy, permanently renewable, at least for the next 100 million years (which can be reasonably regarded as permanent). Enormous as this source of heat is, it gives us only about 1/5000 as much energy as we receive from the sun. Some geothermal heat is a leftover from the time our planet was first formed, but much heat is being produced continually by the breakdown of certain earth elements, particularly uranium, thorium, radium, and polonium. These elements undergo radioactive decay. Small portions of their atoms break away, forming smaller fragments, and energy is given off, some of it in the form of heat. A good deal of this radioactive process takes place in rock layers deep below the earth's surface, heating the rocks to hundreds of degrees Celsius, much higher than the boiling point of water. In some places the rock layers are in contact with underground streams or lakes, so huge amounts of steam and hot water are produced. These can be piped up to the surface for hot water supplies and for use in steam-driven turboelectric generators.

Hot-dry-rock technology   In this new method for extracting geothermal energy from areas without underground water, water is pumped down deep wells into places where the hot rocks have many fractures. The water heats up as it flows through the fractures and is pumped up to the surface through a second well.

Geothermal energy has been developed on a commercial scale in only a few places: New Zealand, Italy, Iceland, and California. The California geothermal power installation is located in an area called The Geysers, about 145 kilometres (90 miles) north of San Francisco. In the early 1980s it was generating power at a rate of about 660,000 kilowatts. (An electric hob and oven together use about 12 kilowatts.)

Tidal energy   The energy of the tides is free of pollution, free of fuel cost, totally reliable — and totally unused commercially, except in one place, on the Rance River in France. As sure as clockwork (much surer, in fact), the waters of the earth heap up twice a day in every ocean basin, and just as surely, twice a day, the waters flow away and heap up elsewhere, in a continual travelling tidal swell around the earth, energized by the gravitational pull and the centrifugal force of the sun-moon-earth system. Put something in the way of this tidal flow — a water turbine, for example — and you can transfer some of the energy from the moving water to the blades of the turbine, to turn an electric generator. Free, clean, quiet — but only on the Rance. A tidal power station was begun on Passamaquoddy Bay between the American state of Maine and the Canadian province of New Brunswick in 1936, but it was cancelled when half completed by a political squabble in the US Congress.

Unlimited   Energy unlimited, or nearly so, was the bright promise of *nuclear fission* and is the bright promise of *nuclear fusion (see* NUCLEAR ENERGY).

117

ENGINEERING ACOUSTICS *See* ACOUSTICS

ENKEPHALINS *See* ENDORPHINS AND ENKEPHALINS

ENTROPY

> This is the way the world ends
> This is the way the world ends
> This is the way the world ends
> Not with a bang but a whimper

T.S. Eliot's lines report the end of the cosmological story. The beginning, according to most astrophysicists, was the big bang (*see* COSMOLOGY). Its ultimate end — who knows? — may be the last whimper on the way to maximum irreversible entropy, which might be defined as 'no further change'.

All the happenings of the universe, from the majestic rotation of galaxies to the infinitesimal vibration of electrons, are manifestations of energy diffusing into unavailability, falling towards maximum entropy. A newly formed raindrop, charged with energy by virtue of being high up in a cloud, falls and strikes a mountainside. The drop flings up tiny particles of soil, losing some of its energy in doing so. It continues downwards, flowing into a stream, and perhaps gives up a bit more of its energy to a waterwheel, turning an electric generator. Eventually it flows down to the sea, where it can fall no farther. Now, together with countless numbers of its fellow raindrops, it has reached maximum entropy, so far as energy available from falling goes.

That's not the end, of course. Another source of energy is available to lift the raindrop again, to recharge it with energy. That source is the heat from our local star, the sun. But the sun, and the billions of other stars that fill the universe, have a limited amount of energy to radiate. Eventually, one after another, they will cool down to dark masses, their energy scattered throughout space, no longer available. They will have reached maximum entropy.

And is this, then, the way the world ends? Perhaps not. Read about the oscillating universe under COSMOLOGY.

ENVIRONMENTAL ACOUSTICS *See* ACOUSTICS

ENZYME

An organic catalyst, that is, a catalyst made by a living thing. A catalyst is a substance that promotes a particular chemical reaction without itself being used up in the process.

The supreme achievement of catalysts is life. A plant or an animal is alive only as long as it continues carrying on a variety of chemical reactions. This must happen at moderate temperatures and at a rate thousands or even millions of times faster than the reacting molecules, left to themselves, would provide.

The feat is accomplished by enzymes — catalysts made within the cells of all living things. Early studies of these substances involved reactions in yeast cells, leading to the term *enzyme*, from the Greek words meaning 'in yeast'.

Thousands of chemical reactions take place in complex organisms — ourselves, for example: large molecules of food are broken down (digested), small molecules are built up to form body tissues, muscles contract and relax, sense organs respond to stimuli, and wastes are produced, collected, and excreted. These actions, and thousands more, are the product of enzyme-mediated chemical reactions. There are thousands of enzymes, each specific for its individual reaction.

The lack of an enzyme — call it X — slows or stops reaction X. Depending on the role of reaction X in the body's chemistry, that lack can produce disorders ranging from minor to fatal (see GENETIC DISEASES).

People long ago learned to profit from enzymes. The ancients fermented wine and leavened bread, unaware of the help they got from enzymes made by yeast cells. Among many uses, we employ enzymes to tenderize meat, remove stains (in washing powders), and make antibiotics. Enzymes also make possible laboratory tests to diagnose cancer, heart ailments, and other diseases; these tests are based on the fact that the body's output of certain enzymes changes in the presence of certain diseases.

Scientists are studying an enzyme produced by the white rot fungus, a common organism that lives on dead wood. The enzyme (it may be a group of enzymes) is *lignase*. It breaks up the molecules of *lignin*, an extremely tough constituent of wood. Lignase has now been found to attack and break up the molecules of many toxic and carcinogenic substances, such as DDT, so it may have potential for cleansing contaminated soil and water. It may also provide a method for making liquid fuels from low-grade coal (*lignite*) and for producing useful chemicals from agricultural waste.

EPSTEIN-BARR VIRUS See HERPESVIRUS DISEASES

EROSION OF ROCK See ROCK CLASSIFICATION

ESCAPE VELOCITY See SPACE TRAVEL

ESCHERICHIA COLI See GENETIC ENGINEERING

ETHANOL *See* ANALYSIS

ETHYL ALCOHOL *See* ANALYSIS

EUROPEAN LABORATORY FOR PARTICLE PHYSICS *See* PARTICLE ACCELERATOR

EUTROPHICATION

A process in which the supply of plant nutrients in a lake or pond is increased. The word is from Greek words meaning 'well-nourished', although 'overnourished' would be more accurate. In time (centuries or millennia), the result of natural eutrophication may be dry land — from plant overgrowth — where water once flowed.

Springs and rivers that drain into lakes carry dissolved nitrates, phosphates, and other compounds — natural fertilizers — washed from the soil. The fertilizers stimulate the growth of algae and other water plants, and these provide food and oxygen for fish and other water-dwelling creatures. A lively establishment ensues and grows. As more nutrients arrive, the exuberance of plant growth may produce overcrowding; plants die off, and a surplus of dead and decaying vegetation depletes the lake's supply of dissolved oxygen; fish begin to die off. The accumulating dead plant and animal material changes the deep lake to a shallow one, then to a swamp, which in turn gives way to dry land.

Eutrophication has been speeded up enormously by human activities. Fertilizers from farms leach into springs and rivers or are washed in on eroded soil. Sewage and some industrial wastes, even after treatment to remove solid materials, are a rich source of nitrates and phosphates, as are some detergents. Lake Erie in North America, the Sea of Galilee in the Middle East, and Lake Baikal in Siberia are far-flung examples of major lakes suffering from some degree of artificially accelerated eutrophication.

EVAPORATION *See* MATTER

EVAPORATOR *See* REFRIGERATION

EVOLUTION

From Latin *evolutio*, 'unrolling'. More than a million and a half kinds of plants and animals live on the earth today. There are more than 25,000 species of beetle in the United States alone. How did this enormous diversity of life arise? The scientific answers to that question are based on the work of Charles Darwin (1809–1882) and Alfred Wallace (1823–1913).

These two English naturalists, working independently, came to the same conclusion: the characteristics of living things are not fixed; they can and do change. Thus a group of closely related, interbreeding organisms (a species) can give rise to other species over a period of time. The idea that living things change (organic evolution) is not new; the Greek philosopher Aristotle (384–322 BC) was an early proponent. The great contribution made by Darwin and Wallace was in explaining how such change could occur.

In 1858 the two men collaborated in summarizing their independent conclusions. The next year Darwin published *On the Origin of Species*, in which he proposed the theory of *natural selection*. Its main points are:

- *Overproduction leads to a struggle for existence*. Plants and animals produce far more offspring than can survive on limited amounts of food in a limited space.
- *Offspring vary*. For example, in a school of young fish, a few may have slightly stronger tail muscles than the rest. The favoured few can swim faster.
- *The fittest survive*. The fastest swimmers are best adapted (most fit) to elude predators; on the average, they are most likely to survive longest and produce the most offspring. But the race for survival does not necessarily go to the swift. In a place where small openings in the rocks offer hiding places from predators, smallness may have greater survival value than speed. Nature (the environment) weeds out the least fit — a process Darwin dubbed 'natural selection'.
- *Variations are inherited*. Therefore, the traits that make for fitness continue. This was the weak point of the theory, because nobody knew how traits pass from one generation to the next. Today the mechanics of heredity are well understood, and they bear out the correctness of this part of the theory.

An example of evolution in action today involves some pathogenic (disease-producing) bacteria. They now pose a serious medical problem, having changed in a way that makes them resistant to antibiotics. A similar evolution in some insects has made them resistant to insecticides.

A large body of scientific evidence supports the concept of evolution:

- Fossils show the stages through which many plants and animals have passed; the evolution of the horse from a four-toed, cat-sized creature is a good example.

- Thousands of studies of the structure, embryonic development, chemistry, and geographic distribution of organisms point to the descent of widely differing species from common ancestors.
- Chemical dating, radioactive dating, and other methods enable scientists to estimate the time that life has existed on earth (2000 to 3000 million years) and the times at which various organisms evolved — for example, the earliest fishes 500 million years ago, mammals 200 million years ago, the earliest apes 25 million years ago, and modern humans (*Homo sapiens*) 50,000 years ago.

In 1859 Darwin's work stirred up widespread opposition among people who felt that the concept of evolution violated their interpretation of the Bible. Similar views today have resulted in several American states passing laws that make compulsory the teaching of 'creation science' (also called creationism) in schools where evolution is taught. (In 1987 the US Supreme Court overturned the creation science law of Louisiana.) Some principles of creation science (from the Arkansas law) follow:

- The entire universe — its stars, planets, galaxies, plants, animals, and energy — was created all at once, out of nothing.
- Life on earth was created at some time between 6000 and 12,000 years ago.
- Since the creation, there may have been some *minor* changes in some of the originally created plants and animals.

An argument presented not in the state law but by creationists in reply to questions about fossils (e.g., dinosaur skeletons) goes something like this: these fossils do not indicate that such animals ever actually existed; the fossils may have been placed in the earth by the creator of the universe in order to test the faith of the true believers.

EXCITED STATE (OF ELECTRONS) *See* ENERGY

EXPANDING UNIVERSE

Astronomical observations indicate that the galaxies of the universe are receding from one another — that is, that the universe is expanding.

See also COSMOLOGY.

EXPERIMENT *See* SCIENTIFIC TERMS

EXPERT SYSTEM

A computer program or set of programs that provides 'expert' advice. An expert system, or *knowledge-based system* as it is sometimes called, contains a *database* of information relating to a particular subject, such as finance, medicine, or air-traffic control. The information, or 'knowledge', which is provided by teams of experts, is stored as a set of rules on which answers to problems are based.

For example, a doctor might key in a group of symptoms and receive a diagnosis and suggested treatment. Or an oil company could use an expert system to investigate areas for drilling.

These systems are designed to 'sense' a particular line of enquiry and ask appropriate questions. This can make them appear 'intelligent'. However this is not so. Their responses are based entirely on the information and rules programmed into them. The recommendations they give can therefore be wrong or at least less-than-perfect solutions.

An ethical question: who is to blame if the wrong action is taken on the basis of poor advice given by an expert system? The system designer? The supplier of the 'knowledge'? The person who trusted a computer to be infallible?

EXPLORER I SATELLITE See VAN ALLEN BELTS

EXTRUSION See MANUFACTURING PROCESSES

EXTRUSIVE FORMATION (GEOLOGY)
See ROCK CLASSIFICATION

FACTOR VIII *See* HAEMOPHILIA

FALLING STAR *See* SOLAR SYSTEM

FATS *See* CHOLESTEROL

FAULT

A break in a rock formation, caused by a shift in the earth's crust. A horizontal shift causes a horizontal displacement in the surface features, such as the sideways dislocation of a road or streambed. A vertical shift, if it lowers the downstream part of a riverbed, produces a waterfall; if it lowers the upstream part, the river piles up and rises against the newly formed wall, resulting in a pond or lake. A fault may be as small as a metre or two or larger than the 1000-kilometre (600-mile) horizontal San Andreas Fault in California. The 106-

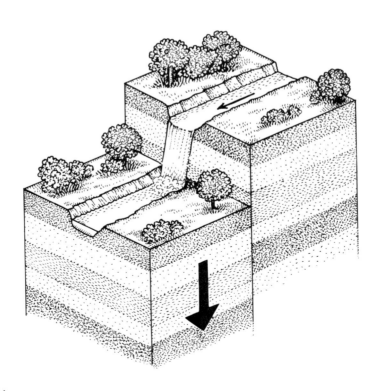

metre (350-foot) drop of the Victoria Falls in Africa is the result of a vertical fault. Rapid displacements are caused by earthquakes.

See also PLATE TECTONICS.

FERTILE FUEL *See* NUCLEAR REACTOR

FERTILIZATION *See* DNA AND RNA

FETUS *See* AMNIOCENTESIS

FIBRE OPTICS

A system for transmitting light through hair-thin flexible rods (fibres) made of transparent glass or plastic. One familiar use of the fibres is in ornamental displays ('light trees'), but more important is their use in examining interior organs of the body and as economical substitutes for telephone cables.

Ordinary glass fibres transmit light quite well, with little loss along the way if the fibres are straight. Bend them slightly, and some of the light scatters sideways out of the fibres. A little more bend and so much light is scattered that they're useless as light transmitters. The special fibres used for medical and telephone-cable purposes have a coating, or *cladding*, of a different formula of glass that keeps the light from escaping. Shine a light through one of these fibres a whole kilometre long, with hundreds of bends and wiggles in it, and the light emerges at the far end with half its brightness still left.

Medical instruments using fibre optics are named according to the part of the body they are designed to examine: bronchoscope (bronchial tubes), cystoscope (bladder), gastroscope (stomach), and sigmoidoscope (lower large intestine). In all of these, a bundle of fibres transmits light from an outside lamp to illuminate the part of the body being examined, like a flexible torch. Another bundle of several thousand fibres has an objective lens at one end and an eyepiece lens at the other. The objective lens forms an image of the body part. This image is transmitted, point by point, through the fibres, to the eyepiece lens, which magnifies the image. The instrument is in effect a kind of interior-viewing microscope.

For telephone cables, glass fibres are used in place of copper wires. A pair of hair-thin glass fibres can carry several thousand conversations at one time, replacing several hundred wires within a cable as thick as your fist — an enormous saving in space and money. The telephone messages are first converted by a laser apparatus from electrical currents to pulses of light, are transmitted through the glass fibre, and are then converted back to electrical form at the far end. There they are sorted out and sent on to their receiving destinations. In Britain, all new telephone lines use fibre optics. Glass fibres are also used for high-density phone lines between major cities and for cross-Channel cables (e.g. to Holland). Eventually, most copper cables will be replaced by glass fibres.

FIBRIN *See* HAEMOPHILIA

FIELD THEORY

Physicists' attempt to describe (not altogether to their own satisfaction) a force acting at a distance — that is, through empty space — without an intervening substance to transmit the force.

Consider, for example, the space between a diving board and the water below (ignore the air, which isn't involved). If you walk onto the far end of the board, the space is altered — strained, so to speak — by the interaction between the earth's gravitational force, pulling down on you, and your own gravitational force, pulling upwards on the earth. This 'strained' condition in space is regarded as the *gravitational field* of the earth-you system. Similar fields are assumed in an earth-football system, the earth-moon system, the sun-earth system, the sun-Mars system, and so on.

The field theory applies to other forces besides gravity. If you were to rub a piece of plastic with a cloth, you would produce an *electrostatic field*. Electrons from the cloth are rubbed onto the plastic. Every electron possesses its own tiny electrostatic field. Crowded together, stationary (*static*), their fields add up to a larger electrostatic field. You can demonstrate its existence by holding the rubbed plastic near a bit of paper. The electrostatic field between the two objects, caused by stationary electrons, acts to attract the paper and the plastic towards each other.

Electrons *in motion* produce a *magnetic field*. In a permanent magnet, such as a horseshoe magnet, the field is generated by electrons *spinning inside* the atoms of the magnet. In an electromagnet (a temporary magnet), the field is generated by electrons *flowing from atom to atom* through wires (an electric current). Such a field is called an *electromagnetic field*.

Two more fields, neither of which you have ever experienced, are extremely important. These are the fields between the particles *inside the nucleus* of the atom and are involved with the production of nuclear energy.

See also GRAND UNIFIED THEORY.

FILTRATION *See* ANALYSIS

FIN

A fixed vertical surface at the tail of an aeroplane or glider, used to maintain the right-left stability of the aircraft.
See also AERODYNAMICS.

FIREBALL   *See* SOLAR SYSTEM

FISSION   *See* NUCLEAR ENERGY

FLAPS

On an aeroplane, movable control surfaces on the wing that are used to add lift or provide braking force.
See also AERODYNAMICS.

FLETCHER-MUNSON CONTOUR
See LOUDNESS CONTROL

FLIP-FLOP CIRCUIT   *See* COMPUTER

FLOPPY DISK

The most commonly used medium for storage of computer data. Floppy disks, which resemble gramophone records, are also known as *diskettes, floppies*, and *disks*. They are made of a thin, flexible plastic and are coated on both sides with a magnetic substance like that in a tape recorder cassette. Floppies are usually $3\frac{1}{2}$, $5\frac{1}{4}$, or 8 inches (89, 133, or 203 millimetres) in diameter.

The disk, contained in a sealed envelope that protects its delicate surface, fits into a machine called a DISK DRIVE. The drive records ('writes') onto the disk and plays back ('reads') from it.

The floppiness is not a virtue; it is simply the result of the thinness of the plastic. A more rigid type of disk, called a *hard disk*, operates in its own kind of disk drive. It is much more expensive and not as portable as a floppy disk, but it does provide far greater storage capacity and more rapid access to the data recorded on it.

FLUID

From Latin *fluere*, 'to flow'. A substance that flows and takes on the shape of its container. Liquids and gases are fluids.

FLUTTER

A regular variation in the pitch of sounds made by a record or tape player. A long-playing (LP) record normally rotates 33⅓ times per minute. If the rate of rotation varies 6 or more times per second, the wobbly-sounding effect is called *flutter*. (Note, authorities differ on this — some say 6 variations per second, others 10, still others 20.) Below 6 (or 10 or 20) times per second the effect is *wow*. Some acoustic hairsplitters use two more terms: from 30 to 200 variations per second produce *gargle*, and above 200 is *whiskers*. Variations from normal speed in a tape player produce the same effects. Flutter and its companions are more noticeable in music than in speech and are especially bothersome when long-held notes are played.

FM   *See* RADIO

FORTRAN   *See* COMPUTER LANGUAGES

FOSSIL FUELS   *See* ENERGY RESOURCES

FOURTH DIMENSION   *See* RELATIVITY

FRAME OF REFERENCE   *See* RELATIVITY

FREON   *See* REFRIGERATION

FREQUENCY ANALYSIS   *See* ANALYSIS

FREQUENCY MODULATION   *See* RADIO

FREQUENCY OF ELECTRIC CURRENT
See RADIO

FREQUENCY OF SOUND WAVES
See DOPPLER EFFECT

FRONT   *See* AIR MASS ANALYSIS

FUNDAMENTAL FORCES

The four forces — gravitation, electromagnetism, and the strong and weak nuclear forces — believed to be the basis of the universe's matter and energy.
See also GRAND UNIFIED THEORY.

FUNDAMENTAL TONE
See SOUND RECORDING; TONE CONTROL

FUSE

An electrical protective device based on the adage that a chain is only as strong as its weakest link. A fuse (Latin *fusus*, to pour or melt) is a weak link — a strip of metal that has a low melting point — inserted in the chain called an electric circuit. If, for some reason, too strong a current were to flow through the circuit, the wires might heat up and become a fire hazard. However, if a fuse were inserted in this circuit, the fuse would melt, leaving a gap and thus breaking the circuit. After the overload situation has been attended to, the melted fuse must be replaced to restore the current.

An octopus of plugs in a socket is sometimes used as a horrible example of overloading a circuit. Nothing of the sort. It may be unaesthetic, but overloading doesn't depend on the number of plugs or pieces of apparatus plugged in. It depends on the number of *amperes* (amps) flowing through the fuse or circuit breaker. Thus if it's a 13-ampere fused socket (fairly standard in home wiring) and you plug in both a 10-ampere kettle and a 12-ampere washing machine, you'll blow it. If you're using a desk lamp (about 0.25 amp), a radio (0.5 amp), a floor lamp (0.5 amp), and a fire (4 amps), however, you'll have a messy-looking socket, and a potentially dangerous assortment of leads, but everything will work.

See also ELECTRICAL UNITS.

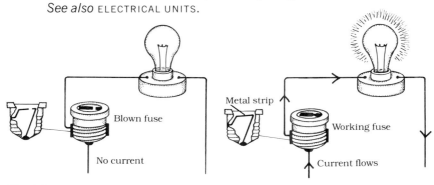

Blown fuse

No current

Metal strip

Working fuse

Current flows

FUSELAGE

The central body of an aeroplane, to which the wings, tail, and (sometimes) engines are attached. It holds the passengers, crew, and cargo.

See also aerodynamics.

FUSION   *See* NUCLEAR ENERGY

GALAXY

A collection of stars, gas, dust, and (perhaps) planets, and other astronomical objects. On a dark, clear night a pale glowing band can be seen arching through the sky. Its resemblance to streams of milk earned it the name Milky Way, or galaxy (Greek *galakt*, milk). A pair of binoculars clearly shows that the 'milk' is really thousands of dim stars. In fact, the Milky Way, the galaxy in which we live, comprises millions of stars, among them the sun, drawn together by gravitation into a vast, vaguely disc-shaped conglomeration. It is classified as a *spiral galaxy*, because arms trail outwards in a spiral from and around the disc's centre. In one of the arms lies our sun, with its solar system in gravitational tow. From our viewpoint at X in the galaxy, we see many more stars — the 'milk' — when looking along the arm towards A than we see by looking in the direction of B. Most galaxies have no arms and are classified as *elliptical galaxies* or *irregular galaxies*. Everything the naked eye sees in the sky (with a couple of exceptions we'll note later) is a part of the Milky Way.

Galactic distances and sizes are measured in LIGHT-YEARS. One light-year is approximately 9.5 billion kilometres (6 billion miles). The Milky Way is about 100,000 light-years in diameter; the sun, positioned in one of the arms, is about 30,000 light-years from the centre of the galaxy.

The Milky Way has neighbours. One, the Andromeda galaxy, is a spiral galaxy much like ours, but with nearly twice the diameter. It is about 2 million light-years away. It, and the Magellanic Clouds, two smaller irregular galaxies only 200,000 light-years distant, are the

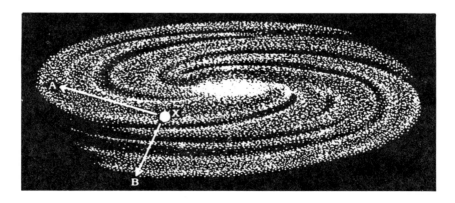

only objects outside our galaxy that you can see with the naked eye. Now to expand our horizons:

- The Milky Way, the Andromeda galaxy, and the Magellanic Clouds, along with some two dozen other 'nearby' galaxies, are members of a cluster called the Local Group. Local? Yes, if you consider that the nearest other such cluster to us is about 60 million light-years away.
- Markarian 348, the largest known galaxy, is 1.3 million light-years in diameter and some 300 million light-years from us.
- Some clusters hold thousands of galaxies.
- Thousands of clusters are known to exist, all moving away from one another at enormous speeds.

See also COSMOLOGY.

GAMMA RAYS

RADIANT ENERGY of extremely short wavelength and great penetrating power. Substances undergoing radioactive decay emit gamma rays, among other forms of energy.

GARGLE *See* FLUTTER

GAS *See* MATTER

GAS-COOLED REACTOR *See* NUCLEAR REACTOR

GASOHOL *See* SYNTHETIC FUELS

GATE, ELECTRONIC *See* BOOLEAN ALGEBRA

GAUGE BOSON *See* ELEMENTARY PARTICLES

GENE *See* DNA AND RNA

GENE MAPPING *See* GENETIC DISEASES

GENERATORS AND MOTORS, ELECTRIC

The song title 'Is That All There Is?' could apply to the workings of electric generators and motors. These basically simple machines have been around for a century and a half. Of course they have been vastly altered and improved, but they are essentially the same machines as their humble ancestors. In fact, they are essentially the same machine: Any electric generator can work as an electric motor, and vice versa.

With all that enticement, you may wish to go further: There are only two basic parts — one that rotates, called a *rotor*, and one that doesn't rotate, that remains stationary (static), called a *stator*. (There are other names for these parts — armature, field coil, and so on — but let's stay with the names that describe the functions, rotor and stator.)

Here's a crude but basically honest diagram of the two parts working as a generator. The stator is a coil of wire (connected to a light bulb, to use the generated electricity). The rotor is a bar magnet (most machines use an electromagnet, but the bar magnet is easier to understand). The rotor is pivoted so that it can be spun (rotated) by hand, windmill, water power, steam or petrol engine, or what have you.

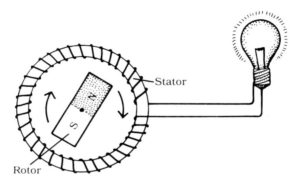

(The next paragraph can be skipped without doing mayhem to the train of thought, but it's an interesting sidetrack.)

Notice the *N* and *S* marks on the magnet. If you balanced the magnet on a thread, it would be a compass: One end (pole) would point to the earth's magnetic north pole. This north-pointing pole is labelled *N*. The same is true of the *S* pole — it points to the earth's magnetic south pole. The important fact is that *the two poles of the magnet work in opposite ways*. The *N* pole will attract another magnet's *S* pole; likewise, the *S* pole will attract another magnet's *N* pole.

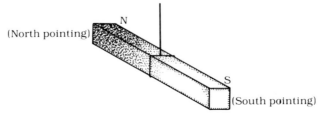

In the same way, the opposite poles of a *moving* magnet have opposite effects on the electrons in a coil of wire. One pole will drive electrons forwards; the other pole will pull electrons backward. So to run the generator, we spin the rotor. At each full turn (cycle) of the rotor, first one pole sweeps across the stator coil, driving electrons forwards; then the other pole sweeps across, pulling electrons backwards. Even though the rotor is spun in one direction, the electrons flow forwards and backwards, cycle after cycle, *alternating*. If you could spin the rotor 50 times a second, you would be generating a 50-hertz (50 cycles per second) *alternating current*, or *AC*. This is the kind supplied by the electricity boards in Britain and in many parts of Europe.

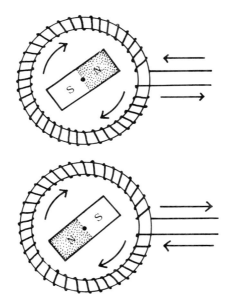

(An interesting variation on this theme is the use of a hot liquid or a gas in place of a coil of wire; *see* MAGNETOHYDRODYNAMICS.)

This is a diagram of three cycles of an alternating current. Above the line electrons flow in one direction; below the line, in the opposite direction.

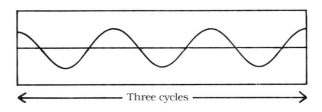

Three cycles

A brief summary: in a generator, we *cause* a magnetic rotor to spin. We supply an *input* of mechanical energy (water power, etc.) and receive in return an *output* of electrical energy — alternating current (AC).

Now let's convert the generator into a motor. That is, let's supply an *input* of electrical energy and receive in return an *output* of mechanical energy. Nothing to it; just connect the coil of wire (the stator) to a source of AC. As the alternating current flows through, it sets up an alternating magnetic field around the coil. First one end of the coil becomes an *N* pole, and the other an *S* pole. Then the polarity is reversed, and then reversed again. So the magnetism of the coil, the stator, keeps reversing, but the rotor's magnetism is unchanged. The result is a continuous repel-attract-repel action, causing the rotor to keep spinning, first by attraction and then by repulsion, half-cycle after half-cycle, again and again.

50-hertz AC

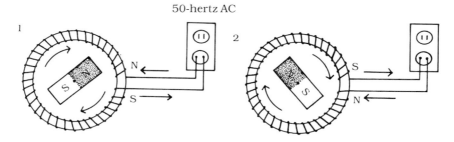

That's all there is. Yes, truly. The rest is variations on the theme — adaptations for special purposes. If you're still with us, here are a few:

Variation 1. What about direct current? A car's starter, for example, works on direct current, supplied by the battery. And a car's starter is basically an electric motor. An ingenious device called a *commutator* (Latin *commutare*, to change) keeps reversing the direction of the current to produce the repel-attract-repel action we saw with AC, to keep the rotor turning.

Variation 2. Can a generator produce DC? The basic, primeval generator, as you saw, is an AC machine, because its rotor's *N* and *S* poles drive electrons first in one direction and then the other. Yet there are many uses for DC — to charge a battery, for example. One solution is, as with the DC electric motor, to use a commutator on the generator. It acts to reverse the direction of half the output, resulting in a pulsating direct current. A second solution is to use the primeval electric generator and send its AC output into a *rectifier*, a device that allows the current to flow in one direction only. The combination

PULSATING DIRECT CURRENT

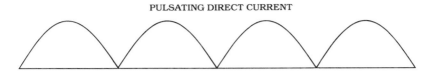

puts out a pulsating direct current; the ALTERNATOR in a car is used in such a combination.

Variation 3. There are many uses for electric motors with varying speeds — for example, electric fans, blenders, food processors, electric trains. Such speed control is achieved by regulating the strength of the electric current, usually with a device called a *rheostat* (Greek *rheo*, current), or variable resistor. In this diagram, the sawtoothed lines represent resistance wire. Such wire is made of a metal that is a somewhat poorer conductor of electricity than copper. The longer the wire, the greater the resistance; therefore, the weaker the current that reaches the motor and the slower it goes.

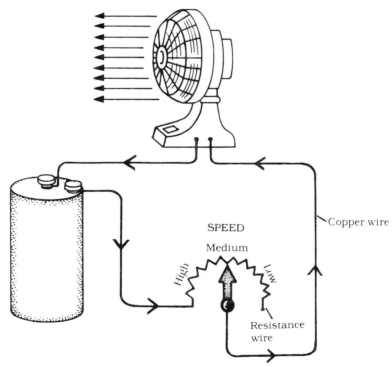

GENERIC DRUGS

What's the difference between the tranquilizer Valium and the tranquillizer diazepam? Answer: the uppercase *V* and the lower case *d*. Valium is the registered brand name of the drug whose *generic name* is diazepam. Brand names almost always cost more than generic drugs, often many times as much. In their effects there is usually no difference.

The British National Formulary lists drugs and medicinal preparations that may be prescribed and dispensed in Britain. From 1986, government restrictions on certain categories of preparations, such as tonics and mild tranquillizers, has limited the range of drugs that can be prescribed under the National Health Service. In particular, this applies to brand-name drugs where a generic one is available, the aim being to reduce the national drugs bill by eliminating duplication. So far, an estimated £75 million per year has been saved.

GENE SPLICING   *See* GENETIC ENGINEERING

GENETIC COUNSELLING   *See* GENETIC DISEASES

GENETIC DISEASES

Hereditary diseases arising from defects in the genes, also known as inborn errors of metabolism. Many of these disorders can be diagnosed by *genetic screening* before birth through the process of AMNIOCENTESIS. Knowing what to expect, doctors are prepared to treat the infant after birth or advise termination of pregnancy by abortion. Among the many such diseases are the following:

Tay-Sachs disease   A disease that affects the nervous system and is fatal by the age of three or four. Tay-Sachs occurs almost entirely among Jewish families of Eastern European origin and is caused by lack of an ENZYME.

Phenylketonuria (PKU)   A disease caused by lack of an enzyme that facilitates the elimination from the body of phenylalanine, an *amino acid*. The body needs this substance, but an excessive amount of it causes severe mental retardation. A test for an excess of phenylalanine can be done shortly after birth, and PKU can be prevented by a precisely controlled diet begun promptly. The diet meets the body's needs for phenylalanine but leaves no excess.

Sickle-cell anaemia   A disease that occurs mainly among black people. Normally, oxygen from the lungs is carried to all parts of the body by the protein haemoglobin in the disc-shaped red blood cells. In sickle-cell anaemia, some of the haemoglobin molecules are defective, causing the red blood cells to take on a hooked (sickle) shape; some of the sickle cells break up, and others clog small blood vessels, interfering with the circulation. Body tissues, deprived of part of their oxygen needs, are damaged. Most victims die before the age of 20.

Thalassaemia (Cooley's anaemia)   A disease somewhat similar to sickle-cell anaemia but found among people of Mediterranean ancestry. In this case, the oxygen supply is deficient because the defective haemoglobin causes some of the red blood cells to break up.

Cystic fibrosis   A disease of people of northern European ancestry in which the salivary glands, mucus glands, and other glands malfunction. In time, thick mucus accumulating in the air passages of the lungs interferes with breathing, leading to lung infections.

The increased understanding of genetic disorders and the development of tests for them have produced a new field of expertise — *genetic counselling*. The counsellor draws on a family's health and medical history and on diagnostic tests of the prospective parents and the fetus. From the data, the counsellor can calculate the probability that a particular disorder will appear in a child.

Recently genetic scientists have given a lot of attention to *gene mapping*, the work of nailing down the location and sequence of the genes. Today, only tiny fragments of the gene map are clear, like a map of Europe showing only Luxembourg and a 10-kilometre stretch of the Rhine.

Plans are being made to map the entire human gene system, or *genome* (somewhere between 50,000 and 100,000 separate genes), an enormously complicated and expensive undertaking. However, the complete map could be the first step in preventing and treating a wide variety of diseases.

See also DNA AND RNA; PROTEINS AND LIFE.

GENETIC ENGINEERING

A technique, also called *gene splicing* and *recombinant DNA technology*, whereby a section of DNA, comprising one or more genes, is removed from a cell and recombined with the DNA of another cell. The receiving organism is said to be *transgenic*.

Genes are the hereditary material that determines what a living thing will be — how it will develop and function — and what its descendants will be. Through recombinant DNA technology, scientists alter both the organism they work with and the generations that follow it. For example, genetically engineered bacteria now produce human-sequence insulin for use by diabetics.

Juggling genes   Much recombinant DNA work is done with bacteria, so a bit of background on them is in order.

In most organisms the DNA is contained in bodies called *chromosomes*. In bacteria, a small amount of DNA is also held in rings called *plasmids*, and it is these that are used in gene splicing. One often-used bacterium is *Escherichia coli (E. coli)*, an organism normally present in vast amounts in the human intestine.

Bacteria produce substances called *restriction enzymes*. Each enzyme is specific — a kind of molecular axe that cleaves a DNA

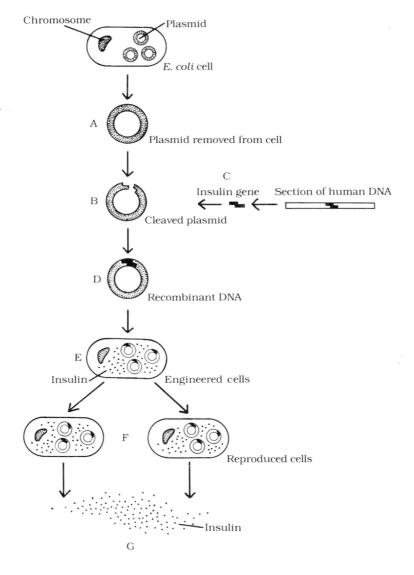

molecule at a particular place but no other. (These enzymes normally operate against *viruses* that prey on bacteria.) Another molecule, *DNA ligase* (Latin *ligare*, to bind), acts like a glue to hold together freshly joined sections of DNA.

Leaving out details, this is the gene-splicing process for human insulin:

1. Plasmids (A) removed from cells of *E. coli* are mixed with a restriction enzyme that cleaves them (B), leaving an open space in each ring.
2. In a separate operation, DNA from human cells is treated with other restriction enzymes; they cut away the desired DNA section (C) — the gene that codes for insulin production — and this is placed in a solution containing the cleaved plasmids from step 1, along with DNA ligase. The human DNA joins the bacterial DNA in the plasmid, producing recombinant DNA (D). More picturesquely, this is sometimes called a *plasmid chimera*, after the chimera of Greek mythology, a monster assembled from the parts of a goat, a lion, and a serpent.
3. The chimeras are placed in a solution containing normal *E. coli* cells, which they enter. Such engineered *E. coli* cells produce tiny amounts of *human* insulin (E). When these cells divide (F), the reproduced cells, and all the successive generations, have the human gene and therefore the ability to produce human insulin (G). In the ideal cultural conditions of the laboratory, a few cells give rise to thousands of millions of identical cells in a few days — the basis of the insulin 'factory'.

The promise   Genetic engineering is an enormous scientific leap forward.

- By 1988 hundreds of human genes had been engineered. Some engineered substances: human insulin, INTERFERON for use against viruses and some types of cancer, and a vaccine for one form of hepatitis. Human growth hormone (*somatrem*) was available. Scientists were producing and testing genetically engineered vaccines against malaria and AIDS, as well as engineered products to treat heart attacks, hypertension, and haemophilia.
- Genetically engineered *tissue plasminogen activator* (tPA) has been used with great success to dissolve blood clots in the arteries of the heart, the cause of most heart attacks. Although tPA is produced normally by the body, the amounts needed for treating heart attacks are available only through genetic engineering.

- Successful transfers of genes in laboratory mice suggest the treatment of genetic diseases by implantation of genes. Towards the end of 1988 the first experiment to insert genetically altered cells into humans was approved by the review board of the United States National Institutes of Health.
- Engineered bacteria can be used to introduce new kinds of genes into plants. Plants that produce more nutrients, especially more protein, would help to solve the food problems of developing nations, as would plants able to grow with little or no fertilizer.
- In industry, research under way may provide engineered bacteria that can convert waste wood (the wastes of papermaking, for example) into sugar and into wood alcohol, valuable as an antifreeze, a solvent, and the starting point in the production of many other chemicals.

The problems   Early in the development of genetic engineering there were fears that changed organisms might be dangerous: for example, that *E. coli*, our usually harmless colonic tenants, might accidentally be made pathogenic (disease-producing), with epidemic results. Such fears led to unprecedented discussions by hundreds of scientists, with public and governmental participation. Guidelines were designed for safety in research and use of recombinant DNA technology; to date, no serious problems have arisen.

However, many ethical concerns remain. Among them are these:

- Is it acceptable to create new kinds of cows, sheep, and other domestic animals? In 1987 the US Patent Office granted inventors the right to patent such animals, created by genetic engineering and by late 1988 there were moves to grant similar patents to scientists in EEC countries. Going a step further, is it acceptable to use *human* genes to modify animals? For example, using genes for human growth factor, scientists have produced pigs that eat less and are leaner, desirable traits from a commercial point of view. The genes are passed from one generation to the next.
- In 1987 the US Patent Office ruled that genetically changed human beings may not be patented (what a relief!) on the grounds that the antislavery amendment of the US Constitution forbids the ownership of humans. However, since human genes have been routinely and successfully implanted in animals, should not some line be drawn beyond which scientists may not go? Where should that human vs. nonhuman line be? And who should draw it?
- Is it acceptable to use recombinant DNA technology to produce 'improved' (i.e., more deadly) toxins for biological warfare?

- The techniques that may prevent genetic diseases might also be used to produce 'superior' people of 'greater intelligence' or different appearance. Is that acceptable? Who will judge?
  See also DNA AND RNA.

GENETIC FINGERPRINTING *See* DNA FINGERPRINTING

GENETICS *See* BIOLOGY

GENETIC SCREENING *See* AMNIOCENTESIS

GENOME *See* GENETIC DISEASES

GEOCHEMISTRY *See* CHEMISTRY

GEOPHYSICS *See* PHYSICS

GEOSTATIONARY (GEOSYNCHRONOUS) ORBIT *See* SPACE TRAVEL

GEOTHERMAL ENERGY

Heat within the earth, mainly the product of radioactivity.
See also ENERGY RESOURCES.

GeV *See* ELECTRON VOLT

GIANT PLANETS *See* SOLAR SYSTEM

GIGA- *See* ELECTRON VOLT

GIGO

Acronym for 'garbage *in*, garbage out', a slogan used by computer programmers to remind themselves that computers, no matter how expensive and sophisticated, are not thinking machines — they are only as good as the material with which they are programmed.

GLAND, DUCTLESS *See* HORMONE

GLANDULAR FEVER *See* HERPESVIRUS DISEASES

GLIDER

An aircraft that is heavier than air, with fixed wings but no self-contained means of propulsion. Gliders are put into motion by launching from the ground by towing or by some other means. They can also be towed aloft by an aeroplane and released.

To stay aloft, the pilot seeks currents of rising warm air (*thermals*) and circles within them. To fly across country, he or she flies from thermal to thermal, gaining altitude within each then sinking gradually towards the next. Obviously a skilled glider pilot is good not only at controlling gliders, but also at detecting evidence of thermals.

Soaring is a sport in which the glider pilot takes advantage of thermals and other air currents to gain altitude (the record is over 14,000 metres, nearly 46,000 feet) or to travel long distances (nearly 1500 kilometres, over 900 miles, is the record).

GLUCAGON   See DIABETES

GLUCOCORTICOIDS   See STEROIDS

GLUCOSE   See DIABETES

GLUINO   See GRAND UNIFIED THEORY

GLUON

A particle that is believed to transmit the energy in the strong nuclear force, the main force holding together the atomic nucleus.
See also GRAND UNIFIED THEORY; NUCLEAR ENERGY.

GLYCINE   See PROTEINS AND LIFE

GLYCOGEN   See DIABETES

GRAFT-VS.-HOST DISEASE   See IMMUNE SYSTEM

GRAND UNIFIED THEORY (GUT)

An attempt, almost complete, to describe the four known fundamental forces of the universe with one or two basic sets of mathematical equations. The forces are as follows:

1. *Gravitation* (gravity to us earthlings)
2. *Electromagnetism* (which includes electricity, magnetism, X-rays, light, radio, and several related areas)
3. *The weak nuclear force* (to be desccribed later)
4. *The strong nuclear force* (also described later)

The search for the grand unified theory (GUT) is being carried on in laboratories in several nations, employing huge PARTICLE ACCELERATORS, at great expense; yet success, if it comes, is not expected to produce anything 'practical', such as free electricity or antigravity belts. The laudable goal is, through basic research, to achieve an understanding of the fundamental 'stuff' of the universe — its matter and energy.

Let's take a brief look into the four forces, asking three questions: How do they work? What do they do? How strong are they?

Imagine two astronauts drifting free inside a spaceship in orbit, exercising by tossing a basketball back and forth. Each toss pushes the tosser slightly backwards; each catch pushes the catcher slightly backwards. So the *force* exerted by the astronauts' muscles is being transmitted from one astronaut to another, by the exchange, back and forth, of a *substance*, the basketball. If the exchanges were so speedy as to blur the ball into invisibility, you might think there was a 'field of repulsion' between the two astronauts pushing them apart. This analogy holds for all four basic forces we are about to examine. All the forces are transmitted by an exchange of particles — some kinds produce a field of repulsion, and others produce a field of attraction.

We'll begin with the force that is most familiar, because it never lets (you) up: gravity.

Force 1: gravitation   The particle that transmits the force of gravitation has not yet been discovered, but scientists are so confident of its existence that a name awaits it: the *graviton*. Newton's apple fell to the ground, say the scientists, and countless apples have fallen since, as the result of a continual exchange of gravitons creating a field of attraction between the earth and the apples. The earth, however, is tremendously massive and hard to budge (it has great inertia). The little lightweight apple is, so to speak, a pushover, with very little inertia. So the massive earth moves the lightweight apple a large amount, while the apple moves the earth (yes!) an infinitesimally tiny amount.

Force 2: electromagnetism   Astronauts in space have proved that it's possible to get along without gravitation, but they — and we — would literally come apart without the help of force 2. Everybody and everything — every atom and molecule in the universe — is kept together by the force of electromagnetism. Protons and electrons attract each other, thus forming atoms. Atoms attract each other, forming molecules. Molecules attract each other, forming spiderwebs, kitchen tables, and you, among other things. But attraction is not our only debt to electromagnetism. Protons repel other protons; electrons repel other electrons. This repulsion keeps things separate. You don't sink into a concrete pavement because there's a field of repulsion between the electrons in the top layer of concrete and the electrons in the bottom layer of your shoes (or your bare feet, for that matter). Repulsion, too, helps to keep a stream of electrons moving along in a wire (an electric current) when one end of the stream is pushed by an electric generator or by the chemical action in a battery.

The particle that transmits electromagnetic force is the *photon*. Its discovery is due principally to the research of Max Planck, in 1900, and Albert Einstein, in 1905. Nothing about photons is believable by commonsense rules, but their existence and behaviour have been proved by thousands of experiments that confirm these unexpected traits:

- Photons have no mass — they are weightless.
- Photons vary in energy. Those exchanged between a proton and an electron can be 10^{37} (1 followed by 37 zeros) times stronger than the gravitational attraction between the particles.
- Photons exist only while in motion. Stop them and they cease to be, but their energy is absorbed by the thing that stopped them.
- Some kinds of photons are packets of light energy. Others make up X-rays, radio waves, and other forms of energy transmitted by electromagnetic radiation.

Force 3: the weak nuclear force   This force (also called the *weak interaction*) is unfamiliar to most people because its action extends only within the limits of the atomic nucleus, a tiny domain indeed. In many ways it seems to be a relative of the electromagnetic force. The two together have been dubbed the *electroweak force*. There are several weak-force transmitters, including particles called the W−, the W+, and the Z°. Few everyday phenomena are associated with the weak force; an example is one of the 'decay' steps that produce the glow in a radium dial.

Force 4: the strong nuclear force   By far the mightiest of the four forces, the strong nuclear force (also called the *strong interaction*) holds the parts of the nucleus of an atom together. It is about 10^{39} times as strong as the gravitational force between those parts. The strong nuclear force holds together the protons of the nucleus, which would otherwise repel each other violently by their electromagnetic force (force 2). Such repulsion is effected under controlled conditions, gradually in nuclear power plants or all of a sudden in one tremendous smash in fission bombs. The holding-together effect of the strong nuclear force, whether in power plants or bombs or in less threatening objects such as this book and you, is exerted in the same way, by particles named *gluons*.

To summarize this too-brief summary of the grand unified theory, this is where the theory stands at present:

1. Gravitation awaits the identification of its particle, the graviton. Gravitation *seems* to bear no relation to the other forces.
2. The electromagnetic force is related to the weak nuclear force — enough to share a group name, the electroweak force.
3. The strong force seems to show a relationship to the electroweak force.
4. Eventually, then, we may expect the physical universe to be describable in terms of two sets of equations:

   a. Those dealing with gravitation
   b. Those dealing with the electroweak-strong force

Some physicists think that eventually all four forces will be described within one super grand unified theory. There are various approaches to this grandeur, all under the general heading of SUSY, an acronym for *supersymmetry*. The various SUSYs require the existence of 'partners' to the existing known subatomic particles. Some that are being searched for right now have names waiting for them:

gravitino (partner to the graviton)
photino   (partner to the photon)
selectron (partner to the electron)
gluino   (partner to the gluon)

GRANITE   *See* ROCK CLASSIFICATION

GRAPHICS (WITH COMPUTERS)
See COMPUTER GRAPHICS

GRAVITATION

The mutual attraction between all the particles of matter in the universe. When measured locally — for example, at the surface of a planet — it's called gravity, or weight (Latin *gravitas*, weight). But the all-embracing universal term is *gravitation*. The strength of the gravitational force between any two bodies depends on two factors:

1. The amount of matter contained in the two bodies. The more matter, the greater the gravitational force. Buy a ticket to the

moon and have the time of your life, cavorting over the lunar landscape, leaping in lovely 10-metre arcs. You contain the same amount of matter you did back home, but the moon contains only about one-eightieth as much matter as the earth.

2. The gravitational attraction is proportional to the inverse square of the distance between the two bodies. Move twice as far away, and the force is only a quarter as great. Move three times as far, and it's a ninth as great. These distances refer to the centres of gravity of the two objects. Right now you are about 6400 kilometres (roughly 4000 miles) away from the centre of gravity of the earth; you weigh X kilograms (or pounds). Move up into space an additional 6400 kilometres (double the distance) and the gravitational force is only one-quarter as much: you weigh $X/4$ kilograms. At 12,800 kilometres (8000 miles) above the earth (triple the distance), you weigh $X/9$ kilograms.

Suppose you go the other way, all the way down to the centre of the earth. There, surrounded on all sides by the matter of the earth pulling evenly from all directions, you weigh ... nothing! You are weightless because all the gravitational forces are evenly balanced around you.

Although gravitation is the commonest of forces, its method of operation is not known. However, an explanation seems to be waiting in the wings, according to which the force is transmitted by particles called *gravitons*. These have no weight (mass) themselves, travel at the speed of light, and are accompanied by waves called *gravity waves*.

See also GRAND UNIFIED THEORY.

GRAVITATIONAL COLLAPSE *See* STELLAR EVOLUTION

GRAVITATIONAL FIELD *See* FIELD THEORY

GRAVITINO *See* GRAND UNIFIED THEORY

GRAVITON

The name for a particle, as yet undiscovered, that transmits the force of GRAVITATION.

See also GRAND UNIFIED THEORY.

GRAVITY *See* GRAVITATION

GREENHOUSE EFFECT

Without the greenhouse effect, our atmosphere would be about 18°C (32°F) cooler than it is. The atmosphere behaves somewhat like a greenhouse. Sunlight warms a greenhouse because its rays can pass through transparent plastic and glass. Some of the sunlight is absorbed by the plants, soil, and air in the greenhouse. The rest of the sunlight is reflected. This reflected light (infrared light, also called heat rays) is of a longer wavelength, unable to pass through glass. Instead, it is reflected back into the greenhouse, raising the temperature of everything there. In the case of our huge 'greenhouse' – the earth and its atmosphere – the reflectors are clouds, dust particles, carbon dioxide gas, and water vapour, which 'trap' infrared radiation in the lower layers of the atmosphere.

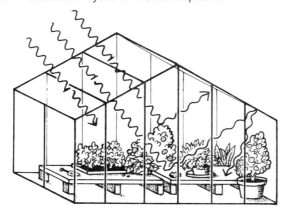

The earth's atmosphere is changing because of human activities, foremost of which is the emission of carbon dioxide when fuel is burned for motor vehicles, industry, and heating. Scientists estimate that the carbon dioxide content of the atmosphere, now 0.035%, will double in less than a century, causing an increase of 3° to 4°C (5° to 7°F) in the earth's temperature. The consequent acceleration in the melting of glaciers and snowfields could raise the level of the oceans by 70 centimetres (more than 2 feet) per century, to begin the drowning of most of the earth's seaports.

GROUND STATE (OF ELECTRONS) See ENERGY

GROUNDWATER

A better name for it would be *under*groundwater. Water from rain and melted snow soaks the ground, then seeps down through the soil and rock. Pores in some kinds of rock and cracks in others make them permeable to water. The water continues down until it reaches a point where all the pores have been saturated or where the rock is not porous (impermeable). Such water-bearing regions are called aquifers (Latin *aqui*, water + *fer*, to bear). Here bodies of groundwater collect. The top level of the groundwater is the *water table*, or *groundwater level*, and its depth changes constantly, rising when there is precipitation and falling during dry periods.

Wells are dug down to below the groundwater level, and the water is pumped up for use. Water shortages have become a common problem in places where excessive groundwater pumping occurs, which results in prolonged or permanent lowering of the water table.

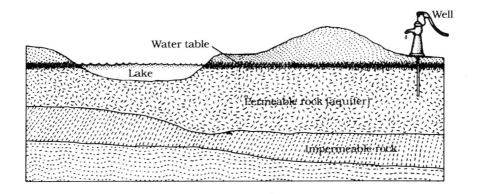

GROWTH HORMONE   *See* HORMONE; GENETIC ENGINEERING

GUANINE   *See* DNA AND RNA

GUARD CELLS   *See* TRANSPIRATION

GUT   *See* GRAND UNIFIED THEORY

HAEMODIALYSIS *See* KIDNEY DIALYSIS

HAEMOGLOBIN *See* GENETIC DISEASES

HAEMOPHILIA

An inherited disease, occurring almost entirely in males, in which the clotting ability of the blood is severely impaired. Normally, blood flowing from an injury sets up a chain of complex chemical reactions that ends in the formation of a blood clot, a damlike tangle of threads of *fibrin*. In haemophiliacs, however, one of the numerous substances involved in the reactions, *factor VIII*, is missing or in short supply. The chain of reactions is affected, and clot formation is slowed or stopped. Severely affected haemophiliacs must carefully avoid activities with potential for injury. Bleeding is treated with concentrates of factor VIII prepared from human blood plasma. Blood transfusions may be needed for tooth extractions and minor surgery. Towards the end of 1988 a synthetic blood clotting factor was successfully used in treatment of bleeding for the first time.

HALF-LIFE *See* UNCERTAINTY PRINCIPLE

HALLEY'S COMET *See* SOLAR SYSTEM

HARD DISK *See* FLOPPY DISK

HARDWARE

The machinery part of a computer, consisting of mechanical, magnetic, electrical, and electronic parts. The hardware awaits instructions from the *software*, which contains a program in the form of tapes, disks, punched cards, or human fingers (directed, of course, by human brains).

HDL *See* CHOLESTEROL

HEART *See* CIRCULATORY SYSTEM

HEART ATTACK

A failure of the pumping action of the heart and the greatest single cause of death in most developed countries, including both Britain and the United States. Scotland, with about 18,000 deaths per year, has the highest death rate (more than 1 in 300) from heart disease of any country in the world.

The heart pumps blood through blood vessels (arteries) that branch to reach every part of the body (see CIRCULATORY SYSTEM). The blood delivers its load of nourishing materials to the body cells and, through veins, takes away the waste materials they produce. Consider the staggering job done by the heart. It is composed largely of *myocardium* (Greek, *myo*, muscle + *kardia*, heart) — thick, powerful muscle tissue that contracts and relaxes some 70 times per minute. Except for the intervals between heartbeats (less than ½ second), it works for a lifetime without rest, pumping about 30 teaspoons of blood with each beat. That adds up to some 680 litres (150 gallons) per hour. Clearly, the hardworking heart needs a generous supply of blood for itself. It is, in fact, fed by a special set of blood vessels, the *coronary arteries*. These vessels sit like a crown over the outside of the heart (Latin *corona*, crown), and their branches extend deep into the myocardium.

Most often a heart attack results from the closing (occlusion) of a coronary artery by a blood clot or by plaques of fatty material (see ARTERIOSCLEROSIS). Sometimes a spasm in an atery may close it down. Other factors that may be involved are smoking, hypertension, and diabetes. In any case the myocardium recieves less blood than it needs. An acute shortage causes the death of some of the tissue, and the heart's pumping act is impaired. The dead, clogged area is called a *myocardial infarct or infarction* (Latin, *infarcire*, 'to stuff in').

HEART-LUNG MACHINE See OPEN-HEART SURGERY

HEART SURGERY See OPEN-HEART SURGERY

HEART-TRANSPLANT See OPEN-HEART SURGERY

HEAT ENERGY See ENERGY

HEAT LIGHTNING See LIGHTNING AND THUNDER

HEAT RAYS See ENERGY

HEAT SHIELD See SPACE TRAVEL

HELICOPTER

An aircraft that is heavier than air, is self-propelled, and has engine-driven rotating wings.
See SPACE TRAVEL.

HELIUM NUCLEI   *See* ALPHA PARTICLE

HELPER CELLS   *See* IMMUNE SYSTEM

HERPESVIRUS DISEASES

A family of VIRUSES that cause several diseases characterized by spreading sores or blisters (Greek *herpein*, to creep).

Herpes simplex I   Causes cold sores on the mouth and face.

Herpes simplex II   Causes painful sores on the mucous membranes (linings) of the genital organs. The disease is spread by sexual contact and was rampant in the early 1980s, reaching epidemic levels in the United States with an estimated 20 million victims. A newly developed drug, *acyclovir*, is useful in alleviating the pain of the recurrent attacks, but no cure is known. There is hope that a newly developed vaccine, produced by GENETIC ENGINEERING, will offer protection from the virus. Although the disease is not life-threatening in adults, there is high risk of infection to children born to mothers in the active phase of the disease. In such cases, caesarean section reduces the risk to the infant.

Herpes zoster   Causes *chicken pox*, usually in children; it may reappear later in life, causing the painful nervous system condition known as *shingles*.

Epstein-Barr virus (EBV)   Causes *infectious mononucleosis* (also known as *glandular fever*), a relatively mild disease of young adults; it is also suspected of causing *Burkitt's lymphoma*, a type of cancer found in Central Africa.

HERTZ   *See* RADIO

HIGH BLOOD PRESSURE   *See* HYPERTENSION

HIGH-DENSITY LIPOPROTEIN (HDL) CHOLESTEROL   *See* CHOLESTEROL

HIGH-ENERGY PHYSICS   *See* PHYSICS

HIGH FIDELITY

Also called *hi-fi*. A measure of the accuracy with which a system (particularly a sound-reproducing system) delivers the message that has been put into it. In a record-playing system, for example, the message (music or speech) fixed in the wiggly grooves of a record goes through a series of transformations before you can hear it. The first in line to receive the message is the stylus (needle), which is made to vibrate by the curving, rotating grooves. The vibrations are converted into electric currents by a cartridge (pickup), and the currents are then fed into a series of electronic circuits to be amplified and sent into speakers that convert the electrical signals into sound waves.

At each step the message is altered by a less-than-perfect (lower-fidelity) transmission. These deviations add up from step to step. The main kind of deviation is measured in units called *total harmonic distortion*, or *THD*. The lower the THD, the higher the fidelity. A cheap record player, for example, has a THD of several per cent, while a good amplifier may have a THD of 0.005% or less.

See also SOUND RECORDING.

HIGH-LEVEL LANGUAGE See COMPUTER LANGUAGES

HISTAMINE

An amino acid derivative normally secreted by the body in very small amounts. The amount increases when activity in the IMMUNE SYSTEM increases, as in hay fever or other allergic reactions. The extra histamine causes sneezing, itching, running eyes, hives, and other distressing symptoms. A number of drugs — *antihistamines* — can be used to counteract the histamine. Injury to a body organ releases considerable amounts of histamine, which causes blood vessels to dilate, thereby lowering the blood pressure.

HISTIDINE See DNA AND RNA

HISTOLOGY See BIOLOGY

HIV See AIDS

HOLOGRAPHY

A method of making three-dimensional images that change as you change your viewing position. Move from front to side, for example, and the front view of a face turns gradually to a profile. You see a whole picture, or *hologram* (Greek *holos*, complete). At present only still pictures are possible, but technology is being perfected for motion. With a holographic cassette in a holographic projector, you may someday be able to watch a play, with the characters speaking and moving in front of you not on a screen or TV set but in the actual space of your living room! (But don't try to prevent the villain from menacing the heroine. He's only a light picture, and you can walk right through him.)

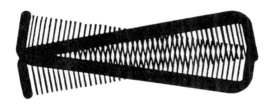

Holography is based on the principle of *interference patterns*. To make an interference pattern, hold two matching combs flat against each other, at a slight angle, and observe them against the light. You will see an interference pattern of geometric shapes that change as you alter the angle between the combs.

Now for the interference patterns that produce holographic images. A beam of laser light is split into two matched beams (like two combs). One of the beams, which we'll call A, is reflected by a beam splitter onto lens A, which focuses it onto mirror A. It is reflected by the mirror onto the subject (a person, for example) and then onto an unexposed film. The second beam (call it B) passes through the beam splitter to mirror B. The mirror reflects it onto lens B, which focuses it onto the same unexposed film. The light waves in the two beams, like the teeth in the combs, don't match exactly. They produce many complex interference patterns on the film. Then the film is developed, placed in a holographic projector, and illuminated by a laser beam. The interference patterns on the film break the smooth, straight laser beam into tiny points of light and shadow that reconstruct the form of the original subject. These points don't require a screen to shine on — they form images in the air. Therefore, they can make rounded, three-dimensional shapes rather than flat two-dimensional ones.

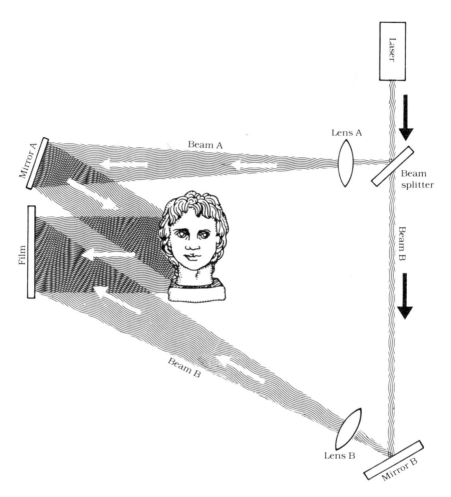

HORMONE

A substance that is sometimes called a 'chemical messenger' because its effects may occur at some distance from the gland in which it is secreted. In such a ductless, or *endocrine*, gland, the hormone (Greek *horman*, to set in motion) passes directly into the blood that circulates through the gland. The blood carries the hormone throughout the body until it reaches the target cells whose functions it regulates. For example, the *thyroid* gland in the neck secretes two related hormones, *thyroxine* and *triiodothyronine*, which regulate the rate of oxygen consumption by the body. In this case, the target cells are all the cells of the body.

The workings of the endocrine glands and of the nervous system are intimately linked. Most endocrines secrete more than one hormone and control more than one function. Here are some examples of hormones and their work:

- *Parathyroid hormone* regulates the level of calcium and phosphorus in the blood; it is secreted by four tiny glands, the *parathyroids*, mounted on the thyroid gland.
- *Adrenaline* and *noradrenaline*, which regulate blood pressure, among other jobs, are secreted by the *adrenal glands*, located at the top of the kidneys.
- *Insulin* controls the storage and use of sugar, and its concentration in the blood; it is secreted by groups of cells in the pancreas known as the *islets of Langerhans.*
- *Growth hormone*, which promotes the growth of bones and muscles, is secreted by the *pituitary*, a gland attached to the

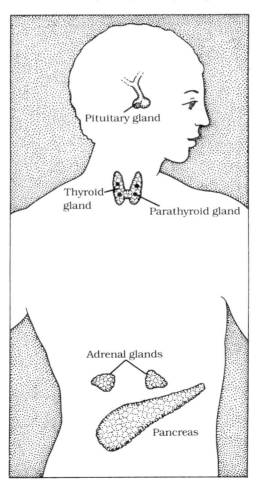

lower surface of the brain. It secretes a large number of other hormones, some of which regulate the operation of other endocrine glands.
See also STEROIDS.

HOT-DRY-ROCK TECHNOLOGY
See ENERGY RESOURCES

HUMAN GROWTH HORMONE
See HORMONE; GENETIC ENGINEERING

HUMAN IMMUNODEFICIENCY VIRUS *See* AIDS

HUMAN INSULIN *See* GENETIC ENGINEERING

HUMIDITY *See* RELATIVE HUMIDITY

HURRICANE

A huge (up to 800 kilometres, or about 500 miles, in diameter) circular whirlwind of great intensity, moving from about 120 to over 320 kilometres (75 to 200 miles) per hour. It is energized by inwards-moving cold air and upwards-moving warm air around the relatively calm centre (the eye). Hurricanes in the Northern Hemisphere spiral inwards in a counterclockwise direction; in the Southern Hemisphere their motion is clockwise. Also known as typhoons in the western Pacific and as tropical cyclones over the Indian Ocean.

HYDRAULIC PRESS *See* MANUFACTURING PROCESSES

HYDROCORTISONE *See* STEROIDS

HYDROELECTRIC SYSTEMS

Machinery designed to use the energy of falling water for generating electricity.
See also ENERGY RESOURCES.

HYDROGENATION *See* CHOLESTEROL

HYDROLOGIC CYCLE *See* WATER CYCLE

HYDROMAGNETICS *See* MAGNETOHYDRODYNAMICS

HYPERON   *See* ELEMENTARY PARTICLES

HYPERTENSION

Abnormally high BLOOD PRESSURE. It is estimated that 10 to 15% of the population have some degree of hypertension at any one time. Because there are no symptoms, many do not know they are affected.

The cause of hypertension is not known. There is no known cure, but a variety of techniques are used successfully to lower the blood pressure. Among them are low-salt diets, weight-loss diets and exercise for the overweight, and a variety of drugs. Hypertensive people should stop smoking, use alcohol only in moderation, and avoid stress as much as possible. Neglected hypertension is dangerous because it can lead to kidney failure, retinal disorders, HEART ATTACKS, and STROKE.

Blood pressure is expressed in simple numbers — for example, 120/80 — but the interpretation of these numbers for a given individual requires great skill. A reading that is normal for one person may be high or low for another. A diagnosis of hypertension should be made only by a doctor.

HYPOTHESIS   *See* SCIENTIFIC TERMS

HZ   *See* RADIO

I

IMMUNE SYSTEM

The body's Ministry of Defence. The strong temptation to talk about it in military terms will not be resisted.

Throughout life, we are besieged by foreign forces — viruses, bacteria, fungi, plant pollens, insect and animal poisons, and many other strangers whose effects on us range from imperceptible to fatal. We are protected by three main lines of defence:

- Defence 1 comprises the skin, hairs in the nose, mucus in the nose and throat, and other such simple but generally effective mechanical barriers.
- Defence 2 is a standing army of white blood cells. These are carried by the bloodstream to all parts of the body, but they can also crawl freely among the body tissues. They engulf and devour bacteria and other invaders — and some are themselves killed in the process. They are closely followed by *macrophages* (Greek *macros*, large + *phagos*, eater) to clean away the debris. The pus seen in an infected area — in a pimple or an abscess, for example — is a mixture of dead invaders, defenders, and tissue cells in blood fluid (serum).
- Defence 3 is a reserve army of antibodies. They do battle against foreign substances called antigens, which may cause damage by getting involved in the body's normal chemical activities. The immune system creates these antibodies, and each is specific: it works against the antigen that triggered its creation, or a closely related one, but not against others. (For example, typhoid antibodies don't work against smallpox.) The antibody and antigen combine, which action inactivates the antigen. Think of the antigen as a set of sharp fingernails whose scratch power is overcome by a made-to-order glove (the antibody) fitting over them.

In 1796 Edward Jenner (1749–1823), an English physician, tested the belief that people who had recovered from cowpox, a relatively mild disease, were unlikely to contract smallpox, a frightful disease that disfigured or killed enormous numbers of people. He inoculated a young boy with matter (pus) from a cowpox sore. After the child had come down with cowpox and recovered, Jenner inoculated him with smallpox matter. The boy remained healthy; he had become immune by building up antibodies against the cowpox virus and the closely related smallpox virus. Today, thanks to Jenner's pioneering, smallpox seems to have been eradicated from the earth. Better still, the principle of vaccination (Latin *vaccinus*, of cows) has been turned successfully against a long list of killing and crippling diseases, including polio, rabies, cholera, plague, diphtheria, and tetanus.

The *immune response* — the production of antibodies by the immune system — is extremely complex and not fully understood, but let's touch on a few major facts, skipping many lesser details.

The main source of cells for making antibodies is the bone marrow, which produces *lymphocytes* (Latin, watery cells). Some lymphocytes develop into *B cells* (B is for *bone*). A B cell exposed to an antigen produces a small amount of *immunoglobulin* — molecules of antibody. It also 'remembers' by retaining the chemical configuration, or pattern, of the antigen. On later exposures to antigens of the same kind, the B cell multiplies rapidly, resulting in a large number of identical cells — clones — that can make the antibody. The antigen extermination is done mainly against viruses and bacteria circulating in the blood.

Other lymphocytes, the *T cells (T* is for *thymus)*, become active only after passing through the thymus, a gland located in the chest cavity, at the base of the neck. T cells work mainly within the body cells, against viruses, bacteria, and, interestingly, cancer cells. T cells come in at least two varieties: *helper cells*, which appear to stimulate activity in the immune system, and *suppressor cells*, which slow it down as the invaders are overcome. Imbalances between the two kinds of cells may be responsible for some faults in the immune system. For example, AIDS is a disease in which the immune system has effectively stopped working because the balance is tipped in favour of the suppressor cells.

T cells are responsible for rejection of transplanted (therefore foreign) skin, kidneys, and other organs; such rejection is called *graft-vs.-host disease*. The rejection can be prevented by the use of immunosuppressant drugs, notably cyclosporin. Such drugs must be used with great care, because they also suppress the body's ability to fight infectious diseases.

The T cells also produce INTERFERON, a powerful antiviral substance.

Although the immune system is astonishingly good at its job, there are occasional lapses:

Excess of zeal The immune system fights antigens of all kinds, including harmless ones like pollens, animal fur, and shellfish; the body is said to be *sensitized* to these. In some hypersensitive people, a second or third exposure to a particular antigen may provoke an overreaction: as antigen and antibody combine, the cells release a substance called HISTAMINE. It causes the itching, sneezing, weeping eyes, and other distressing symptoms familiar to *allergy* sufferers.

Anaphylaxis is an extreme and dangerous form of allergic reaction. The victim experiences faintness, great difficulty in breathing, heart palpitations, and a drop in blood pressure. The anaphylactic reaction may follow injection of an antigen, as with a bee sting or an antibiotic, or eating or inhaling a substance containing the antigen.

Confused identities The immune system sometimes fails to recognize some of the body's own materials; it reacts to them as if they were foreign antigens. Thus it produces antibodies that attack the body itself. Some scientists suggest that rheumatoid arthritis, multiple sclerosis, and juvenile-onset DIABETES are the result of this *autoimmunity*.

Failure to operate Occasionally, children are born with a condition in which their immune systems are unable to form any antibodies. Such infants, defenceless against infectious diseases, rarely survive more than a year. Some of them have lived longer by being kept in bubblelike sterile tents. Recently, the use of bone-marrow transplants has given some of these children a measure of immunity, allowing them to live outside the bubble.

IMMUNOGLOBULINS See IMMUNE SYSTEM

IMMUNOSUPPRESSANTS See IMMUNE SYSTEM

INBORN ERRORS OF METABOLISM
See GENETIC DISEASES

INDUCED CURRENTS See TRANSFORMER

INDUCTANCE See CROSS TALK

INDUCTION See SCIENTIFIC TERMS

INDUSTRIAL CHEMISTRY See CHEMISTRY

INERTIA *See* MASS

INERTIAL MASS *See* RELATIVITY

INFECTIOUS MONONUCLEOSIS
See HERPESVIRUS DISEASES

INFILTRATION (OF CANCER) *See* CANCER

INFRARED RAYS *See* RADIANT ENERGY

INGOTS (STEEL) *See* MANUFACTURING PROCESSES

INJECTION MOULDING *See* MANUFACTURING PROCESSES

INORGANIC CHEMISTRY *See* CHEMISTRY

INORGANIC VS. ORGANIC *See* PROTEINS AND LIFE

INPUT *See* COMPUTER

INSULIN *See* DIABETES

INTEGRAL CALCULUS *See* CALCULUS

INTEGRATED CIRCUIT *See* CHIP

INTERFACE

The meeting place between two different systems. A French-English interpreter is a human interface between English-speaking diplomats and French-speaking diplomats. An electronic interface inside a pocket calculator converts the ordinary Arabic digits 1, 2, 3, and so on, which are not usable by binary circuits, into binary digits 0 and 1. After the binary answer has been obtained, it is presented to another interface in the calculator, which converts the answer back into an Arabic-numeral display.

A *modem* (short for *mo*dulator-*dem*odulator) is an interface that enables two computers to communicate via telephone lines. The sender's modem modulates (converts) the digital language of a computer (electrical pulses and spaces) into analogue language, like the musical beeps of a push-button telephone. The beeps, thousands per second, travel over the phone wires to the receiver's modem, which demodulates the tones back into digital blips that the computer can use.

See also ASCII.

INTERFERENCE PATTERNS *See* HOLOGRAPHY

INTERFEROMETRY

A system of precision measurement using waves — radio waves, light waves, or sound waves — as measuring sticks. Interferometers are used in taking measurements as large as the distance between two stars and as small as the difference in thickness between two human hairs of different colours (blond hairs are usually thinner than black).

You can illustrate the working principle of an interferometer by holding both hands, fingers outstretched, against the sky. You can see light areas (sky) and dark areas (your fingers). Then place one hand over the other, palms together, so that the fingers of the right hand fit in the spaces of the left. Now you can't see light, because the fingers of one hand *interfere* with the light in the spaces of the other hand.

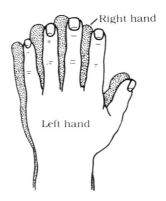

Next, still looking at the sky, slide one hand to the left, for the width of one finger. At the moment of sliding over, you will see a flash of light, then darkness as the fingers of one hand again

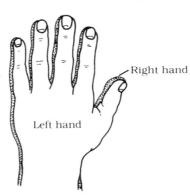

interfere with the light in the spaces of the other hand. Try again, sliding across two fingers. Two flashes. Three fingers, three flashes. If you knew the width of your fingers (assuming them to be all the same width), you would know how far you had moved them — not by measuring but by counting flashes and interferences.

However, a finger's thickness is a rather coarse unit of measurement. Try two identical combs, where the unit of measure is one tooth. If, for example, there are ten teeth per centimetre, each flash would indicate a movement of $\frac{1}{10}$ centimetre. Here's a pair of combs being used to measure the diameter of a penny — the finer the teeth, the finer the measurements. But there's a limit to the fineness of even a fine-toothed comb.

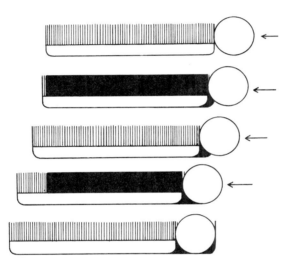

The limit on light waves is much higher. For instance, in light from a helium-neon laser, there are 63,280 waves in the space of one centimetre. Suppose we have two beams of helium-neon laser light as our two 'combs'. When the waves are matched, wave over wave in an interferometer, we see brightness. When we slide one of the beams, the waves cancel each other; dark lines are produced by interference. Light and dark, light and dark, each flash indicates 1/63,280 centimetre, or 0.0000158 cm. That's about how much a railway track bends when a sparrow alights on it. And an interferometer can measure it!

INTERFERON

The story of this remarkable natural substance came close to being 'too little, too late'. It was discovered in 1957 by a team of scientists led by Alick Isaacs, a British virologist, and Jean Lindenmann, a Swiss microbiologist.

There are at least 25 types of interferons, but they are usually discussed in the singular, and we shall do the same.

Interferon is a protein made by certain body cells in response to infection by a VIRUS. Interferon travels in the blood through the body and interferes with a virus's ability to infect healthy cells. It protects against the infecting virus and against many other kinds of viruses as well — it is nonspecific. This gives interferon enormous potential for preventing or overcoming colds, herpes, hepatitis, rabies, and other viral diseases, just as antibiotics triumphed over diseases caused by bacteria. Even more, interferon is effective against certain kinds of cancer.

But there is — or was until recently — a major research problem: the scarcity of interferon. Human cells make only tiny amounts of it, barely enough for scientists to work with, and animal interferon is ineffective in humans. However, the story seems headed for a happy ending. By 1985, interferon was being made in commercial quantities by GENETIC ENGINEERING. This is a technique in which human genes are placed in bacteria, causing them to produce human interferon.

INTERMEDIATE VECTOR BOSON

One of several kinds of particle that transmit energy in the WEAK NUCLEAR FORCE.

See also ELEMENTARY PARTICLES.

INTERNATIONAL GEOPHYSICAL YEAR (IGY)

An unprecedented research effort, sponsored by the International Council of Scientific Unions, in which thousands of scientists from 67 nations cooperated in a study of the earth and its surroundings. The 'year' actually lasted from July 1957 to December 1958, but many of the participants continued their IGY projects beyond its formal end.

Among the many research subjects were the earth's crust, shape, atmosphere, weather, oceans, and polar regions; the sun also came in for its share of study. The earliest artificial satellites of the United States and the Soviet Union were launched in connection with the IGY programme. The first American satellite, *Explorer I*, revealed the existence of the VAN ALLEN BELTS, zones of radiation around the earth.

IGY research was also involved in the discovery that a chain of mainly submerged mid-ocean ridges, some 64,000 kilometres, or 40,000 sinuous miles, long, makes up the world's largest mountain range. And not least, there was the discovery that scientists from countries with diverse political and economic systems could work together productively and harmoniously.

INTERSTELLAR MEDIUM   *See* STELLAR EVOLUTION

INTIMA   *See* ARTERIOSCLEROSIS

INTRUSIVE FORMATION (GEOLOGY)
See ROCK CLASSIFICATION

INVERSE SQUARE LAW

If the light on this page is too dim, you can improve matters by moving closer to the source of light, thus capitalizing on the inverse square law. The law states that energy from a point source (call the bulb a point), if unhindered by mirrors, lenses, or other impediments, spreads out equally in all directions and that its intensity diminishes as the inverse square of the distance. At a distance of 1 metre from the bulb, the strength of the light is, let's say, x. At 2 metres the strength is $\frac{1}{4}x$. At 3 metres, it is $\frac{1}{9}x$. So when you move the book from 3 metres to 2 metres, you have more than doubled the brightness of the light falling on the page.

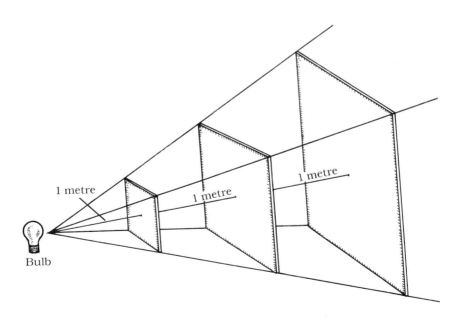

The law of inverse squares applies to any form of energy that spreads out equally in all directions. Magnetism, electromagnetism, and gravity operate under that law. Radio waves and television waves (which are electromagnetic) are strongest at the point of emission at the broadcasting station and weaken rapidly thereafter. A magnet's pull is strongest close to its poles, and so on. The moon's gravity causes the waters of the earth to heap up in tides, while Jupiter, about 26,000 times more massive than the moon, has almost no effect on tides because of its distance from the earth.

By an inverse use of the inverse square law, we can determine distance. For example, an astronomer knows that star A is actually four times as bright as star B (he has ways). Yet both stars measure equally bright in his telescope. Thus he knows that star A is twice as far away.

IN VITRO   *See* TISSUE CULTURE

IN VIVO   *See* TISSUE CULTURE

IRREGULAR GALAXY   *See* GALAXY

ISLETS OF LANGERHANS   *See* DIABETES

ISOTOPE   *See* NUCLEAR ENERGY

JET

A stream of gas or liquid; frequently used to mean a jet engine or an aeroplane propelled by jet engines.

See also AERODYNAMICS.

K AND k

Both *K* and *k* stand for *kilo-* (Greek *chilioi*, thousand), a multiplying prefix. In the metric system, *k* indicates 1000; thus *kilometre* means 1000 metres. In computer terminology, *K* (for *kilobyte*) refers to memory capacity and is not precisely 1000 but the nearest multiple of 2. For example, a 1K memory has a storage capacity not of 1000 but of 1024 bytes because 2^{10} (2 times itself 10 times) equals 1024. The capacity of a 2K memory is 2048 bytes (1024 times 2). Why this oddity? Because computer memories — like all computer functions — are based on the BINARY NUMBER SYSTEM.

KAON   *See* ELEMENTARY PARTICLES

KAPOSI'S SARCOMA   *See* AIDS

KELVIN   *See* ABSOLUTE ZERO

KEROGEN   *See* SYNTHETIC FUELS

KETONE   *See* DIABETES

KIDNEY DIALYSIS

An artificial method of removing waste products from the blood, also called *haemodialysis*. Normally, this cleansing is performed by the kidneys, but that process is impaired in some kinds of kidney disease. Early dialysis machines were large, cumbersome, and very expensive and could be operated only by health professionals in hospitals. Now there are smaller machines that can be used at home by some patients with non-professional help.

In the process of dialysis (Greek *dialyein*, to break apart or separate), the machine draws blood from the patient, pumps it through membranes of specially designed cellophane, and returns it to the body. This artificial circulation usually continues for several hours. The molecules of dissolved wastes pass through the microscopic pores of the cellophane, but the much larger molecules of the blood, and the blood cells, are held back, thus achieving the separation of wastes from the blood.

The dialysis principle is used commercially for purifying various solutions. A variation, *electrodialysis*, is one of the methods used to desalt water on a large scale.

KILOWATT-HOUR *See* ELECTRICAL UNITS

KNOWLEDGE-BASED SYSTEM *See* EXPERT SYSTEM

KWH *See* ELECTRICAL UNITS

LACCOLITH   *See* ROCK CLASSIFICATION

LAMBDA PARTICLE   *See* ELEMENTARY PARTICLES

LANDING GEAR

The undercarriage of an aeroplane. It usually comprises wheels, brakes, and shock absorbers, and in most aeroplanes it can be withdrawn into the body or wings during flight. Some aeroplanes are fitted with floats or skis for use on water or snow.

See also AERODYNAMICS.

LASER

Acronym for *l*ight *a*mplification by *s*timulated *e*mission of *r*adiation. An appropriate slogan for the laser might be 'In union there is strength'. A laser is an electric apparatus for producing unified light waves that can be exactly controlled, precisely focused, and, when desired, made extremely powerful. Laser light can be shaped to such a narrow, pointed beam that it will burn out the centre of the full stop at the end of this sentence and leave a tiny black ring. It can be aimed precisely enough to destroy a dangerous skin tumour without affecting healthy skin tissue a hundredth of an inch away. Lasers can be powerful enough to cut through solid steel as thick as your fist.

What's different and special about laser light? Imagine this situation: it's necessary to break down a large, heavy wooden door. Available for the job are several people, each with a wooden club. They flail away at the door, each at his own rate and strength – and produce a lot of clatter. This is an incoherent (from the Latin for 'not together') attack on the problem. Someone suggests an improvement: fasten all the clubs into one large club, a battering ram. Assemble all the people around it so that they can run at the door as a team, with their united strength. This is a coherent attack. Success.

The light you live by – sunlight, electric light, the light from a candle or paraffin lamp – is *incoherent*. It's a jumble of different wavelengths and brightnesses, in what seems to be a steady light emitted in every direction. Shaping this jumble into a straight beam, in a torch or car headlight, requires a curved mirror behind the light source and sometimes a lens in front. Still more precise shaping, as in a film projector, requires a curved mirror and several lenses. Even with all these helpers we can't achieve a precise, coherent, pinpoint, concentrated light beam, because the original light source is itself an incoherent mixture. To produce a coherent beam, then, the original light has to be coherent, and that's what a laser is for.

A laser beam produces *coherent light* in two steps. First, it creates packets of light — photons (*see* RADIANT ENERGY) — all having the same wavelength but not yet coherent. (Equal-sized clubs are handed out.) Second, the photons are lined up and organized so that their waves match, crest to crest, trough to trough, all parallel, all coherent. (The clubs are tied together into a single battering ram.)

1. Same wavelength but not yet coherent   2. Coherent

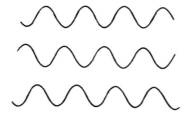

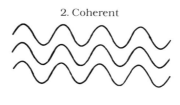

How are these steps accomplished? If you want to go a bit deeper, we must back up slightly.

Ordinary light sources (sun, electric bulb, flame, etc.) don't make photons of the same wavelength; that's because the sources of their energy — hot molecules vibrating randomly — don't move together at exactly the same rate in the same direction at every moment.

Laser light sources are different, however. They don't depend on the random motion of heated molecules. They originate instead in the precise motion of electrons moving from one exact orbit to another. These orbits are determined not by temperature but by the atomic structure of the laser material itself. Each kind of orbital change produces its own special wavelength, its own unique colour. In chromium atoms, for example, a deep red light is generated. Chromium atoms are present in rubies. Artificial rubies (less expensive than natural ones) are used in ruby lasers. Many other kinds of atoms — in solids, liquids, and gases — are used in various lasers, each producing photons with specific wavelengths.

However, even though these photons have the same specific wavelength, they are not yet lined up, matched, coherent. This last step is accomplished (usually) by reflecting photons back and forth between two mirrors, precisely spaced to encourage fitting together (*see* RESONANCE).

A laser is really a kind of basic tool, in the sense that a wedge is a basic tool. A simple wedge can be used to split wood. Make it long and flat and slender and it becomes a knife or sword. Line up a row of wedges and you have a saw. All these uses, and many others, are applications of the wedge principle: a force applied to a broad area is multiplied when transmitted to a point. Similarly, the laser principle — the generation of coherent, precisely direct beams of light energy — has been applied in many ways.

Lasers in action make use of one or both of the following virtues of the laser principle:

Concentration of energy   A wide beam of laser light can be focused to an extremely fine point, thus producing a very high temperature at that point (a kind of laser wedge). You might call such a tool a heat knife. Such 'knives' are used by surgeons to produce self-cauterizing cuts. In clothing factories, computer-guided lasers move across dozens of layers of cloth at a time, cutting material for dozens of suits in a minute. In machine shops, lasers cut through steel much faster than saws or other wedge tools. Eye surgeons can 'spot-weld' a detached retina with a low-power laser beam shining right through the transparent lens of the eye. Laser beams have also been used to 'weld' damaged blood vessels without the formation of scar tissue as might happen when stitches are used. In a car factory, high-power laser beams spot-weld the parts of a car body together. Still in the research stage: the nuclear energy fusion process requires a starting temperature of millions of degrees, obtained by concentrated laser beams.

Control   Laser light is highly controllable, both in its direction and on-and-offness. Let's look at examples of such applications.

In surveying, a low-power laser beam is aimed across a space (a river, for example) to a mirror that reflects it back into an instrument that clocks the round trip. A computer converts the time measurement into distance (light travels at almost 300,000 kilometres per second, or 186,000 miles per second). For example, if a laser beam travels across a river and back in $\frac{1}{300,000}$ second, the river is 0.5 kilometre (about $\frac{1}{3}$ mile) wide. A mirror on the moon (placed by an Apollo astronaut) is used for periodic checks on the varying earth-moon distance.

Holograms are three-dimensional images in space, like a slide projector image formed in midair, without a screen. This requires highly precise beams of light that can intersect to form points of light — just what a laser apparatus can do so well.

In a telephone system employing FIBRE OPTICS, voice vibrations are converted into pulses of laser light, thousands per second. This would be impossible with ordinary light sources such as tungsten bulbs, which require start-up and cool-down time for each light pulse. Laser light is instantaneous, so millions of pulses can be transmitted in a second. A hair-thin glass fibre can carry several thousand telephone messages at once.

See also HOLOGRAPHY.

LASER PRINTER *See* PRINTER

LASER RECORDING *See* SOUND RECORDING

LATITUDE *See* CELESTIAL COORDINATES

LAVA *See* ROCK CLASSIFICATION

LAW, SCIENTIFIC *See* SCIENTIFIC TERMS

LAW OF INVERSE SQUARES *See* INVERSE SQUARE LAW

LCD AND LED

The two principal methods of forming numbers and letters on instruments such as calculators and digital watches. A basic pattern of seven bars is used to form the digits 0 to 9 and several letters. To form other letters and symbols, more than seven bars are required.

In the LED (*light-emitting diode*), the bars are made of a substance that permits an electric current to flow through in one direction only. A substance used in this way is called a *diode*. As the current flows, the diode gives off red, blue, yellow, or other coloured light, depending on the compound of which it is made. For example, gallium phosphide (GaP) emits a green glow. Electric circuits in the instrument selectively turn on the current to the bars to form the various numbers and letters.

In the LCD (*liquid crystal display*), the bars are made of liquid crystals. These are a kind of hybrid material, not quite a liquid and not quite a solid. They can't be poured readily, as with liquids, nor are their molecules locked in place, as with true solids. But the molecules can be rotated slightly by an electric current. When no

0123456789
ACEFHIJLPU

current flows, the bars are not noticeable, because they reflect light to the same extent as the rest of the display surface. But when a current flows through a bar, its molecules rotate and its ability to reflect light is reduced. That bar appears darker than the area around it and forms part of a number or letter.

You can produce a similar darkening effect, called polarization, with Polaroid sunglasses. Hold the glasses several centimetres from one eye and look through one lens at a shiny, sunlit surface. Rotate the lens and observe the darkening.

Liquid crystals can be made to order to do a particular job. For example, one kind of crystal is sensitive to slight temperature changes. It is used in thermometers where the number representing the temperature appears, then disappears, to be succeeded by a higher or lower number as the temperature changes.

LDL   See CHOLESTEROL

L-DOPA   See PARKINSON'S DISEASE

LEADING EDGE

The front edge of an aircraft wing or of a propeller. The rear edge, reasonably enough, is called the trailing edge.

See also AERODYNAMICS.

LED   See LCD AND LED

LEGIONNAIRE'S DISEASE

Disease discovered in 1976 when nearly 200 members of the American Legion, at a convention in Philadelphia, were mysteriously stricken and 29 died.

The disease begins with chills, fever, cough, and diarrhoea, leading after a few days to pneumonia. The cause of the disease, *Legionella pneumophila,* a previously unknown bacterium, was found by researchers at the US Centers for Disease Control. There is little or no transmission from one person to another; rather, there are clusters of cases, often connected with a particular building — a hotel or hospital, for example, where the bacteria have been found in such places as hot water tanks, showerheads, and air conditioning machinery. The disease is treated with antibiotics.

LENS IMPLANTS   See CATARACT

LEPTON   See ELEMENTARY PARTICLES

LEUKAEMIA   *See* CANCER

LEVODOPA   *See* PARKINSON'S DISEASE

LIFT

An upwards-acting force produced when the wing of an aircraft moves through the air.
See also AERODYNAMICS.

LIGASE   *See* GENETIC ENGINEERING

LIGHT AND RELATIVITY   *See* RELATIVITY

LIGHT-EMITTING DIODE   *See* LCD AND LED

LIGHT MICROSCOPE   *See* MICROSCOPE

LIGHT PEN   *See* COMPUTER GRAPHICS

LIGHT POLLUTION   *See* NOISE

LIGHT-YEAR

A measure of distance, even though it utilizes a unit of time in its name. It is the distance that light travels in one year, moving at a rate of just under 300,000 kilometres per second (186,000 miles per second). The light-year is a useful unit because it lets us avoid the kind of staggering number you are about to read.

In round numbers a light-year is a distance of 9.5 billion kilometres, or about 6 billion miles. Proxima Centauri, the star nearest our solar system, is 4.3 light-years away. For comparison, the moon is less than 1.5 light-seconds away from the earth.

LIGNASE   *See* ENZYME

LIGNIN   *See* ENZYME

LIGNITE   *See* ENZYME

LIMESTONE   *See* ROCK CLASSIFICATION

LINEAR ACCELERATOR   *See* PARTICLE ACCELERATOR

LIQUID   *See* MATTER

LIQUID CRYSTAL DISPLAY *See* LCD AND LED

LITHOSPHERE *See* PLATE TECTONICS

LOCAL GROUP

A cluster of galaxies. In addition to the Milky Way, our local group includes the Andromeda GALAXY, the Magellanic Clouds, and about two dozen other 'nearby' galaxies.

LONGITUDE *See* CELESTIAL COORDINATES

LOUDNESS CONTROL

A good high-fidelity set has a volume control and a loudness control. Both of them control the volume of the sounds coming out of the speakers, but the loudness control is more subtle. It takes into account the imperfections of the human ear and brain.

Assume that a recording of a string quartet (two violins, a viola, and a cello) is being played at about the same volume as a real quartet performing in the room. If you turn the volume control halfway down, it cuts the electric power to the speakers by about half. All the instruments should sound half as loud — but they don't. The balance is changed because your hearing apparatus doesn't hear low-volume sounds at each end of the scale (deep cello and high-pitched violin) as well as it hears low-volume middle-range notes. Turn the volume control still further down: the deep notes and the high notes will fade out completely, while the middle-range notes can still be faintly heard. (Imagine the mayhem done to 130 instruments playing Beethoven's Fifth!)

Now restore the volume control to normal and use the *loudness* control. Again, the electric power in the speakers is reduced. This time, however, the reduction is not at a straight-line rate but in a changing ratio called the Fletcher-Munson contour, after the two scientists who discovered and measured the uneven sensitivity of the human hearing system.

LOUDSPEAKER

A device that converts electrical impulses into sound vibrations. Most loudspeakers contain a permanent magnet surrounded by a movable electromagnet (*see* ELECTROMAGNETS). *The movable magnet,* called a *moving coil,* or *voice coil,* is attached to a cone of stiff paper. Each incoming electrical impulse magnetizes the coil, then demagnetizes it, on and off. The 'on' state sets up an attraction between the permanent magnet and the coil. With the 'off' the attraction ends. The paper cone, moved by the coil, makes one vibration of sound. In this way, a string of electrical impulses is converted into a string of sound waves. The earphones used with some radios are really tiny loudspeakers that use discs instead of paper cones.

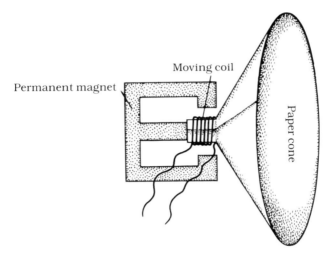

Strong electrical impulses cause big vibrations of the cone, producing loud sounds; weak impulses cause small vibrations, producing soft sounds. Many impulses per second produce high-pitched (soprano-like) sounds; few impulses produce low-pitched (deep) sounds.

A single loudspeaker cannot accurately reproduce both high- and low-pitched sounds; therefore, a high-quality speaker is really made up of two or more speakers. There is a *woofer,* with a cone 20.5 centimetres (8 inches) or more in diameter, to produce the deep booms and grunts of ominous timpani and basses. A *tweeter,* about 5 centimetres (2 inches) in diameter, specializes in the high notes issuing from violins, piccolos, and operatic heroines threatened by villains. Often there is also a *midrange speaker,* about 12.5 centimetres (5 inches) in diameter, to reproduce the middle-range tones faithfully.

A *crossover network* — a set of electrical circuits — apportions the proper electric frequencies to the appropriate speakers.

LOVASTATIN   See CHOLESTEROL

LOW-DENSITY LIPOPROTEIN (LDL) CHOLESTEROL   See CHOLESTEROL

LOW-LEVEL LANGUAGE   *See* COMPUTER LANGUAGES

LUMEN (OF ARTERIES)   *See* ARTERIOSCLEROSIS

LUNAR ECLIPSE   *See* ECLIPSE

LYMPHATIC SYSTEM   *See* CANCER

LYMPHOCYTES   *See* IMMUNE SYSTEM

LYMPHOMA   *See* CANCER

MACHINE LANGUAGE *See* COMPUTER LANGUAGES

MACROPHAGE *See* IMMUNE SYSTEM

MAGELLANIC CLOUDS

A pair of irregular galaxies, visible from the Southern Hemisphere; at a distance of 200,000 light-years, they are the closest galaxies to our GALAXY, the Milky Way.

'MAGIC BULLET' *See* CANCER

MAGMA *See* PLATE TECTONICS; ROCK CLASSIFICATION

MAGNET *See* ELECTROMAGNETS

MAGNETIC BOTTLE *See* NUCLEAR ENERGY

MAGNETIC FIELD *See* FIELD THEORY

MAGNETIC FIELD OF THE EARTH
See VAN ALLEN BELTS

MAGNETIC INK CHARACTER SORTER

A machine that reads letters and numbers printed with magnetic ink (*magnetic ink character recognition*) and then sorts the documents on which they appear. The most common use of the machine is to sort bank cheques. Each odd-looking character is designed on a 7-by-10 grid. A magnetic ink scanner in the sorter determines which of the 70 spaces is empty and which is filled with the magnetic ink. This is accomplished while the cheques race through the scanner without stopping, a dozen per second. Shown here is the magnetic ink code used for most sorting purposes. The symbols in the bottom line are codes for the beginning and end of such numbers as the customer's account number, the number of the bank, and the amount for which the cheque was written.

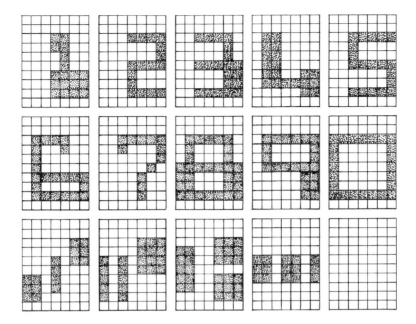

MAGNETIC RESONANCE IMAGING (MRI)

A noninvasive and painless system for examining and depicting the interior of the body. First, let us briefly review some invasive systems.

Surgery A totally invasive procedure, since it involves cutting open the body, probing, and closing up, with all the attendant risks.

X-ray examination (fluoroscopy) and photography Very much a 'handle with care' system, since X-rays in sufficient quantities are destructive to living tissue and cause cancer.

Ultrasound A safe process as far as is known; does not produce finely detailed images but is very effective in imaging gallstones and kidney stones and in following motion, as with the heart or with a fetus in the uterus.

CAT or CT scans (CAT and CT stand for *computerized axial tomography*.) Excellent images but uses weak X-rays, which can still add up.

PET scan (PET stands for *position emission tomography*.) Has the virtues of CAT and doesn't use X-rays; is also used to analyse chemical activity in an organ (especially the brain) without harming it.

And now for MRI, the technique using a *magnetic field (see* FIELD THEORY) to cause RESONANCE within atoms, producing an *image* by means of that resonance.

When an airline attendant invites you through a security checkpoint, you walk through a space surrounded by a wire loop, filled with an invisible electromagnetic field. This field has a certain frequency (a certain number of vibrations per second) in the same range as the frequency of metal atoms. The electromagnetic field causes certain metal atoms (e.g., keys or a concealed gun) to vibrate (resonate), and this resonance is picked up by a detecting instrument.

That whole apparatus is tuned to produce resonance in a broad field of substances — metals — but it could be adjusted to a specific substance such as gold, if we were on the lookout for stolen treasure.

The MRI technician invites patients to lie on a bed placed inside a powerful electromagnet, whose field is of the same frequency as hydrogen. This element is the most common in living tissues (water is hydrogen oxide, H_2O). Hydrogen is everywhere in the body, and it is detected everywhere, but its concentration varies greatly — very little in bone, more in muscle, more in certain glands and less in others, a great deal in blood, even more in urine, and so on. This varying concentration is detected, stored by a computer and analysed, and made into a computer-graphic picture. By changing the direction of the magnetic field continually, obtaining numerous pictures, a three-dimensional image is obtained. As far as is known, there are no harmful effects of magnetic fields; if that is so, MRI is totally noninvasive, and a boon indeed.

See also COMPUTERIZED AXIAL TOMOGRAPHY; ULTRASONICS.

MAGNETIC-TAPE RECORDING *See* SOUND RECORDING

MAGNETOHYDRODYNAMICS (MHD)

The study of the effects of electric and magnetic fields on moving electro-conducting fluids, also known as *hydromagnetics*. MHD holds enormous promise for the future of electric power generation. Consider first how most electric power is generated nowadays (*see* GENERATORS AND MOTORS, ELECTRIC):

A flame (oil, gas, or coal) or a nuclear reactor $\rightarrow$ heats water $\rightarrow$ into steam $\rightarrow$ which turns a turbine $\rightarrow$ which turns a generator $\rightarrow$ which generates an electric current.

Five arrows, five transfers of energy, five bribes! No machine is 100% efficient, so a little bribe must be paid, a little energy dissipated uselessly, during each transfer. Overall efficiency is about

40% (*see* ENTROPY). Now look at the transfer sequence in a magnetohydrodynamic generator:

A flame → heats a liquid or gas that can conduct electricity → which generates electric current. Overall efficiency is about 60%.

Where are these ideal machines? All that stands in their way is technical refinement (which reminds us of the glum gentleman who remarked. 'All that stands between me and happiness is misery'). Look at the generator diagram on page 134. Its essence is this: when a *magnetic field* (around the magnet) moves across a stationary conductor of electricity (the coil of wire), it sets up an electric current. The same effect can be achieved by *moving the conductor* across a stationary magnetic field. The conductor needn't be a coil of wire, either. It can be a hot fluid (a gas or liquid) that conducts electricity. The fluid flows through a pipe surrounded by a strong magnet. The current is picked off by collectors (electrodes) at the two ends of the pipe.

What refinements are needed?

1. The efficiency of heat transfer to the fluid must be improved; too much is lost at present.
2. The fluid has to be heated to 4000°C (over 7200°F) to be sufficiently conductive (ionized).
3. The pickup needs to be more efficient; at present, too much is lost.
4. And there are other difficulties.

But MHD research is continuing.

MAGNETOSPHERE *See* VAN ALLEN BELTS

MAGNETRON *See* MICROWAVE OVEN

MAGNITUDE

The brightness of a star, planet, or other astronomical object, measured on a scale of magnitudes. For complicated historical reasons the scale assigns increasingly negative numbers to the brighter objects and increasingly positive numbers to the dimmer ones. Thus the sun, the brightest object in our sky, has a magnitude of −26; the full moon is about −12; Sirius, the brightest star we see, is −1.5; Polaris, the Pole Star or North Star, is +2; and dim stars visible only in the largest telescopes have magnitudes of +20 or more.

A difference of one magnitude represents an actual brightness difference of about 2½ times (2.512, to be exact). That makes a first-magnitude star about 2½ times as bright as one of second magnitude and over six times as bright as a third-magnitude star (2½ times 2½). The differences in magnitude add up (or, rather, multiply) very quickly: a difference of only five magnitudes represents a difference of 100 times in brightness.

So far, we've touched an *apparent magnitude* — how bright a star looks to us here on the earth. But that depends on how brightly the star *really* shines and on how far away it is (*see* INVERSE SQUARE LAW). Roughly put, a nearby dim star may *look* brighter than a very bright star very far away. Astronomers and others who must know the brightness of stars precisely perform a calculation that, in effect, moves *all* stars to an imagined equal distance from the earth. The magnitude that a star would have at that distance is called its *absolute magnitude;* this allows direct comparison of the real brightness of one star with the real brightness of any other star.

MAINFRAME *See* COMPUTER

MALIGNANT TUMOUR *See* CANCER

MANUFACTURING PROCESSES

Various methods of mass-producing objects out of raw materials. These methods have impressive technical names (later) but can be described as cutters, tubes, moulds, and rollers.

Cutters Biscuit cutters stamp an outline into a sheet of dough. A fancier kind stamps not only an outline but a design on the dough.

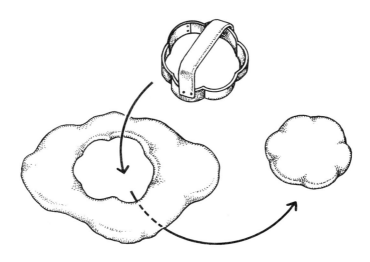

The cutters at the Royal Mint are of two kinds: one kind stamps discs out of sheet metal; the other punches designs on the discs. The result is pennies, 5p pieces, 10p pieces, and so on. The forms that produce these shapes and designs are called *dies.* The machines that do the stamping are called *die presses, punch presses,* or *hydraulic presses* (if they work by hydraulic pressure).

Try a variation of this idea. Suppose the die is made with a bent shape — a curve or angle. A flat sheet, if struck by such a die, would be bent into that shape. That's how, in a car factory, wings and tops are made. First, flat sheets of steel are punched out by presses that form a flat outline of the piece. Then other presses bend these outlined pieces into three-dimensional forms.

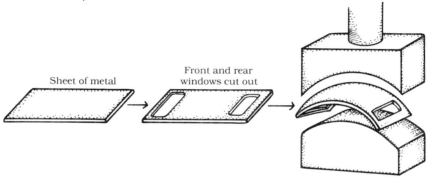

Sheet of metal

Front and rear windows cut out

Tubes The shape of a tube's nozzle determines the shape of the substance, say toothpaste, that comes out of the tube. This principle, called *extrusion,* applies to the manufacture of many kinds of long shapes: rods, strips, tubes, railings, and so on. Molten plastic or metal is forced by a plunger, called a ram, through a shaped hole in a hard steel die.

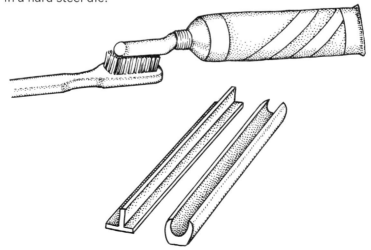

Variation: suppose that instead of pushing the raw material through a die, you pull it. By pulling a pointed rod through a die hole slightly smaller than the thickness of the rod, then through a still smaller hole, and again, and again, the thickness is gradually reduced until the rod has been drawn out and become a wire. This is the *wire-drawing* process.

Moulds Pour liquid jelly into a shaped container, a mould. The jelly cools and hardens into a solid object bearing the shape of the mould. This is the principle of *casting* (Old Norse *kasten,* to throw or pour). An enormous number of manufactured objects are castings (e.g., iron manhole covers, electric irons, chocolate bars, wedding cakes).

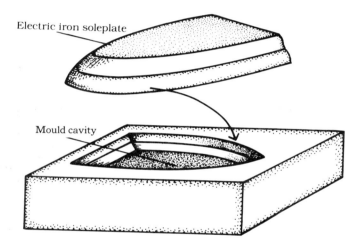

A problem with simple moulds is that the process imposes one flat surface (the top of the pour) onto the shape of the piece. This can be avoided, when necessary, by making the mould in two pieces that fit together, each with half of the form. A drilled hole (called a gate) allows the molten material to flow into the interior of the mould. Let it cool and harden, take the two halves of the mould apart, and *voilà!*

Using this method you can't have finely detailed shapes in the mould, because the molten material won't flow into tiny nooks and crannies. The solution is to *force* the molten material into the mould by putting a plunger or compressed air behind it. That is, instead of pouring, we *inject* the molten material. This is called *injection moulding.* Most plastic objects are made this way. A related method, used by dental technicians, is called *centrifugal casting* and will provide your dentist with a welcome new lecture topic, in lieu of politics.

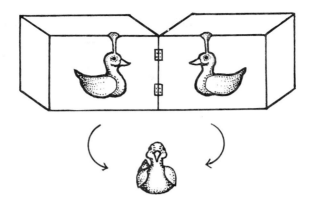

Rollers Forcing a soft material such as pasta dough against a pair of parallel rollers turning forwards in opposite directions will result in a flat layer of dough the thickness of the distance between the rollers. In a steel mill, molten steel is first poured into moulds, forming square chunks of steel called *ingots.* The red-hot ingots are then passed through rollers that squeeze them, thinner and thinner, until the desired thickness of *sheet steel* is obtained.

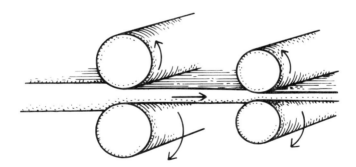

MARBLE   *See* ROCK CLASSIFICATION

MARITIME AIR MASSES, POLAR AND TROPICAL   *See* AIR MASS ANALYSIS

MARSH GAS   *See* ENERGY RESOURCES

MASKING AGENTS (DRUGS)   *See* STEROIDS

MASS

A measure of the amount of MATTER in an object. Mass (Greek *maza,* lump) is commonly determined by weighing machines, such as bathroom scales and chemical balances. These instruments measure the gravitational attraction between the object and the earth. In the absence of gravitation (for example, adrift in space), all objects have zero *weight,* even though their *mass* is the same as on earth.

However, mass can be measured by another property of matter, *inertia,* which is its resistance to a change in motion or nonmotion. Inertial mass is what makes it easier on your toes to kick a 50-gram (5-ounce) pebble than a 3000-gram (105-ounce) brick. For the same reason (the more mass, the more inertia), it is harder to stop a 20-tonne lorry than a 2-tonne car, anywhere on earth — and equally so on the moon, on Jupiter, or in empty space.

MASS, RELATIVE See RELATIVITY

MASS DEFECT See NUCLEAR ENERGY

MASS EQUIVALENCE See NUCLEAR ENERGY; RELATIVITY

MASS STORAGE See COMPUTER

MATTER

'Is this a dagger which I see before me?' asks Macbeth. Well, it is or it isn't, depending on whether it passes the simple test for matter: does it occupy space? To which we can add as a further check: does it have MASS and inertia? A true dagger, furthermore, is a *solid,* with a given shape and volume. The molecules in solids maintain a constant position in relation to one another, which is why you can count on finding a metre rule's 50-centimetre mark right where it is, always between the 49 and 51, not wandering from time to time. Most solids (for example, rocks and metals) are crystals, with molecules arranged in orderly, geometric form.

Solids turn to *liquids* at certain temperatures. In the liquid state, their molecules are free to wander, enabling a drop of blue ink to diffuse throughout a bucketful of clear water and allowing the Gulf Stream, heated in the sunny Caribbean, to eventually warm the coast of Labrador. There is, nevertheless, enough attractive force between the molecules of liquids to keep them in contact with each other, which is why a cupful of coffee continues to be a cupful while you stir it. But the attractive force is disrupted by sufficient heating. The molecules become increasingly agitated in their motion. Finally they move far enough apart to break free and leap out of the liquid, in the process called *evaporation,* forming a *gas.* When molecules in the gaseous state collide, they have sufficiently violent agitation to bounce off each other, rather than succumbing to the intermolecular attractive force.

MECHANICAL ENERGY *See* ENERGY

MEDIA (OF ARTERIES) *See* ARTERIOSCLEROSIS

MELTDOWN *See* NUCLEAR REACTOR

MEMORY, COMPUTER *See* COMPUTER

MERIDIAN *See* CELESTIAL COORDINATES

MESON

A subatomic particle consisting of a quark and an antiquark. *See also* ELEMENTARY PARTICLES.

MESSENGER RNA *See* DNA AND RNA

METAL CASTING *See* MANUFACTURING PROCESSES

METAL DETECTOR *See* MAGNETIC RESONANCE IMAGING

METAL ROLLING *See* MANUFACTURING PROCESSES

METAMORPHIC ROCK *See* ROCK CLASSIFICATION

METASTASIS *See* CANCER

METEOR *See* SOLAR SYSTEM

METEORITE *See* SOLAR SYSTEM

METEOROID *See* SOLAR SYSTEM

METEOROLOGY *See* AIR MASS ANALYSIS; PHYSICS

METHANE *See* ENERGY RESOURCES

MeV *See* ELECTRON VOLT

MHD *See* MAGNETOHYDRODYNAMICS

MICROBES *See* ANTIBIOTICS

MICROBIOLOGY   *See* MOLECULAR BIOLOGY

MICROPROCESSOR   *See* COMPUTER

MICROSCOPE

An instrument for producing enlarged images of small objects. Microscopes range from simple single-lens magnifiers to complex electronic instruments costing hundreds of thousands of pounds.

Microscopes work like showerheads. A small circular input — water flowing through a pipe — is spread into the shape of an expanding cone. Get in the way near the small end of the cone, and you're hit with a small disc of water. Farther away from the showerhead, you're hit with a larger disc. Notice the same effect with a film or slide projector. The greater the distance to the screen, the larger the image. A projector is really a projection microscope.

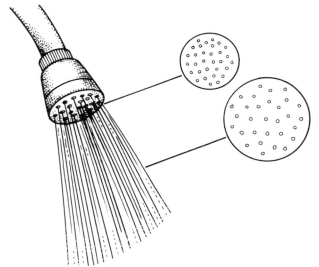

Look at a small drop of water lying on a leaf, a patterned work surface, or some other nonabsorbing surface. The transparent, *convex* (bulging) water drop causes light to bend and spread out in cone-shaped form, thus magnifying the details of the underlying surface. A bead or some other convex piece of glass does the same job, with the additional virtue of being permanent.

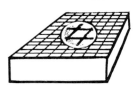

An ordinary magnifying glass is a good example of a *simple microscope* (it has only one lens). It can magnify clearly perhaps 10 to 20 times, but is limited to that. The *compound microscope* is a great improvement. It has sets of convex lenses at each end of a tube. The first set of lenses (the objective) forms an enlarged image of the object, and the second set (the eyepiece) enlarges that image.

Both simple and compound microscopes make use of light waves and are therefore called *light,* or *optical, microscopes.* The best of these are limited to a magnifying power of about 2000 times (if pushed higher, they get fuzzy) because they can't form images of objects that are smaller than the light waves. It's like trying to draw a picture of a spider's web with a thick crayon.

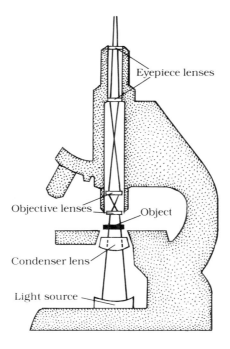

To get higher magnification we must use something even smaller than light waves — beams of electrons. Electron beams can't be used in optical microscopes because, unlike light waves, they are not bent by glass lenses. But electromagnetic fields can bend them, to form images. In *electron microscopes,* ring-shaped electromagnets act as lenses with beams of electrons, spreading them out into cones, like the cone of water in the showerhead. However, the images formed by electrons are invisible to human eyes. To make them visible, the images are formed on a glass screen, coated like a television tube with material that glows when struck by electrons.

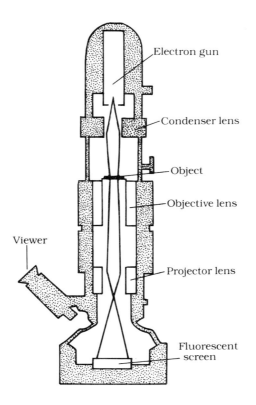

Electron gun

Condenser lens

Object

Objective lens

Viewer

Projector lens

Fluorescent screen

There are two basic kinds of electron microscopes, both capable of magnification of 1 million times or more. In *transmission electron microscopes,* the electron beams are transmitted through extremely thin slices of the material being examined. In *scanning electron microscopes,* a thin beam of electrons sweeps back and forth over the specimen. The electrons scan the material without penetrating it, so there is no need to slice it thin. This makes it possible to examine and photograph very small living objects. The images produced by this instrument have a strongly three-dimensional character.

See also RESOLVING POWER.

MICROSURGERY

A relatively new development in surgery, in which operations are performed under specially designed microscopes. The most publicized use of microsurgery is in reattaching fingers, toes, and even whole limbs lost in accidents, but less dramatic microsurgical operations are done routinely. In the brain, for example, tiny weakened arteries are repaired and clogged arteries are cleared to prevent stroke.

Aside from the operator's skill, the technique is made possible by the use of miniaturized instruments. Observing through the microscope and using finger movements that are barely perceptible, the microsurgeon repairs, cuts, transplants, and reconnects tiny muscles, along with nerves and blood vessels that may be no thicker than a hair.

MICROWAVE OVEN

An oven that heats food by means of very short radio waves called *microwaves.* The waves are generated within the oven by an electron tube called a *magnetron.* They cook food much faster than ordinary ovens.

In an ordinary gas or electric oven, heat from a flame or from a heated coil strikes the cooking vessel, which becomes hot. The heat is conducted into the outside of the food and from there to the inside, progressively. Microwaves, however, pass through cooking vessels made of pottery, china, plastic, and even paper without heating them, the way ordinary radio waves pass through most substances. But the microwaves cause water molecules to vibrate rapidly, and their friction produces heat. Since all foods contain some water throughout, a microwave oven cooks food quickly inside and out.

See also RESONANCE.

MICROWAVES   *See* MICROWAVE OVEN

MIDRANGE SPEAKER   *See* LOUDSPEAKER

MILKY WAY

The GALAXY in which our solar system is located. The light of thousands of millions of stars that make up the Milky Way cause it to appear as a pale band of light in the night sky.

MINERALOCORTICOIDS   *See* STERIODS

MINI-SATELLITE   *See* DNA FINGERPRINTING

MINOR PLANET   *See* SOLAR SYSTEM

MODEL, SCIENTIFIC   *See* SCIENTIFIC TERMS

MODEM   *See* INTERFACE

MODERATOR   *See* NUCLEAR REACTOR

MOLECULAR BIOLOGY

The study of life at its fundamental level — the complex molecules on which it is based. The field includes the *nucleic acids, proteins,* and *genetic engineering.* This young science draws from advances in research in *biochemistry* and *biophysics* and overlaps both to some extent.

The history of this major field of science is, in an intriguing way, shaped like another field, atomic theory. In both fields a basic question — What is the world made of? What is life? — gave rise at first to several seemingly simple answers, which on further examination multiplied into numerous bewilderingly complex explanations. These, on still further examination, coalesced into a comparatively few basic, apparently fundamental concepts about what, when, how, and where, with some tentative pokes (by theologians and philosophers) into who and why.

Thus the early classification of matter into four 'elements' - earth, air, fire, and water — proliferated into listings of thousands of chemical compounds and reactions, until a unifying group of concepts, the atomic theory, began to show through. Today, scientists seem to be enticingly close to *the* fundamental unification point as suggested by the GRAND UNIFIED THEORY: the material universe seems to consist of quarks, leptons, and their antiparticles, joined by two forces (perhaps two aspects of one force).

Back to the facts of life. Molecular biology is the area of science that studies living things in their most mechanistic aspect: assemblages of molecules, composed of chemical elements and compounds, interacting with one another and with their environment. Sounds rather soulless, as indeed it is, but it does get down to one kind of fundamental: the pinpointed scientific study of life.

Molecular biology embraces several subdivisions and overlaps others. Let's look at some of the more prominent ones.

Organic chemistry   The study of carbon compounds. The basic substances in all living things are proteins, and the basic elements in all proteins are carbon, hydrogen, oxygen, and nitrogen.

Molecular genetics   The study of genes, the carriers of hereditary information in the cells. Genes are mainly long strings of molecules called nucleic acids. Their arrangements and interactions add up to the *physical* phenomenon we call *life.*

Pharmacology   The study of the effects produced by chemicals, especially those classed as drugs, on living things.

Toxicology   The study of poisons (toxins): their effects, detection, isolation, and identification. This field could be considered a subdivision of pharmacology.

Biochemistry   Closely related to and overlapping molecular biology. Such distinctions as do exist are not significant to the nonspecialist.

Microbiology   The study of bacteria, viruses, and other microorganisms, especially their life cycles and effects at the molecular level.

Physiology   The study of life processes, such as circulation, digestion, and metabolism. Here, too, the focus becomes increasingly minute, down to the molecular level.

Pathology   The study of the causes and effects of disease, again with greater and greater emphasis on the molecular level.

See also DNA AND RNA; GENETIC ENGINEERING; PROTEINS AND LIFE.

MOLECULAR GENETICS   *See* MOLECULAR BIOLOGY

MOLECULAR THEORY   *See* SCIENTIFIC TERMS

MOMENTUM, MEANING OF   *See* UNCERTAINTY PRINCIPLE

MONGOLISM   *See* DOWN'S SYNDROME

MONOMER   *See* CHEMISTRY

MONONUCLEOSIS   *See* HERPESVIRUS DISEASES

MONOPHONIC SOUND   *See* QUADRAPHONICS

MONOUNSATURATED FATS   *See* CHOLESTEROL

MOSAIC DISEASES   *See* VIRUSES

MOTION, LAWS OF   *See* NEWTON'S LAWS OF MOTIONS

MOTION, RELATIVE   *See* RELATIVITY

MOTOR NEURON DISEASE
See NEUROMUSCULAR DISORDERS

MOTORS, ELECTRIC
See GENERATORS AND MOTORS, ELECTRIC

MOVING COIL *See* LOUDSPEAKER

MRI *See* MAGNETIC RESONANCE IMAGING

MULTIPLE SCLEROSIS (MS)
See NEUROMUSCULAR DISORDERS

MULTIPLE STARS *See* BINARY STAR

MUON *See* ELEMENTARY PARTICLES

MUSCULAR DISORDERS
See NEUROMUSCULAR DISORDERS

MUSCULAR DYSTROPHY *See* NEUROMUSCULAR DISORDERS

MUSICAL ACOUSTICS *See* ACOUSTICS

MUTATION *See* DNA AND RNA

MYASTHENIA GRAVIS *See* NEUROMUSCULAR DISORDERS

MYELIN SHEATH *See* NEUROMUSCULAR DISORDERS

MYOCARDIAL INFARCT *See* HEART ATTACK

MYOCARDIUM *See* HEART ATTACK

NALOXONE   *See* ALZHEIMER'S DISEASE

NATURAL SELECTION   *See* EVOLUTION

NEBULA

The term (from Latin *nebulosus,* cloud) originally referred to fuzzy-looking astronomical objects that early telescopes did not focus as individual stars. The so-called spiral nebulas were among these objects. Later it was determined that these nebulas lay beyond the Milky Way and that they were, in fact, separate galaxies. Today the term is applied mainly to zones of dust and gas within the Milky Way, but old usages die slowly. For example, the Andromeda galaxy is often called the Andromeda nebula.

NEOPLASM   *See* CANCER

NERVE-MUSCLE DISORDERS
See NEUROMUSCULAR DISORDERS

NEUROMUSCULAR DISORDERS

A number of disorders in which body muscles, the nerves that control them, or both, malfunction. Among the better-known of these are the following, all of unknown cause:

Myasthenia gravis   A disorder in which muscles become weak and easily fatigued. It appears mainly between the ages of 20 and 40 and twice as often in women as in men. Muscles in the head are often affected, so there may be drooping of eyelids, double vision, and difficulty in swallowing; a special danger arises if the muscles connected with breathing become involved.

The fault appears to be in the *neuromuscular junctions,* the places where 'orders' to contract pass from nerves to muscles. The 'order' is a chemical reaction, and in myasthenia gravis there is an imbalance in the amounts of the reacting chemicals. Drugs are available that help to restore the balance and thus improve the working of the muscles. (Ironically, these drugs, called *cholinesterase inhibitors,* are also used in chemical warfare as nerve gases.)

Motor neuron disease   A group of diseases involving degeneration of nerves that control muscular contractions, occurring mainly in people over 40. The muscles weaken and waste away. Physiotherapy helps in keeping the muscles working, but the condition is usually fatal within a few years. *Amyotrophic lateral sclerosis* is the commonest form.

Multiple sclerosis   A disease of the nervous system (also called *MS* or *disseminated sclerosis*) affecting mainly young adults. Early symptoms may include lack of feeling in some parts of the body, weakness and clumsiness, problems of vision, and apathy. The disease progresses very slowly — the average duration is 25 years or more, though there is great variability — and there are usually periods of remission, when the symptoms lessen or disappear. In time, however, the person may be permanently disabled.

Nerves affected by the disease lose some of their outer insulation-like sheath, a fatty material called *myelin;* the nerves harden (*sclerosis* is from the Latin for 'hardening'). The evidence indicates that MS is an *autoimmune* disease, that is, one in which the body is attacked by its IMMUNE SYSTEM. In the case of MS, it is the myelin-producing cells that are attacked.

Physiotherapy and psychological support are important in helping the patient. Recently treatment with a synthetic protein, *copolymer 1 (Cop 1)*, has raised hopes for controlling the effects of MS.

Muscular dystrophy   A group of inherited disorders, with a progressive weakening and wasting of muscles. It is believed that the fault lies in the muscles themselves, rather than in the nerves. Physiotherapy helps to improve the working of the affected muscles.

One type, affecting only males, begins before the age of 3 and ends in death before the age of 30. Another type, beginning in adolescence, affects both sexes and may range from relatively mild to disabling.

NEUROTRANSMITTER   *See* PARKINSON'S DISEASE

NEUTRINO   *See* ELEMENTARY PARTICLES

NEUTRON

A subatomic particle that is electrically neutral; that is, it has no charge. Neutrons, along with protons, make up the nuclei of atoms, with one exception — the nucleus of the simplest form of the lightest element, hydrogen, has one proton and no neutrons. Protons and neutrons are called *nucleons* because they are the main components of atomic nuclei.

See also ELEMENTARY PARTICLES; NUCLEAR ENERGY.

NEUTRON STAR   *See* STELLAR EVOLUTION

NEWTON'S LAWS OF MOTION

What makes an arrow keep going after it leaves the bowstring? In the 4th century BC Aristotle suggested this: the arrowhead presses the air in front of it; the pressed air flows around back to the tail and pushes it forward. Before you raise your eyebrows, reflect kindly on Aristotle's paucity of material experience. He had never seen, even on TV, a spaceship circling the earth in airless space, with nothing squeezing from behind and a prospect of months, even years, of engineless flight ahead. What indeed keeps a spaceship going after its fuel is spent? Or even a tennis ball after it leaves the racket? Or any projectile that isn't simple dropped, plop, into the waiting arms of gravity?

Science didn't have to wait for the vacuum conditions of space flight to disprove Aristotle's guess about the flight of arrows. Isaac Newton (1642–1727), English scientist and mathematician extraordinaire, creator of CALCULUS, deviser of the laws of universal GRAVITATION, investigator in the fields of optics, theology, mathematics, astronomy, chemistry, mechanics, dynamics, and – alas – the occult, did it without vacuums. In propounding his three laws of motion, he put into concise and mathematical form the basic ideas of what makes things move, what changes their motion, and why motions always begin in pairs. These are the laws:

1. *A body at rest remains at rest, and a body in motion remains in motion in a straight line unless acted upon by a force.*

This book would remain stationary until you chose to do something about it. Arrows would continue to fly forwards forever in a straight line were it not for air friction, which slows them, and gravity, which brings them down to earth. Planets, travelling through empty space, continue to move forwards, but *not* in a straight line, because the constant planet-sun gravitational force acts as a tether that bends the straight line into an almost-circle, an ellipse.

2. *The effect produced on a body by a force depends (a) directly on the amount of that force and (b) inversely on the mass of the body.*

To put it more plainly: (a) kick a football twice as hard and it will go twice as far, and (b) kick a double-weight football (don't quibble) and it will go only half as far.

3. *For every action there is an equal and opposite reaction.*

To climb a ladder, you must push down on the rungs. To walk north, your feet must push south (and if as on ice or a highly polished floor they can't push south, you don't get to walk north). For an aeroplane to fly east, it must push air west. To manoeuvre in space, with no air to push against, a spacecraft has to carry its own 'push against' material: tanks of compressed gas, which is let out in little puffs: a puff out of the left rear nozzle nudges the tail to the right; a rearward puff increases the forward speed; a forward puff decreases the forward speed (puts on the brakes); and so on.

Newton's three laws seem quite simple and commonsensical — which they are. Yet when he organized them into algebraic equations, they served as the basis for calculating the entire gravitational force between the earth and moon. From that calculation he worked out the law of universal gravitation, which applies to any two masses in the universe.

NICAD BATTERY   See BATTERY (CELL)

NITROGEN MUSTARDS   See CANCER

NITROGLYCERIN   See ANGINA PECTORIS

NMR   See ANALYSIS

NOISE

Noise is more than meets the ear. Common noise refers to undesired, incoherent sound — the rumble of traffic, the buzz of a cocktail party — that interferes with the comprehension of desired sound, such as speech or music. By extension, noise has come to mean any interference of a random, unspecific nature. A poorly constructed refrigerator motor emits *radio noise* waves that pepper your radio programmes with crackles or scatter 'snow' on your television screen.

Astronomers are having serious problems with *illumination noise* as growing cities expand towards once-isolated observatories. The light scattered by street lamps and electrical signs (sometimes called *light pollution*) throws a glow on the night sky, overwhelming the light of dim stars, galaxies, and nebulas.

The strength of a desired signal, such as a radio programme, compared to the strength of an undesired signal, such as radio static, is called the *signal-to-noise (S/N)* ratio. Well-made radio receivers can operate with a low S/N ratio — that is, they accept coherent radio waves but reject radio noise of almost the same strength. Inferior receivers operate on a high S/N ratio — they can produce uncluttered sound only if the signal strength is much higher than the noise.

NOISE INSULATION ENGINEERING   See ACOUSTICS

NONRENEWABLE ENERGY SOURCE

A source of energy that is depleted as it is used. Coal is an example.
See also ENERGY RESOURCES.

NORADRENALINE   See HORMONE

NOVA

A faint, usually unseen star, whose light may brighten by a factor of 10,000 or more in a few days and then fade slowly. A few novas (from Latin *novus,* new) appear each year. Apparently these outbursts occur when gases from the larger member of a BINARY STAR fall onto the smaller member, setting off a nuclear explosion, with its attendant brilliance. The larger star is not affected significantly because the lost material represents only a minute fraction of its mass.

A far more brilliant, and very rare, outburst of light, the *supernova,* is caused by the explosion of a star.

See also STELLAR EVOLUTION.

NUCLEAR ENERGY

The energy released by the nuclei of atoms when they undergo certain changes (to be described shortly). Formerly called atomic energy, the term *nuclear energy* is more precise, since only the nucleus of the atom is involved. Nuclear energy is the oldest *and* the newest form of energy: the oldest because in its natural form it was involved in the first moment of cosmological history, the newest because its artificial form was first produced in quantity in the 1940s by Enrico Fermi and others in the Manhattan Project.

Nuclear energy is generated within all the stars of the universe; it is the source of our sunlight and consequently is the primary energy basis for all life on earth. Misused, its artificial form can bring about the extinction of all life on earth.

The lightest, smallest, simplest nucleus is that of ordinary hydrogen, which consists of a single proton and nothing else. The heaviest, largest, most complex nucleus of a natural element, uranium 238, consists of 92 protons and 146 neutrons (92 + 146 = 238).

Protons repel each other with tremendous force. Perhaps you have had the experience of trying to press together two strong magnets, with like poles opposed, repelling each other. In an equal mass of protons the repulsive force is millions of times greater.

Repelling force

Then what holds the nucleus together? *Binding energy,* a holding operation involving the neutrons and evanescent particles called *gluons.* And just as the repulsive force within the nucleus is enormous, so is the binding energy that keeps the nucleus from flying apart. Every nucleus of every atom (except simple hydrogen) would fly apart but for the binding energy within the nucleus. It is this binding energy that, when released slowly and under control, produces heat that powers steam-driven electric generators in nuclear power plants. It is this binding energy that, when released all at once, delivers the smashing destructiveness in a nuclear bomb.

Does this mean that we could obtain nuclear energy from almost any substance? Theoretically yes; practically no — because the process of triggering the energy release would in most cases require more energy than the energy released. But nuclear energy is being obtained right now, in two ways:

1. *Fission* — encouraging the nuclei of very heavy atoms (uranium and plutonium, usually) to break apart into approximately equal parts (barium and krypton, usually)
2. *Fusion* — forcing very light nuclei (of hydrogen) to combine, forming somewhat heavier nuclei (of helium)

Before we look at these processes, some provisos and ahems:

Complexity   The nucleus is much more complex than the model of simple magnets repelling each other.

Isotopes   The nuclei of any specific element have the same number of *protons,* but the number of *neutrons* is variable, within a range. The various forms are called *isotopes.* The common isotope of hydrogen has one proton. Its isotope *deuterium* also has one proton, plus one neutron. Its isotope *tritium* (TRIT-e-um) has one proton and two neutrons. As we saw, the common isotope of uranium, U-238, contains 92 protons and 146 neutrons (92 + 146 = 238). Another uranium isotope, U-235, contains 92 protons and 143 neutrons (92 + 143 = 235).

Energy is real　Although it has no shape, size, or colour, energy is real, because it has *mass equivalence.* Meaning what? A nucleus in the most common isotope of helium consists of two protons and two neutrons. Separately, these four particles weigh a total of 4.0320 units. Together, combined into one nucleus, they weigh 4.0016 units! The loss of weight (mass) is called *mass defect* and is due to matter that turned into energy — the binding energy that keeps the nucleus from flying apart. Binding energy is derived from the matter in separate protons and neutrons. (And energy can be reconverted into matter, but that's another story.) *Matter and energy are interchangeable,* or *equivalent.*

Albert Einstein in 1905 (at the age of 26!) worked out an equation that describes the equivalence of matter and energy: $E = mc^2$. Stated in words; the energy (E) obtained from the conversion of a certain amount of matter (into energy) is equal to the mass defect (m) in the conversion multiplied by the square of the speed of light (c) in centimetres per second (almost 30,000 million). In simple terms, a paper aeroplane ticket, if completely converted into energy, could propel an airliner several thousand times around the world.

You might suppose, then, that nuclear energy — conversion of matter into energy — is, or could be, an endless resource, since paper for aeroplane tickets is indeed plentiful. Restraining our exuberance, we briefly examine the present situation regarding fission and fusion, to find out what is holding back the wheels of progress.

Fission　First, an analogy (but only analogy!) to help visualize fission. A medium-sized oil drop is floating on water. Add a tiny oil droplet; it is taken in and the oil drop becomes bigger, held together by the attractive force among the oil molecules. Add another oil droplet and still another — there's a certain larger size at which another phenomenon occurs: the next tiny oil droplet becomes (to pile analogy upon analogy) the straw that breaks the camel's back. The large drop breaks — it undergoes fission — into two medium-sized drops. What's more (you couldn't know this — it has to be measured), the two medium-sized drops require less total attractive force to retain their form than the one large drop did! And what happened to the leftover attractive force? It couldn't just disappear; it agitated the water molecules and shook up the water surface.

Now let's consider the real thing. Uranium is a heavy element and comes in ten isotopes. One of them, U-235 (92 protons, 143 neutrons) has an unstable nucleus, uneasily held together (the big drop). It is easily broken apart if hit by a neutron (tiny oil droplet).

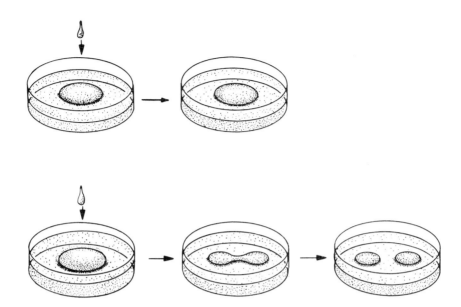

Then it breaks apart into two nearly equal-sized nuclei, krypton and barium, liberating a great deal of binding energy (resulting mainly in heat). Also left over, in this nuclear arithmetic, are several neutrons that are ejected during the turmoil. These released neutrons, if they strike other U-235 nuclei, perform the same fission-triggering function on them. They in turn trigger more fission, and so on. The whole sequence is called a *chain reaction* (though branching is perhaps more descriptive). If the U-235 fuel supply is arranged to produce a sequential, moderated release of energy, we have controlled fission, fine for delivering heat to the boilers of steam-driven turboelectric generators. If the fuel supply is arranged to undergo fission and deliver all its energy instantaneously (in about a millionth of a second), we have, alas, a nuclear fission bomb.

Let us ignore the bomb (if only we could) and ask what's the problem with controlled, useful, economical nuclear energy. Why do

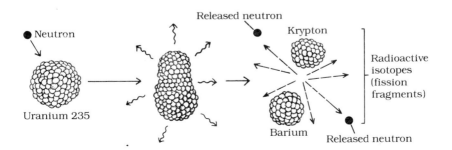

we continue to burn coal and oil in conventional engines and furnaces, polluting the air, rather than consuming aeroplane tickets (or their more practical equivalent, U-235) in nuclear reactors? Mainly for the following necessary but deplorable reasons:

Unquiet ashes Fission is not a simple split-up, like the oil drop; it actually involves a series of nuclear changes following the major heat-yielding split. At each step in the series, energy is given off in the form of radioactive particles and rays, some highly dangerous, until the 'ashes' have quietened down into safety. Some of these steps take thousands of years, during which time the *radioactive wastes (radwastes)* are lethal. Nobody has yet found a 100% surefire method of storing them, safe against corrosion and leakage of containers, safe against breakage during earthquakes, and so on. To those who say, 'But surely scientists will ... ' there is the chilling reply. 'But what if they don't?'

Another problem: a nuclear reactor becomes radioactive over its useful life of 30 years or so. It must eventually be disassembled, and its parts handled like other radwaste, or it must be entombed in concrete; either method is enormously expensive, costing perhaps one-third or more of what it cost to build the plant.

Unsafe safety valves The useful end product of nuclear fission is heat, to make the steam to run the turbine, and so on. The heat must flow unimpeded from its source, nuclear fuel, to its delivery point, the boiler where water is turned to steam. Any traffic jam means a backup of heat, a buildup of fuel temperature, which rises higher and higher, until it reaches *meltdown* temperature; then, as almost happened at the Three Mile Island reactor near Harrisburg, Pennsylvania USA, in 1979, and perhaps did happen in Chernobyl, in the Soviet Union, in 1986, the highly corrosive molten material may eat its way through the nuclear reactor, through its concrete shield, into the supporting bedrock (where it may flow into underground streams), and into the boilers where water is turned into radioactive steam, and be blasted far and wide into the atmosphere.

In 1988, nine years after the Three Mile Island reactor accident, engineers were still working on the $1000 million cleanup of the ruined reactor. They found that there had indeed been a massive meltdown of the fuel, which burnt through inner parts of the reactor. It collected in a solidified pool at the bottom but did not escape to the outside.

Yes, there are many safety devices in a nuclear power plant.

Yes, there have been numbers of near-disasters.

In fact, in mid 1988 the completed but unused Shoreham nuclear power plant on Long Island, New York, was abandoned because authorities were unable to devise a workable emergency evacuation plan for the people of Long Island.

Fusion Eureka! Here, at last, is a nuclear energy process with numerous virtues:

- Its principal raw material, the hydrogen isotope deuterium, is as close as the nearest body of water, H_2O. Only one hydrogen atom in 7000 is deuterium, yet complete fusion of the deuterium in an Olympic-size swimming pool could keep a city of 250,000 people in electricity for a year.
- The end product of fusion is helium, a stable, harmless gas used in balloons.
- The process of nuclear fusion has been tested and found successful since the beginning of time, as far as we know, in all the stars.

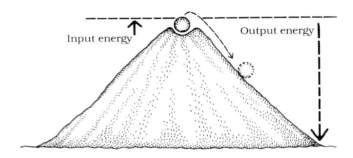

Hydrogen is fused by various steps into helium, with the release of enormous quantities of heat and radiant energy.

So what's stopping us from using it? Fusion involves some very large problems, and to understand them we must back up a bit. Fusion requires the forcing together of hydrogen isotopes to form helium nuclei. This requires energy to overcome nuclear repulsion, but after that happens far more energy is released than was needed to start it. Here's an analogy: a heavy ball rests in a cup-shaped hollow at the top of a mountain. If it rolls down the mountain, the ball can release a lot of stored (potential) energy. But first we must put it into a condition to roll, by expending a little energy to lift it to the rim. Likewise, before we can release the energy of nuclear fusion, we must put nuclei in a condition to fuse. This requires expending energy for two purposes:

1. To separate the nuclei from their surrounding electrons, so the nuclei can be brought close together. This stripped-apart

substance is a dense mixture of nuclei and free electrons: it's called *plasma* (not to be confused with blood plasma).

2. To slam the nuclei together so violently that they stick together (fuse).

Steps 1 and 2 can be achieved at a temperature of 100 million degrees Celsius. (Nuclear fusion is called a *thermonuclear* reaction.) This temperature exists all the time — in the interiors of the sun and other stars — and there are ways of producing it on earth, by electromagnetic and laser devices.

But first, a note to the sharp-eyed reader: yes, fusion, *assembling* nuclei, is the opposite of fission, *splitting* nuclei. Yet the fusion of light nuclei (e.g., hydrogen) and the fission of heavy nuclei (e.g., uranium and plutonium) are both energy-*releasing* processes. It's that matter of light and heavy and differences of binding energy, which would require a distressing number of words and equations to explain fairly.

Coming back to the main idea: where are the fusion reactors that will usher in the Golden Age of Plentiful Energy? You may have heard about the scientist who gleefully reported that he had synthesized a universal solvent, a liquid that dissolves all known substances. Said his colleague, 'And in what kind of bottle will you keep it?'

We are looking at the nuclear counterpart of the bottle problem. In what kind of container can we heat plasma to 100 million degrees Celsius without destroying the container itself? Even the element with the highest melting point, tungsten, melts at a mere 3410°C and vaporizes at 5660°C. Scientists and engineers are working on a different approach: don't let the superheated plasma touch the sides of the container. This would be done by surrounding the container with a strong magnetic field that repels the plasma (which responds to magnetism) and forces it away from the sides into the centre. There, hopefully, it can attain fusion temperature long enough to be a steady source of energy. Fusion has in fact been achieved in this way numbers of times in experimental fusion reactors for a fraction of a second. These experiments are currently being carried out in various laboratories. Look for reports bearing such key terms (besides *fusion*) as *magnetic bottle, tokamak, stellarator, stabilized mirror,* and *laser-induced fusion.*

Three of these types — the magnetic bottle, tokamak, and stellarator — operate on the same principle, the magnetic containment (bottling) and compression of plasma. Therefore, we shall attempt to kill three birds with one stone: a brief description of the tokamak, designed by the Soviet physicist Lev Artsimovich, who in 1968 demonstrated his 'toroidal magnetic chamber' (for which *tokamak* is an acronym — in Russian). A toroid in edible form is called a doughnut. Thus a tokamak is a toroid-shaped hollow chamber operating on magnetic principles.

Essentially, a tokamak is a group of transformers with adaptations for its special functions. In each transformer, electric current, flowing through a primary coil (1), induces a magnetic field in the iron core (2); this in turn induces a current in the secondary coil (3). This coil is wrapped around a hollow toroid tube (4) containing fuel (deuterium and tritium). The secondary current sets up a magnetic field inside the tube, which in turn induces a current and a consequent magnetic field in the fuel itself (5). These opposing magnetic fields, around the secondary coil and around the fuel, repel each other, compressing the plasma from all sides. Meanwhile, the extremely dense flow of current within the plasma heats it up to enormous temperatures. The two forces — pressure and heat — hurl the plasma particles (deuterium and tritium) together with sufficient power to initiate fusion, forming helium and some by-products and releasing great quantities of energy, mainly in the form of heat. The heat is transported by a fluid to a conventional steam-driven turbogenerator for generating electricity.

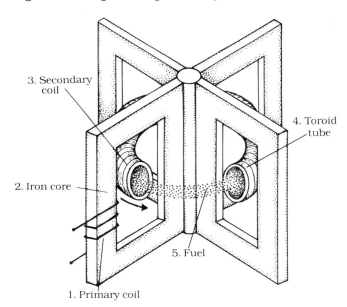

3. Secondary coil

4. Toroid tube

2. Iron core

5. Fuel

1. Primary coil

To end on a doleful note, there is indeed one successful way of accomplishing fusion — if you don't care about the bottle — or about humanity. A hydrogen bomb is literally a one-shot nuclear fusion reactor. It consists of two main parts: (1) a source of deuterium and tritium and (2) a heating device to achieve 100 million degrees Celsius. This heating device is another bomb, or several, of the old-fashioned, low-destructive-power fission type, the kind that was dropped over Japan and killed a mere 100,000 people.

See also COSMOLOGY; GRAND UNIFIED THEORY; NUCLEAR REACTOR.

NUCLEAR FISSION *See* NUCLEAR ENERGY

NUCLEAR FORCES

Called the strong force or interaction and the weak force or interaction, they are limited in influence to the atomic nucleus. They are two of the four known fundamental forces of the universe.

See also GRAND UNIFIED THEORY.

NUCLEAR FUSION *See* NUCLEAR ENERGY

NUCLEAR MAGNETIC RESONANCE *See* ANALYSIS

NUCLEAR-POWERED LASER *See* STRATEGIC DEFENSE INITIATIVE

NUCLEAR REACTOR

A device for releasing nuclear energy under *continuous, controlled* conditions (and therefore not a bomb). In some ways a common (fission-type) nuclear reactor is similar to a coal-burning furnace; here is a brief overview of the similarities:

In both cases, the principal output energy, heat, is converted to a more convenient form of energy, electricity. For example, in an electric power plant the heat converts water into high-pressure steam, to drive a steam turbine, which in turn drives an electric generator, whose output is sent through wires, far and wide. So a conventional power plant is quite similar to a nuclear power plant, most of the way.

	Coal Furnace	Nuclear Reactor
Fuel	Coal	Nuclear fuel
Action	Burning	Fission (atoms of fuel are split)
Output energy	Heat (and light)	Heat (and several forms of radiation)
Waste products	Ashes, smoke, combustion gases	Fission fragments, mostly radioactive

The big difference is in the source of heat, inside the thick-walled, usually dome-topped building containing the nuclear reactor. This is where the nuclear fuel is stored and 'burnt'.

The common nuclear fuel is uranium 235. When U-235 atoms split (undergo fission), some fission fragments remain, and some matter and energy are released (expelled). The matter is mainly neutrons; the energy, mainly heat. This happens in nature, too, at a slow rate, an atom here and an atom there over thousands of years. But when the atoms are close enough and of a sufficient quantity (*critical mass*), their released neutrons accelerate the fission:

- Moderate acceleration: useful amounts of heat for running the steam turbine are generated.
- Greater acceleration: danger! More heat is generated than used; the excess heat would cause a rise in temperature to *meltdown* (about 1130°C). The highly corrosive, dangerously radioactive U-235 would destroy its containers and turn into a monster, never to be recaptured.
- Still greater (instantaneous) acceleration: a nuclear bomb — DANGER! a millionfold.

To keep the whole process going at a moderately humane rate, a moderator is employed. One type consists of *control rods,* made of neutron-absorbing material such as graphite or beryllium. These are interspersed among the fuel rods (long tubes filled with fuel pellets). Another type of moderator uses water circulating around the fuel rods and out to the next stage of operation.

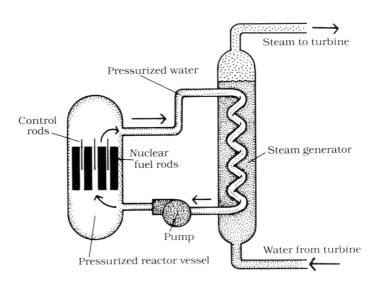

At the next stage the heated water is ready to do its work. In a *boiling-water reactor,* it boils into steam, which is piped to the steam turbine. In a *pressurized-water reactor,* the water is kept under pressure to prevent it from boiling whilst allowing it to reach a very high temperature. Its heat is transferred, via coiled pipes, to other water, which turns to steam for the turbine, and so on. In the *gas-cooled reactor,* the heat of fission is transferred to a gas such as helium or carbon dioxide. The heated gas is piped through a coil surrounded by water. The water turns to steam for the turbine.

Breeder reactors Is it possible to get something for nothing? Decide for yourself:

1. Most nuclear reactors use U-235 as their fuel, but the supply is limited.
2. Uranium coming out of the mines contains about 0.7% U-235 and about 99.3% U-238, which is not usable as a fuel but which can be made so (the technical adjective is *fertile*).
3. When U-235 undergoes fission, it gives off neutrons.
4. If U-235 is surrounded by a jacket of U-238, the neutrons convert the U-238 into *plutonium,* an artificial element that *is* a powerful nuclear fuel.

In a *breeder reactor,* the fuel rods are kept in use for about a year, during which time the U-235 gradually gives up its heat energy, as in a conventional reactor; meanwhile, the neutrons convert the surrounding U-238 into plutonium. Then the rods are lifted out and the spent U-235 is separated from the plutonium. Eureka! You have extracted energy from the U-235 *and* gained fuel — more fuel, in fact, than you began with. The difference is the something you got for nothing.

The breeder reactor sounds like the answer to our energy prayers, but like the whole nuclear energy field, it is riddled at present with unsolvable problems. Plutonium is highly toxic, and it is the basic 'explosive' for fission bombs; the theft of even a small amount of it by terrorists could pose a serious threat.

NUCLEI, UNSTABLE   See RADIOACTIVITY

NUCLEIC ACID   See DNA AND RNA

NUCLEON   See NEUTRON

NUCLEOTIDE   See DNA AND RNA

NUCLEUS, ATOMIC
See ELEMENTARY PARTICLES; NUCLEAR ENERGY

NUCLEUS OF A CELL   *See* DNA AND RNA

NUCLEUS OF A COMET   *See* SOLAR SYSTEM

OBSIDIAN *See* ROCK CLASSIFICATION

OCCLUDED FRONT *See* AIR MASS ANALYSIS

OCCULTATION

The passage of one astronomical object in front of another, obscuring it, as, for example, when the moon moves between the earth and a star, hiding it from view. The star may be thousands of times bigger than the moon, but the moon's relative nearness makes its apparent diameter much greater than that of the distant star. An analogy: a coin, held near your eye can occult a skyscraper a kilometre away. The best-known occultation (the term is from Latin *occultare*, to conceal from view) is the one in which the moon gets in front of the sun, blocking its light, which we call a *solar eclipse.*

One body passing in front of another doesn't always produce an occultation. Consider what happens every few years when the planet Mercury gets between the earth and the sun. The sun is relatively near to us, so its apparent diameter is large, and we perceive no occultation. Instead, Mercury is seen as a tiny dot moving across the face of the sun, an event called a *transit* of Mercury. Try to occult a skyscraper while standing across the street from it and holding a coin at arm's length. All you get is the tiny coin against the background of the vast skyscraper wall.

Many basic facts of astronomy were learned with the help of occultations. For example, the slow fading of a star's light as a planet passes in front of it reveals the existence of an atmosphere around the planet. Without the planetary atmosphere to diffuse it, the starlight would suddenly blink off. The sizes of many stars and planetary satellites and the existence of rings around the planet Uranus were also learned through observation of occultations.

OCEANOGRAPHY *See* PHYSICS

OESTROGENS *See* STEROIDS

OHM *See* ELECTRICAL UNITS

OIL SANDS *See* SYNTHETIC FUELS

OIL SHALE   *See* SYNTHETIC FUELS

ONCOGENE   *See* CANCER

ONCOLOGY

The branch of medical science, named from the Greek *onkos,* 'mass, bulk' dealing with abnormal growths, called *tumours.*
See also CANCER.

OORT COMET CLOUD   *See* SOLAR SYSTEM

OPEN-HEART SURGERY

Open-*chest* surgery would be a more accurate name for these operations. They are performed for a number of disorders:

- To repair an ANEURYSM of the aorta (a weakened section of the artery).
- To correct loose, tight, sticky, or leaky valves in the heart, openings in the *septum* (the thick wall between the right and left sides of the heart), or transposition of narrowness of blood vessels in the heart.
- To widen or bypass clogged *coronary arteries.* In coronary bypass surgery, a section of a vein taken from the leg is put in place to shunt blood around the clogged part of the artery.
- To provide a temporary pump (for hours or days) to assist an ailing heart in its work of circulating blood throughout the body.
- To replace a hopelessly diseased heart with another human heart (a *heart transplant*) or with an artificial heart.

An operation that takes only a few minutes — for example, separating the parts of a sticky valve — can sometimes be done while the heart continues its beating. But complicated operations may take many hours. The heart must be stopped (and opened in some cases) for the operation. The cells of the body, especially those of the brain, can live only minutes without circulating blood, so these operations had to wait for the development of the *pump oxygenator.* This device is known popularly and accurately as the *heart-lung machine* because it takes the place of those organs. The oxygenator part, like the real lungs, removes waste carbon dioxide from the blood and adds oxygen. The pump, connected to two large blood vessels in the body, circulates the blood.

OPEN UNIVERSE   *See* COSMOLOGY

OPERATORS (DNA)   *See* DNA AND RNA

OPPORTUNISTIC DISEASES   *See* AIDS

OPTICAL MICROSCOPE   *See* MICROSCOPE

ORAL CONTRACEPTIVES   *See* STEROIDS

ORGANIC CHEMISTRY
See CHEMISTRY; MOLECULAR BIOLOGY

ORGANIC EVOLUTION   *See* EVOLUTION

ORGANIC MATTER   *See* PROTEINS AND LIFE

ORIGIN OF SPECIES   *See* EVOLUTION

OSCILLATING UNIVERSE

The hypothesis (also called the *pulsating* universe) that gravitation will cause the expanding universe to slow down and reverse, so that its parts come together again, prior to another big bang and cycle of expansion. If there is insufficient matter for this to happen, the universe will continue its expansion (open universe).
   See also COSMOLOGY.

OSCILLOSCOPE

An apparatus similar to a television tube used mainly for graphing oscillating forms of energy, such as alternating currents, brain waves, and radio waves.

OSTEOARTHRITIS   *See* ARTHRITIS

OSTEOPOROSIS   *See* STEROIDS

OUTPUT   *See* COMPUTER

OVERTONES   *See* SOUND RECORDING; TONE CONTROL

OXIDATION   *See* ENERGY

OZONE   *See* OZONE LAYER

OZONE LAYER

A band of gas in the atmosphere, about 15 to 50 kilometres (12 to 30 miles) above the surface of the earth; also called the *ozonosphere*. The gas — *ozone* — is a form of oxygen containing 3 atoms in each molecule (O_3), which is formed by the action of solar ultraviolet radiation on ordinary oxygen (O_2) in the upper atmosphere.

Near ground level, ozone is an undesirable pollutant, a constituent of smog that irritates the eyes and impairs breathing. But in the upper atmosphere it acts as a screen against harmful ultraviolet rays which would otherwise reach earth, causing extreme sunburn, skin cancer, and irreparable damage to the body's proteins and nucleic acids (DNA and RNA).

Scientists monitoring the ozone layer had noticed that it became thinner each Spring over the South Pole, and in 1985 researchers from the British Antarctic Survey discovered a hole in it. The major cause of this is the breakdown of ozone by chlorine from compounds called *chlorofluorocarbons (CFCs)*. These substances, which can remain in the atmosphere for up to 100 years, are used extensively as refrigerants, in air-conditioning systems, in foamed plastics, and (though less frequently now) as aerosol propellants.

By late 1988 fear of further damage to the ozone layer had the Environmental Protection Agency of the United States to call for a complete ban on the use of CFCs. Manufacturers had already found substitutes for CFCs in aerosols and were competing to find the first alternative to use in refrigerators and cooling systems.

OZONOSPHERE See OZONE LAYER

PACEMAKER, CARDIAC *See* CARDIAC PACEMAKER

PALAEONTOLOGY *See* BIOLOGY

PARACENTESIS *See* AMNIOCENTESIS

PARALLEL (OF LATITUDE)
See CELESTIAL COORDINATES

PARATHYROID GLAND *See* HORMONE

PARATHYROID HORMONE *See* HORMONE

PARKINSON'S DISEASE

A disorder of the nervous system, resulting in gradual loss of muscular control. In 1817 James Parkinson (1755–1824), an English physician, described some of its more prominent symptoms: tremors of the hands, arms, or legs; slow and stiff movements; difficulty in walking; stooped posture; and a fixed, staring facial expression. These symptoms may follow brain injury, poisoning, or certain diseases, but in most cases the basic cause of Parkinson's is not known. The individuals affected are usually middle-aged or elderly. About 15 in every 10,000 people in the United Kingdom are victims of Parkinson's disease.

No cure is known, but several drugs, particularly *levodopa (L-dopa)*, are used to lessen the severity of the symptoms. L-dopa is changed by the brain to *dopamine*, a substance deficient in the brain cells of Parkinson's patients. Dopamine is one of a group of substances, called *neurotransmitters*, that are involved in the generation and sending of nerve impulses.

PARTIAL ECLIPSE *See* ECLIPSE

PARTICLE ACCELERATOR

Formerly called an *atom smasher*, but a more accurate name might be 'nucleus smasher'. These powerful machines are used to find out what atomic nuclei are made of by smashing them and examining the pieces. A student of clock repairing wouldn't learn much from such a form of mayhem, but it works very well for the student of nuclear structure, the physicist. The difference is that nuclear particles do not lie limp and mangled after liberation; they retain their individual lively forms of behaviour. Magnetic particles continue to be affected by magnets, electrically charged particles continue to respond to electrical fields, and heavier particles continue to deliver stronger impacts than lighter ones, like footballs colliding with Ping-Pong balls. These subnuclear responses are measured and recorded mainly by instruments called *cloud chambers* and *bubble chambers*.

Particle accelerators have enabled scientists to achieve partial answers to questions in pure research — What is matter? What is energy? How did the universe begin? — as well as spin-offs, both useful and destructive, in applied fields such as radiation therapy, nuclear electric energy, and the manufacture of nuclear bombs.

Particle accelerators come in a range of sizes, from 28 centimetres (11 inches) in diameter (E. O. Lawrence's 1929 *cyclotron*; Greek *kyklos*, circle) to more than 80 kilometres (50 miles) in circumference (the proposed Superconducting Super Collider). They work in various ways, but all do the same basic job: they accelerate particles. These particles are tiny 'hammers' that are hurled with precise aim at target nuclei the hammers are themselves nuclear particles: protons, neutrons and others (breaking rocks with hammers made of rock). The hammer particles are given energy by being speeded up from a standstill to several thousand kilometres per second when they strike their target.

There are numbers of ways to achieve such acceleration, in various designs of machines. All these designs involve one or more of the following principles:

The playground-swing principle On a playground swing it's possible to achieve great heights by repeated small additions of energy (pushes or pulls) properly timed. Particle accelerators deliver magnetic and electrical pushes and/or pulls to the hammer particles orbiting in circular chambers. When, in a cyclotron, or a more advanced form, a *synchrocyclotron*, particles achieve maximum speed, they are diverted from their circular path by electromagnets, so as to strike the target substance whose nuclei are to be split apart.

The slit-doughnut principle Cut one slit across an uncooked doughnut and you can straighten it into a rod. Similarly, the hollow ring-shaped form of a cyclotron can be straightened out into a tube. Electromagnetic 'kickers' surround the tube at precisely spaced intervals. The longer the tube, the more space for more kickers, and the higher maximum speed achieved. The accelerator at Fermilab near Chicago is 3.2 kilometres (2 miles) long. Because the particles travel in a straight line, the machine is called a *linear accelerator.*

The colliding-beam principle   A car going 80 kilometres (50 miles) an hour hits a thick concrete wall. The collision delivers a certain amount of punishment to the wall, the car, and the driver. When two cars, each going 80 kilometres per hour, collide head on, each car and driver feels the impact of hitting a wall at 160 kilometres (100 miles) an hour. In a colliding-beam accelerator, two separate sets of particles are accelerated in opposite directions around a circular track, precisely steered by electromagnets. As they achieve maximum speed, they are finally steered into a head-on collision.

The opposites-attract principle   Suppose, in the aforementioned case of vehicular homicide, each car had been equipped at the front with a powerful magnet, with opposite poles facing — each one's south pole facing the other's north pole. That added attraction would contribute to an even more violent smash. Similarly, some accelerator experiments use opposite-attracting particles, such as protons and antiprotons, for a super-sized collision.

The relativity principle   This one is hard to believe but will become a bit more credible as you read the entry on relativity. An object gaining speed also gains mass. The greater the ultimate speed, the greater the gain in mass. At top speed, a particle may be as much as 40,000 times as heavy as when it began its trip. But that gain isn't entirely free: a heavier hammer requires more force to lift it, and heavier particles require more electromagnetic force to accelerate them. But the result — which is what really matters — is quite smashing.

In the forthcoming years, larger and more powerful accelerators will be built, and perhaps new principles of accelerator design will be discovered. The news media will carry many items on the subject. Here are some important terms you will come across:

Electron volt   The unit by which accelerator output is measured (*see* ELECTRON VOLT).

CERN   The *Conseil Européen pour la Recherche Nucléaire* (European Organization for Nuclear Research, now called the European Laboratory for Particle Physics) is a consortium of 12 European nations, based in Geneva, Switzerland. CERN has probably taken the lead in nuclear research by adhering to the principle that in union there is strength, as in the laser system of coherent application of energy.

The Superconducting Super Collider (SSC) In 1987 Ronald Reagan, the president of the United States, approved the building of an accelerator more than 80 kilometres (50 miles) in circumference. Within this colossus thousands of huge magnets will accelerate two beams of protons to energies of 20 trillion electron volts each and steer them into head-on collisions. The SSC will be the most powerful accelerator in the world — if CERN's next project hasn't overtaken it.

The matter of 'most powerful' deserves mention. It isn't simply a case of 'more is better' but that more power enables scientists to split farther and farther down the scale of ELEMENTARY PARTICLES. The farthest down anyone has yet gone is the quark, but more powerful accelerators may split the quark, too.

Storage rings Doughnut-shaped hollow chambers where particles such as electrons and positrons are kept waiting, behind the scenes, racing around at moderate velocity, until needed on stage for the main performance.

Supercooling A particle accelerator's power depends mainly on the strength of its electromagnets; this in turn depends mainly on the strength of the current flowing through its wires — and here we come to two roadblocks:

1. Electric current causes a rise in temperature; the stronger the current, the higher the rise.
2. A rise in temperature causes a rise in resistance; the electromagnet becomes a poorer conductor of electricity — a kind of self-limiting impasse. This is where supercooling will be making the news; in ways of cooling the electromagnet coils down to a temperature near ABSOLUTE ZERO.

See also SUPERCONDUCTIVITY.

PARTICLE BEAMS See STRATEGIC DEFENSE INITIATIVE

PARTICLE PHYSICS See PHYSICS

PARTICLES, ELEMENTARY
See ELEMENTARY PARTICLES

PASCAL See COMPUTER LANGUAGES

PASSIVE SMOKING See SMOKING

PASSIVE SONAR See SONAR

PATHOLOGY *See* MOLECULAR BIOLOGY

PCBs

Substances (*polychlorinated biphenyls*) that were once widely used in inks and paints and in oils as insulating fluids in electrical TRANSFORMERS. PCBs were banned in the United States, the major producer, in 1977 after it was found that they were linked to birth defects, serious liver disorders, and cancer. Despite an international ban on their manufacture from the early 1980s, enormous quantities of PCBs still exist, leaking gradually into soil and water where they remain, virtually impossible to get rid of. So widespread are they that scientists believe it possible that the entire populations of the United States and Britain contain PCBs in measurable amounts. Animals such as seals are particularly vulnerable because they eat contaminated fish that has fed on contaminated plankton. The chemicals become concentrated in the seal's body fat and may lower resistance to disease.

A continuing environmental problem is the danger of spills or fire in the hundreds of thousands of oil-filled electrical transformers still in use. 5 tonnes of PCBs contained in such transformers were dumped into the North Sea when the Piper Alpha oil platform exploded in 1988. In a fire the PCBs may give off DIOXINS, one of which is among the most toxic substances known.

PENICILLIN *See* ANTIBIOTICS

PENUMBRA *See* ECLIPSE

PEPTIDE BOND *See* PROTEINS AND LIFE

PERIPHERALS

Computers are sometimes glibly likened to human brains. To play with that parallel for a moment, peripherals could then be regarded as the sensory organs that transmit outside information (input) to the brain, or as other organs, mainly muscles and glands, that receive the brain's commands and obey them (output). Some input devices include a typewriterlike keyboard and a bar code scanner at a supermarket checkout. Some output devices are a monitor or screen and a printer.

Still playing with that parallel, inputs to humans, of sight, sound, smell, touch, and taste, must be converted into a single kind of message to the brain: chemical-electrical nerve impulses. A place where such a conversion occurs is called an interface. Likewise, there are interfaces wherever brain messages are converted into instructions to muscles and glands. In computers there are electronic interfaces at every place where a COMPUTER is joined to a peripheral.

PHARMACOLOGY *See* MOLECULAR BIOLOGY

PHENYLKETONURIA (PKU)

A hereditary disorder leading to mental retardation if untreated.
*See also*ae3 GENETIC DISEASES

PHOSPHOR *See* CATHODE RAY TUBE

PHOTINO *See* GRAND UNIFIED THEORY

PHOTON

A particle that transmits the energy in light, X-rays, and other forms of electromagnetic radiation.
See also GRAND UNIFIED THEORY; RADIANT ENERGY.

PHOTOSPHERE *See* SOLAR SYSTEM

PHOTOSYNTHESIS *See* ENERGY

PHOTOVOLTAIC SYSTEM

A means of converting radiation (especially light) directly into electricity.
See also ENERGY RESOURCES.

PHYSICAL CHEMISTRY *See* CHEMISTRY

PHYSICS

'The quantitative branch of science dealing with the nature of matter and energy and the relationship between them.' This standard definition gives the impression that physics covers the entire universe — as indeed it does. In a sense,'If it's measurable, it belongs to physics'. This excludes such intangibles as religion, free will, and the emotions (in spite of 'How do I love thee? Let me count the ways') but includes almostt everything whose tangible essence is measurable.

Physics in the 17th century was called natural philosophy and involved the study of all aspects of the material world, animate and inanimate. The animate aspect separated out as biology, and part of the inanimate became chemistry.

Physics may be divided into several branches:

Astrophysics The physics of the 'big stuff': the big bang, galaxies, solar systems, white dwarfs, red giants, and black holes, among others; what they are, how they work, how they came to be, what may happen to them and why. In order to understand the dynamics of these huge entities, it is necessary to understand the physics of their very smallest components: protons, photons, electrons, muons, and other members of a large tribe of particles.

Biophysics The physical aspects of living systems. For example, what mechanism lifts water to the topmost branches of a 100-metre (330-foot) sequoia? What are the electrical actions in nerve conduction? What human engineering requirements must be fulfilled in order to design an artificial heart?

Geophysics The study of the planet earth as a set of physical systems. What produces ocean tides? What forces cause the formation and storage of petroleum in certain places and not in others? What is the source of the earth's inner heat? Some of the principal areas of geophysics are seismology (study of earthquakes and other movements of the earth's crust), meteorology (study of the earth's atmosphere), and oceanography (study of the ocean composition and movement).

Particle physics The study of the structure of matter at its smallest scale, its most elementary particles, which cannot be further subdivided. This study requires the use of a PARTICLE ACCELERATOR operating at very high electrical energy. Also called *elementary particle physics* and *high-energy physics*.

Plasma physics A plasma is a gas raised to a temperature so high that its atoms have been shaken apart into their constituent electrons and nuclei. In such a state the nuclei, under extreme pressure, can be forced to combine with each other to form larger nuclei. In the process, enormous quantities of energy are released. This is the basis of energy generation by fusion.

Quantum physics Also called *modern physics* based on the quantum theory of energy, stated in 1900 by Max Planck. Prior to Planck, energy was regarded as being infinitely divisible, just as a centimetre can be infinitely divided into smaller units. Similarly, a candela of light, a volt of electrical pressure, or a joule of heat could be infinitely divided. Planck showed that there is in each case a limit of smallness, a quantum (Latin *quantus*, how much?) of energy, describable in an equation later named Planck's law. Quanta are obviously very small, but the consequences of their existence are very great.

Solid-state physics Also called *condensed-matter physics*; the study of solid substances in relation to their physical properties:

Mechanical Steel wire has high tensile strength and elasticity. Lead is almost totally lacking in these properties. How is this explained by their molecular structure?

Electrical Metals are good to excellent conductors of electricity. Plastics and ceramics are poor conductors (they are insulators). Certain elements, crystalline solids such as silicon and gallium, are in-between and as such are called *semiconductors*. These varying properties are the major basis of the entire electronics technology. What determines electrical conductivity?

Magnetic Cupboard door latches work with permanent magnets made of steel. Doorbells work with temporary magnets made of steel. How do they differ?

Optical Two camera lenses of exactly the same size and shape can have entirely different focusing powers. How?

Thermal Good conductors of heat are also good conductors of electricity. What molecular likeness explains this?

In almost all solids, the molecules are arranged in a regular, repeating, crystalline form (e.g., quartz, sand, salt, sugar). The study of the properties of crystals is a branch-within-a-branch of solid-state physics called *crystallography*.

See also ELEMENTARY PARTICLES; NUCLEAR ENERGY.

PHYSIOLOGY See BIOLOGY; MOLECULAR BIOLOGY

PIEZOELECTRIC EFFECT See ULTRASONICS

PION See ELEMENTARY PARTICLES

PITUITARY GLAND See HORMONE

PIXEL See CATHODE RAY TUBE; VIDEOTAPE

PKU See PHENYLKETONURIA

PLACEBO *See* SCIENTIFIC TERMS

PLANET *See* SOLAR SYSTEM

PLANETOID *See* SOLAR SYSTEM

PLASMA (ATOMIC) *See* NUCLEAR ENERGY

PLASMA PHYSICS *See* PHYSICS

PLASMID *See* GENETIC ENGINEERING

PLASMID CHIMERA *See* GENETIC ENGINEERING

PLATE TECTONICS

A theory that explains how certain forces have shaped the major landmasses and oceans of the earth. *Tectonics* derives from the Greek *tekton*, 'carpenter, builder'. A more suitable term might be developed from the Latin *coquus*, 'cook', or the Old English *bacan*, 'to bake'.

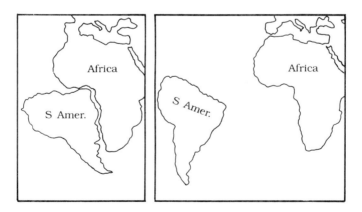

Consider this map. The shapes are familiar, but the contiguity is not. Africa and South America seem to be adjoining pieces in a giant picture puzzle. These two continents were part of a huge landmass that split into several pieces about 160 million years ago. South America (as yet unnamed, needless to say) drifted away, a fraction of an inch per year, to where it is today, on the earth and in your atlas. Nor is this the end of the *continental drift*: someday your atlas will be obsolete. The verb *drift* implies an object (something solid, having a shape) being carried along on a fluid (something soft and shapeless, in motion) — which is a fairly reasonable way to describe the basic idea of plate tectonics.

Picture a huge cauldron of thick porridge being cooked. Afloat on the porridge are many slices of toast. Heat from beneath causes the porridge to rise, spread out and sink, over and over, in the process called convection. The slices of toast, some of them bumping, are carried along by the horizontal part of the convection.

Our planet is like a giant cauldron, whose principal source of heat, deep within, is the radioactive decay of various elements. The heat causes much of the earth's interior to remain in a molten or soft-solid (plastic) state. Here and there, within the most fluid layers, convection currents circulate, like the up-horizontal-down flow of the cooking porridge.

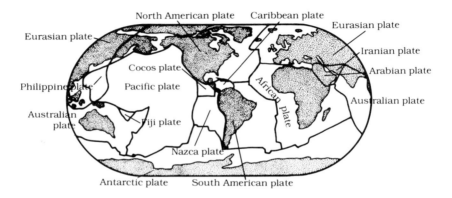

Now for the toast. The upper part of the earth's crust (the *lithosphere*) is divided into a number of plates about 95 kilometres (60 miles) thick. These plates are fairly rigid, like huge rafts containing the continents and ocean floors. They are carried along by the (usually) slow movements of molten rock (*magma*) underneath. The drifting movements of the plates are not uniform; a little slower for one plate, a little faster for another, a change in direction, a halt, a collision. The result is one or more of these reactions, among others:

- One plate may slide past another. Their displaced edges form a *transform* fault, as in California's well-known San Andreas system, extending about 1000 kilometres (600 miles) diagonally down the state. The edges, not being straight, smooth, or lubricated, move in a chattering action called *strike-slip* motion. (Press the edges of your hands together, *hard*, and try to push one hand forward.) The strike part is the motionless forward pressure, building up energy; the slip is the sudden release of the pent-up energy — an *earthquake*. Along the chattering edge, a weak spot may develop, and magma may force its way up and out — a *volcano*.

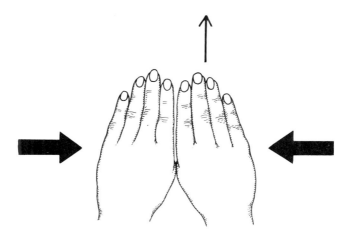

- Two plates may drift apart, leaving a lowered groove, a *rift valley*. If this occurs in the depths of the ocean, it is called a *seafloor spreading*. In the stretched, thinned seafloor a break may occur and fresh magma may well up and form a mountain range. There is just such an underwater mountain range over 64,400 kilometres (40,000 miles) long snaking its way through the North and South Atlantic, Indian, and South Pacific oceans.
- A plate may split beneath a continent; the land above the split subsides — again a rift valley. The Great Rift Valley and its connecting valleys extend over 4830 kilometres (3000 miles) through East Africa and the Middle East. They may have been formed by such a split.

RIFT VALLEY

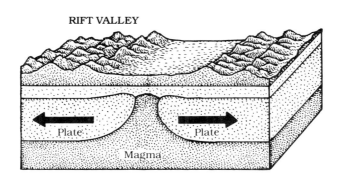

- One plate may prize its way (strike-slip again) under the edge of another. Its advancing edge bends downwards in a process called *subduction* (from Latin words meaning 'to lead under'). It reaches hotter zones beneath, melts, and becomes part of the magma.

SUBDUCTION

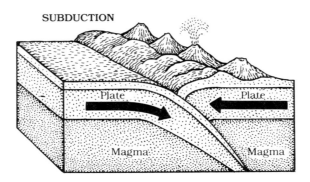

- Two plates may collide. At the zone of collision the land heaps up, producing a mountain range. The Himalayan ranges are the result of India pressing northwards against the Asian mainland.

COLLISION

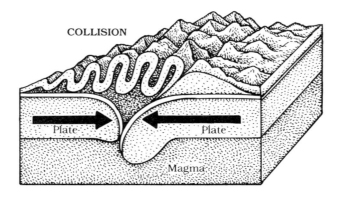

Most tectonic behaviour is slow, in the time range of millions and hundreds of millions of years. The few spectacular exceptions are the slip of strike-slip actions (earthquakes) and breakthroughs such as volcanoes.

One of the most dramatic examples of plate tectonics is displayed along the plates that include the Pacific Ocean. The contact zones between plates are riddled with earthquakes, studded with volcanoes, and ringed by mountain ranges. This region is aptly named the Ring of Fire.

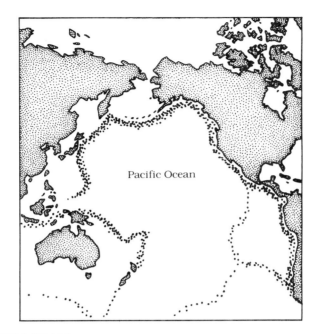

Pacific Ocean

PLUTONIUM   *See* NUCLEAR REACTOR

PNEUMOCYSTIS PNEUMONIA   *See* AIDS

POINT PLOTTING   *See* COMPUTER GRAPHICS

POLAR CONTINENTAL AND MARITIME AIR MASSES   *See* AIR MASS ANALYSIS

POLICE RADAR   *See* DOPPLER EFFECT

POLYCHLORINATED BIPHENYLS   *See* PCBs

POLYMER   *See* CHEMISTRY

POLYMER CHEMISTRY   *See* CHEMISTRY

POLYUNSATURATED FATS   *See* CHOLESTEROL

POSITRON

A subatomic particle with characteristics identical to those of the electron, except for its positive (+) charge; electrons are negatively (−) charged.
See also ANTIMATTER.

POSITRON EMISSION TOMOGRAPHY (PET)

A scanning technique similar to the CAT scan (see COMPUTERIZED AXIAL TOMOGRAPHY but using positrons in place of X-rays.
See also ANTIMATTER.

POTENTIAL ENERGY *See* ENERGY

PRESSURIZED-WATER REACTOR
See NUCLEAR REACTOR

PRIMARY ROCK *See* ROCK CLASSIFICATION

PRIME MERIDIAN *See* CELESTIAL COORDINATES

PRINTER

A computer-driven electric typewriter, whose output reasonably enough, is called a *printout*. The earliest printers were actually electric typewriters adapted to computer operation. Modern printers are mainly of four types:

Dot-matrix printers The characters are created from a basic group, or *matrix*, of dots. The matrix is composed of tiny pins, with electromagnets behind them. A computer signal to an electromagnet causes its pin to move forward, striking a ribbon and printing a dot on paper. Shown here is the letter *e* and its enlargement to show detail. Dot-matrix characters are not beautiful, but they are legible and the printer is speedy and relatively cheap.

Thermal printers These are similar to dot-matrix printers, except that a special heat-sensitive paper is used, no ribbon is required, and the pins don't move. A computer signal to any pin causes it to heat up for a fraction of a second, forming a dot on the paper.

Daisy wheel printer The printing characters are at the end of plastic fingers that radiate like daisy petals or spokes of a wheel from a central hub. The wheel rotates on a shaft, directly behind a typewriter ribbon. An electromagnet, when signalled by a computer, causes a tiny hammer to strike the end of a spoke against the ribbon, thus printing a character on the paper. In use, the wheel spins constantly, so that the characters are caught whilst in motion, about 20 per second.

Laser printers These are nonimpact machines: that is, there is no piece of type striking a sheet of paper. Instead a computer controls the movement of a very thin beam of LASER light so that it forms letters on a sheet that is then pressed against a sheet of paper, as in a photocopying machine.

PRINTOUT *See* PRINTER

PROBENECID *See* STEROIDS

PROGESTERONE *See* STEROIDS

PROMOTERS (DNA) *See* DNA AND RNA

PROPELLER

A fanlike device turned by an engine. Turning in water or air, the propeller, as befits its name, propels the boat or aeroplane to which it is attached. Two kinds of action are involved:

1. The propeller blades are set at an angle; as they rotate, they push air or water backwards and thus simultaneously thrust the aeroplane or boat forwards (*see* NEWTON'S LAWS OF MOTION).
2. The blades are shaped in a special way that reduces the pressure in front of them, thus adding to the forward thrust.
   See also AERODYNAMICS.

PROTACTINIUM *See* RADIOACTIVITY

PROTEINS AND LIFE

Until the early 19th century, living things were regarded as being composed of a special class of substances, *organic matter*, endowed with a unique life force, *élan vital*, which inhered not only in the living organism in action but even in its excretions and castoffs. This theory was first assaulted by the German chemist Friedrich Wöhler (1800–1882), who in 1828 announced the results of a simple experiment. He had heated a totally nonliving (inorganic) salt, ammonium cyanate, and produced *urea*, the principal ingredient (other than water) of urine.

There were more assaults on the life-force theory, leading to the *coup de grâce*, but we have neither the space nor the inclination to beat a horse, dead or alive. Let us instead rush in and deliver a bare-bones description of living things that applies to all life on earth.

A living thing, or *organism*, is composed mainly of proteins whose production is controlled by nucleic acids (DNA AND RNA). Even the most minute, simplest organisms that dare to count themselves among the marginally living, the VIRUSES, are protein; a virus organism consists of a collection of DNA or RNA particles surrounded by a coat of protein. The virus shown in this illustration causes mosaic disease in tobacco plants.

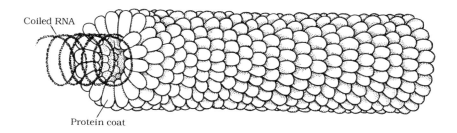

Coiled RNA

Protein coat

All the various proteins of all living organisms consist almost entirely of four elements; carbon, hydrogen, oxygen, nitrogen (CHON, easy to memorize). Proteins are made of *amino acids*, and all amino acids contain these four elements, combined in different ways.

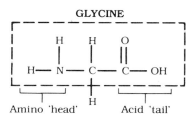

GLYCINE

Amino 'head'   Acid 'tail'

On the next page is the simplest amino acid, *glycine*. As you can see, it's just a lot of CHON hooked up in a peculiar way. The CHON stuff in glycine could have been written simply: $C_2H_5O_2N$. But this dia grammatic way, called a *structural formula*, reveals more: it shows how the various atoms are joined to each other. The

$$\begin{matrix} H \\ | \\ H-N \end{matrix}$$

is the *amino* part of the molecule — the 'head', if you will. The

$$\begin{matrix} O \\ \| \\ C-OH \end{matrix}$$

is the *acid* part, or 'tail'.

Here is the structural formula for the amino acid called *alanine*. Again, a lot of CHON. Notice that the central part within the dotted line is exactly the same as in glycine. But the outside part, called the *side chain*, is different.

ALANINE

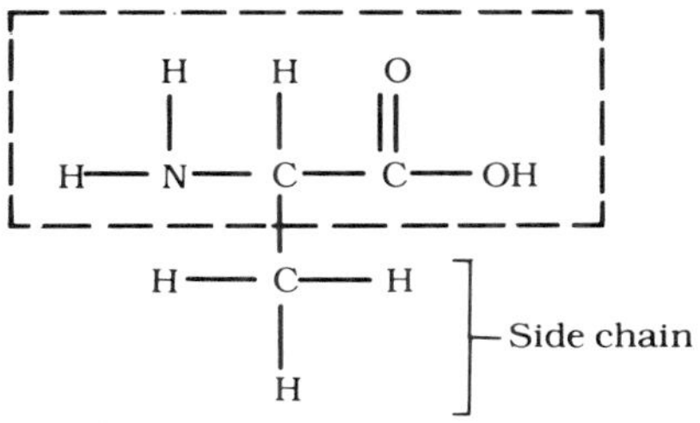

Side chain

Amino acids are all alike in their central section and all different in their side chains. Scientists believe that this clustering of elements, forming CHONs, happened billions of years ago, before life began. There was plenty of carbon, hydrogen, oxygen, and nitrogen around and plenty of energy, perhaps in the form of lightning bolts, to slam the atoms together into compounds.

Amino acids combine to form proteins in a simple, ingenious way. Behold!

Slide the two amino acids towards each other. The two ends approaching are H and OH, which feel a strong attraction towards each other (never mind why). They join and form HOH, commonly written as H_2O — water. That urge to join into water frees the amino end of one molecule. It links to the newly freed acid end of the next, in a *peptide bond*. Like the trunk-to-tail-to-trunk formation of elephants in a circus parade, more such bonds form, to produce a chain of amino acids virtually as long as you wish. And there, at last, long ago, it happened: the giant step that transformed inert matter, the amino acids, into something with the potential for life, the proteins.

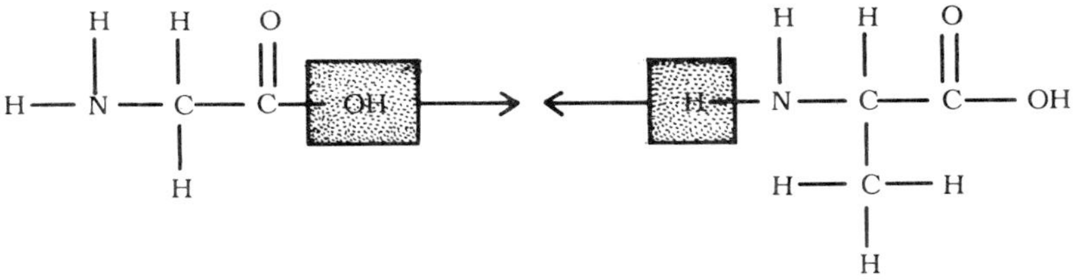

Three major (and many minor) reasons made the difference:

1. The potential for forming peptide bonds permitted the building of very long chains of amino acids, allowing the formation of all kinds of complex molecules that could become shaped structures: threadlike, granular, sheetlike.
2. An organism is alive only as long as it continues to carry on thousands of coordinated chemical and physical reactions. Some large, complex proteins called *enzymes* are intimately involved in these reactions.
3. The large number of amino acids permitted the building of many kinds of proteins. Suppose there were only five different amino acids, called, for convenience, 1, 2, 3, 4, and 5. You could build a string 1, 3, 5, 2, 4, or 5, 2, 4, 3, and 1 — altogether, 120 possible arrangements. Add a sixth amino acid and you get 720 arrangements. Add a seventh and get 5040. In fact there are more than 20 kinds of amino acids available, each of which can be used many times. The result is millions of possible large, heavy proteins, to form bone tissue, cartilage, skin, haemoglobin, insulin, and on and on.

What determines which amino acids are to be selected and arranged into proteins? Read the entries DNA AND RNA, ENZYME, and VIRUSES.

PROTEIN SYNTHESIS See DNA AND RNA

PROTON See ATOM; ELEMENTARY PARTICLES; NUCLEAR ENERGY

PROTOSTAR See STELLAR EVOLUTION

PSI PARTICLE See ELEMENTARY PARTICLES

PULSAR

A celestial object that emits on/off radio signals (pulses) with remarkable regularity. Pulsars were discovered by Antony Hewish and Jocelyn Bell at Cambridge University in 1967, using radio telescopes. Evidence collected since that time makes it almost certain that pulsars are *neutron stars*, rotating at very high speeds, up to 30 times per second. The pulses may arise from the high-speed motion of electrons in the pulsar's powerful magnetic field.

See also RADIO ASTRONOMY.

PULSATING UNIVERSE *See* OSCILLATING UNIVERSE

PULSE *See* CIRCULATORY SYSTEM

PUMP OXYGENATOR *See* OPEN-HEART SURGERY

PUNCH PRESS *See* MANUFACTURING PROCESSES

QUADRAPHONICS

A system of music recording that proves there can be too much of a good thing. Music was first reproduced by the *monophonic* system (Greek *monos*, single + *phon*, sound), in which both of the listener's ears heard the same sounds, coming from one loudspeaker. You could add a second speaker, but the right ear still heard the same sounds as the left.

Then came the *stereophonic* system, designed to produce a more solid, three-dimensional effect (Greek *stereos*, solid). The sound is recorded by two (or more) microphones, placed right and left in relation to a group of musicians. The resulting record or tape contains two soundtracks. The tracks are slightly different from one another because the left microphone, being closer to the musicians at the left, picks up their sound slightly sooner and louder than does the microphone at the right. The reverse situation occurs with the microphone at the right.

The two tracks are played separately through equipment that feeds two loudspeakers, left and right, separately. The sound from the right speaker is slightly different from the sound from the left speaker. Your ears hear slightly different sounds (as they do in ordinary 'real' hearing), and you are beguiled into thinking you are in the presence of a three-dimensional musical group rather than a point source of sound. Stereophonic sound is more convincing and realistic than monophonic.

If two are better than one, shouldn't four be better than two? The *quadraphonic* system employs four microphones placed at left front, right front, left rear, and right rear. The music is recorded on four tracks and played through four speakers placed at the four corners of the room. The resulting sound is stunningly realistic and awesomely complicated and expensive. It is now mainly a historical curiosity.

QUALITATIVE AND QUANTITATIVE ANALYSIS *See* ANALYSIS

QUANTUM PHYSICS *See* PHYSICS

QUANTUM THEORY

Nothing in your daily experience will lead you to believe in the quantum theory of Max Planck, German physicist (1858—1947). The theory deals with the energy in molecules, atoms, and their subparticles.

In your daily experience, this kind of thing happens: you stick a thermometer into a bowlful of hot water, and the line moves up smoothly along the scale, never skipping a number. Similarly, you step on the accelerator and you car speeds up: the speedometer shows a rise in miles per hour, smoothly, never skipping a number. Whether you speed up or put on the brakes, there is always a transition from point to point, no matter how close together you choose your points.

Now come down to the scale of molecules and atoms and meet two surprises. First, everything is in a state of endless motion — spinning, revolving, vibrating, at immense rates of speed, in the millions and thousands of millions per second. Second, these rates of motion, when they change, do so in abrupt jumps (*quantum* jumps), with no transitions between.

Why does the quantum theory operate in the molecular world and not in your daily experience? Because instruments such as thermometers and speedometers measure large-scale manifestations of *energy* changes. In the flame of a burning match, billions of molecules undergo chemical change. Looking at a flame is like viewing the moon with the naked eye. You see a disc with some markings. Look through telescopes with higher and higher magnifications, and you begin to see craters, rills, and chains of mountains. Looking at our common experiences — burning, heating, cooling, shining, booming, bubbling — through increasingly powerful and more precise instruments from microscopes to particle accelerators, we find that our common experiences are the vast sum total of energy changes in and between molecules and their parts: protons, neutrons, electrons, quarks, and scores of others.

All these energy changes are subject to Planck's quantum theory: when we change the energy content of these particles, they respond in quantum jumps. Lay an iron nail in a fire (adding heat energy), and some outer electrons in the iron atoms jump to farther-out orbits — exact orbits, not just a little more and still a little more. All the motions of particles — spin, revolution, vibration — change by quantum jumps.

Does the quantum theory have any practical value? Every device whose operation is based on energy changes within molecules must be designed with the theory in mind. The telephone, calculator, computer, microwave oven, radar, CAT scanner, and laser are only the beginning of a very long list.

QUARK

A particle that may be the fundamental unit of matter. There are six kinds (flavours, as they are called) of quarks, and each flavour has three varieties (called colours). Like all known particles, quarks have their antimatter opposites, known as antiquarks.

See also ELEMENTARY PARTICLES.

QUARTZ

A crystalline substance, silicon dioxide, the chief constituent of most kinds of sand; the most common of all minerals. Tiny quartz crystals, properly prepared, are used to control the timekeeping of watches.

A quartz crystal acts as a time divider, performing the same job done by pendulums or balance wheels in mechanical (windup) clocks and watches.

A pendulum is caused to swing (oscillate) by a wound-up spring. The oscillations control the movements of the hands. A quartz crystal is caused to oscillate (get longer and shorter, by an infinitesimal amount) by electric current from a tiny battery flowing through an electronic circuit. The crystal's oscillations control the movement of the hands of the timepiece. In another type of timepiece, the crystal controls the display of numbers. Many electronic devices such as radio transmitters and TV cameras are crystal-controlled.

Quartz timepieces, even the modestly priced ones, are very accurate, to a minute or two per year. A spring-driven timepiece of that accuracy costs several thousand pounds and is accurate only if kept at a constant temperature, in a fixed position. A quartz crystal's rate of oscillation is only slightly affected by changes in temperature or position. The common rate is 32,768 per second. This dizzying number is processed through a tiny electronic dividing machine, where it is divided by 2, over and over again, 15 times, down to a rate of one oscillation per second, which can be handled by the dial machinery.

See also DIGITAL AND ANALOGUE.

QUARTZ WATCHES   *See* QUARTZ

QUASAR

Short for *qua*si-stell*ar*, meaning 'star-resembling'. Since 1960, about 5000 quasars have been located and observed through optical and radio telescopes and catalogued, but their actual physical identities have yet to be specified. Details gathered to date are tantalizing indeed:

1. Most quasars are extremely bright, the brightest objects in the universe. The light of a single quasar is 100 or more times as bright as an entire average-sized galaxy. However, quasars appear faint even in large optical telescopes because they are extremely far away, towards the limits of the known universe (up to 12,000 million or more light-years).
2. Most are racing away at enormous speeds, some as fast as 90% of the speed of light, as evidenced by the shift towards the red in their spectra (*See* DOPPLER EFFECT).
3. Most are 8.05×10^{11} kilometres (500,000 million miles) or more in diameter, over half a million times the diameter of our sun.
4. Most do not shine steadily; their brightness varies periodically, some over a day or less, some over several years.
5. Most are probably not stars, although they show up as pinpoints in even the most powerful telescopes. They may be small galaxies so far away as to look like pinpoints. In that case why not just assume they *are* galaxies until further notice? See point number 1. Their brightness, say astronomers, cannot be achieved by any known process but perhaps by an energy transformation still to be discovered.

RADAR

Acronym for *r*adio *d*etecting *a*nd *r*anging, a technique and apparatus for determining the location of an object by the use of radio waves. The most visible and ubiquitous aspects of radar are the rotating, curved-surface antennas seen on top of most ships and airport towers. Not visible, but equally important, are the radar antennas hidden in the noses of aeroplanes.

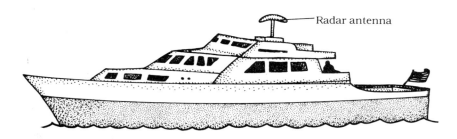

Radar antenna

In operation, radar antennas emit pulses of radio waves — about 1000 pulses per second, each lasting about a millionth of a second. The waves travel at the speed of light, 300,000 kilometres (186,000 miles) per second, until they strike some reflecting surface, which may be almost anything from solid rock to the water vapour in clouds. The reflected waves are received by the same antenna, in the intervals between the pulses. The time interval between outgoing and reflected pulses is continually translated into visual data, usually numbers on a dial or 'blips' — dots of light — on the screen of a cathode ray tube similar to a TV picture tube.

Radar has a large variety of applications involving precise measurements of distances. It is used for determining altitudes of aeroplanes, navigating in fog and in the dark, and even mapping the cloud-shrouded surface of Venus. A useful, if unwelcome, application of radar is for police speed traps. Here, a special radar device is used, which responds differently to the reflections from moving objects and stationary objects. The greater the speed, the greater the difference.

See also DOPPLER EFFECT; SONAR.

RADAR SPEED CHECKS   *See* DOPPLER EFFECT

RADIANT ENERGY

The form of energy transmitted by electromagnetic waves. A goodly portion of your life is wrapped up in these waves. You see by them (light waves), you are kept warm by them (infrared waves), you are kept informed by them (radio and TV waves), you are medically diagnosed by them (X-ray waves), you are suntanned by them (ultraviolet waves), and, fortunately, you are constantly shielded by the atmosphere from their most lethal form (gamma rays).

The forms and effects may be different, but all electromagnetic radiation shares two aspects: a particle aspect and a wave aspect. One might be tempted to think of radiation as a fast motorboat (the particle) accompanied by the waves it sets up in the water. However, succumbing to such temptation would lead one into error — and did, among early physicists — because there is no water, no medium shaken up by the motorboats, the particles, which are called *photons*.

All electromagnetic radiation, then, consists of particles (photons) accompanied by waves (of what? — of 'waveness' — sorry). Photons differ in the amount of energy they possess. Waves differ in their dimension (wavelength) and in their frequency (number of waves per second). You make use of one of these, frequency, when you tune in a station on a RADIO. High-energy photons are accompanied by high-frequency, short-wavelength waves. Lower-energy photons are accompanied by lower frequency and longer wavelength. Here is a chart of the various groups of electromagnetic radiation, arranged according to their frequencies. The entire chart is called the *electromagnetic spectrum*. Within it is the supremely important narrow band called the *visible spectrum*. This contains the range of frequencies that our eyes respond to, sending messages via the optic

ELECTROMAGNETIC SPECTRUM

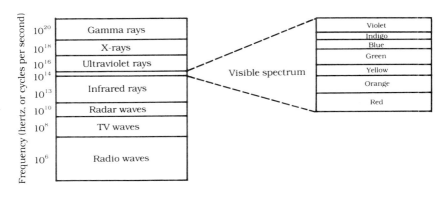

nerves to the brain. Green plants respond in another way to some parts of the visible spectrum, using the light as a source of energy for the food-making process of photosynthesis.

The members of the total electromagnetic spectrum can produce a wide variety of different *effects* — you can see with light waves, you can send communications via radio waves, you can penetrate body tissue with X-rays — but the waves themselves are different only in frequency and wavelength. There is no colour in the light waves that carry a message of red stripes in the American flag. There is no sound in the radio waves that carry a message of music to your radio receiver. It's all done by the receptors (the eye in one case and the radio in the other), built to respond to their particular frequencies. The receptors in the eyes of bees enable them to see ultraviolet in flower petals, a colour that we humans can never see and never imagine. Some lucky (unlucky?) people, when near a powerful radio station, are able to hear its programmes through their tooth fillings! (That's a good point of departure for a science fiction story.)

RADIATION   *See* RADIANT ENERGY

RADIATION (IN CANCER)   *See* CANCER

RADIO

A direct definition of the term *radio* at this point would be too simplistic, too technical, or too long-winded to hold your attention. Let us instead attempt a flanking strategy: turning on your desk or table lamp.

As soon as you turn the switch, electric current begins to flow through the wires in the lamp. At the same time, the wires become surrounded by an invisible electromagnetic field. As evidence of such a field, you may recall a simple experiment (see diagram). Tap-tap the end of a wire against a battery terminal. Watch the compass needle, which is a magnet. It jiggles, driven by the changing magnetic field around the wire. Touch the wire to the battery terminal, and the magnetic field springs up. Take away the wire, and the field collapses. Each up-and-down causes a jiggle of the magnetic compass needle.

You can detect the jiggling effect with the compass several centimetres away from the wire. If you use a more sensitive detector, such as a radio receiver, you will hear crackling sounds. These are induced by the electromagnetic field from the battery wire. The radio can be several metres from the wire. And still farther? To the ends of space; the only limit is the sensitivity of the detection apparatus. For example, the ultrasensitive receivers used for communicating with

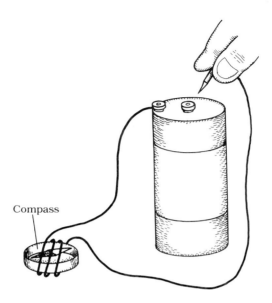

Compass

NASA's space probes detect and record radio signals from the *Pioneer 10*, which left our solar system in June 1983. At that time it was 4500 million kilometres (2800 million miles) from the earth. Those signals were emitted by an electric current of about the same strength as the current in the tap-tap compass-needle experiment!

We have crept up on a partial definition of radio: it has something to do with electromagnetic fields. But the tap-tap experiment isn't truly an example of radio because of its random nature — the tap-tap an the resulting uninformative jiggles or crackles.

Formal (not random) radio transmission and reception involve *alternating current*, often referred to as *AC*. This is electric current that flows in one direction, stops, flows in the opposite direction, stops, then reverses its flow again, over and over. Each back-and-forth is one *cycle*; the number of cycles occurring in one second is the *frequency*, measured in *hertz* (abbreviated to *Hz*). Domestic current in Britain is designated as 50-Hz AC, meaning that it does its back-and-forth 50 times per second, (another term is *cycles per second*). In the United States, AC is usually generated at 60 Hz.

Radio and television stations broadcast by sending AC into their aerials. This AC is produced at a variety of rates. For example, Capital Radio in London sends an alternating current of 1,548,000 Hz. This is also known as 1548 kilohertz, or 1548 kHz. That is the number you can turn to on the dial for Capital if you are in or near London. Space on the airwaves is very tight so a number of stations may broadcast at the same frequency. However, the stations are sufficiently distant so that under normal conditions they do not interfere with one another.

Let's observe what happens at Capital Radio as it begins the broadcasting day. The station engineer presses a switch. Immediately an AC of 1548 kHz flows through the aerial, and an electromagnetic field races out into space, building up and falling back 1,548,000 times each second. As diagram A shows, it's a steady, even train of waves. If you turn on your radio at this time, you'll hear nothing, because you can't hear waves of such a high frequency. These *radio-frequency (RF)* waves are also called *carrier waves* because they will carry another type of wave as soon as a sound is made at the microphone.

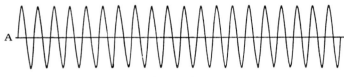

RF (carrier) waves

Now the announcer says 'Good morning'. The sound waves of the voice could be represented as in B. The microphone converts the sound to electric currents. *Audio-frequency (AF)* waves are set up. Their frequency is much less than the carrier wave frequency.

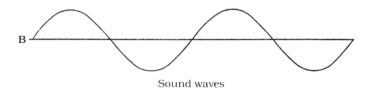

Sound waves

The radio transmitter combines the RF and AF waves into a single new set (C). This new set contains the '1,548,000 cycleness' *and* the 'voice vibrationness'. The combined set is sent up the aerial and out into space in all directions. Some of the waves, travelling at the speed of light, strike your radio receiver. They can enter the circuits

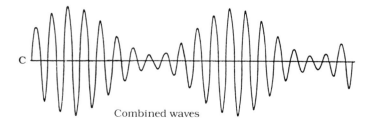

Combined waves

in the radio only if the dial is set at 1548 kHz on the medium wave band. This adjusts an electronic part called a *variable capacitor* to respond to a frequency of 1548 kilohertz. The circuitry in the radio changes the waves to very weak electric currents. These currents are strengthened by a device called an AMPLIFIER and fed into a LOUDSPEAKER.

In diagram A the carrier wave train is steady and even. Then it is changed, or *modulated*, by the shape of the sound waves (B). The change is an alteration of the height, or *amplitude*, of some of the waves, so this method is called *amplitude modulation — AM* for short.

The term *AM* immediately draws your attention to another term, *FM*, which stands for *frequency modulation*. FM is a far superior method of radio broadcasting, because it rejects the crackling static that plagues AM when there is lightning, a passing motor vehicle, or a defective electrical device nearby. Also, FM is better able to carry the subtle curlicues and overtones that we call HIGH FIDELITY. How this is achieved is beyond the scope of this book, but we can afford a few sentences on what FM looks like.

FM waves

Observe that the FM amplitude is constant, while its frequency changes three times. The FM receiver senses the frequency changes and converts them into sound vibrations. Three changes in frequency give three sound vibrations.

Even though the hi-fi aspects of FM are beyond our scope, let's take a brief look nevertheless. Observe the combined AM waves (diagram C). The changes in height represent changes in strength. The tall waves are stronger than the short ones. Under marginal conditions (a weak or distant station, a weak receiver) the shorter (weaker) waves don't get through too well, and the quality of the sound suffers. The FM waves, by contrast, are all of equal strength.

See also FIELD THEORY; RESONANCE; SEMICONDUCTORS.

RADIOACTIVE DECAY   See RADIOACTIVITY

RADIOACTIVE DECAY AS ENERGY SOURCE   See ENERGY RESOURCES

RADIOACTIVE WASTE *See* NUCLEAR ENERGY

RADIOACTIVITY

The spontaneous (not artificially induced) breakup, or decay, of certain kinds of heavy atomic nuclei, accompanied by the emission of certain kinds of particles and energy. As defined here, this sounds rather dull and minor, but actually radioactivity is a vivid and highly potent process that began at the first moment of the big bang (*see* COSMOLOGY), has continued full blast ever since, and should, in some of its aspects, be avoided like the plague. Towards that end, hospitals and laboratories, in areas where radioactivity is at a dangerous level, display the logo shown here.

As to the aforementioned 'certain kinds of heavy atomic nuclei': uranium, protactinium, and thorium are three naturally occurring heavy elements. Their atomic nuclei are unstable; they tend to break apart comparatively easily.

'Certain kinds of particles and energy': as the nuclei decay, they emit ALPHA PARTICLES (helium nuclei), BETA PARTICLES (electrons emitted in fast streams called beta rays), and GAMMA RAYS (short X-rays).

As an example of the radioactive process, consider the first three steps in the decay of uranium.

1. Uranium (U-238) emits alpha particles as it decays to thorium (Th-234) during a half-life of 4.5 thousand million years. The term *half-life* is the time period, roughly equivalent to average time, during which half of the atomic nuclei have completed that step in the process.

2. Thorium emits beta rays as it decays to protactinium (Pa-234) during a half-life of 24.1 days.
3. Protactinium emits beta rays during a half-life of 70 seconds as it decays to another element, which decays to another, and so on, for more than a dozen steps. The half-lives range from millions of years down to thousandths of a second, and the sequence ends with stable, common, end-of-the-line, unromantic lead.

The effects of radioactivity, too, are wide-ranging: from the lingering death sentences emitted by radioactive wastes over hundreds of thousands of years to the destruction of cancerous tissue by radioactive elements in carefully controlled doses of several minutes.

RADIO ASTRONOMY

The study of galaxies, stars, and other celestial bodies by means of the radio waves they emit. This definition can be intriguing and misleading, for it has nothing to do with radio broadcasting or transgalactic telephone conversations. Celestial radio waves, have wavelengths in the same range as short wave, FM, and radar waves, but they carry no coded information (called intelligence). They are similar to the infrared (heat) waves given off by an electric burner set to low. If you could tune in on them, you would hear unintelligible hums, punctuated with squeals, sputters, grunts, squawks, growls, and whistles.

Then what use are they? They are a source of much information to astronomers, increasingly so as the technology for receiving and interpreting them improves. All objects in the universe (except black holes) emit RADIANT ENERGY at various wavelengths; with appropriate instruments, all can be detected, identified, and analysed.

For example, hold your palm close to your forehead, without touching it. Feel the warmth as infrared waves pass between palm and forehead. Than rub your hands briskly for half a minute and try again. Your palms now emit more energetic infrared waves. which your skin feels as a higher temperature. A sensitive receiving apparatus can measure these before-and-after temperatures and even show, on a cathode ray tube, the shape of your face and hands. Special telescopes for night use show warm objects — birds, mammals, car exhausts — as contrasting areas against cooler backgrounds — trees, hills, buildings.

Old-time pictures of astronomers at work show people (always male) peering through glass-lensed telescopes. Human eyes perceive optical waves, but the optical part of the spectrum occupies only a very small part of the total spectrum of radiant energy. So the development of radio astronomy has expanded the field enormously. No longer is the astronomer totally dependent on cloudless nights, almost totally dark surroundings, or clear line-of-sight views. A rough parallel: in the olden days of radio, the aerial had to be out in the open for decent reception, whereas nowadays it can be tucked inside a tiny box inside your pocket, inside an office building.

Here is a brief list of some achievements of radio astronomy:

'Invisible' stars and galaxies   Turn off the switch of your desk or table lamp. The white-hot filament of the light bulb ceases to emit *optical* waves, but if you hold your hand close to the bulb, you feel the heat of infrared waves still shining out (or is the verb *shining* appropriate?). As a celestial object cools, it emits radiation in the longer and longer wave brackets. But it continues to emit! Even though our eyes are unable to see infrared waves, radio waves, and many others, the waves are there and, with the proper apparatus, can be observed. (For example, the retinas in the eyes of bees can perceive ultraviolet waves.) Millions of stars are being discovered, one after another, by the use of radio telescopes.

A new look at the solar system   The sun is, without a doubt, hot stuff. But there are different degrees of hotness, and these show up as differences in wavelength, easily perceived through radio telescopes. They provide astronomers with much new information about the chemical and physical behaviour of, for example, various regions of the sun. This provides the opportunity to predict changes, such as solar flares and sunspots, that cause magnetic compasses to lie to Boy Scouts and disturb broadcasts with crackling static and distorted pictures.

To the ends of time and space   Suppose you had a special talent for seeing wood, anywhere, anytime, out in the open or concealed by other substances. You could look at a house and see the rafters and studs and posts; you could get a reasonably good picture of the structure of the house just by viewing this particular substance, wood. The structure of the universe is now becoming visible by reason of a particular substance: hydrogen. In the 'empty' space of the universe, the most abundant atoms by far are those of hydrogen, each one a tiny emitter of radio waves having a wavelength of 21 centimetres (about 8¼ inches). How convenient! Set your radio telescope to receive 21-cm waves, as you might turn you home radio dial to your favourite station. Sweep your aerial back and forth across the sky and you have a picture of the universe's 'empty' space (filled with hydrogen and other sources of radio waves), as well as different spaces filled with 'things', such as stars and planets.

A world full of radio   You probably had not realized (and why should

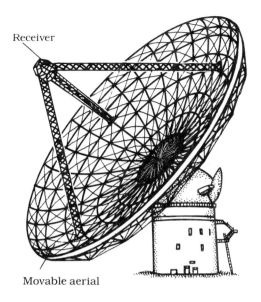

Receiver

Movable aerial

you?) that a tiny atom of hydrogen could be an astronomical object, but so it seems, by any commonsense definition of astronomy. And so is anything else 'out there'. And we can find it by setting our radio telescope's tuner for that particular wavelength!

See also ANALYSIS; STELLAR EVOLUTION.

RADIOCARBON DATING *See* UNCERTAINTY PRINCIPLE

RADIO FREQUENCY *See* RADIO

RADIO TELESCOPE *See* ANALYSIS

RADON

A gas emitted by the natural decay RADIOACTIVITY of radium and uranium present in certain metamorphic rock layers and in the overlying soil formed from such rocks. Radon is considered by many countries to be the second most important cause of lung cancer after smoking. An estimated 1500 people die each year in Britain from lung cancer caused by the gas.

Ordinarily the gas is dissipated by natural movements of the air, but when it seeps from below into houses it tends to concentrate, being 7½ times as heavy as air. In recent years surveys have confirmed that radon is far more widespread in houses than previously thought. A national survey in Britain in the early 1980s pinpointed high-risk areas in Devon and Cornwall; now, many parts of England and Wales are considered at risk. By late 1988 there was no consensus regarding estimates of the number of homes in danger, or as to what constitutes a dangerous level of the gas. One estimate suggests that between 50,000 and 80,000 homes in England and Wales may have radon concentrations over 400 becquerels per cubic metre of air. Continual exposure to this amount gives a radiation dosage of four times that set for nuclear power workers.

In the United States, the Environmental Protection Agency (EPA) has found radon levels in homes of up to 7500 becquerels per cubic metre, 50 times the American 'action level'. Towards the end of 1988 the US government suggested that all buildings should be tested.

It is not known whether radon emission is greater during certain seasons and temperatures, but there is sufficient evidence that the whole problem of radon emission deserves intense study.

RADWASTE *See* NUCLEAR ENERGY

RAM AND ROM

There are two types of computer memory, RAM (*random-access memory*) and ROM (*read-only memory*). Both are groups of electronic circuits, formed into a CHIP, that store information in a computer. How much information they can store depends on their capacity as measured in kilobytes (1024 bytes), abbreviated *K*. Thus a 64K memory can store 65,536 bytes, each byte being one character (letter, digit, space, etc.). This sentence consists of 35 bytes.

Random-access memory RAM might be called a computer's internal electronic blackboard. It can be 'written' on, 'read' from, altered, and erased. In fact, if you intentionally or accidentally turn off the electric current to a computer, the information stored in its RAM disappears completely. To prevent such a loss, you can permanently store the data (unless deliberately erased) on magnetic tape, using a tape drive, or on a magnetic disk, using a DISK DRIVE. Any item in the computer's RAM can be looked up in any order, as a book, without having to search through from beginning to end (hence *random* access).

Read-only memory ROM is the permanent part of a computer's memory. The information stored there can be 'read' but not changed or erased. ROM contains the program that the manufacturer has built into the computer; therefore, it does not need an electric current to keep its programs stored.

Here are some examples of RAM and ROM at work:

- Dividing any number by any other: ROM
- Storing the answer to $\frac{74.3}{107.9}$ RAM
- Deriving the square root of any number: ROM
- Determining the sine of any angle: ROM
- Holding on to the sum of seven numbers: RAM

RANDOM-ACCESS MEMORY See RAM AND ROM

READ-ONLY MEMORY See RAM AND ROM

READ/WRITE HEAD See DISK DRIVE

RECOMBINANT DNA TECHNOLOGY
See GENETIC ENGINEERING

RECTIFIER See GENERATORS AND MOTORS, ELECTRIC; SEMICONDUCTORS

RECYCLING See BIODEGRADABILITY

RED GIANT STAR See STELLAR EVOLUTION

RED SHIFT See DOPPLER EFFECT

RED SUPERGIANT STAR See STELLAR EVOLUTION

REFRIGERANT See REFRIGERATION; OZONE LAYER

REFRIGERATION

A kitchen refrigerator, a domestic air conditioner, and the cooling system in the backpack of a moon-walking astronaut all work on the same principle, cooling by evaporation. Here's how:

If you dip your finger in gin you won't feel anything unusual in the way of warmth or cool. Remove the finger and suddenly it feels cooler. You exposed your wet finger to air, and the gin evaporated — changed to a vapour. A change from liquid to vapour requires heat, which the alcohol took from your finger. Warm finger loses heat, becomes cool finger.

But you've also lost the gin, into the air. If you catch the vapour and change it back to a liquid, to use over and over again, you'd have a refrigerator working on the evaporative cooling cycle. Most coolers and freezers work on such a cycle, like this:

1. A special, easily evaporating liquid, the refrigerant (usually *Freon*, a mixture of carbon, hydrogen, fluorine, and often chlorine) is pumped into a coiled pipe called the *evaporator*.
2. The liquid can't escape into the air, because it's inside a pipe. But it can evaporate.
3. The evaporation of the liquid refrigerant into vapour causes the coiled pipe to become cool. The cool pipe in turn cools the surrounding air, water, milk, or whatever.
4. The refrigerant vapour then flows back through a pipe into a pump, the pump squeezes it (compresses it) into a hot vapour that then becomes a hot liquid. A fan blows air across the tube and cools the liquid. Now the cool liquid refrigerant is ready for its next round trip through the machinery.

REGULATORS (DNA) See DNA AND RNA

REJECTION OF TISSUE See IMMUNE SYSTEM

RELATIVE HUMIDITY

A measure of the moistness of air at any particular temperature, compared with the maximum it could hold at that temperature. Warm air can hold more moisture than cold air. Thus, if a certain package of cold air (say 2°C) is holding all the moisture it can possibly sustain, we say it is 100% humid. If that package is warmed, its capacity to hold moisture is increased; it has become less than saturated, less than 100% humid. In warm weather we feel more comfortable when the relative humidity is low because perspiration evaporates more readily then, a cooling effect.

RELATIVITY

The relativity theories of Albert Einstein (1879–1955) deal with the most fundamental descriptions of the physical universe: the concepts of time, space, motion, mass, and gravitation. To attempt to explain (rather than describe) them here would be an act of presumption, for two reasons: (1) Much heavy mathematics is involved, and (2) the concepts of relativity are not readily accessible with our (relatively) crude experience, where the weight of a grain of salt is considered small, where a rocket's escape velocity – 11.2 kilometres (7 miles) per second – is regarded as very high, and where a clock gaining a second in ten years is deemed superaccurate.

The ideas of relativity emerge only at the boundaries of such a world, in the domains of the supersmall, the superfast, the superlarge, the supermassive. Yet the proofs of relativity's seemingly wild assertions are quite evident and useful to physicists working with particle accelerators, astronomers studying galaxies, and mathematicians calculating the orbits of spaceships.

First, to help us cast loose from prerelativity thinking, we will engage in a 'thought experiment'. Theoretical physicists delight in these.

Resting or moving? You're sitting in a stationary train, reading. Alongside is another train, also stationary. After a while you look up and notice that the other train is in motion — or is it your train, gliding silently — or are both trains moving at different speeds? Use your camera to take a time exposure of the other train. You'll get a streaky picture — but will it tell you about the *absolute* motion of either train or only the *relative* motion between them?

There is no absolute 'stationariness' (rest state) or absolute motion. If you choose to label yourself as the single rest-state object in the entire universe, with everything else revolving about you, so be it (confirming your doting grandparents' insistence that the sun rises and sets on you). Think of it this way: (1) Suppose there are only two objects in the entire universe, and (2) the distance between them is increasing steadily in a straight line. Then (3) is it possible to say which one (or both) is moving? How about three objects? Three million?

There is no absolute rest, no absolute motion, *with one exception*, which shall be revealed at its logical place in this discourse.

Space: absolute or relative? Onwards in our quest for absoluteness, seeking an unvarying, 'unrelative' place or standard of measurement. Here's a thought experiment similar (but without heavy mathematics) to one proposed by Einstein:

Part 1: A train is waiting at a station platform. A passenger lays a metre rule against a window, fore and aft, and finds that it fits exactly; the window's width is 1 metre. Outside, an observer on the platform measures the same window. Both measurers are stationary in relation to each other; physicists say they are in the same *frame of reference*. Both get the same result: 1 metre.

Part 2: What if the measurements are taken in different frames of reference, one stationary and one moving? Back up the train and send it forwards. As it passes the station, the window is measured again, by the passenger from the inside and by the observer from the outside (it can be done in a split second but needs paragraphs to describe and explain). The result from the inside is no surprise. 1

metre, because window, metre rule and passenger are moving together. They are in the same frame of reference, as when all were standing still.

But from the platform outside, the window measures less than 1 metre! Only a tiny bit less at a 95-kilometre (60-mile)-per-hour-crawl, but at 262,318 kilometres (163,000 miles) per second ($7/8$ the speed of light), the distance from front edge to rear edge is only half as long as during the rest measurement. Is the passenger aware of it? No, because his metre rule still fits neatly in the space between the window edges.

So distance, which is constant *within* the same frame of reference, becomes relative *across* two different frames of reference. And it works both ways! If the passenger in the high-speed train measures the window of a stationary train on the track alongside, it too measures less than a metre wide.

Bewildering but true. Although (at present) there are no trains whizzing along at such speeds, there are orbiting artificial and natural satellites, planets, and vast systems of stars within galaxies, all travelling at high speeds. They all bear out Einstein's statement that distance — the measurement of space — is relative.

Time: absolute or relative? 'Dr Bagley can see you on Thursday at 2:30'. Dr Bagley's secretary is making a four-dimensional appointment for you. The office is located at the corner of East Street and North Avenue (two dimensions) on the second floor (third dimension) at 2:30 (fourth dimension). Barring accidents, the appointment will be kept, because all four dimensions are stable. The office will remain fixed in its three dimensions of space, and Dr Bagley's watch and your watch will continue to count time at the same rate. All this pleasant reliability is the result of inhabiting the same frame of reference as Dr Bagley.

What if you inhabited a different frame? In the example of the train whizzing by the railway platform, you learned (or, more likely, took on faith, hesitantly) that a metre rule shrinks fore and aft when measured by an observer in a different frame of reference. Not noticeably at customary speeds, but significantly at astronomical and atom-smashing velocities. The three dimensions of space are constant only when measured within the same frame of reference.

Now consider the fourth dimension, time. Is it also relative to frames of reference? Should a pair of perfect clocks, showing exactly the same time, continue that precise way if one clock is taken for a ride on a space shuttle at 30,000 kilometres (18,000 miles) per hour while the other stays at home? Experiments of this kind have been done, and a tiny but exact difference was measured. Clocks in motion — any kind of clocks, in any kind of motion — run more slowly than clocks at rest. There is no absolute interval of time. *Time is relative.* Something about motion causes the measurement of time to slow down.

Here's an example of time's relativity. Outer space swarms with cosmic rays, which are mainly extremely energetic protons. Some, it is believed, are fired out of the sun, others out of exploding stars called supernovas. When cosmic rays strike our upper atmosphere, they shatter some nitrogen molecules in the air. A series of spontaneous split-ups ensues. In one part of the series, muons are converted into electrons. This change has been timed under laboratory conditions with stationary apparatus; it takes about 2 millionths of a second. But at high speeds, streaking down from the upper atmosphere to the ground, the change is much slower, so that many muons actually reach the ground intact, a moment before the change. Motion and time are inversely related: the faster the motion, the slower the passage of time.

Mass: absolute or relative?   Another surprise introduced by relativity theory is the concept of *relative mass*. Mass is the property we earthlings associate with weight; mass is proportional to the amount of 'stuff' — protons, neutrons, electrons, and other particles — in an object. Yet mass is not constant. Mass varies with the amount of energy in it. Here's a down-to-earth example:

On the earth there lies a football, unmoving. To change it into a moving object, we must put energy into it (e.g., kick it). When this happens, the mass of the football is increased! Again, by only a tiny percentage when a football is kicked, but by much more when an electron is fired into motion at several thousand kilometres per second. This happens, for example, when a TV switch is turned on. In a TV picture tube, the electrons gain about 2% in mass. And in a high-powered particle accelerator, electrons gain as much as 40,000 times their rest mass.

Add energy to an object (e.g., kick a football, wind a windup clock, heat a frying pan), and it gains mass; subtract energy, and it loses mass. We could venture to say that mass and energy seem to be equivalent — interchangeable, in a manner of speaking. In fact, Albert Einstein did venture to say exactly that: $E = mc^2$. E stands for energy, m stands for mass, and c^2 stands for the square of the velocity of light. To put it in less technical terms, if an aeroplane ticket (a mass of paper, weighing perhaps 15 grams or $\frac{1}{2}$ ounce) could be totally converted into energy, it would be enough to propel an aeroplane several thousand times around the world.

So mass is not a fixed property of an object; it depends on (is relative to) what's happening to it. *Mass is relative.*

Gravitation: absolute or relative?   Here is another aspect of the strange world of relativity (which is simply your familiar world of motion, space, time, and mass viewed at its extreme edges). Gravitation is a force that can be described according to (relative to) an observer's viewpoint. We can check that statement in a lift with a set of bathroom scales. Stand on the scales and they show your weight. Press the 'up' button; as the floor begins to rise, it presses upwards against the scales (and against you) and you seem to be heavier. If there were no windows in the lift (common enough) and if you had just been placed on the scales whilst asleep (uncommon), would you have any way of knowing, upon awakening, whether you were inside a very silent lift beginning to rise or in a stationary box on a planet more massive than the earth? Is it gravitation that's showing on the scales or inertia – the reluctance of a body to being budged, speeded, or slowed (the word physicists use is *accelerated*) – or some of each? Stated more elegantly, gravitational mass and inertial mass are indistinguishable – or perhaps two aspects of the same property. So there's no fixed 'unrelativistic' way to describe gravitation; it's relative. And so, too, are the previously mentioned aspects of the physical universe: motion, space, time, and mass.

Velocity of light: absolute or relative?   Three travellers are comparing notes. Traveller A tells about driving past a busy archery range. He comments on how swiftly the arrows flew. Traveller B says, 'I too, was there, and the arrows were so slow they almost seemed to be standing still.' Traveller C says, 'I saw them travelling at normal arrow speed.'

Traveller A was driving against the direction of the arrows' flight. Traveller B was driving in the same direction of the arrows' flight. Traveller C had stopped his car before observing the arrows. He had put himself in the same frame of reference as the archery range; the others had not.

The speed of a moving object depends on (is relative to) whether it is measured in the same frame of reference or across two frames. This is true for measuring the speed of arrows, bullets, and snails – *everything but particles of light*, called photons. No matter how fast or slow an observer moves, or in what direction, his measurement of the speed of light comes out the same, 299,792.8 kilometres (186,282.5 miles) per second. It seems impossible, but there it is. The speed of light is *not* relative, but *absolute*, independent, not related to the motion of the observer or the source, and independent of the common sense by which most of us operate.

RENEWABLE ENERGY SOURCE

An energy source that is not depleted by continued use. Winds turning windmills are an example.

See also ENERGY RESOURCES.

REPLICATION OF DNA   See DNA AND RNA

RESOLVING POWER

A measure of the *sharpness* of a scientific instrument. You are most likely to encounter the term in reference to optical instruments. A telescope, microscope, or camera lens of high resolving power is more expensive than a lens of low resolving power because it it more difficult to design, manufacture, and test.

Resolving power, or resolution, is different from magnifying power, which merely tells *how much*, not how well, an instrument magnifies. With a telescope having high magnifying power but low resolving power you can see the moon's craters, but the details will be coarse, as if drawn with a soft crayon rather than with a sharp-pointed drawing pencil.

Resolving power is described mathematically in terms of seconds of arc (one such second is $\frac{1}{3600}$ of one degree). In a simpler form, it can be stated as the maximum distance at which a lens can show two close-together parallel lines as two *separate* lines rather than as one fuzzy one. For example, a very high resolution telescope lens 305 millimetres (12 inches) in diameter can show these separate lines, ||, at a distance of 800metres ($\frac{1}{2}$ mile). At that distance, with such a telescope, you could read this book.

RESONANCE

Vibrations set up in one object, caused by vibrations received from another object, such as the chattering of a loose bumper on a car, resulting from the vibrations of the engine. Resonance is usually thought of in connection with sound energy, but it applies in any case where energy is expended in a regular, repeating manner — for example, in radio waves, the movements of a playground swing, or the vibrations of atoms and molecules.

A simple demonstration helps to explain the resonance principle. Four sugar cubes are suspended from threads A, B, C, and D. These in turn hang from a single thread. Start A swinging, and C (same length as A) will begin to swing in resonance with it. B and D may move slightly, but only in a fitful, uncertain way. If you adjust the lengths of strings B and D, you can get them to resonate too. All

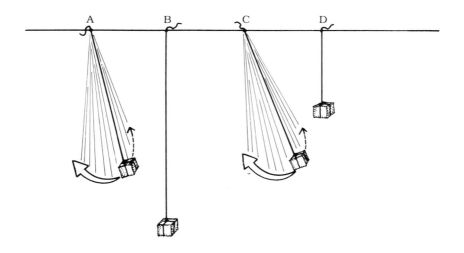

things that can move in a regular, repeating way have a natural 'swing' or period of vibration.

The resonance principle has many uses:

As a method for selecting a period of vibration Every radio station or channel is assigned a particular frequency for the waves it broadcasts. For example, Radio 4 uses radio waves with a frequency of 198,000 hertz (cycles per second). When you turn the dial of your receiver to 198, you are adjusting an electronic part, called a *variable capacitor*, to resonate at 198,000 hertz. It's like changing the length of string D (your radio receiver) until it resonates to string A (the radio station).

As a means of transferring energy When you give someone a ride on a playground swing, you can reach monumental heights by timing your pushes to the natural frequency (swing rate) of the swing. You are making yourself into a vibrator (string A) and transferring energy into the swing and its passenger (string C). With sufficient enthusiasm and well-timed energy, you can achieve resonance to the point of near-disaster.

This is the principle of ULTRASONICS, as applied to dentistry, jewellery cleaning, and many more exotic tasks. Normal audible sounds are in the range of 20 to 20,000 hertz (Hz). Beyond that comes ultrasound, the frequency range of many tiny objects. For example, molecules of grease and dirt can be made to resonate to a frequency of about 25,000 Hz by energy transferred from an ultrasonic generator. The molecules vibrate with increasing violence until they are shaken loose. The same principle applies to an ultrasonic dental instrument used for removing plaque from teeth. A similar method, using radio waves, is employed in diathermy machines to generate heat in body tissues and to cook food in microwave ovens.

As a method of analysing substances   The nucleus of an atom is surrounded by electrons revolving in orbit. The movements of the electrons and corresponding movements of the nucleus set up a vibration that is different for each different kind of atom. Oxygen atoms, for example, have a different vibrational frequency from nitrogen atoms. So one way of identifying substances, even in very tiny amounts, is by measuring this frequency. The process requires the use of magnetic fields (see *nuclear magnetic resonance (NMR)* at ANALYSIS; MAGNETIC RESONANCE IMAGING).

As a much simplified parallel to the NMR technique, consider the following arrangement. There's a pendulum inside a box, swinging constantly. You are asked to determine the pendulum's frequency without opening the box. Fortunately, there is a second pendulum suspended from a string whose length you can change. Set the pendulum swinging. Does it jiggle a bit, or does it develop a full, healthy swing — that is, does is resonate to the inside pendulum? If it just jiggles, try another length, and another. When you achieve resonance, count the frequency of the outside pendulum, and you'll know the frequency of the one in the box!

The pendulum swinging inside the box is like the vibrating atom. The outside pendulum, whose frequency is controllable, is like the electronic *oscillator* in the NMR machine. The oscillator generates radio waves whose frequency can be regulated, and it beams them at

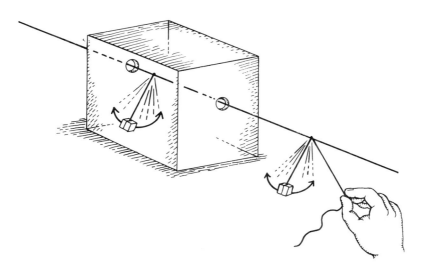

the substance to be identified. If the radio waves are not in resonance with the vibrating atoms, a weak jiggly line is seen on the TV-like screen of an *oscilloscope*. If the frequencies are in resonance, a strong peak is seen. The peak shows the frequency of the atoms in the sample. Because a particular frequency is unique for a particular substance, the identity of the sample is thus known. Many other analytic methods are available, but one special advantage of NMR is that it can be used on living things, from single cells to whole bodies, without harming them. It can even follow the progress of a particular substance through a series of chemical changes within the living organism.

RESTRICTION ENZYME See GENETIC ENGINEERING

RETRIEVAL

Withdrawing data from the memory of a COMPUTER (from Old French, finding again). Information is stored in various kinds of memories, chiefly electronic and magnetic. A computer's retrieval rate — how fast it can search through its memory and come up with the desired item — is an important factor in its speed of operation. Thus if the information is stored on tape, the retrieval rate is necessarily slow, because the tape must be scanned serially until the desired item is found (like finding a particular bar of music on a cassette tape). Retrieval from a disk is much faster, like moving the tone arm of a record player to a selected groove on a record. Still faster is retrieval from the electronic memory inside a computer, where nothing moves except electric current, at many thousands of kilometres per second.

REYE'S SYNDROME

Named after R.D.K. Reye (1912–1978), the Australian pathologist who first described it in 1963, a rare, dangerous disease developing in children suffering from a viral infection. The brain swells and presses against the skull. Vomiting, fever, and convulsions may lead to coma. One in four victims dies, and survivors may suffer permanent brain damage. In 1981 researchers noted an increase in the incidence of Reye's among children who had received aspirin for viral infections such as flu or chicken pox. Further research confirmed the involvement of asprin; one study, by the US Centers for Disease Control, showed that children given asprin for viral infections were 25 times more likely to develop Reye's than similar children not given asprin.

RHEOSTAT See GENERATORS AND MOTORS, ELECTRIC

RHEUMATOID ARTHRITIS   See ARTHRITIS

RHYOLITE   See ROCK CLASSIFICATION

RIBONUCLEIC ACID   See DNA AND RNA

RIBOSE   See DNA AND RNA

RIBOSOME   See DNA AND RNA

RICHTER SCALE

A calculation of the intensity of an earthquake at its source based on instrumental records. Also called Richter magnitude, it is named after Charles F. Richter, the American seismologist who devised it in 1935. The scale is logarithmic (to base 10); each step up represents an intensity 10 times as great as the previous step. Thus a magnitude 4 earthquake is 10 times as powerful as one of magnitude 3 and 100 times as powerful as one of magnitude 2 (10 times 10). The Richter scale has limited value as a measure of destructiveness, which depends also on other factors such as the distance of population centres from the earthquake's centre and the type of building construction involved.

The most powerful earthquakes, at a magnitude of nearly 8.8, occurred in Chile in 1906 and in Japan in 1933. The famous San Francisco earthquake of 1906 had a magnitude of 8.3.

RIFT VALLEY   See PLATE TECTONICS

RIGHT ASCENSION   See CELESTIAL COORDINATES

RNA   See DNA AND RNA

ROBOTICS

The study of the design and use of robots (Czech *robota*, compulsory service), machines programmed to carry out a series of operations without human guidance. (The machines didn't ask for the job, hence 'compulsory'.) Robots are favourite characters in science fiction, but you probably possess a few borderline cases at home: heating systems that are programmed according to time and temperature; alarm clocks that stop their buzzing or ringing after you refuse to acknowledge their presence; and video-recording machines that tape one of your favourite programmes while you are watching another of your favourite programmes on TV.

Computer-controlled robots are used in industry to do welding, assembling, and machining and to handle various materials.

ROCK CLASSIFICATION

We are about to compress a term of geology into a few paragraphs, thus incurring the wrath of the gods Vulcan and Thor and of professors of geology.

To a geologist, rock is the material composing the outer part, the *crust*, of the earth. Most rock is hard, but there are exceptions, such as talc, soapstone, clay, and volcanic ash. Rock is generally a mixture of minerals; *granite*, for example, is composed of quartz, feldspar, mica, and hornblende. Some rock is a single mineral: *marble* consists only of calcite (a pure white form of calcium carbonate) with 'impurities' that stain it with various colours and veins.

Rocks can be classified according to their mode of origin.

Igneous rock Igneous (Latin *ignis*, fire) rock is sometimes called *primary rock*. It is the original stuff, molten minerals (*magma*) welling up from the depths (acquiring a new name, *lava*, when at the surface), which then cools and solidifies. Whilst solidifying it forms into crystals, whose size and appearance depend mainly on the rate of cooling. Slow cooling creates large crystals and a very grainy texture. Faster cooling causes smaller crystals and finer grains. Still faster, and the crystals are so tiny that no graininess is evident, just an overall glassiness. Thus, for example, a certain mixture of the minerals feldspar, quartz, mica, and hornblende in a magma can cool into granite (coarse-grained), *rhyolite* (finer-grained), or *obsidian* (glassy). The rate of cooling depends on what happens to the magma. If it forces its way up and out, it cools rapidly and builds up

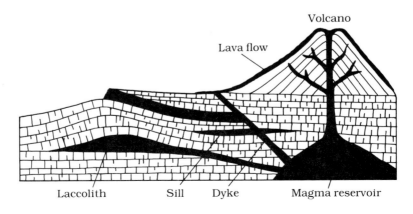

Volcano

Lava flow

Laccolith   Sill   Dyke   Magma reservoir

an *extrusive formation* (Latin *extrudere*, thrust out) — either a cone-shaped structure (a *volcano*) or a long cliff or wall. Sometimes the molten rock doesn't quite make it all the way to the surface but spreads horizontally beneath, making *sills, dykes, laccoliths*, or other *intrusive formations*. These, blanketed by rock layers, are likely to cool slowly. Two common types of intrusive igneous rock are granite and gabbro.

No sooner does the extruded igneous stuff harden than the forces of *erosion* (rain, snow, wind, heat and cold, and airborne chemicals) begin to degrade it, in the process called *weathering*.

Sedimentary rock   Broken up by erosion, humbled by degradation, the igneous rock turns into boulders, rock fragments, gravel, sand, and silt, but its story isn't over — it never is. Big and little, the rock particles roll down, are carried by glaciers, or are pushed by wind and water. The boulders and rock fragments usually end up helter-skelter near their origins. The lighter material is carried longer distances, but it too is eventually dropped, deposited in layers — sediments (Latin *sedere*, to sit, to settle). Usually the sediments become compacted and hardened into sedimentary rock, due to the action of one or more of three forces: pressure, caused by the weight of more and more sediment settling down; heat, caused by the pressure and by the heating from the magma below; and the action of various chemicals, especially in seawater, that act as binders, like the cement in concrete.

Sedimentary rock can usually be identified by its layered (stratified) construction. Each layer indicates a period of time — years, perhaps or centuries — when conditions were different from those that formed the layer above or below. There is history in the layers of a pebble, like the history in tree rings. Sandstone, shale, and soft (bituminous) coal are examples of common sedimentary rocks. In some places pebbles were cemented in with finer sediments, resulting in rocks with a fruitcake appearance. Breccia is an example.

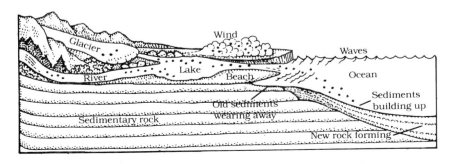

Metamorphic rock This is has-been stuff on the way to becoming something else. For example, limestone, a sedimentary rock mostly formed from the skeletons of tiny sea animals, gradually metamorphoses (Greek, to change form), under the effect of heat and pressure, into marble. It has the same chemical composition, calcium carbonate, but it is denser, harder, more compact. Gneiss, schist, slate, and hard coal (anthracite) are all metamorphic rocks.

Metamorphic rock isn't necessarily the end of the line. Deep in the earth's crust the rock may be subjected to temperatures high enough to melt it, forming magma. The magma, cooling, may form igneous rock, continuing the *rock cycle*.

ROCK, IMPERMEABLE AND PERMEABLE
See GROUNDWATER

ROCK FAULT   *See* FAULT

ROM   *See* RAM AND ROM

ROTOR   *See* GENERATORS AND MOTORS, ELECTRIC

RUDDER

A moveable control surface at the tail of an aeroplane or glider, used to steer the aircraft by moving the tail to the right or left, similar to the rudder on a ship.

See also AERODYNAMICS.

RUMBLE

A low-pitched sound emitted by a record player, especially when the volume is turned up high. Rumble is caused by the motion of various mechanical parts, such as the motor, turntable, and belt. There is almost no rumble in a well-designed record player.

See also FLUTTER.

SACCHARIN   *See* SWEETENING AGENTS

SARCOMA   *See* CANCER

SATELLITE   *See* SOLAR SYSTEM

SATURATED FATS   *See* CHOLESTEROL

SCANNING

In reading this page, your eyes sweep, or *scan*, from left to right along the first line, gathering information (words or phrases). The eyes flick to the second line, repeating the scanning process, and so on, line after line.

The scanning technique is part of the operation of various electronic devices, such as radar, the CAT scan and the scanning electron microscope. The most familiar example is undoubtedly television. In the TV camera, a thin beam of electrons scans a scene line after line, converting information (light from the scene) into electrical impulses. In a TV set, a similar electron beam, in step with these impulses, sweeps the inner face of the TV picture tube line by line; the pattern of impulses is converted back to dots of light.

SCANNING ELECTRON MICROSCOPE
See MICROSCOPE

SCIENTIFIC LAW   *See* SCIENTIFIC TERMS

SCIENTIFIC TERMS

Scientific terms are often misused, innocently by some, deliberately by others such as purveyors of 'scientifically researched' slimming remedies, psychics, astrologers, and creationists. Here are a few basic terms whose definitions, accepted by scientists, are common to all branches of science.

Scientific law   A description of a regularity in nature, observed many times and found to have *no* exception. 'When a spherical object is released at the upper end of an inclined plane, it rolls towards the lower end' is not a law. Although it holds true for tennis balls on earth, it doesn't work for helium-filled balloons or in spaceships. 'The pressure of a confined gas increases with a rise in temperature' *is* a law, stated in mathematical terms as the ideal gas law, a combination of Boyle's law and Charles's law. It has been confirmed by countless laboratory experiments, without exception, and unhappily by increases in the frequency of pneumatic tyre blowouts on hot days.

A scientific law moves forward into *prediction* (scientific, not psychic), enabling application of the 'regularity in nature' to new conditions. Thus measuring the regular movement of the moon and earth enabled Newton to calculate the mass (weight) of the moon relative to the earth's. From this he was able to predict the surface gravity on the moon. This enabled present-day astronomers to estimate the total of load (spacesuit, equipment, etc.) an astronaut would be able to carry comfortably while walking on the moon. The moon's surface gravity is only about one-sixth that of earth.

Experiment   An attempt to put a frame around a piece of the physical world — an electron, an ant colony, an aeroplane wing — in order to observe it in detail and (usually) to test the effect of imposing a change (a variable) on it. 'How does a 10% decrease in soil moisture affect the growth of this newly developed breed of cauliflower?' is a valid question for an experiment. So is 'How does a 10% decrease in sunlight affect ...?' But 'How do both together affect ...?' is not, because two variables cannot be tested simultaneously with valid results.

Not all experiments involve total control by the experimenter. For example, observations for studying the chemistry, sizes, temperatures, and other aspects of stars are true experiments, although the astronomer doesn't expect to insert variables into the objects under observation.

Theory   An often-misused word, as in 'Evolution is only a theory', with the 'only' implying a shakiness, as if some props were missing. Quite the opposite. A theory is an explanation of a fundamental relationship *that has been supported by experiments*, with no exceptions found. (Remember, the term *experiment* involves systematic observations, as in stellar measurements.) Scientific laws are usually explained by theories. The gas laws are explained by the *molecular theory*, which states that gases are composed of molecules in motion, producing pressure; their motion is directly related to their temperature.

Hypothesis   A tentative explanation of a set of facts, waiting for verification by experiments. Fact: in many parts of the world we find fossils of deep-sea fish in layered (sedimentary) rock formations thousands of metres above sea level. Hypothesis: these rock layers were formed at the sea bottom and later lifted, becoming mountains. Experiment: seek evidence that (1) rock layers are laid down at the sea bottom and (2) rock layers can be lifted to become mountain-tops.

Technology Scientific knowledge applied to solving real-life problems. (We hasten to add that these problems are of a nature that can be tackled by scientific means.) Consider the problem of achieving nuclear fusion to obtain electrical energy from ordinary water at a hundredth the cost of conventional sources. The scientific theory is clear and has been supported by a number of laboratory experiments, but the technology for doing it on an economically feasible scale is yet to come (*see* NUCLEAR ENERGY).

Placebo A trick, in experimenting with human beings, to ensure that a psychological variable has not been introduced. The test material (say, a presumed remedy for arthritis) is given to some subjects, while a similar-appearing but neutral substance, the placebo, is given to others. Another use of the placebo (Latin, I will please) gives it its name: an inert medicine used to assure a patient that his or her needs are being attended to when in fact no true medicine is really needed.

Control The 'untreated' group of subjects in an experiment. Take the case of an agricultural scientist who is testing the efficacy of a newly developed synthetic fertilizer for wheat plants. The new fertilizer is applied to an acre of plants (the experimental group), while another acre of plants is treated with an established fertilizer whose efficacy is known (the control group).

Double-blind test A way of doing placebo-type experiments while keeping human bias, conscious or unconscious, from creeping in. The person actually administering the test substance and the placebo has no knowledge of which is which; only the experimenters know.

Model A portion of reality selected and arranged so as to study one or more significant factors within it. For example, an unusual number of hurricanes sweep through a hitherto calm tropical area. Meteorologists compile a mass of relevant data (pressure, tempera-ture, wind force, etc.) taken before, during, and after each hurricane, attempting to discern a common pattern — a model — that may help them to forecast future hurricanes.

A model may also be an *analogue*, possessing features in common with a problem being explored. Although high tides and low tides occur throughout the world, there are some places with no measurable tides, while not too far away there are normal tides. Why? We can't do an experiment with the world's oceans, but we can examine one essential aspect of ocean tides: they are a regular, repeating rise and fall — a vibration. Then we find another source of vibration that we *can* handle — a model (Greek, resembling, proportionate). How about a vibrating string? Pluck a tight music string in the middle, and it vibrates as a whole. But pluck it elsewhere, and the string vibrates in sections, *with places that don't vibrate at all!* They are called *nodes*, and the oceans are full of them. The plucker of tides is the gravitational force between the rotating earth and the sun and moon. The breaker-up of whole vibrations is the interference by coastlines and islands.

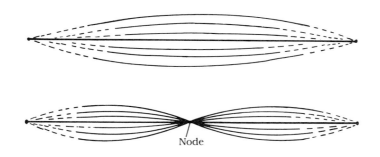

Node

Basic research Scientific investigation performed for the purpose of advancement of knowledge per se, without regard for its immediate or ultimate practical applications. The foregoing sentence may strike you as somewhat on the glib side, and it is. Actually, there's a grey area between basic and applied research, swarming with curious little exceptions, human foibles, and motivations. (The preface ot *The Double Helix* by Nobel Prize winner James D. Watson is illuminating reading.)

Deduction The logical process by which a general statement (such as a scientific law) is applied to generate specific information. The ideal gas law is a general statement: it relates pressure and temperature in all gases. When applied to a specific gas under a special set of temperatures, it enables us to deduce a corresponding specific set of pressures. Then we can apply these deductions practically in, say, determining the required wall thickness of a steam boiler.

Induction The logical process whereby a series of related observations and/or calculations are employed to build a general law. It is perhaps the earliest form of intellectual operation:

> Observation: 'When I pushed that stuffed bear off the table, it went down'. Observation: 'When I pushed that ball off the table, it went down'. (And so on for numerous observations.)
> Induction to general law: 'When I push things off the table, they go down'.
> Application of general law (deduction): 'Mother has just placed a bowl of cereal in front of me. I shall push it'.

Scientific research can never be totally inductive or totally deductive, but induction is the logical operation most frequently employed by mature thinkers, with hopes for occasional leaps into *serendipity*, making fortunate and unexpected discoveries by accident. The term was coined in 1754 by Horace Walpole after the characters in the fairy tale *The Three Princes of Serendip*, who made such discoveries.

SCIENTIFIC THEORY   *See* SCIENTIFIC TERMS

SDI   *See* STRATEGIC DEFENSE INITIATIVE

SEAFLOOR SPREADING   *See* PLATE TECTONICS

SECONDHAND SMOKING   *See* SMOKING

SEDIMENTARY ROCK   *See* ROCK CLASSIFICATION

SEISMOLOGY   *See* PHYSICS; RICHTER SCALE

SELECTRON   *See* GRAND UNIFIED THEORY

SEMICONDUCTORS

Materials that conduct electricity moderately well — not as well as the metals (copper, aluminium, iron, etc.) and not as poorly as the insulators, or nonconductors, (rubber, glass, most plastics, etc.). Semiconductors are basic in the operation of almost every electronic device, such as computers, TV, cardiac pacemakers, and radios. There are many kinds of semiconductor materials, but the most common is the crystalline element silicon. In fact, certain regions of California and Scotland where the electronics industry is particularly heavily concentrated have been dubbed Silicon Valley and Silicon Glen respectively.

The supreme value of silicon and similar semiconductors is that they make possible the design and manufacture of very small, very complex, and yet very cheap electronic circuits. A £10 calculator contains several thousand circuits, each with one or more switches and other working parts. A home computer contains a million or so. What goes on in these circuits? How can so many be compressed into such a small space?

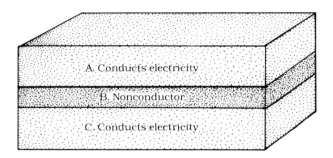

The principal working part of each of these circuits is a *transistor*, which is a kind of silicon sandwich. The 'filling' and the 'bread' are made of silicon that has been doped (altered) by the addition of other substances. Doping alters the conductivity of the slices. One slice (A) welcomes the entrance of electric current from the outside into the filling; the other (C) promotes the exit of current from the filling to the outside. The filling itself (B) is almost nonconductive unless it is receiving a private current of its own from the side. The net result is this: firstly, when the filling gets no private current, no other

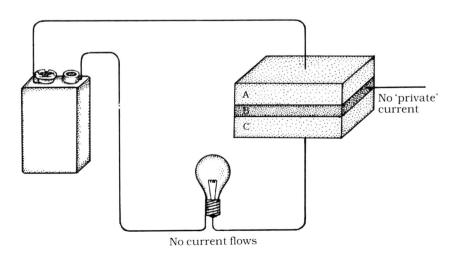

No current flows

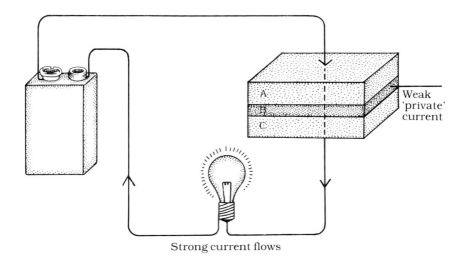

A

B

C

Weak 'private' current

Strong current flows

current can pass through the transistor; secondly, when the filling does receive its private current, it allows other current to flow all the way through the transistor. In effect, this is an electrically operated switch. Because there are no moving parts, only moving currents, the device can be made very small. A chip the size of a postage stamp can hold a million transistors.

Transistors are used for three main purposes:

On/off switches   For example, pressing a number key on a calculator or computer sends current to the 'fillings' of transistors that represent that number. Those transistors allow current to flow to a memory section, where other transistors are turned on to hold the number, awaiting your next move, and to the section that displays the number, in the form of bars that are lit up or darkened. In the same way, all the arithmetic operations are performed by the turning on or off of numerous transistor switches.

Rectifiers   Most electronic devices are built to plug into alternating current (AC), but most of the circuits inside can work only on direct current (DC). Specially doped semiconductors (diodes) conduct current in only one direction: they *rectify* the current, turning AC into DC.

Amplifiers   They convert weak electric signals into strong ones. For example, broadcast radio waves set up weak pulses of electric currents in your radio. The currents must be amplified to operate the radio's loudspeaker. The currents first pass through a tuner, which enables you to select only the current from the station you want,

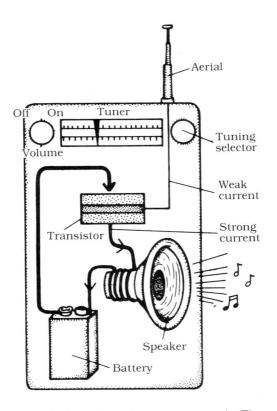

blocking out all the others (*see* RESONANCE). Then the selected feeble currents (the 'private current' mentioned earlier) flow into the 'filling' of a transistor. There, each pulse causes the transistor to conduct one pulse of strong current from a battery in the radio. The strong pulses operate the loudspeaker.

SENILE DEMENTIA *See* ALZHEIMER'S DISEASE

SENILE PSYCHOSIS *See* ALZHEIMER'S DISEASE

SENILITY *See* ALZHEIMER'S DISEASE

SEPTUM OF THE HEART
See OPEN-HEART SURGERY

SERENDIPITY *See* SCIENTIFIC TERMS

SEX HORMONES *See* STEROIDS

SHEET LIGHTNING *See* THUNDER AND LIGHTNING

SHEET STEEL ROLLING   *See* MANUFACTURING PROCESSES

SHINGLES   *See* HERPESVIRUS DISEASES

SHOCK THERAPY   *See* ELECTROCONVULSIVE THERAPY

'SHOOTING STAR'   *See* SOLAR SYSTEM

SICKLE-CELL ANAEMIA

A hereditary blood disorder.
See also GENETIC DISEASES.

SIDE CHAINS   *See* PROTEINS AND LIFE

SIGMA PARTICLE   *See* ELEMENTARY PARTICLES

SIGNAL-TO-NOISE RATIO   *See* NOISE

SILICON   *See* SEMICONDUCTORS

SILICON DIOXIDE   *See* QUARTZ

SILL (GEOLOGY)   *See* ROCK CLASSIFICATION

SIMPLE MICROSCOPE   *See* MICROSCOPE

SINOATRIAL NODE   *See* CARDIAC PACEMAKER

SMALLPOX   *See* IMMUNE SYSTEM

SMART ROCK   *See* STRATEGIC DEFENSE INITIATIVE

SMOKING

A 1988 report of the surgeon general of the United States affirmed what many researchers had maintained for years, that the nicotine in tobacco is an addictive drug, 'as addictive as heroin and cocaine', in the words of the report. Numerous scientific studies make clear that cigarette smoking triples the danger of sudden cardiac death, and multiplies the risk of emphysema 11 times and of lung cancer up to 25 times. It increases mortality in the fetuses and infants of smoking mothers, and it decreases life expectancy. It is the cause of an estimated 100,000 premature deaths per year in the United Kingdom alone.

These dangers are not confined to smokers. Recent research has established that merely breathing smoke-laden air — passive or 'secondhand' smoking — puts the breather at risk. Note the following:

- In 1986 the World Health Organization of the United Nations stated in a resolution that 'passive, enforced, or involuntary smoking violates the right to health of the nonsmoker, who must be protected against this noxious form of environmental pollution'.
- Tests on babies in homes where there is smoking show the presence of a nicotine derivative in their blood. Pneumonia and bronchitis are significantly increased in the infants of smoking parents.
- According to the 1984 report of the US surgeon general, the children of smokers are more prone to lung diseases than the children of nonsmokers.

Many communities have enacted laws that limit or forbid smoking in restaurants, lifts, and other public places.

Chewing tobacco, once the hallmark of the cinema cowboy, has recently become popular again, especially among children and young people. Dried tobacco, in shredded or brick form, is held in the mouth or chewed. The risk of cancer of the mouth is about four times as great in users of chewing tobacco as in nonusers.

S/N RATIO *See* NOISE

SOARING *See* GLIDER

SOFTWARE *See* HARDWARE

SOLAR BATTERY *See* BATTERY (CELL)

SOLAR ECLIPSE *See* ECLIPSE

SOLAR ENERGY *See* ENERGY RESOURCES

SOLAR FURNACE *See* ENERGY RESOURCES

SOLAR HEATING

A means of converting sunlight into heat, usually for heating water. *See also* ENERGY RESOURCES

SOLAR MASS *See* STELLAR EVOLUTION

SOLAR PROMINENCE *See* SOLAR SYSTEM

SOLAR SYSTEM

A group of celestial objects moving in orbit around the sun (Latin *sol* sun). In addition to the sun and the earth, the group includes eight known planets and their more than 40 satellites, hundreds of known *comets*, thousands of *asteroids* (also called *minor planets* or *planetoids*), and countless trillions of *meteoroids* — pieces of matter from boulder size down to microscopic grains of dust.

Sun Our sun, at the centre of this assemblage, is a ball of hot gasses, about 1.4×10^6 kilometres (865,000 miles) in diameter. Its mass makes up more than 99.9% of the system. Thus its gravitational attraction (*see* GRAVITATION) is great enough to hold together the entire system.

The sun is a star of average temperature, about 15 million degrees Celsius in the interior, and about 6000°C at the surface — if a mass of seething gases can be said to have a surface. The outpouring of heat and light energy is caused by nuclear fusion, a process in which hydrogen, which makes up more than 90% of the sun's mass, is converted to helium. The energy, radiating through space, is the only significant source of heat and light for the solar system. At the present rate of conversion, the sun's supply of hydrogen fuel should suffice for about another 5000 million years of energy production.

In the intense nuclear-generated heat of the sun, all matter is gaseous. Nevertheless, the *photosphere* (Greek *phot*, light), a relatively dense layer of gases about 320 kilometres (200 miles) in thickness, is regarded as the bottom layer of the sun's atmosphere, where it joins the sun's 'surface'. The photosphere is the bright 'face of the sun'. Around it the faintly glowing pink *chromosphere* (Greek *chroma*, colour) extends to a height of about 9660 kilometres (6000 miles), and beyond that is the sun's *corona*, whose electrically charged particles, mainly hydrogen nuclei and electrons, hurtle hundreds of millions of kilometres into space. Some of the particles are caught and held by the earth's magnetic field (*see* SOLAR WIND; VAN ALLEN BELTS). The chromosphere and corona are too faint to see, except during a solar ECLIPSE, or at any time through a special type of telescope called a *coronagraph*. Here and there, similarly faint *solar prominences* extend many thousands of kilometres above the chromosphere.

Unlike the uniform rotation of the earth — every place on earth goes around, predictably, once daily — the rotation of the gaseous sun varies from about 25 days at the equator to 34 days at the poles. Some scientists have suggested that the uneven rotation of gases is

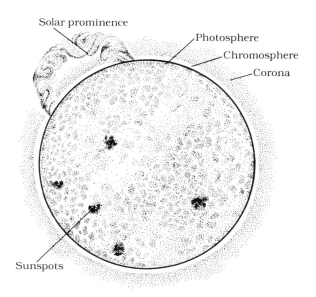

Solar prominence
Photosphere
Chromosphere
Corona
Sunspots

the cause of *sunspots*. They believe that uneven rotation distorts the sun's magnetic field, producing hot spots of intense magnetic strength in some places. The electrically charged gas particles are affected by magnetic forces; they encounter more resistance to movement over the hot spots than they do over the rest of the magnetic field, so fewer particles of gas move through these areas. There is less heat and less brightness there — in short, these are the cooler areas called sunspots. Actually they are bright, but they appear dark against the brilliance of the photosphere. A spot may be from 1000 to about 40,000 kilometres (600 to 25,000 miles) in diameter. Some spots appear, move across the photosphere as the sun rotates, and disappear. Others may pass around the edge of the sun and reappear later at the opposite edge.

The number of observed sunspots varies. There is a regular pattern, the *sunspot cycle*, with spots reaching a maximum every 11 years on the average. The pattern is duplicated in other forms of solar activity — the intensity of the streamers in the corona, for example, and the number of flamelike solar prominences seen at the sun's edges. These variations affect events on the earth. With an increase in solar activity, more charged particles reach the earth's atmosphere. They cause intensified AURORAS, they disrupt radio and TV reception, and there is evidence that they may influence our weather.

Planets The planets are large objects (the smallest to qualify in our solar system is Pluto, whose diameter is about 3220 kilometres/

2000 miles) revolving around the sun in elliptical orbits. Planets produce no light of their own and are seen only because they reflect sunlight. Eight of the nine known planets fit neatly into two groups:

- The four nearest the sun — Mercury, Venus, Earth, and Mars — consist mainly of rock and are called *terrestrial planets* (Latin *terra*, earth, land). They have atmospheres, with the exception of Mercury, whose extremely high temperature and low surface gravity preclude its holding on to the particles of gas that would make an atmosphere.
- The next four — Jupiter, Saturn, Uranus, and Neptune — are the *giant planets*, with diameters from four to ten times the diameter of the earth. All are composed largely of frozen gases, mainly hydrogen and helium.

The exception to the neat categories is Pluto, the outermost known planet and the most recently discovered (1930). It has been suggested that Pluto is not a planet but an escaped moon of Neptune; there is also speculation that it could be the brightest one of a group of small planets in the outer reaches of the solar system.

The numbers that describe sizes and distances in the solar system are more likely to astonish than to inform, as the chart on pages 276–77 confirms. But there are comparisions which help to make them manageable.

Size   Let's reduce the sun's 1.4×10^6-kilometre (865,000-mile) diameter to 1 kilometre. On that scale, the largest planet, Jupiter (142,800 kilometres/88,700 miles in diameter), is reduced to less than 183 metres (600 feet) a little under the size of two football pitches end to end; the earth is less than the length of a tennis court; and Pluto is a bit bigger than a Ping-Pong table.

Distance   The sun's light takes about 8 minutes to reach the earth. It takes more than 5 hours to reach Pluto. Astronomers and non-astronomers alike benefit from the system of *astronomical units (AU)*, in which small numbers are used to express the vast distances within the solar system. One AU is the average distance between the sun and the earth — 149,658,880 kilometres (92,955,832 miles). Two AUs are twice that distance, and so on. How far from the sun is Mars? 1.5 AU, Jupiter? 5.2 AU. Pluto? 39.5 AU. Clearly, this is much easier than juggling millions and billions when comparing distances of planets, comets, and other bodies from the sun. For the far greater distances outside our solar system, a far bigger unit is used (*see* LIGHT-YEAR).

How did the planets get their start? For centuries, two main lines of explanation have been offered, and there is still no definitive answer.

1. The *catastrophic theories* favour this scenario: the sun is struck by another star. Enormous masses of gas are thrown out into space, and some of them are pulled into orbit around the sun by its gravitation. The masses cool gradually, condensing eventually to form planets. In a variation on this theory, there is no collision, but the intruding star passes close enough to the sun to pull some of its gases out into space.
2. The *nebular theory* (Latin *nebula*, cloud) holds that the sun, like other stars, was formed by the congregation of vast clouds of gas and dust. Material that escaped the ingathering was drawn together by mutual gravitation into smaller clouds, which in time consolidated into planets.

Comets   During most of its lifetime, a comet (Greek *kometes*, long-haired) is a chunk of frozen matter entombed in a cloud of dust and gases. That's a far cry from the long-tailed glowing ball the word *comet* brings to mind.

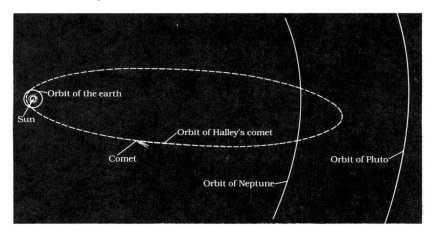

Planetary Data

	Diameter in kilometres/ miles	Surface gravity (earth = 1)	Time for one rotation (in earth time)
Mercury	4878/3030	0.4	59 d
Venus	12,155/7550	0.89	244 d
Earth	12,756/7926	1.0	23 h 56 m
Mars	4217/6787	0.4	24 h 37 m
Jupiter	142,808/88,700	2.54	9 h 50 m
Saturn	120,430/74,880	1.07	10 h 40 m
Uranus	51,840/32,200	0.8	12–24 h
Neptune	49,500/30,750	1.2	15–20 h
Pluto	3220/2000	?	6 d 9 h

Note: m = minutes, h = hours, d = days, y = years

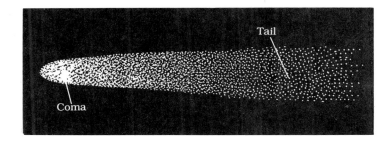

Comets lead a kind of double life. Like planets, they are a part of the solar system, moving in an orbit around the sun. But the orbits of most comets are tremendously elongated, with the sun near one end and the far reaches of space at the other. For example, Halley's comet, the best-known member of the family, comes within 87 million kilometres/54 million miles (0.587 AU) of the sun, then races away to a distance of about 5300 million kilometres/3300 million miles (35.33 AU), to return approximately 76 years later, again and again.

On its inward bound trip, a comet begins to warm up. Its solid centre, called the *nucleus*, at most a few kilometres wide, begins to melt. Electrically charged gases are released, forming a head, or *coma*, 16,000 kilometres (about 10,000 miles) or more in diameter. Particles from the sun cause the atoms and molecules of the gases to glow; they also drive the gases away from the coma, forming a glowing tail that may be many millions of kilometres long, pointing away from the sun. After the comet has rounded the sun and begun its outbound trip, it cools and returns to the frozen condition.

A comet loses part of its substance on each return. Why then don't we run out of comets? In 1950 Jan H. Oort, a Dutch astronomer, proposed the theory that the material for billions of potential comets lies in a sphere (now called the *Oort comet cloud* or *Oort cloud*)

Time for one revolution (in earth time)	Number of satellites	Average distance from sun	
		In millions of kilometres/miles	In AU (earth = 1)
88 d	0	57.91/35.97	0.387
225 d	0	108.25/67.24	0.723
365.26 d	1	149.66/92.96	1.0
687 d	2	228.0/141.6	1.5237
11.8 y	18	778.6/483.6	5.2028
29.5 y	13	1427.6/886.7	9.5388
84 y	5	2872.4/1784.1	19.1914
165 y	2	4499.1/2794.5	30.0611
248 y	1	5916.1/3674.6	39.5294

around the solar system at a distance of at least 50,000 AU. Sometimes a change in gravitation, perhaps caused by the passage of a star, sets a comet on a course that eventually brings it into the sun's gravitational field, and it is pulled into orbit around the sun.

Asteroids Asteroids (Greek *asteroeides*, starlike, which is how they appear in a telescope) are more properly called planetoids or minor planets, because, like tiny planets, they move in orbits around the sun.

In 1772 Johann Bode, a German astronomer, predicted the existence of an undiscovered planet in the large gap between the orbits of Mars and Jupiter. His announcement was partly responsible for the organization of the 'celestial police', a group of astronomers dedicated to finding the planet with their telescopes. No full-sized planet was found, but in 1801 Giuseppe Piazzi, an Italian astronomer (who was not one of the policemen), spotted a new object in the area. It was named Ceres, after the Roman goddess of agriculture (Demeter in the Greek pantheon).

Ceres, with a diameter of approximately 1000 kilometres (over 600 miles), is the largest of the thousands of known planetoids, which range downwards to boulder size. Their combined total mass is estimated at less than one-thousandth of the earth's mass. Nearly all the minor planets travel in the *asteroid belt*, between the orbits of Mars and Jupiter. Occasionally minor planets collide, and pieces of debris, drawn by the earth's gravitation, flash through our atmosphere as *meteors*.

Meteors Also called (picturesquely but wrongly) a 'shooting star' or a 'falling star', a meteor is seen as a momentary streak of light through the sky. Especially bright meteors are called *fireballs*, and a fireball that splits is a *bolide* (Greek *bolis*, missile).

A meteor begins as a *meteoroid* in interplanetary space. It is a piece of stony or metallic material, most likely from an asteroid or a comet. Meteoroids may range in size from smaller than a pinhead to bigger than a house. As the earth sweeps along in its orbit around the sun, its gravitational attraction captures nearby meteoroids, pulling them down at speeds of up to 56 kilometres (35 miles) per second. Friction with the atmosphere about 95 kilometres (60 miles) above the earth heats the meteoroid and the air around it to a temperature of over 2000°C (3600°F). In the intense heat, atoms and molecules of air split and recombine, producing the glow of light. Small meteoroids are completely vaporized. Large chunks of material may burn away only partially; the chunk that remains, falling on the earth, is called a *meteorite*.

See also BIG BANG; COSMOLOGY; STELLAR EVOLUTION

SOLAR WIND

A stream of electrically charged particles issuing from the sun's outer atmosphere, called the *corona*. The particles, mainly hydrogen nuclei and electrons, are driven out in all directions by the sun's intense heat; they race past the earth at speeds of over 320 kilometres (200 miles) per second and probably continue on far past Pluto, the outermost known planet.

Some of the particles, trapped by the earth's magnetic field, are held high above the earth in rings known as the VAN ALLEN BELTS. The particles are the cause of AURORAS. They also disturb radio and TV reception because they carry electric charges that emit radio waves. You may have experienced a similar effect on a car radio when another car with defective spark plugs drew up alongside, causing crackles and sputters on your programme.

SOLID *See* MATTER

SOLID-STATE PHYSICS *See* PHYSICS

SOMATREM *See* GENETIC ENGINEERING

SONAR

Acronym for *sound navigation and ranging*, a technique and apparatus for determining the location of an object by reflected sound waves. Also called *echolocation*, it was first invented by bats, who neglected to have it patented. Bats flying at night emit ultrasonic squeaks, inaudible to humans but not to bats. The squeaks are reflected from solid objects such as cave walls or flying insects and return as echoes to the bat's ears. By timing the interval between the emission and return of squeaks, a bat computes its distance from the object. And by comparing the loudness detected by the left ear and the right, it computes the angular direction of that object.

The sonar principle is used to determine the depth of shallow bodies of water and to locate schools of fish, underwater submarines, mines, wrecks, and other obstacles. In *active sonar*, pulses of high-frequency (high-pitched) sound are beamed downwards and at angles from the bottom of a ship. The echoes are received by an apparatus that measures the time interval, then computes the distance and direction of the reflecting object. This information is shown on a dial or plotted automatically on a chart. *Passive sonar*

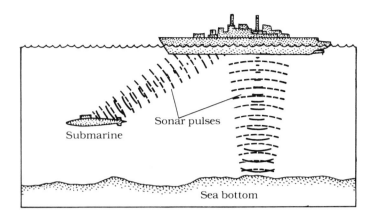

does not send out sounds; it detects sounds made by submarine engines or other sound-producing objects.

See also RADAR.

SONOGRAM   *See* ULTRASONICS

SORBITOL   *See* SWEETENING AGENTS

SOUND ENERGY   *See* ENERGY

SOUND RECORDING

A method of converting sound waves into permanent form, to be stored and later reproduced. Before we examine sound recording, let's have a graphical look at sound itself.

Sound results from the audible vibration of some object. On the left of the diagram is a magnified view of a groove cut into a gramophone record, made by the vibration of a tuning fork sounding middle C. The shape is smooth, simple, and even. Mathematically, it is a *sine wave*. On the right is the same sine wave (A) drawn as a graph. Graphs B, C, D, and E show the shape of grooves cut by the sound of a flute, a violin, a clarinet, and a certain soprano singing 'eeeeeee'.

The basic (fundamental) repeating sine wave can still be picked out, embellished by variations called *overtones*. It is the overtones that enable us to distinguish one voice or instrument from another.

How were the grooves in the record made? The earliest commercial sound recorder was invented by Thomas A. Edison (1847–1931). One played or spoke, as loudly as possible, into the wide end of a horn. At the small end, a disc was made to vibrate by the sounds.

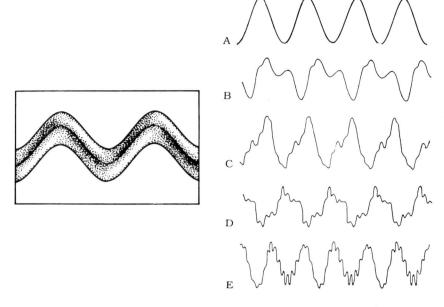

Attached to the disc was a short needle whose point pressed against a cylinder of soft wax. The vibrating needle dug a groove into the wax as the cylinder rotated.

If you were given the choice of carving one of the grooves shown earlier, you would no doubt choose A because its smooth, regular curves are comparatively easy to cut. It's more difficult to cut the flute's wave-form, with the overtones that make it sound like a flute. As for the violin and the human voice, with their subtleties of

281

overtones on overtones on overtones, no early recording technique could faithfully reproduce them. The needle point could not vibrate fast enough in the wax to incise the minute high-pitched overtones that give character to music and the human voice.

The next great step in sound recording was the magnetic-tape method. A plastic tape is coated with particles of a magnetizable material such as iron oxide. Millions of the randomly placed particles occupy each centimetre of the tape's surface. Electromagnets carrying currents from a microphone jockey the particles into a series of magnetized stripes, one for each vibration. Taping is an almost perfect recording system, especially when enhanced by Dolby.

It is not quite perfect because each magnetic particle, light as it is, does weigh something. It possesses a certain resistance to movement, *inertia*, which prevents it from obeying fully the extremely feeble commands of the tiniest overtones. Is there anything with less inertia than the particles? Yes — beams of laser light, which have virtually no inertia.

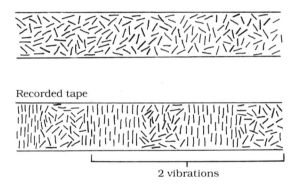

Recorded tape

2 vibrations

Laser light has another virtue for recording. It can be focused to a point 0.000025 millimetre (one-millionth of an inch) in diameter. At that focus, the light is so intensely concentrated that it can punch a tiny crater in a sheet of metal.

Now what exactly does all this have to do with recording the golden overtones of Luciano Pavarotti? One more sidetrack and we can put everything together. The sidetrack is the concept of *digital scanning*. This is the basis of digital recording, which may someday entirely displace present-day recording methods.

Here's the flute wave again, drawn on a sheet of graph paper with numbers along the edge. You could direct a partner over the phone in making a copy of the wave on another sheet of graph paper. Start at the left and call out the height of the wave (0). Then call out its height at the next square to the right (3). Continue to find the height of the wave (scanning it) and calling out, while your partner makes dots at the corresponding places on his or her paper. After joining the dots together with a line, your partner will have a fair copy of the original flute wave graph. To make a more exact copy, use graph paper with smaller squares. The smaller the squares, the greater the amount of information (number of scans) and the more accurate the copy.

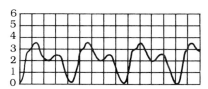

At last we get to digital recording and to Pavarotti, who has been holding his breath all this time. As he sings into the microphone, an electronic scanner measures the height of each wave several thousand times, one wave after another. The scanned information is passed along in the form of electrical pulses — binary digits, ones and zeros — to a recording head. The head is a laser lamp focused to a pinpoint on a revolving metal disc. The lamp is controlled by the electrical pulses from the scanner. A one bit causes the lamp to emit a burst of light, which digs a tiny crater in the surface of the disc. A zero bit causes no response from the lamp, so a blank space is left on the disc. Wave after wave, the disc becomes studded with millions of craters and spaces in a spiral track. This is the master disc, from which several thousand copies — compact discs are made. These copies can be played back only on special digital playback equipment.

The digital players scans the surface of the record by means of a low-power laser beam. It transmits the information (e.g., crater, space, space, crater) to a computer that converts the bits into electric currents of varying strengths. These currents are fed into a loudspeaker, producing sound waves almost identical with Pavarotti's original waves.

In making and playing ordinary records, there is always contact between some part of the equipment and the record. In digital recording, because the only link is the laser beam, the scratches, pops, and hisses of ordinary recording are eliminated.

Digital systems can be used to store and reproduce many kinds of information. Videotapes, for example, reproduce the sounds and pictures of films, because pictures can be scanned and recorded as readily as sound waves.

See also DOLBY NOISE REDUCTION SYSTEMS.

SPACE, RELATIVE *See* RELATIVITY

SPACE TRAVEL

This piece is addressed to the mature reader — the person handicapped by the possession of common sense. Such sense evokes a wince at the sight (news photo, TV) of an astronaut jockeying a strayed satellite into tether, with nothing but vertiginous space between himself or herself and the blue and brown cloud-flecked earth far, far below. Why isn't the astronaut falling? Common sense, arising from common experience, points to such an outcome. Or are there special laws of physics that operate out in space but not close to the earth? The less mature reader, nurtured on space comics, science fiction, and the like, may readily inform you that there is no gravity in space (wrong) or that centrifugal force is the saviour (not so). Therefore, to you, mature reader, we offer a brief compendium on space travel, pared to the bone. In fact, three bones:

1. What gets the spaceship off the ground and out into space?
2. What keeps it up there after the engines stop (as they do after about 10 minutes)?
3. What brings it back to earth safely?

We would recommend first a reading of the briefly and lucidly written entry on NEWTON'S LAWS OF MOTION.

Now, what gets the spaceship off the ground and out into space? This goal was visualized by Jules Verne in 1865 in his novel *From the Earth to the Moon*. Verne proposed a huge cannon whose projectile was a bullet-shaped cabin with all the comforts of home for its occupants — three humans, a dog, and a rooster. Consider a few pros and cons:

With gravity clutching at it inexorably, the projectile begins slowing down from the moment it leaves the cannon. That deceleration would bring the projectile, sooner or later, to a slowdown, halt, and return to earth.

However, the pull of the earth's gravity weakens with distance from the earth (*see* INVERSE SQUARE LAW). Suppose we start off at such a great speed that even though we're slowing down, we still have enough reserve speed to take us out to a distance where the earth's gravitational pull is much weaker. Then another force (hold on for a moment) could take over.

How to achieve that great initial speed? Verne proposed an enormous amount of propellant for the cannon: 400,000 pounds

(181,440 kilograms) of gunpowder, blasting the projectile through a 900-foot (274.5-metre) cannon.

However, the initial effect of such a supercannon would be smashing indeed. Living matter could not withstand the crush of such powerful acceleration from dead still to full speed within a few seconds.

However, why must we deliver all that force in a single bang? It's necessary only if the bang is to be delivered by gunpowder inside the cannon. But suppose we attach the gunpowder to the rear of the projectile, arranged so it fires backwards in a steady stream. Thus we can build up the speed gradually and safely.

That idea has probably aroused a commonsense hesitation in you, to wit: what happened to the cannon? To which a scientist would reply, 'Who needs it?' The energy to drive the projectile is in the propellant — the gunpowder or one of the various rocket fuels. The cannon is merely a convenient container. Consider this humble prototype of a spaceship.

The air pressure in a balloon is pressing outwards in all directions. Yet, although the balloon is free to go, it does not, because all the interior pressures are equal: forward, backward, and sideward, the pressures are balanced. (Newton's first law, first half: a body at rest will remain at rest unless acted upon by a force.) Opposite-acting equal forces don't count: $1 - 1 = 0$.

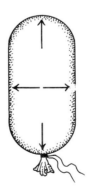

But suppose we loosen the string at the neck of the balloon. Now we have an unbalanced situation: the forward pressure pushes forwards against the balloon; the rearward pressure simply escapes. As long as there is inside pressure, the balloon will be pushed forwards, faster and faster, because there's no rearward pressure to balance the forward pressure.

In the same way, the rocket engines in a spaceship produce immense quantities of high-pressure gas, thrusting forwards, back-

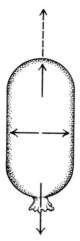

wards, and sidewards. The forward pressure (upward, at launch position) does the basic moving job. The spectacular downwards-plunging plumes of flame-lit gas make a lovely contribution to TV, but the really hot news is being made inside, up against the forward ends of the engines.

Bravo! The upward force exerted by the burning fuel increases until it equals and exceeds the downward pull of gravity. We achieve *lift-off*. We accelerate to the charmed number of 11.2 kilometres per second (7 miles per second), *escape velocity*. At this speed, even though gravity still pulls us towards the earth, it can no longer slow us to a stop and turn us around.

What keeps the spaceship up there after the engines stop? Headed in the right direction, with no further power needed, we can just keep going, to the end of time. (Newton's first law, second half: A body in motion will remain in motion, in a straight line, *unless a force acts on it.*) Space is full of forces acting on our spaceship and on everything else. Every object in the universe is exerting its gravitation on us and on all other objects. However, their pulls just aren't strong enough to bother us significantly during lift-off and escape. But we'd better watch where we're going.

Suppose we're not quite so adventuresome, and a few orbits of the earth will suffice. No problem: just stay below escape velocity. Depending on how much below, we can stay close to home and call it a day after a few hours or go farther and thereby stay longer, or even station ourselves in a *geostationary (geosynchronous)* orbit, 35,900 kilometres (22,300 miles) high, where our velocity of nearly 11,270 kilometres (7000 miles) per hour keeps us continually over the same spot above the equator on the rotating earth.

This is the orbit where *communications satellites (comsats)* such as the *Westar* (US), *Anik* (Canada), and *Palapa* (Indonesia) are

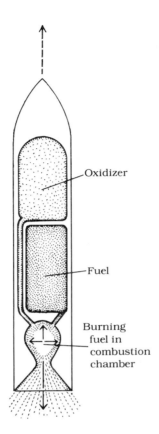

parked. These serve as amplifiers and reflectors of radio, television, and other electronic-wave man-made information.

What brings the spaceship back to earth safely? Any object in earth orbit is slowed down by frictional forces, such as contact with the atmosphere, thin as it is. It may take days, years, or centuries, but eventually it happens — the orbiting object is slowed down; it spirals lower and lower, reaching denser atmosphere, where increased friction raises its temperature higher and higher, usually to the point of destruction. If astronauts are aboard, obviously provision must be made for a gentler homecoming. This is done in two steps:

1. The spaceship's outer skin has a heat shield, a covering of special ceramic tiles, to be sacrificed in the process of *ablation* (Latin *ablatus*, carried away). These tiles become red-hot, melt, and vaporize into the atmosphere, thus dissipating the heat that would otherwise scorch the spaceship and its contents.
2. During the final part of its descent, the spaceship changes character. It was, all during its flight, a ballistic object (Greek *ballein*, to throw). It was thrown into space by its engines, then

287

left to make its way by inertia (Latin *iners*, idle). Now it turns into a glider, by virtue of possessing wings, control surfaces, and, most desirably, a human pilot who brings it to a welcome touchdown.

SPECIES *See* EVOLUTION

SPECTROMETER *See* DOPPLER EFFECT

SPECTROSCOPIC BINARIES *See* BINARY STAR

SPECTROSCOPY *See* ANALYSIS

SPEED OF LIGHT *See* RELATIVITY

SPHYGMOMANOMETER *See* BLOOD PRESSURE

SPIRAL GALAXY *See* GALAXY

SSC *See* PARTICLE ACCELERATOR

STAPHYLOCOCCUS *See* ANTIBIOTICS

STAR *See* STELLAR EVOLUTION

STAR MAGNITUDE *See* MAGNITUDE

STAR WARS *See* STRATEGIC DEFENSE INITIATIVE

STATIC ELECTRICITY *See* FIELD THEORY

STATIONARY FRONT *See* AIR MASS ANALYSIS

STATOR *See* GENERATORS AND MOTORS, ELECTRIC

STEEL *See* ALLOY

STEEL ROLLING *See* MANUFACTURING PROCESSES

STELLARATOR *See* NUCLEAR ENERGY

STELLAR EVOLUTION

Stars are not eternal, but they do shine for a very long time — thousands of millions of years, usually. Yet scientists can trace the evolution of stars — the changes they undergo — from birth to death. The trick lies in studying stars in a range of stages, as one might study aging in humans by observing many people in all stages of life, from infants to the very old. We'll use these stages for our quick look at stellar evolution: birth, midlife, decline, and death.

Birth Stars begin their lives in 'empty' space, which isn't really empty. It contains the *interstellar medium*, widely dispersed particles that are about 99% gas (mainly hydrogen) and 1% solid ('dust'). In some areas, where the density of the medium is a bit greater, clouds of particles may be drawn together by mutual gravitation. Other clouds may form from materials ejected by existing stars.

A cloud grows by attracting more molecules of gas and dust; the consequent increase in its gravity pulls the molecules together more and more tightly. The cloud continues to attract material, and continues to collapse, denser and denser. In the crushingly packed mass, the normal heat-producing vibratory motion of the molecules — their collisions and rebounds — is vastly increased.

The heat raises the temperature within the mass (now elevated to the rank of *protostar*, from Greek *proto*, before) to millions of degrees. It also starts up the process of *nuclear fusion*, and a glowing star is born. The fuel that feeds the nuclear fire is hydrogen. It is converted to helium, and enormous amounts of energy are released in the form of heat, light, and other kinds of radiation.

EVOLUTION OF STARS

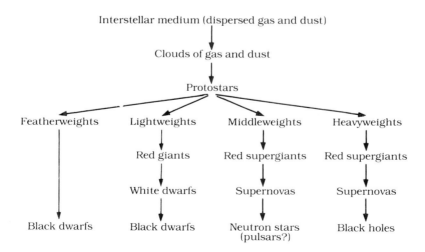

Midlife The intense heat in the star's core builds up a pressure that forces some of the gas outwards, closer to the surface. The remaining gas cools somewhat, and a balance of forces is reached: the outward pressure, caused by the heat, versus the inward tug, caused by gravitation. The balance prevails while enough hydrogen fuel remains in the core. Within the star nearest to us, the sun, this balanced state of affairs is only halfway through its expected 10,000-million year stretch. (Pessimists may prefer '*already* halfway through'.)

Decline As the hydrogen supply dwindles, the core begins to cool and the outward pressure lessens. The result is that the balance of forces tilts in favour of gravitation, there is a new series of heat-generating gravitational collapses in the core, and the outward pressure again builds up. At the same time, hydrogen in the outer layers of the star continues burning, advancing the star's surface outwards again and enlarging it enormously. When our sun reaches this stage, it will have become a *red giant* star, big enough to engulf Mercury and Venus in their orbits and reaching almost to the earth. Giant indeed, but why red?

A star's colour is the key to its surface temperature. Like a bar of iron removed from a blacksmith's forge and cooling, the colours range from blue-white, for the hottest, through white, yellow, and orange, to red for the coolest. All stars are coloured, although the eye can detect this only in the brightest ones, such as Sirius, a white star whose surface is about 10,000°C; Capella, a yellow star like the sun, which is about 5000°C; and Antares, which is red and under 3500°C. When a star's size increases, its heat and light radiate from a surface that is very much enlarged and in a relatively cool stage. Hence the term *red* giant.

Death The length of a star's life and the manner of its death depend on how massive it was to begin with — how much matter it contained. Like boxers, stars can be conveniently classified as featherweights, lightweights, middleweights, and heavyweights. Let's take them slightly out of order, beginning with the lightweights.

Most stars, including the sun, belong among the lightweights. On a scale where the sun's mass (the *solar mass*) is 1, lightweights range from about 0.1 to 4.0. Such stars, toward the end of their red giant stage, may go through a third series of gravitational collapses that restart nuclear fusion in the core; this time the helium that resulted from hydrogen burning is burned in its turn and converted to carbon. Pressure outward builds up again, sufficient to produce a second red giant stage and even to blow away a large part of the outermost gases. A star may lose more than half its mass in this way.

What remains of the one-time red giant is a *white dwarf* — a ball of gas no larger than the earth and about 300,000 times as dense. A teaspoon of a white dwarf, brought to earth, would weigh several tons. The dwarf, incapable of further nuclear reactions, cools slowly over hundreds of millions of years. The star that was once the centre of unimaginable heat and violence comes to its end as a *black dwarf* — an invisible ball of extremely dense gases in space.

Featherweights never reach true stardom. Their solar mass is too small — much less than 0.1 — to generate the gravitational pressure and consequent high temperature needed to trigger the nuclear fusion process. The failed star cools, ending as a black dwarf.

Middleweights are stars with a solar mass between 4 and 8.

Heavyweights have a solar mass above 8.

> My candle burns at both ends;
> It will not last the night;
> But, ah, my foes, and, oh, my friends—
> It gives a lovely light!

The words of the American poet Edna St Vincent Millay could have been meant for the middleweight and heavyweight stars. Their hydrogen is burned at a much faster rate than in lightweights. They produce enormous heat and spectacular brilliance, but at a price: a star ten times as massive as the sun lives only about a thousandth as long. (Still, 10 million years ...) All stars have much the same history in their early stages, up to the red giant stage, but after that a massive star, instead of collapsing like a lightweight, continues to expand. It reaches a diameter hundreds of times the diameter of the sun, justifying its name of *red supergiant*. Betelgeuse, an easily seen star in the constellation of Orion, is a red supergiant.

Supernovas Within the core of a red supergiant, each burnout of nuclear fuel is followed by another heat-generating gravitational collapse that restarts the fusion process. The repeated burnings convert lighter elements to heavier ones: hydrogen to helium to carbon to magnesium to iron. At that point, for reasons not fully understood, there is an especially powerful collapse and rebound of the core at the same time that the outer layers of gas collapse onto it. The resulting explosion may destroy the star completely or blow most of it away, leaving only the crushed mass of the core.

The burst of light accompanying the explosion may last for weeks and be 100 million times as bright as the star was. Another product of the explosion may be *cosmic rays*. This catastrophic period is the star's *supernova* stage (Latin *novus*, new); although the star is very old, its extraordinary brilliance is new). A NOVA is a much less dramatic flare-up by a star, arising from another cause.

Supernovas are extremely rare. In AD 1054, Chinese astronomers observed a 'guest star' bright enough to be seen in the daytime. Today the remnants of this supernova's blown-away outer layers are barely visible through binoculars as a faint, cloudlike smudge, the *Crab Nebula*. A dim star near the centre of the nebula, visible only in a powerful telescope, is probably the core of the original star.

In February 1987 there appeared an unusual supernova that promised much new information, for two reasons. It was in the Large Magellanic Cloud, the galaxy closest to the Milky Way. Also, it was the first supernova whose progenitor star had been observed and photographed (many times, in fact) *before* the explosion. Scientists believe its mass was 15 to 20 times that of the sun.

End of a Massive Star   Evidence collected in the last half-century points to two possibilities for the last stage of a supernova core:

Neutron Stars: In the atoms of 'ordinary' matter, the protons, which are surrounded by clouds of electrons, repel one another; 'ordinary' matter, then, is mainly empty space. But the gravitational collapse of a middleweight star, having a solar mass of 4 to 8 creates a pressure great enough to crush the electrons right into the protons, creating *neutrons*, which do *not* repel one another. The matter in such a *neutron star* would be packed so densely that a teaspoonful of it would weigh several million tons if brought to earth! Put another way, our sun, crushed down to this density, would be less than 16 kilometres (10 miles) in diameter. It now seems almost certain that neutron stars are PULSARS.

Black Holes: According to theory, the collapse of a heavyweight star, one whose solar mass is greater than 8, would produce a core so dense, with a gravity so powerful, that it would suck in all nearby matter. It would also seize all radiation, including its own light, in a fierce grip and thus be invisible. Nevertheless, several black holes have been observed indirectly, by satellite-mounted instruments designed to detect X-rays. Binary stars consist of two or more stars held in orbit by their mutual gravitation. A visible star may be the partner of a black hole and may be close enough for some of its gases to be pulled towards the black hole. In such a case the heated matter radiates X-rays in all directions as it falls towards the black hole, providing a means of indirect observation.

See also NUCLEAR ENERGY.

STEP-DOWN TRANSFORMER   *See* TRANSFORMER

STEP-UP TRANSFORMER   *See* TRANSFORMER

STEREOPHONIC SOUND   *See* QUADRAPHONICS

STEROIDS

A large class of chemical compounds occurring naturally in plants and animals and also made synthetically. The natural steroids include the *steroid hormones*, which can be further divided into the *sex hormones* and *adrenocortical hormones* (see below); *sterols* (CHOLESTEROL and related compounds); and the *bile acids*, chemicals important in the digestion of fats.

Sex hormones　These fall into three categories:

Androgens　Male sex hormones, such as *testosterone*, produced mainly by the testes. They are responsible for the development and maintenance of the male sex organs and sexual characteristics.

Oestrogens　Female sex hormones produced by the ovaries. They have a similar role in females as the androgens in the male.

Progesterone　A hormone released to prepare for and maintain pregnancy.

Adrenocortical hormones　These are hormones produced by the cortex (outer layer) of the *adrenal glands* at the top of each kidney. Like the sex hormones they are all derived from cholesterol:

Glucocorticoids　Adrenocortical steroids, such as *cortisone* and *hydrocortisone*, concerned principally with the breakdown of protein and formation of glucose, and with the use of carbohydrates in the body. Medically, they are used in treating rheumatoid ARTHRITIS, allergies, and skin disorders.

Mineralocorticoids　*Aldosterone* and related hormones that control water and salt balance in the body.

Synthetic steroids　These are man-made drugs which have actions like the steroid hormones. The best known are:

- *Anti-inflammatory agents* derivatives of the glucocorticoids such as prednisolone and dexamethasone which are used to treat rheumatoid ARTHRITIS.
- *Oral contraceptives*, an oestrogen, a progesterone derivative, or, most commonly, a combination of both.
- *Anabolic steroids.*

Anabolic steroids　The most familiar of these is testosterone which has both androgenic and *anabolic* (from Greek *anabole*, building up) properties. Some synthetic anabolic agents are nandrolone, stanozolol, and methandienone. In 'legitimate' use, anabolic steroids have been used to treat cases of wasting, *osteoporosis* (porous brittle bones), and some types of anaemia.

Their most publicized use, however, is by body-builders and athletes. Anabolic steroids, taken during training, have the effect of increasing muscle bulk and strength and body weight. Although banned by all sports authorities it is believed that they are widely used to enhance athletic performance, a situation which has caused increasing concern. Highly sophisticated drug-testing techniques have been developed that can detect the minutest concentrations of anabolic agents in urine. *Masking agents*, which are sometimes taken to try and disguise use of anabolic steroids, can also be detected by these techniques. Masking agents are substances that can alter the way in which steroids are excreted in the urine; a commonly used one is *probenecid*, a drug used in treating gout.

Apart from the ethical considerations, the side-effects of anabolic steroids make their use of questionable value. They are known to increase aggression, produce abnormalities of the genitals, and increase the risk of both liver and heart disease. Some masculinization may occur if taken by women.

STEROLS See STEROIDS

STOMATA See TRANSPIRATION

STORAGE BATTERY See BATTERY (CELL)

STORAGE RINGS See PARTICLE ACCELERATOR

STRATEGIC DEFENSE INITIATIVE (SDI)

A high-technology military programme of the United States, begun in 1983. Commonly called Star Wars, SDI differs from conventional warfare (including 'conventional' nuclear weapons) in its objective: to recognize, intercept, and destroy enemy missiles while they are *in flight*, preferably right after they have been launched. Among various technologies being researched are LASER weapons. Here the purpose is to concentrate powerful beams of laser-light energy into a very small space, thus creating an enormously high temperature, sufficient to shatter or disable a missile.

The principle has already achieved numerous successes. For example, in factories, thick sheets of steel are cut by laser beams at a distance of several centimetres. Not quite the same, you might say, as pinpointing a laser beam onto a bomb about the size of a rowing boat, several thousand kilometres away, and flying at supersonic speed, and then keeping the beam fixed on a coin-sized area of the bomb long enough to achieve the required lethal temperature. Here are some approaches to this problem.

Mount a laser apparatus on a satellite in permanent orbit, aimed and controlled from a ground station. Or mount a mirror on a satellite, to reflect a laser beam from a ground station.

There are a few stumbling blocks. To achieve its temperature-raising effect, the laser beam must retain its narrowness; the least bit of spreading reduces the effect considerably (see INVERSE SQUARE LAW). Yet the atmosphere does scatter laser light a slight amount. Also, powerful as it is, a laser beam is light and can be reflected by any shiny surface, such as a mirror-coated missile.

Since the problem is loss of power (because the laser beam is weakened along the way by spreading, scattering, and reflection), why not start off with a superpowerful beam so that there's still enough punch left, after losses, to do its work? This is the idea behind *nuclear-powered lasers*. The force of a nuclear explosion would be converted instantaneously into a laser beam of unbelievable intensity.

Another Star Wars proposal is something called *smart rocks*. These projectiles, each about the size of a loaf of bread, would be launched from satellites in permanent orbit. Filled with electronic apparatus to latch on to the emanations (infrared waves, radio reflections, etc.) of an approaching nuclear bomb from several thousand kilometres away, this self-guided bullet would direct itself into collision course with the bomb.

Another part of the strategy is *particle beams*. These are composed of electrons, protons, and/or neutrons, whirled around and around in an apparatus that accelerates them almost to the speed of light and then hurls them. The apparatus is, in effect, a modified PARTICLE ACCELERATOR, mounted on a satellite. The particles are almost weightless, so their destructive power would come not from simple collision but from electrical and electronic damage. Since modern warfare is highly computerized, such beams, if successful, could disable an enemy's guidance systems.

Obviously, neither side could allow its expensive hardware to become helpless targets exposed in space, so countermeasures would be set up, and counter-countermeasures, ad nauseam. For example, a satellite-mounted particle accelerator would be vulnerable to antisatellite missiles and would need to be protected by anti-antisatellite missile satellites. And antimissile satellites could be fooled by decoy (blank) missiles into releasing their destructive force uselessly, thus allowing real missiles to get through to their unprotected targets.

In 1987 a committee of the American Physical Society, the

nation's largest association of physicists, concluded that it was 'highly questionable' that a space-based Star Wars system could survive an attack. One of the committee members put it this way: 'I am 99.9% sure it won't work'.

STREAMLINING

Shaping an object, such as an aeroplane or a ship's hull, to reduce its resistance to motion through a fluid such as air or water.
See also AERODYNAMICS.

STRIKE-SLIP MOTION   *See* PLATE TECTONICS

STROKE

Brain damage resulting from an inadequate supply of blood to the brain. About 125,000 cases of stroke including 70,000 deaths, are recorded annually in the United Kingdom. Also called *cerebral apoplexy* and *cerebrovascular accident*, stroke may be caused by any of these events:

- Rupture of an artery in or around the brain, with loss of blood (haemorrhage).
- Blocking of an artery by an embolus — an object normally not in an artery, such as a blood clot or bubbles of air.
- Narrowing (stenosis) of an artery by deposits of fatty material on its inner wall; this is especially frequent in people with high blood pressure (*see* ARTERIOSCLEROSIS).

The effects of stroke vary considerably, from mild impairment of some body function to death, depending on the part of the brain involved and the extent of the damage. Speech and vision are often affected; muscular movement may be weakened to the point of paralysis. The work of a damaged area of the brain is sometimes partially taken over by another area. Speech therapy and physiotherapy may help in partial restoration of impaired functions.

A type of stroke with relatively mild, brief effects is the transient ischaemic attack (TIA), in which there is a temporary shortage of blood supply in a small area of the brain. The symptoms of such a ministroke may include vision problems, loss of feeling in a part of the body, and inability to speak or understand speech. The symptoms disappear in minutes, or in hours at most; however, TIAs may be a sign of increased likelihood of future strokes.

Recently developed procedures may improve the outlook for people who have had a stroke. One of these methods resembles coronary bypass surgery, in which a healthy blood vessel from another part of the body is used to shunt blood around a faulty vessel. In another method, blocked vessels are cleared by drugs or by laser beams. In an experimental method resembling KIDNEY DIALYSIS, the fluid that surrounds the brain is used as a vehicle to bring oxygen to the brain and to remove its waste products.

STRONG NUCLEAR FORCE

One of the four known fundamental forces of the universe; also known as the *strong interaction*. Its influence is limited to the atomic nucleus.

See also GRAND UNIFIED THEORY.

STRUCTURAL CHEMISTRY   See CHEMISTRY

STRUCTURAL FORMULA   See PROTEINS AND LIFE

STRUGGLE FOR EXISTENCE   See EVOLUTION

SUBDUCTION   See PLATE TECTONICS

SUBSTRATE (OF ELECTRONIC CHIP)   See CHIP

SUN   See SOLAR SYSTEM

SUNSPOT   See SOLAR SYSTEM

SUNSPOT CYCLE   See SOLAR SYSTEM

SUPERCONDUCTING SUPER COLLIDER
See PARTICLE ACCELERATOR

SUPERCONDUCTIVITY

An unusual condition in which certain substances lose all resistance to the flow of an electric current. If such a substance is connected to an electric source and then disconnected, the current within the substance continues to flow, on and on. This sounds like something for nothing, and the power companies had better watch out — that is, until the 'unusual condition' is examined. The substances (lead, tin, mercury, some other elements, and many compounds) must be cooled down in liquid helium to within a few degrees of ABSOLUTE ZERO (−273.15 °C or −459.7°F). This rules out superconductivity for ordinary use, where the savings on your electric bill would be so far more than offset by the expense of reaching and maintaining such a low temperature.

However, scientists have recently developed compounds that become superconductive at temperatures high enough to allow the use of liquid nitrogen, which costs about $\frac{1}{50}$ as much as helium. Using compounds based on thallium, superconductivity has been reached at temperatures of −150°C (−238°F), and temperatures as high as −95°C (−139°F) are predicted. Physicists are interested in superconductivity for many reasons, these among them:

1. A computer circuit consumes a tiny amount of electricity and generates a tiny amount of heat as it operates. In a large computer, millions of circuits generate heat that must be dissipated, or the circuits will break down. Superconductive circuits using virtually no current would generate virtually no heat. This would permit more circuits to be packed into a given space, in turn allowing faster operation of the computer.
2. PARTICLE ACCELERATORS use tremendous jolts of electric current, enough to light a small city. The current is used mainly to power hundreds of huge electromagnets. Under conditions of superconductivity, a given amount of power would greatly increase the amount of magnetism produced. Superconducting magnets would also allow the designing of smaller, more efficient GENERATORS AND MOTORS and of high-speed trains that float above their tracks, levitated by the magnets.
3. Electricity is transmitted from generators to users through metal wires. Some of the energy is wasted as the current flows, mainly as heat that warms the wires and the surroundings. Now scientists have produced flexible ceramic filaments, less than 0.25 millimetre ($\frac{1}{100}$ inch) thick, that become superconductive at a temperature of −196°C (−321°F), allowing the use of the relatively inexpensive liquid nitrogen. If thicker flexible filaments could be made, they might transmit electricity without heat loss.

SUPERCOOLING See PARTICLE ACCELERATOR

SUPERNOVA See STELLAR EVOLUTION

SUPERSYMMETRY (SUSY)

A number of theories leading toward the GRAND UNIFIED THEORY, which is expected to encompass all four known fundamental forces of the universe in one description.

SUPRESSOR CELLS See IMMUNE SYSTEM

SURVEYING, LASERS IN *See* LASER

SURVIVAL OF THE FITTEST *See* EVOLUTION

SUSY *See* SUPERSYMMETRY

SWEETENING AGENTS

Substances used to sweeten foods and beverages. The most common is sugar, which is itself a food with energy value. It adds to the daily intake of calories, an unhappy thought for people who want to control their weight, and helps to promote tooth decay. Sugar intake must also be avoided or limited by diabetics. For these and other reasons, artificial sweeteners are used in enormous amounts.

However, artificial sweeteners introduce other problems. *Cyclamates*, with 20 to 30 times the sweetening power of sugar, were banned in Britain and many other countries because they were found to be cancer-causing when fed to laboratory animals in large quantities. *Saccharin*, with more than 300 times the sweetening power of sugar, was banned in the United States by the Food and Drug Administration (FDA) for the same reason but was granted several reprieves by the US Congress. It is allowed in Britain. A newer sweetener, *aspartame*, has been linked to possible health problems and been the subject of long investigations. It is also expensive and in liquid form, as in soft drinks, loses some of its sweetening power.

Sorbital and *xylitol* are natural substances found in fruits, berries, mushrooms, and some other foods. Sorbitol (E420) is only half as sweet as sugar and is used in diabetic foods. In 1978, laboratory studies showed that xylitol increased the incidence of bladder tumours when fed to mice in large doses. The FDA in the United States moved to ban the sweetener but never took final action.

SYNCHROCYCLOTRON *See* PARTICLE ACCELERATOR

SYNFUELS *See* SYNTHETIC FUELS

SYNOVIAL FLUID *See* ARTHRITIS

SYNTHETIC FUELS (SYNFUELS)

Car fuel, jet fuel, and similar liquid fuels obtained from sources other than petroleum. The Arab oil boycott of 1973 and sharp rises in the price of oil focused attention on the need for alternative sources of fuel. Such sources have been developed, but in most cases the fuels produced cost more — sometimes very much more — than ordinary fuels. Some fuel sources include these:

Tar sands   Also called *oil sands*, these are mixtures of sand and tarlike materials. They are mined and washed with hot water to extract the tar, then distilled to produce petrol and other liquid fuels.

Oil shale   This is a type of limestone whose pores are filled with *kerogen*, a rubberlike material. When the limestone is mined and then heated, the kerogen produces a crude oil for distillation.

Liquefaction of coal   The coal is heated under very high pressure in the presence of a catalyst. A petroleumlike liquid results; this is distilled, yielding liquid or gaseous fuel, as desired.

Coal, wood, agricultural wastes Chemical treatment of such organic materials, under high pressures, yields methanol (wood alcohol). Alcohol can be mixed with petrol (the mixture is called gasohol) for use in cars.

See also ANALYSIS; CATALYSIS AND CATALYSTS.

SYSTOLIC PRESSURE   *See* BLOOD PRESSURE

TAILPLANE

A fixed horizontal surface at the tail of an aeroplane or glider, used to maintain the up-and-down stability of the aircraft.
See also AERODYNAMICS.

TAPE RECORDING *See* SOUND RECORDING

TAR SANDS *See* SYNTHETIC FUELS

TAXONOMY *See* BIOLOGY

TAY-SACHS DISEASE

A hereditary disease of the nervous system.
See also GENETIC DISEASES.

T CELLS *See* IMMUNE SYSTEM

TECHNOLOGY *See* SCIENTIFIC TERMS

TEMPERATURE-HUMIDITY INDEX (THI)

A number, also known as the comfort index (CI) or the discomfort index (DI), calculated from a formula that takes into account the temperature and relative humidity of the air. In general, a temperature of 20 to 21°C (68 to 72°F) and a relative humidity level of 55 to 60% is considered comfortable. Very humid air, especially at high temperature, is sticky and uncomfortable. The higher the temperature-humidity index, the less comfortable the air.
See also RELATIVE HUMIDITY.

TERRESTRIAL PLANETS *See* SOLAR SYSTEM

TESTOSTERONE *See* STEROIDS

TETRACYCLINES *See* ANTIBIOTICS

TETRAHYDROAMINOACRIDINE
See ALZHEIMER'S DISEASE

TEVATRON *See* ELECTRON VOLT

THALASSAEMIA

A hereditary blood disorder, also known as *Cooley's anaemia*.
See also GENETIC DISEASES.

THD *See* HIGH FIDELITY

THEORY, SCIENTIFIC *See* SCIENTIFIC TERMS

THERMAL PRINTER *See* PRINTER

THERMOCHEMISTRY *See* CHEMISTRY

THERMONUCLEAR REACTION *See* NUCLEAR ENERGY

THI *See* TEMPERATURE-HUMIDITY INDEX

THORIUM *See* RADIOACTIVITY

THUNDER AND LIGHTNING

Lightning comes in a variety of forms: streaks, sheets, bolts, and even balls; thunder, in peals, cracks, rumbles, grumbles, and growls. Yet these natural wonders all arise from the same basic causes, which can be examined over a carpet on a dry day.

In a darkened room, shuffle your feet across the carpet; then touch a metal radiator water pipe. Flash! minilightning; crackle! minithunder. Shuffling your feet scrapes a few billion electrons off the carpet and onto you. Electrons repel each other. Your approach to the radiator or pipe enables the electrons to stream off you (a stream of electrons is an electric current) onto the metal (a good conductor of electricity) and via this metal pathway to the earth's capacious bosom. The electrons, in leaping across, cause the air to glow, somewhat like what happens in a fluorescent tube. They also heat the air (to about 25,000°C/45,000°F in a real bolt). The heated air expands suddenly, producing the sound effect. Any sudden expansion of air can cause sound. Stick a pin in a balloon, and the compressed air escapes and expands, with a pop. Clap your hands, and you catch and compress a handful of air that escapes and expands with a crack.

Outdoors, sun-warmed air and water vapour molecules rise continuously from ground level to higher altitudes. During their shuffling colliding ascent they build up heaps of electrons — electric charges. Eventually, their mutual repulsion causes them to leap, with a push of 15 million volts or more, to a less charged or neutral area, then back again, over and over, in a series of oscillations, until they reach neutrality.

The oscillations are like what happens when you reach a high point on a swing and stop pushing: back and forth from a high point (maximum energy) to one somewhat less high, and still less high, until you reach the zero energy level.

The leaps of lightning may be from one part of a cloud to another part, or from one cloud to another, from cloud to earth, or vice versa. Big jumps (of 130 kilometres/80 miles or more) generally produce deep-throated thunder; smaller jumps make high-pitched cracks.

The shape of lightning bolts is determined mainly by the conductivity of the air. Electrons streak through the air along the path of least resistance (greatest conductivity), which may be zigzag, forked, or sinuous. If the lightning is entirely within a cloud, the shape of the bolt is diffused and obscured; this is *sheet lightning*. Sometimes a cloud acts as a reflector of lightning too distant to be heard; this is called *heat lightning*, because it usually occurs along the distant horizon at the end of a hot day. A rarely seen form is *ball lightning*, a small luminous ball that hovers above the ground for a few seconds, pops, and disappears. Its precise cause is unknown, but its German name is charming — *Kugelblitz*.

Safety rules about lightning (Notice that we didn't say 'and thunder'. Though frightening, thunder rarely threatens the eardrums; *see* DECIBEL.) As regards lightning, consider the following points:

- Avoid being under or near high trees. There are several reasons, one of them being that electric charges, when they achieve full voltage and start to flow, find the shortest path that will conduct them. A treetop is closer to the clouds than the ground itself.
- For the same reason, avoid being out in the open or exposed on high ground.
- Avoid touching metal fences, metal structures, and vehicles. Being good conductors and close to the ground, they invite electric charges; touching them includes you in the invitation.
- However (and this seems odd), the interior of a metal vehicle is a safe place to be, if you can't escape into a building. As previously mentioned, electrons repel each other. Electric charges striking a car repel each other and distribute themselves along the surface and away into the ground and air, but not inward, where they would be further crowding each other.
- Avoid handling flammable fuels such as petrol during a thunderstorm, for too obvious reasons.

A final note: On most electric power transmission lines you will see a single wire above the several cables that carry the power. This single line, connected to the top of each pylon, encourages lightning to flow between the air and the ground, thus bypassing the transmission lines. In the same way, metal lightning rods outside a building enable lightning to flow harmlessly between the air and the ground.

THYMINE   See DNA AND RNA

THYMUS GLAND   See IMMUNE SYSTEM

THYROID GLAND   See HORMONE

THYROXINE   See HORMONE

TIA   See STROKE

TIDAL ENERGY SYSTEMS

A method by which the ebb and flow of the tides is used to produce electricity.
See also ENERGY RESOURCES.

TIME, RELATIVE   See RELATIVITY

TISSUE CULTURE

A sophisticated method for growing living tissue *in vitro* (Latin, in glass) or *in vivo* (in what is alive).

For *in vitro* culture, tissue from a plant or animal is placed in a medium, usually liquid, in which an assortment of substances has been dissolved. Some of these nourish the tissue; others approximate the chemical makeup of its normal environment. Contamination by bacteria, a major obstacle in the early days of tissue culture, is controlled by ANTIBIOTICS added to the medium.

In vivo tissue culture is carried out by implanting tissue into a living plant or animal. For example, a scientist might transfer cancerous tissue from a mouse to a number of other mice, to test the effects of varying concentrations of an anticancer drug.

Both the *in vitro* and *in vivo* methods have been refined to a point where a single cell isolated from a tissue can be cultured successfully. The technique is called *cell culture*.

Virtually every advance in biology and medicine in the last half-century owes something to the techniques of tissue culture and cell culture. For example:

- Vaccines against viral diseases such as polio. The virus must be cultivated on living tissue *in vitro*.
- Recognition under the microscope of chromosomes that denote various kinds of disorders in the fetus (such as DOWN'S SYNDROME). The fetal tissue for examination is first grown *in vitro*.
- Growing skin for grafting onto extensive burns.
    ici1.6l● Cancer and immunology research.
- Propagation of desirable varieties of asparagus, orchids, and many other plants, using extremely thin slices of tissue; identical plants (clones) by the thousands are produced in this way.

TISSUE PLASMINOGEN ACTIVATOR
See GENETIC ENGINEERING

TISSUE REJECTION   See IMMUNE SYSTEM

TOKAMAK   See NUCLEAR ENERGY

TONE CONTROL

An electric circuit in a record player or radio that controls the deepness (low pitch) or shrillness (high pitch) of a sound. Pitch depends on frequency (the rate at which a sounding object vibrates). For example, the middle C string of a piano, when struck, vibrates 264 times per second, producing a sound called the *fundamental tone* of the string. Most sounds, however, result from a mixture of frequencies.

The string also vibrates at the same time in fractions of its full length (in halves, thirds, etc.) at higher frequencies, producing higher-pitched sounds called *overtones*. These blend with the fundamental tone to give what we regard as the special piano sound. A violin string, playing the same note of C, produces a different mixture of overtones that blend with the fundamental. The blending is the sound we recognize as the special violin sound. Each kind of musical instrument produces a characteristic mixture that identifies it as oboe, flute, French horn, and so on. In the case of the human voice, the blend of tones even enables us to recognize the speaker.

Ideally, the sound of an instrument or a voice should emerge from the speakers of a musical system exactly as it entered at the recording studio. But it doesn't (*see* HIGH FIDELITY). The mix — the proportion of fundamentals and overtones — is altered by all kinds of forces. To repair the damage and to modify the sounds to suit the listener's preferences, tone control circuits are built into the system.

Inexpensive tone controls, of the sort found on low-grade systems, simply clip away the highest overtones. This lawnmowerlike method leaves a sound that is muffled and woolly, lacking the sharp edge that is the signature of various instruments. On higher-quality musical systems, the tone control is actually two or more circuits. One circuit, operated by the bass control knob, emphasizes the fundamental notes. The treble control circuit does likewise for the higher-pitched overtones. Still more elaborate systems have several tone controls, each controlling the emphasis of a specific range of fundamentals or overtones.

TORNADO

A dark, funnel-shaped, extremely intense whirlwind, formed during a severe thunderstorm. Its darkness is due to the presence of water vapour, dust, and debris within. Although the term is derived from Latin *tonare*, 'thunder', a tornado is far more violent and destructive than its parent thunderstorm. Example: in Topeka, Kansas, a heavy upholstered sofa was plucked out of a hallway, blown 800 or so metres (½ mile), and deposited on the roof of a three-storey office building. The air within a tornado is under negative pressure: that is, at much lower pressure than the surrounding air. Thus if a tornado surrounds a house, especially one with doors and windows closed, the house literally explodes.

A tornado's lower end, where it does maximum damage, is fortunately rather narrow, perhaps a couple of metres to 1.5 kilometres (about a mile) in diameter. A tornado over water is called a *waterspout* because the negative pressure draws the water into the tip of the funnel.

Accompanying the destructive negative pressures of a tornado there is also damage done by huge circular winds, lightning, and heavy rainfall.

The exact conditions that produce tornadoes are not clearly understood, but they include the presence of warm, moist air at lower levels and cold, dry air and high winds at higher levels. (This situation often occurs along cold fronts.) The high-speed rotary motion is similar to the spin of water emptying out of a bath as a large volume of water crowds out through a relatively small opening. In a tornado, a large volume of air flows inwards towards an ascending column of sun-heated, expanding, low-pressure air.

TOTAL ECLIPSE *See* ECLIPSE

TOTAL HARMONIC DISTORTION *See* HIGH FIDELITY

TOXICOLOGY *See* MOLECULAR BIOLOGY

TOXIC-WASTE DISPOSAL

In 1978 Niagara Falls, New York, famous for honeymooning, became the centre of a horror story. About 25 years earlier, a chemical manufacturing company had disposed of 20,000 tonnes of highly poisonous wastes by burying them in a landfill at the site of an old canal (named the Love Canal, no less). Now women living in the area were experiencing miscarriage and stillbirth rates higher than normal as a result of exposure to the buried chemicals. Ten years later, more than $200 million had been spent in relocating about 1000 families and in cleaning up, a job that has not yet finished.

The Love Canal is only one of thousands of places where the toxic wastes of industry have been stored or dumped. Distance from a dumping site is no guarantee of safety, because rainwater seeping through the dump carries contaminating material through the soil and may reach wells or rivers serving as water supplies (*see* GROUNDWATER). An alternative to landfill disposal is the burning of toxic compounds in specially designed incinerators. Much of this is carried out at sea — in the North Sea over 100,000 tonnes of toxic waste is disposed of each year. Now, scientists are finding high levels of extremely poisonous chemicals in sediments on the seabed, resulting from incomplete burning. A global ban on all incineration at sea by 1995 has been proposed.

For the future, better alternatives are available:

Build better dumps 'Secure' landfills have plastic liners, earth covers, and mechanisms for recapturing any liquid that leaks out. Though better than ordinary landfills, they merely postpone the problem of ultimate disposal.

Break down the poisons Many toxic chemicals can be changed to simpler, nontoxic compounds by very hot water under great pressure, by strictly controlled incineration, or by neutralization with other chemicals. Research is also being carried out into the possibility of producing genetically engineered strains of bacteria which will degrade toxic chemicals.

Don't produce the poisons in the first place Some manufacturers have devised formulas and processes that reduce or eliminate the output of toxic wastes. This is clearly the best solution.

TPA *See* GENETIC ENGINEERING

TRAILING EDGE   *See* LEADING EDGE

TRANSCRIPTION OF DNA   *See* DNA AND RNA

TRANSDUCER

A device that converts (Latin *transducere*, to lead across) one form of energy into another. For example, a toaster converts electrical energy into heat energy.

All objects in action can be classed in two ways: as performers of function and as transducers. An electric cooker's function is to cook food, which it does by acting as a transducer of electrical energy into heat energy. A radio receiver's function — to reproduce sound at a distance, without wires — is accomplished by transducing electromagnetic energy (in radio waves) into the special kind of mechanical energy called sound. A transducer can also convert one aspect of a form of energy into another aspect. For example, a hand eggbeater converts the rotary motion of a hand into the rotary motion of the beater blades. Both are aspects of mechanical energy.

Scientists and technicians generally reserve the term *transducer* for more specifically scientific devices. A microphone is a transducer because it converts sound into electrical energy; a solar cell qualifies because it changes light into electrical energy. But the dictionary leaves the field open to all 'leaders across' of energy. A breeze rattles the window blind (mechanical energy into sound); an electric buzz saw rips through a plank (electrical to mechanical, with the by-products of heat and sound). Also in the category of transducer belong a door knocker, an electric doorbell, a television receiver, and a fire-engine siren.

TRANSFER RNA   *See* DNA AND RNA

TRANSFORMER

An astonishingly simple, efficient, and useful device for changing the voltage of an alternating current. An example is the common bell-ringing transformer, which lowers 240-volt house current to about 6 volts, enough to operate an ordinary house bell or chime. Its voltage-reducing action classes it as a *step-down transformer*. Your television receiver contains an example of a *step-up transformer*. It raises the house current voltage to 20,000 or more to operate the picture tube. Other transformers in your TV receiver provide various voltages for lighting dials, powering loudspeakers, and so on.

Some of the most commonly seen transformers are the small substations or *transformer chambers* situated every 400 metres ($\frac{1}{4}$

mile) or so in residential and industrial areas. They step down electrical currents of 33,000 or 66,000 volts from the main substation to 415 or 240 volts for use in homes, factories, and office buildings.

A transformer has three basic parts: an iron core and two coils of copper wire, the primary and secondary coils. Alternating current (AC) flows into the primary coil. AC flows first in one direction, then in the other. The standard rate of reversal in Britain is 50 back-and-forths, or cycles, per second (called 50 hertz or 50 Hz). Each change — forwards, stop, reverse, stop, forwards again — causes a magnetic field to build up around the primary coil and then collapse. The buildups and collapses sweep across the iron core, into the secondary coil, and back. The sweeps propel electrons in the secondary coil back and forth in the same rhythm, setting up a rapidly reversing 50-Hz secondary AC. This process of inducing electrons to move by means of magnetism is called *electromagnetic induction*. The voltage of the *induced current* is in direct ratio to the number of turns of wire in the two coils. For example, to step down 240 volts of house current for use with a 6-volt bell, the primary coil could be wound with 240 turns and the secondary coil with 6 turns, and *voilà!* Any ratio of 240 to 6 will do the job: 480 to 12, 720 to 18, and so on. The greater the number of turns on both coils, the heavier-duty job the transformer can do.

In a step-up transformer, the primary coil has fewer turns than the secondary. The transformer in a TV set, for example, could have a ratio of 240 turns in the primary to every 20,000 in the secondary.

Why aren't the power-line transformers eliminated by simply generating electricity at lower voltages — 240, for example? Because every current loses some energy as it flows, mostly in the form of heat that wastefully warms the wires and their surroundings. This loss occurs with all electric currents, but it is proportionately less when the voltage is very high.

Working on AC, the quiet, efficient transformer is one of the most useful of electrical devices. That's why most of the world's electrical needs are served by AC. Direct current (DC), which flows in one direction without reversals, doesn't work in transformers, because it

TRANSFORMER

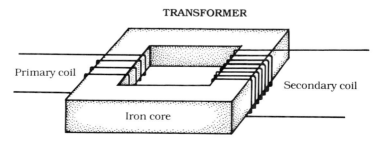

Primary coil

Secondary coil

Iron core

doesn't produce repeated rising and collapsing magnetic fields, as AC does.

TRANSFORMER CHAMBER See TRANSFORMER

TRANSFORM FAULT See PLATE TECTONICS

TRANSGENIC ORGANISMS See GENETIC ENGINEERING

TRANSIENT ISCHAEMIC ATTACK See STROKE

TRANSISTOR See SEMICONDUCTORS

TRANSIT OF PLANETS See OCCULTATION

TRANSMISSION ELECTRON MICROSCOPE
See MICROSCOPE

TRANSPIRATION

The passage of vapour or gas through pores or membranes. In plants the oxygen, carbon dioxide, and water vapour associated with carbohydrate manufacture pass through *stomata* (singular *stoma*). These are tiny openings in the leaf, usually on its underside. The size of the opening is regulated by changes in the shape of a pair of *guard cells* that surround it.

TRIGLYCERIDES See CHOLESTEROL

TRIIODOTHYRONINE See HORMONES

TRIPLET CODE See DNA AND RNA

TRITIUM See NUCLEAR ENERGY

TROPICAL CONTINENTAL AND MARITIME AIR MASSES See AIR MASS ANALYSIS

TROPICAL CYCLONE See HURRICANE

TUMOUR See CANCER

TWEETER See LOUDSPEAKER

TYPHOON See HURRICANE

ULTRASONICS

The science of sound beyond the range of audible sound, named from the Latin for 'beyond sound'. Human hearing extends to sounds up to 20,000 hertz per second (cycles). Beyond that are high-pitched sounds audible to some animals; for example, dogs respond to dog whistles pitched at 25,000 Hz, inaudible to human whistle blowers, and bats emit squeaks at 100,000 Hz and guide themselves in the dark by listening for their echoes from nearby obstructions (*see* SONAR).

There are many interesting artificial ways of generating and using ultrasonics. *Ultrasonic generators* are like record player tone arms in reverse. In a tone arm, the mechanical vibrations of a wiggling needle are converted into electrical vibrations. In an ultrasonic generator, electrical vibrations are converted into mechanical vibrations. Usually this is done by passing a high frequency (many vibrations per second) alternating current through a crystal, such as quartz. This causes the crystal to vibrate in step with the current. Such energy conversions — mechanical vibrations to electrical or vice versa — are examples of the *piezoelectric effect* (Greek *piezo*, press, squeeze). The cystal's vibrations cause the air to vibrate and produce sound (inaudible to you because the frequency is higher than 20,000 Hz).

The uses of ultrasonics are many, ranging from cleaning silverware to catching burglars to drawing electronic portraits (*sonograms*) of unborn babies. Ultrasonic devices work by either delivering focused energy or detecting and measuring vibrations from an ultrasonic receiver.

Delivering focused energy Ultrasounds can be aimed, focused, and reflected almost like light beams. Specific frequencies can cause certain kinds of molecules to vibrate while others are left unmoved (*see* RESONANCE). One specific frequency can cause solder to vibrate, heat up, and melt while only warming the metal being soldered. Another frequency loosens plaque from teeth but not teeth themselves. Another frequency causes kidney stones to be pulverized without affecting the kidney itself.

Detecting and measuring ultrasounds Ultrasonics can be used for guarding banks, offices, and factories. An ultrasonic beam is aimed and reflected so that it criss-crosses a room several times and then strikes a detector, a kind of ultrasonic microphone. An intruder walking into the path of the sound sets off a remote signal, if the intruder is large enough to block off sufficient sound energy. A human intruder will; a cat or mouse won't. Another kind of detecting and measuring is done by using ultrasound as a kind of X-ray, without the risks of X-ray exposure. A beam of ultrasound travels directly through a homogeneous substance, but if it reaches a different substance (at an interface), the beam is reflected and forms a sonogram. In this way, ultrasonic detectors can locate cracks or bubbles in metal castings. Similarly, and much more important, interior organs of the body and fetuses can be located and outlined. For example, an echocardiograph machine clearly shows the opening and closing of the valves of the beating heart.

ULTRAVIOLET RAYS See RADIATION ENERGY

UMBRA See ECLIPSE

UNCERTAINTY PRINCIPLE

A principle stating that 'the position and momentum of an atomic particle cannot both be known accurately at the same time'. On the surface, hardly a world-shaking matter, yet the uncertainty principle was a shock to most scientists when it was first announced in 1927 by the German physicist Werner Heisenberg (1901–1976). Today the principle continues to dominate scientific philosophy and experimentation. The cosmologists who figured out the big bang theory and the physicists who devised the picture tube of your TV had to take into account the uncertainty principle because both fields involve the motion of atomic particles: electrons, protons, and neutrons. In fact, any work with atomic particles must deal with the uncertainty principle.

To understand the importance of this principle, consider the pre-Heisenberg era, when atoms and their particles were considered to be like tiny balls whose behaviour was as certain and as predictable as that of billiard balls. Start a ball rolling on a billiard table. With enough facts, and perhaps the help of a computer, a physicist can predict the exact path of the ball, with every collision and rebound, until it stops rolling. Among the 'enough facts' there would have to be the ball's weight, its speed, and the direction of its motion (these three factors together determine its momentum), air resistance, friction, and elasticity of the ball and the table cushion.

How comforting — not only to billiard players and physicists (pre-Heisenberg) but to all people attempting to draw a plausible picture of the real world. Perhaps the ultimate picture of certainty was drawn by the French astronomer Pierre-Simon de Laplace (1749–1827). Laplace suggested that if at a certain moment the position and momentum of every particle in the universe were known, the entire history of the universe, past and future, could be determined from that moment, forwards or backwards.

But alas for Laplace, the universe is not a game of billiards. True, billiard balls, planets, and other such tangible lumps of matter do behave predictably, but when we get down to the ultimate small stuff – the particles of particles (electrons, quarks, etc.) – we find not exact predictability but only statistically *probable* behaviour. Yes, if we hurl a million electrons in sequence at a target, with the same momentum, they will arrive at predictably approximate positions, clustered at and around the centre, like an expert rifleman's target. *Approximate* positions, not identical. Furthermore, as Heisenberg stated, we can never measure both momentum and position of a particle with accuracy; the closer we come to one, the fuzzier the other becomes.

Nobody is quite comfortable with the uncertainty principle or the statistical picture of matter, although experiment after experiment bears out the correctness of the principle. On the subatomic scale, position and momentum are uncertain quantities. We can never pin them both down at once. Why not? What causes the uncertainty? And can we speak of the *cause* of an uncertainty? Physicists and philosophers have a field day with such questions.

Another example of subatomic unpredictability is radioactivity in relation to time. On the ordinary (large) scale, time can be measured with certainty and exactness by planetary revolutions and all sorts of clocks. Consider one example of an exact and certain behaviour of large-scale matter as it relates to time: a fireworks manufacturer builds 1000 identical rockets, each with a time-delay fuse set to go off exactly one hour after being triggered. If all are triggered simultaneously, all should go off simultaneously – *and they do*. But at the subatomic level, time turns statistical *average* on us, and we encounter an uncertainty-of-time situation.

For example, consider the element carbon, which has a special form, or isotope, carbon 14 (C-14). An atom of C-14 may emit a subparticle and turn into an atom of nitrogen. It simultaneously emits a tiny flash of light, which can be detected. We find that the atoms of C-14 don't all flash at once. One atom emits a flash here and another emits a flash there, and that's it for those two atoms. And which one will be next? Nobody knows, but this *is* known: after 5730 years, half of the atoms will have emitted their single flash. This length of time is called the *half-life* of C-14. After another 5730 years, half of the remaining half will have flashed, and so on every 5730 years. But which ones will they be, and why those?

Statistically, you could use a block of carbon as a kind of long-term clock (and indeed scientists do this in a process called *radiocarbon dating*), but any individual atom of C-14 is totally unreliable as a measurer of time. *When* will a particular atomic particle perform its little act? *Where* will it be at the end of the performance? We can never be certain of both answers together. That's Heisenberg's uncertainty principle.

UNIVERSAL PRODUCT CODE See UPC

UNSATURATED FATS See CHOLESTEROL

UNSTABLE NUCLEI See RADIOACTIVITY

UPC

Abbreviation of *universal product code*; also called *bar code*. A system for labelling a package or product with a code based on a pattern of lines and bars. For example, note the UPC on a box of breakfast cereal. The pairs of thin lines at the right and left are the code for 'These are the ends of the pattern'. The cluster of lines and bars from the left to the middle is the code for the manufacturer. From the middle to right, the code indicates that this is a 500-gram box of bran flakes. The pair of thin lines in the centre separates the two halves of the code.

Imagine that the lines were printed with raised ink. If you drew your fingernail across the pattern often enough, you could learn to indentify it by the succession of thick and thin lines and spaces. At the checkout counter of a UPC-equipped shop, the 'fingernail' is a very thin, lowpowered laser beam, shining out of a device called a scanner.

The laser beam sweeps across the pattern of lines and spaces, which may be thick, medium, or thin. The beam is reflected unevenly because the white or light-coloured spaces are better reflectors than the dark lines. A photoelectric cell, or electric eye, in the scanner receives the reflections — some bright, some dim — and converts them to electric pulses, like dots and dashes. The pulses go into a computer that 'recognizes' the pattern and does several jobs in a tiny fraction of a second.

1. It sends a command to the cash register to display and print on tape the name of the item and its price.
2. If the box has been presented to the scanner upside down, it inverts the reading to compensate.
3. It directs its memory to deduct one 500-gram box of bran flakes from the shop's inventory.
4. When the inventory of this item falls below a certain number, the computer alerts the manager to order more.
5. It can deal with linked prices, such as two purchases for £1.99. The machine charges £1.00 for the first box and 99p for the second, even if several intervening items have been charged.

URACIL   *See* DNA AND RNA

URANIUM, DECAY OF   *See* RADIOACTIVITY

URANIUM 235   *See* NUCLEAR ENERGY

URANIUM 238   *See* NUCLEAR ENERGY; RADIOACTIVITY

UREA   *See* PROTEINS AND LIFE

VACCINATION *See* IMMUNE SYSTEM

VALINE *See* DNA AND RNA

VAN ALLEN BELTS

Belts of electrically charged particles, trapped high above the earth by its magnetic field, or *magnetosphere*. The two belts, which are about 1000 to 5000 kilometres (600 to 3000 miles) and 15,000 to 25,000 kilometres (9300 to 15,500 miles) above the earth, extend approximately 64,000 kilometres (40,000 miles) from earth in the direction of the sun but may extend over 1.5 million kilometres into space in the opposite direction. The charged particles, which come from the sun (*see* SOLAR WIND), are the cause of AURORAS and interfere with radio and TV reception.

The discovery of the belts was one of the many accomplishments of the INTERNATIONAL GEOPHYSICAL YEAR, 1957–58. The belts were detected by sensors aboard *Explorer I*, the first US satellite, in an experiment conducted by Dr James A. Van Allen, the American physicist after whom the belts are named.

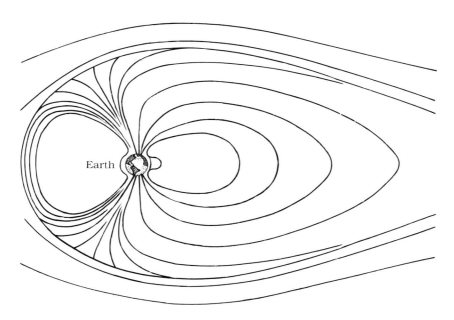

Earth

VARIABLE *See* SCIENTIFIC TERMS

VEIN *See* CIRCULATORY SYSTEM

VENTRICLES OF THE HEART
See CARDIAC PACEMAKER

VENULE *See* CIRCULATORY SYSTEM

VICTORIA FALLS, FORMATION OF *See* FAULT

VIDEOTAPE

A system for storing visual information, such as television programmes, on magnetic tape. There are no pictures on a recorded videotape, only clusters of magnetized and unmagnetized metal particles. The magnetized clusters represent the signal 'yes'; the unmagnetized clusters represent the signal 'no'. Anything that can be coded into a series of yes and no signals can be recorded on magnetic tape. Here is an example of how a very simple black-and-white picture can be coded as shown.

Read every white square as 'yes' and every black square as 'no'.

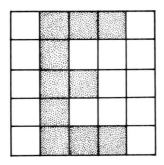

Read across (scan) from left to right, top to bottom. The first line would read 'yes, no, no, yes'. The second line is 'yes, no, yes, yes, yes'. Continue for a total of five lines, and you have coded the letter *E*. Now suppose that instead of your eyes and voice, you used an 'electric eye' and an electromagnet. A piece of blank magnetic tape is pulled steadily across the electromagnet. Each yes would produce a magnetized cluster, and each no would leave an unmagnetized one. This recorded tape could then be pulled across a mechanism that senses the magnetized and unmagnetized sections, the yeses and noes. Each yes sends a pulse of electric current that makes a dot of light on a TV tube. Each no sends nothing, leaving a dark area. Line by line the letter *E* is reproduced.

Real videotape and TV differ from this extremely oversimplified model in many ways, mainly the following:

1. The model uses five horizontal rows and five vertical columns for a total of 25 squares, or elements. Real television uses 625 rows and 833 'columns' for a total of 520,833 elements — obviously, a much finer-detailed picture.
2. In colour television the face of the picture tube is composed of groups of dots, called pixels (picture elements). Each pixel consists of three dots, one for each of the primary colours of light: red, green, and blue. A dot, when struck by a yes signal (an electron beam), gives a momentary glow in its colour. All three colours glowing at full brightness add up to white. Reducing the brightness of one or more colours changes the mixture, whose actual colour depends on the brightness of each constituent colour.

VIRUSES

The smallest, simplest living things, and the cause of some of our deadliest diseases. A big virus may be 0.00025 millimetre (1/100,000 inch) in diameter, a small one perhaps one-tenth that size. Viruses are rod-shaped or spherical bits of nucleid acid (*See* DNA AND RNA) wrapped in a coat of protein.

DNA is the hereditary material that makes up the *genes*, the 'instructions' that determine the traits of every living thing, whether it develops as an oak or an octopus; how it looks; and what chemical reactions it can perform. A virus relying on its own meagre stock of genes can't obtain energy to grow or carry on any other process needed for life. Is it alive then? That question has started many a juicy debate; we'll point out only that viruses persist from one generation to another, as if alive. How do they manage that?

Consider a *bacterial virus* — one that attacks bacteria (also called a *bacteriophage*, from Greek *phagein*, to eat). A: The virus's DNA is injected through its 'tail' into the bacterium, leaving the protein outside. B: Minutes later a new virus is seen within the bacterium, then another and another. C: In less than half an hour the packed bacterium breaks open and hundreds of viruses escape, ready to attack more bacteria.

What happened in that short time? Normally, the genes of a bacterium control its usual functions: the making of proteins, more DNA, cell walls, and so on. When the marauding viral genes break in, they reprogramme the cell's machinery to make *viral* DNA and *viral*

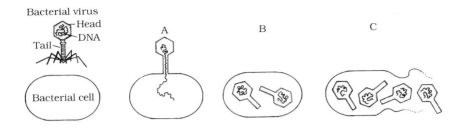

protein coats. Thus the parasitic virus, which is helpless when outside a living cell, enslaves its hosts — not only bacteria but also plants, animals, and humans. Here are some examples:

In plants Viruses cause *mosaic diseases* in many crops of economic importance: tobacco, tomatoes, soyabeans, and others.

In animals Cattle foot-and-mouth disease, canine distemper, some cancers, rabies, and other diseases are caused by viruses.

In humans AIDS, at least one form of cancer, herpes, chicken pox, colds, flu, polio, hepatitis, and others are viral diseases.

The body's IMMUNE SYSTEM responds to virus attacks in two ways:

1. It produces *antibodies* that inactivate the virus. It also 'remembers' how to produce armies of the antibodies, in case there is a later attack by the same virus. Doctors often use dead or weakened viruses in vaccination to prevent some virus diseases — polio, for example. A dead or weakened virus can't cause a real illness, yet it elicits the same *immune response*, the production of antibodies.
2. It produces INTERFERON, a protein that prevents the virus (and other kinds of viruses as well) from spreading to healthy cells.

Antibiotics, which are spectacularly useful in fighting diseases caused by bacteria, are virtually useless against viral diseases. Pathogenic (disease-causing) bacteria in the blood or among the body cells do their damage mainly by producing toxins (poisons) that affect the normal functioning of the body. Antibiotics control these bacteria by inhibiting their growth, or by interfering with their ability to form the cell walls that keep the contents of the bacterial cells intact.

Unlike bacteria, pathogenic viruses are not cells. They are bits of nucleic acid able to reproduce *only within body cells*, by subverting the cells' own nucleic acids. Thus drugs capable of damaging viruses can damage the body cells as well.

See also DNA AND RNA; PROTEINS AND LIFE.

VISIBLE SPECTRUM *See* RADIANT ENERGY

VISUAL BINARIES *See* BINARY STAR

VITAL SIGNS *See* CIRCULATORY SYSTEM

VOICE COIL *See* LOUDSPEAKER

VOICE TRANSMISSION, LASERS IN *See* LASER

VOLCANO *See* ROCK CLASSIFICATION

VOLT *See* ELECTRICAL UNITS

VOLTAGE *See* ELECTRICAL UNITS

VOLUME CONTROL *See* LOUDNESS CONTROL

WARM FRONT *See* AIR MASS ANALYSIS

WATCHES, QUARTZ *See* QUARTZ

WATER CYCLE

The movement of water from clouds, condensing and precipitating to earth in the form of rain or snow; its temporary stay in the form of mist, vapour, and groundwater; and its return to form clouds again. That last part, the return, was a source of bewilderment to history's most versatile genius, Leonardo da Vinci (1452–1519). In his treatise on water, Leonardo speculated on how rivers could begin on mountaintops. Perhaps, he conjectured, ocean water flows through deep horizontal tunnels to the bases of mountains; then some kind of 'natural engines' freshen the seawater and elevate it through vertical tunnels to the tops of mountains.

Here is a brief outline of the commonly accepted modern theory of the water cycle:

Water exists in 3 ½ forms: (1) solid, as ice or snow; (2) liquid, as water; (3) gas, as invisible water vapour; (3 ½) as a transitional state, visible in tiny droplets as fog, mist, clouds, and the stuff emerging from boiling water in kettles.

The proper name of the water cycle is the *hydrologic cycle* (Greek *hydor*, water). It is the circulation of the waters of the earth between land, seas, oceans, and atmosphere. Since circulation implies no beginning and no end, we can get on anywhere, so we choose to begin at the place where we pooh-poohed Leonardo:

Energized by the heat of sunlight, water evaporates from the oceans into the atmosphere (see the illustration on the next page). It may remain for a while as invisible water vapour but eventually condenses to form clouds. Much of this cloud water precipitates as rain; however, under certain conditions of low temperature, it may evaporate and condense into snowflakes. (Snow is not frozen rain, but sleet is.) Most rain and snow falls back into the ocean for the simple reason that most of the earth's surface is ocean.

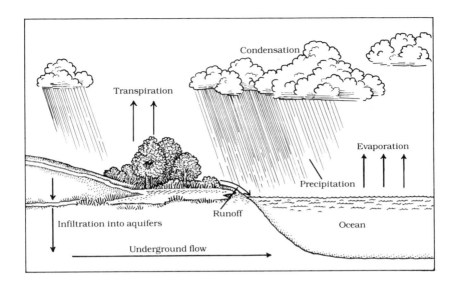

Water falling on land follows several routes:

1. Some water runs into underground layers of rock and soil (aquifers), where it is held as GROUNDWATER.
2. Some water is taken in by green plants and serves as the basic raw material, together with carbon dioxide from the air, in the incredible process of photosynthesis, by which plants make food. Excess water evaporates from the leaves by the process called TRANSPIRATION.
3. Some rain falling above land and sea evaporates directly back into the atmosphere, without having experienced life on earth, but, this being a cycle, there's always a next time.

About 97% of the earth's water is in oceans — salt water — but during the process of evaporation, the water alone moves up into the atmosphere. Of the remaining 3% — unsalty — three-quarters is in solid form, as glaciers, and one-quarter is in lakes, rivers, inland seas, and in transition in the atmosphere.

WATERFALL FORMATION *See* FAULT

WATERSPOUT *See* TORNADO

WATER TABLE *See* GROUNDWATER

WATT *See* ELECTRICAL UNITS

WEAK NUCLEAR FORCE

One of the four known fundamental forces of the universe: also known as the weak interaction. Its influence is limited to the atomic nucleus.
    See also GRAND UNIFIED THEORY.

WEATHERING *See* ROCK CLASSIFICATION

WEIGHT *See* MASS

WELL, WATER *See* GROUNDWATER

WHISKERS *See* FLUTTER

WHITE DWARF STAR *See* STELLAR EVOLUTION

WHITE ROT FUNGUS *See* ENZYME

WIND-ELECTRIC SYSTEM

A method designed to use the energy in winds for producing electricity.
    See also ENERGY RESOURCES.

WINGS

In aerodynamics, a pair of bladelike structures fixed to the sides of aeroplanes or gliders. Their movement through the air produces the force that lifts the craft (*see* AEROFOIL). In a helicopter the large rotating blades perform the lifting function. Early aeroplanes had two pairs of wings (biplanes) and even three pairs (triplanes).
    See also AERODYNAMICS.

WIRE DRAWING *See* MANUFACTURING PROCESSES

WOOFER *See* LOUDSPEAKER

WOW *See* FLUTTER

W − PARTICLE *See* GRAND UNIFIED THEORY

W + PARTICLE *See* GRAND UNIFIED THEORY

XYZ

About the Authors

Herman Schneider, award-winning author of numerous science books and magazine articles (*American Home, Life, The Instructor, Highlights, Parents*), has taught at the City College of New York and was Science Supervisor for the New York City elementary schools. He has contributed to the production of numerous science films and television programmes.

Leo Schneider, also an award-winning author of science books, was a science curriculum writer for the New York City Board of Education and Senior Science Editor for the *New Book of Knowledge* encyclopedia.